A IRMÃ DO SOL

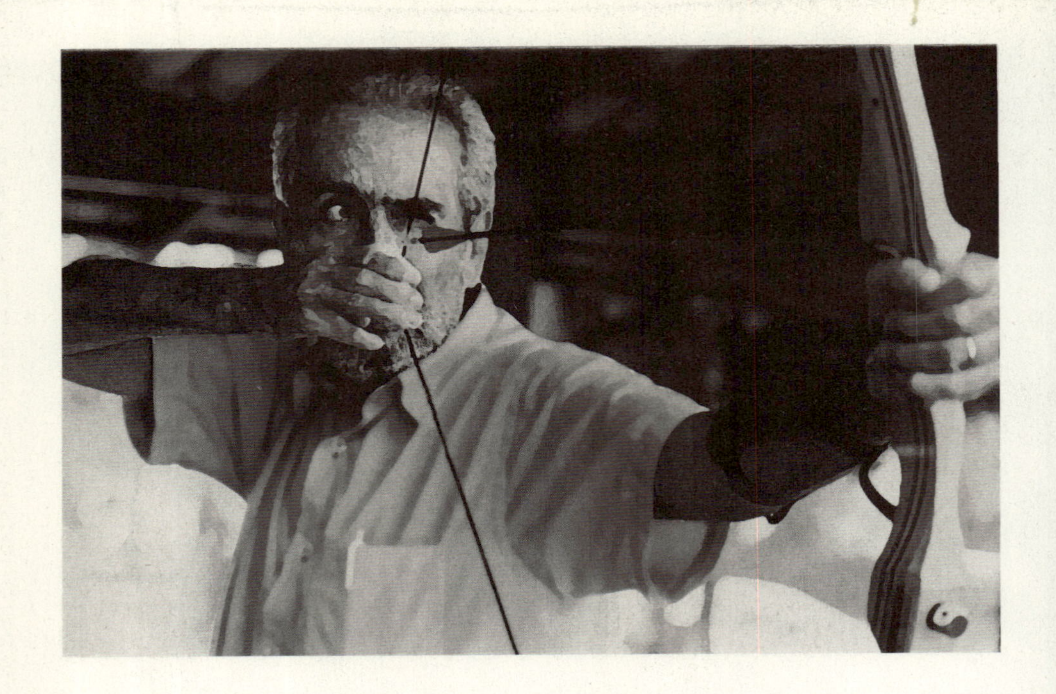

O ARQUEIRO

Geraldo Jordão Pereira (1938-2008) começou sua carreira aos 17 anos, quando foi trabalhar com seu pai, o célebre editor José Olympio, publicando obras marcantes como *O menino do dedo verde*, de Maurice Druon, e *Minha vida*, de Charles Chaplin.

Em 1976, fundou a Editora Salamandra com o propósito de formar uma nova geração de leitores e acabou criando um dos catálogos infantis mais premiados do Brasil. Em 1992, fugindo de sua linha editorial, lançou *Muitas vidas, muitos mestres*, de Brian Weiss, livro que deu origem à Editora Sextante.

Fã de histórias de suspense, Geraldo descobriu *O Código Da Vinci* antes mesmo de ele ser lançado nos Estados Unidos. A aposta em ficção, que não era o foco da Sextante, foi certeira: o título se transformou em um dos maiores fenômenos editoriais de todos os tempos.

Mas não foi só aos livros que se dedicou. Com seu desejo de ajudar o próximo, Geraldo desenvolveu diversos projetos sociais que se tornaram sua grande paixão.

Com a missão de publicar histórias empolgantes, tornar os livros cada vez mais acessíveis e despertar o amor pela leitura, a Editora Arqueiro é uma homenagem a esta figura extraordinária, capaz de enxergar mais além, mirar nas coisas verdadeiramente importantes e não perder o idealismo e a esperança diante dos desafios e contratempos da vida.

LUCINDA RILEY

A IRMÃ DO SOL

As Sete Irmãs | Livro 6

A História de Electra

tradução: Simone Reisner
preparo de originais: Beatriz D'Oliveira
revisão: Flávia Midori e Pedro Staite
diagramação: Valéria Teixeira
capa: Raul Fernandes
imagens de capa: © Ildiko Neer / Trevillion Images
impressão e acabamento: Associação Religiosa Imprensa da Fé

CIP-BRASIL. CATALOGAÇÃO NA PUBLICAÇÃO
SINDICATO NACIONAL DOS EDITORES DE LIVROS, RJ

R43i Riley, Lucinda, 1971-
A irmã do sol/ Lucinda Riley; tradução de Simone Reisner. São Paulo: Arqueiro, 2020.
688 p.; 16 x 23 cm. (As Sete Irmãs; 6)

Tradução de: The Sun Sister
Sequência de: A irmã da lua
ISBN 978-85-306-0164-5

1. Ficção irlandesa. I. Reisner, Simone. II. Título. III. Série.

CDD: 828.99153
20-63641 CDU: 82-3(417)

Rua Funchal, 538 – conjuntos 52 e 54 – Vila Olímpia
04551-060 – São Paulo – SP
Tel.: (11) 3868-4492 – Fax: (11) 3862-5818
E-mail: atendimento@editoraarqueiro.com.br
www.editoraarqueiro.com.br

Para Ella Micheler

"Algumas mulheres temem o fogo,
outras simplesmente se transformam nele..."

R. H. Sin

Personagens

ATLANTIS

Pa Salt – *pai adotivo das irmãs [falecido]*

Marina (Ma) – *tutora das irmãs*

Claudia – *governanta de Atlantis*

Georg Hoffman – *advogado de Pa Salt*

Christian – *capitão da lancha da família*

AS IRMÃS D'APLIÈSE

Maia

Ally (Alcíone)

Estrela (Astérope)

Ceci (Celeno)

Tiggy (Taígeta)

Electra

Mérope [não encontrada]

Electra

Nova York

Março de 2008

1

— Não lembro onde eu estava ou o que estava fazendo quando recebi a notícia de que meu pai tinha morrido.

– Certo. Você quer se aprofundar nisso?

Olhei fixamente para Theresa, sentada em sua poltrona de couro de encosto alto. Ela lembrava o sonolento Arganaz, de *Alice no País das Maravilhas*, ou um de seus amigos roedores. Theresa piscava muito atrás de seus pequenos óculos redondos e seus lábios estavam sempre franzidos. Tinha belas pernas sob uma saia de tweed na altura do joelho e belos cabelos também. Percebi que ela poderia ser bonita se quisesse, mas eu sabia que não estava interessada em nada além de parecer inteligente.

– Electra? Você está divagando de novo.

– Sim, desculpe, eu estava com a cabeça longe daqui.

– Você estava pensando em como se sentiu quando seu pai morreu?

Como eu não podia dizer a ela no que eu estava *de fato* pensando, assenti com veemência.

– Sim, isso mesmo.

– E...?

– Realmente não consigo lembrar. Desculpe.

– Parece que você ficou irritada com a morte dele, Electra. Por quê?

– Eu não fiquei irritada. Quer dizer, sinceramente, não consigo lembrar.

– Você não consegue se lembrar de como se sentiu naquele momento?

– Não.

– Certo.

Eu a vi rabiscar alguma coisa em seu bloco de notas, que devia ser algo do tipo "recusa-se a lidar com a morte do pai". Foi o que meu último psiquiatra disse. Mas eu estava lidando com isso *muito* bem. Como aprendi ao longo dos anos, analistas gostam de encontrar uma razão para eu ser tão perturbada, então se apegam a isso como um rato agarra um pedaço de queijo e ficam me atiçando até eu falar qualquer merda só para mantê-los felizes.

– Então, como está se sentindo em relação a Mitch?

As frases que me vieram à mente para descrever o meu ex provavelmente fariam Theresa pegar o celular e avisar aos policiais que havia uma mulher louca à solta, pronta para explodir os colhões de um dos mais famosos roqueiros do mundo. Em vez de reproduzi-las, sorri docemente.

– Estou bem. Já superei.

– Você estava muito irritada na última vez em que veio aqui, Electra.

– Sim, mas já estou bem. De verdade.

– Essa é uma boa notícia. E quanto à bebida? Já consegue se controlar melhor?

– Sim – menti novamente. – Olhe, eu preciso correr para uma reunião.

– Ainda estamos no meio da sessão.

– Eu sei, é uma pena, mas é a vida – afirmei, levantando-me e caminhando em direção à porta.

– Vamos marcar outro horário para você esta semana? Fale com a Marcia quando sair.

– Vou fazer isso, obrigada – respondi, já fechando a porta.

Passei direto por Marcia, a recepcionista, e me dirigi ao elevador, que chegou quase imediatamente. Enquanto descia, fechei os olhos – odeio espaços confinados – e apoiei a testa quente contra o frio mármore.

Putz, pensei, *o que está acontecendo comigo? Estou tão perturbada que nem consigo dizer a verdade à minha própria terapeuta!*

Você está muito envergonhada para contar a verdade a qualquer pessoa... e ela nunca entenderia, ainda que você contasse, argumentei comigo mesma. *Ela provavelmente mora em um lugar bonito, com seu marido advogado, tem dois filhos e uma geladeira coberta de ímãs fofos exibindo as obras de arte que as crianças fizeram. Ah*, acrescentei para mim mesma enquanto entrava na limusine, *e uma daquelas fotos que dão vontade de vomitar, mamãe e papai com os filhotes, todos usando roupas combinando, que ampliaram até ficar gigantesca e penduraram atrás do sofá.*

– Para onde, senhora? – perguntou o motorista pelo interfone.

– Casa – respondi, antes de pegar uma garrafa de água do frigobar, fechando-o rapidamente antes que me sentisse tentada a explorar as opções alcoólicas.

Eu estava com uma dor de cabeça tão forte que nenhuma quantidade de analgésico fora capaz de resolver, e já passava das cinco da tarde. Mas a festa da noite anterior tinha sido ótima, pelo menos a parte que eu conseguia recordar. Maurice, meu novo melhor amigo designer, estava na cidade e apareceu para tomar alguns drinques com uns caras de Nova York com quem ele costumava sair, que então chamaram outras pessoas...

Não me lembro de ter transado e fiquei surpresa ao encontrar um estranho ao meu lado quando acordei. Pelo menos ele era bem bonito e, depois que estabelecemos contato íntimo outra vez, perguntei a ele seu nome. Fernando trabalhava como entregador de um Walmart na Filadélfia até alguns meses antes, quando um cliente fashionista o notou e lhe pediu que ligasse para um amigo em uma agência de modelos de Nova York. Ele disse que ficaria feliz em me acompanhar a algum tapete vermelho em breve – já aprendi, da maneira mais difícil, que uma foto de braços dados comigo faria a carreira do Sr. Walmart decolar –, então me livrei dele assim que pude.

E daí se você tivesse contado a verdade à Sra. Arganaz, Electra? E daí se você tivesse admitido que ontem à noite ficou tão louca de bebida e cocaína que poderia ter dormido com o Papai Noel e nem se lembrar disso? Que não é por causa da morte do seu pai que você não consegue nem começar a pensar nele, mas porque sabe quanto você o deixaria envergonhado... quanto você o deixou *envergonhado?*

Pelo menos quando Pa Salt estava vivo, eu sabia que ele não podia ver o que eu andava fazendo, mas, agora que estava morto, de alguma forma se tornara onipresente. Talvez ele tivesse estado no quarto comigo na noite anterior ou mesmo ali na limusine, naquele momento...

Cedi aos meus impulsos, peguei uma minivodca e bebi depressa, tentando esquecer o olhar de decepção no rosto de Pa na última vez em que o vi, antes de sua morte. Ele viera a Nova York me visitar, dizendo que tinha algo para me contar. Eu o evitei até a última noite possível, quando concordei, com relutância, em jantar com ele. Cheguei ao Asiate, um restaurante do outro lado do Central Park, já bêbada de vodca e coisas piores. Fiquei sentada na frente dele, entorpecida, indo ao toalete para usar cocaína sempre que ele tentava iniciar alguma conversa que eu não queria ter.

Depois que a sobremesa chegou, Pa cruzou os braços e me olhou com calma.

– Estou muito preocupado com você, Electra. Você parece estar completamente ausente.

– Você não entende a pressão que estou sofrendo – rebati. – Como é difícil ser eu!

Para meu total remorso, eu agora só tinha vagas lembranças do que acontecera em seguida, do que ele dissera, mas sabia que tinha me levantado e saído. Então nunca vou saber sobre o que ele queria falar...

– Por que você se importa, Electra? – perguntei a mim mesma enquanto enxugava a boca e enfiava a garrafa vazia no bolso, pois meu motorista era novo e tudo o que eu não precisava era de uma história em algum jornal dizendo que bebi o minibar inteiro. – Ele nem era seu verdadeiro pai.

Além disso, não havia mais nada que eu pudesse fazer a respeito. Pa se fora – assim como todo mundo que eu amei na vida – e eu tinha que aceitar o fato. Eu não precisava dele, não precisava de mais ninguém...

– Chegamos, senhora – disse o motorista pelo interfone.

– Obrigada. Vou descer – agradeci e saí, fechando a porta da limusine.

Era melhor chegar a qualquer lugar da maneira mais discreta possível. Outras celebridades usavam disfarces para ir a algum restaurante local, mas eu tinha mais de 1,80 metro e seria muito difícil passar despercebida, mesmo se não fosse famosa.

– Oi, Electra!

– Tommy – cumprimentei, conseguindo sorrir enquanto passava por baixo da marquise em direção à entrada do meu prédio. – Como vai?

– Melhor agora, senhora. Teve um bom dia?

– Sim, ótimo, obrigada – respondi, baixando os olhos... baixando *bastante*, para encarar o meu fã número 1. – Vejo você amanhã, Tommy.

– Com certeza, Electra. Não vai sair hoje à noite?

– Não, vai ser uma noite calma. Tchauzinho – falei, acenando e entrando.

Pelo menos ele *me ama*, pensei, enquanto recolhia minha correspondência com o concierge e me dirigia ao elevador. Conforme o carregador me acompanhava, simplesmente porque era seu trabalho (pensei em lhe dar as minhas chaves para segurar, pois era só isso que eu carregava), fiquei refletindo sobre Tommy. Ele ficara de sentinela do lado de fora do prédio em quase todos os dias dos últimos meses. No início, isso me deixou assustada e pedi ao concierge que se livrasse dele. Tommy se manteve firme e disse que tinha o direito de ficar na calçada, que não estava incomodando ninguém e que tudo o que queria era me proteger. O concierge me incentivou a ligar para a polícia e acusá-lo de perseguição, mas certa manhã decidi perguntar a ele qual era seu nome completo e pesquisei na internet. Descobri no Facebook que ele era veterano do Exército, ganhara medalhas por bravura no Afeganistão e tinha esposa e filha no Queens. Depois disso, passei até a me sentir segura em vez de ameaçada. Além do mais, ele era sempre respeitoso e educado, então pedi ao concierge que o deixasse em paz.

O carregador saiu do elevador e me deu passagem. Então fizemos um tipo de dança na qual eu precisava recuar para que ele pudesse me conduzir até a cobertura, abrindo a porta com a própria chave mestra.

– Pronto, Srta. D'Aplièse. Tenha uma boa noite.

Ele acenou com a cabeça e eu não vi uma gota de afeto em seus olhos. Eu sabia que a equipe dali desejava que eu desaparecesse em meio à fumaça de qualquer chaminé inexistente. Quase todos os outros moradores viviam no edifício desde que eram fetos na barriga de suas mães, numa época em que seria um privilégio uma mulher negra como eu conseguir ser uma empregada em suas casas. Eles eram todos proprietários, enquanto eu era uma plebeia: uma inquilina, embora rica, com permissão de entrar devido a um contrato de aluguel, pois a antiga moradora morrera e seu filho reformara o local e tentara vendê-lo a um preço exorbitante. Como aconteceu uma coisa chamada crise do *subprime*, ele não conseguiu. Em vez disso, foi obrigado a alugar para quem estivesse disposto a pagar mais: eu. O preço era uma loucura, mas o apartamento também, cheio de arte moderna e todo tipo de dispositivo eletrônico que se pudesse imaginar (eu nem sabia como usar a maioria deles), e a vista para o Central Park era deslumbrante.

Se eu precisasse de alguma confirmação do meu sucesso, o apartamento seria o lembrete ideal. *Mas o que ele mais me lembra*, pensei ao me afundar no sofá que poderia ser uma cama confortável para pelo menos dois adultos, *é de quanto estou sozinha*. Seu tamanho chegava a me fazer sentir pequena, frágil... e, ali em cima, bem no topo do edifício, muito, muito isolada.

Meu celular tocou em algum lugar do apartamento, com a música que fez de Mitch um astro mundial; eu tinha tentado mudar o toque, mas não conseguira. *Se Ceci é disléxica com palavras, então eu certamente sou disléxica com eletrônicos*, pensei enquanto ia buscar o aparelho no quarto. Fiquei aliviada ao ver que a empregada havia trocado os lençóis da cama enorme e tudo estava perfeito novamente. Eu gostava da nova empregada que minha assistente havia conseguido; ela assinara um acordo de confidencialidade, como todas as outras, para que não comentasse com a mídia sobre meus hábitos desagradáveis. Mesmo assim, estremeci ao pensar no que ela – Lisbet? – teria pensado quando entrou no meu apartamento de manhã.

Sentei na cama e ouvi minhas mensagens de voz. Cinco eram da minha agente, pedindo que ligasse de volta com urgência para falar sobre a sessão de fotos do dia seguinte, para a *Vanity Fair*, e a última mensagem era de Amy, minha nova assistente. Ela estava comigo havia três meses, mas eu já gostava dela.

"Oi, Electra, aqui é Amy. Eu... bem, eu só queria dizer que gostei muito de trabalhar para você, mas acho que não vai funcionar a longo prazo. Entreguei minha carta de demissão hoje à sua agente, desejo a você sorte no futuro e..."

– *MERDA!* – gritei enquanto pressionava o botão para apagar a mensagem, e atirei o celular do outro lado do quarto. – O que foi que eu fiz para ela?! – perguntei ao teto, me questionando por que me sentia tão chateada por uma pessoa que não era ninguém, que caíra de joelhos e me implorara para lhe dar uma chance, ter me abandonado três meses depois.

– Meu sonho é entrar no mundo da moda, desde que eu era criança. Por favor, Srta. D'Aplièse, vou trabalhar noite e dia, vou viver para você e juro que nunca vou decepcioná-la – falei, imitando o sotaque chorão do Brooklyn da moça enquanto ligava para minha agente.

Havia apenas três coisas sem as quais eu não conseguia viver: vodca, cocaína e uma assistente pessoal.

– Oi, Susie, acabei de saber da demissão da Amy.

– Sim, é um problema. Ela estava aprendendo direitinho – comentou Susie, com seu sotaque britânico frio e profissional.

– Pois é, eu também achei que estivesse. Sabe por que ela tomou essa decisão?

Houve um silêncio antes de ela responder:

– Não. De qualquer forma, vou falar com Rebekah sobre o assunto. Com certeza teremos um candidato até o fim da semana. Recebeu minhas mensagens?

– Recebi.

– Bem, não se atrase amanhã. Eles querem fotografar com o sol nascendo. Um carro vai buscá-la às quatro da manhã, está bem?

– Certo.

– Ouvi dizer que você foi a uma festança ontem à noite.

– Foi divertido.

– Bem, nada de festas hoje, Electra. Você precisa estar descansada amanhã. É para uma foto de capa.

– Não se preocupe, vou para a cama às nove, como uma boa menina.

– Ok. Desculpe, estou com o Lagerfeld na outra linha. Rebekah entrará em contato com uma lista de possíveis assistentes pessoais. *Ciao*.

– *Ciao* – repeti, quando ela desligou.

Susie era uma das únicas pessoas no planeta que ousariam desligar na minha cara. Era a agente de modelos mais poderosa de Nova York e gerenciava todos os grandes nomes do setor. Ela me descobriu quando eu tinha 16 anos. Na época, eu trabalhava como garçonete em Paris, depois de ter sido expulsa da terceira escola em três anos. Tão logo voltei para casa, eu disse a Pa que seria inútil tentar encontrar outra escola para mim, porque eu só acabaria sendo expulsa de lá também. Para minha surpresa, ele não discutiu.

Também me lembrei de como me surpreendi por ele não ter ficado ainda mais irritado diante de outro fracasso meu. E talvez meio desapontada também, o que diminuiu a minha arrogância.

– Pensei em viajar ou algo assim – sugeri. – Aprender com as experiências da vida.

– Concordo que a maior parte do que você precisa saber para ser bem-sucedida não depende necessariamente do processo acadêmico – disse ele –, mas, como você é tão inteligente, eu esperava que pelo menos obtivesse algumas qualificações. É muito nova para viajar sozinha. O mundo é muito grande, Electra.

– Eu sei me cuidar, Pa – respondi com firmeza.

– Tenho certeza disso, mas como vai custear suas viagens?

– Vou conseguir um emprego, é claro – respondi, dando de ombros. – Pensei em ir a Paris primeiro.

– Excelente escolha – assentiu Pa. – É uma cidade incrível.

Enquanto eu o observava do outro lado de sua grande mesa no escritório, achei que ele parecia quase sonhador e triste. Sim, definitivamente triste.

– Bem – continuou ele –, por que não fazemos um acordo? Você quer largar a escola, o que eu entendo, mas estou preocupado com a minha filha caçula rodando o mundo tão jovem. Marina tem alguns contatos em Paris.

Ela pode ajudar você a encontrar um lugar seguro onde ficar. Passe o verão lá, depois nos reencontramos e decidimos sobre seu próximo passo.

– Ok, me parece um bom plano – concordei, ainda espantada por ele não ter insistido mais para eu estudar.

Quando me levantei para sair, já havia concluído que ou ele desistira de mim ou estava me dando corda suficiente para eu me enforcar sozinha. De qualquer forma, Ma ligou para alguns conhecidos e eu acabei em um pequenino e agradável apartamento com vista para os telhados de Montmartre. Era minúsculo, eu tinha que compartilhar o banheiro com um monte de estudantes de intercâmbio que queriam melhorar o francês, mas era a *minha* casa.

Eu me lembrei do sabor delicioso de independência que provei em meu minúsculo quarto na noite em que cheguei e percebi que não havia ninguém para me dizer o que fazer. Também não havia ninguém para cozinhar para mim, então fui a um café próximo, sentei-me à mesa do lado de fora e acendi um cigarro enquanto examinava o cardápio. Pedi sopa de cebola e uma taça de vinho, e o garçom nem pestanejou por eu estar fumando e bebendo. Três taças de vinho depois, estava confiante o suficiente para ir até o gerente e perguntar se ele tinha vagas para garçonete. Em vinte minutos, eu já havia caminhado as centenas de metros de volta ao meu apartamento com um emprego garantido. Um dos momentos de maior orgulho foi quando liguei para meu pai de um telefone público no corredor, na manhã seguinte. Para ser justa, ele se mostrou tão extasiado quanto no dia em que minha irmã Maia conseguira uma vaga na Sorbonne.

Quatro semanas depois, servi a mesa de Susie, agora minha agente de modelos, levando um *croque-monsieur*, e o resto já sabemos...

Por que estou relembrando o passado o tempo todo?, me perguntei enquanto pegava o celular para ouvir as outras mensagens. *E por que fico pensando em Pa...?*

– Mitch... Pa... – murmurei enquanto esperava o correio de voz revelar seus segredos. – Eles se foram, Electra, junto com Amy, e você só precisa seguir em frente.

"Minha querida Electra! Como você está? Estou em Nova York mais uma vez... O que você vai fazer esta noite? Que tal compartilhar uma garrafa de champanhe Cristal e um macarrão chow mein dans ton lit avec moi? *Estou ansioso para vê-la. Me ligue assim que puder."*

Apesar do mau humor, não pude deixar de sorrir. Zed Eszu era um enigma em minha vida. Era extremamente rico, conhecia muita gente importante e, apesar de ser baixinho e não fazer muito o meu tipo, era incrível na cama. A gente se via com regularidade havia três anos. Terminei tudo quando resolvi levar Mitch a sério, mas tínhamos voltado havia algumas semanas e eu não duvidava de que ele tinha inflado meu ego do jeito que precisava.

Estávamos apaixonados? A resposta era um enorme não, pelo menos de minha parte, mas éramos do mesmo círculo de amigos em Nova York e, o melhor de tudo, quando estávamos sozinhos, conversávamos em francês. Como Mitch, ele não ficava impressionado pelo fato de eu ser famosa, o que era raro atualmente e, de alguma maneira, reconfortante.

Olhei para o telefone, pensando se deveria ignorar Zed e seguir as instruções de Susie para dormir cedo ou se ligava para ele e desfrutava de alguma companhia. Foi uma decisão fácil: liguei para Zed e o chamei para vir. Enquanto esperava, tomei banho e vesti meu quimono de seda favorito, que fora desenhado especialmente para mim por um promissor ateliê japonês. Então bebi o que me pareceu ser um galão de água para neutralizar qualquer coisa ruim que eu pudesse ingerir quando ele chegasse.

Interfonaram para anunciar a chegada de Zed e eu liberei sua entrada. Ele apareceu com um buquê gigante de minhas rosas brancas favoritas e a prometida garrafa de champanhe Cristal.

– *Bonsoir, ma belle Electra* – disse ele em seu francês com sotaque, me passando as flores e a bebida e me beijando no rosto. – *Comment vas-tu?*

– Estou bem – respondi, olhando para a garrafa com avidez. – Posso abrir?

– Acho que essa função é minha. Posso tirar meu casaco primeiro?

– Claro.

– Antes... – falou ele, enfiando a mão no bolso do paletó e me entregando uma caixinha de veludo. – Vi isso e me lembrei de você.

– Obrigada – agradeci, sentando-me no sofá e cruzando as pernas irritantemente longas enquanto encarava a caixinha como uma criança eufórica.

Zed costumava me dar presentes. Ironicamente, apesar de ser rico, eles quase nunca eram chamativos, mas sempre interessantes e escolhidos com cuidado. Abri e vi um anel. O formato da pedra era oval, com um suave tom amarelo-amanteigado.

– É âmbar – explicou ele enquanto me observava estudando a maneira como a pedra captava a luz do lustre acima de nossa cabeça. – Experimente.

– Em qual dedo devo colocá-lo? – provoquei, erguendo os olhos para fitá-lo.

– No que você preferir, *ma chère*, mas, se eu quisesse pedir sua mão em casamento, acho que faria um esforço um pouco maior do que esse. Tenho certeza de que você sabe que seu nome tem relação com o âmbar.

– É mesmo? Não, eu não sabia. – Eu o observei estourando o champanhe. – Que relação é essa?

– Bem, a palavra grega para âmbar era "elétron" e, segundo a lenda, os raios do sol foram presos dentro da pedra. Um filósofo grego notou que, se esfregasse duas pedras uma na outra, esse atrito criava energia... Seu nome não poderia ser mais adequado – disse ele, me oferecendo uma taça de champanhe.

– Você está dizendo que eu crio atrito? – Retribuí o sorriso. – A questão é: eu me transformei em meu nome ou ele se transformou em mim? *Santé*.

– *Santé*.

Brindamos e ele se sentou ao meu lado.

– Hum...

– Você deve estar pensando: será que ele trouxe outro presente?

– Uhum.

– Então olhe embaixo do forro da caixa.

Eu olhei e, claro, enfiado sob o veludo fino que segurava o anel havia um pequeno pacote plástico.

– Obrigada, Zed – disse enquanto abria o pacote e mergulhava um dedo em seu conteúdo, como uma criança com um pote de chocolate cremoso.

Então, esfreguei um pouco na gengiva.

– Boa, não é? – comentou ele enquanto eu derramava um pouco em cima da mesa, separava o canudo curto do pacote e dava uma boa aspirada.

– Hum, muito – concordei. – Quer um pouco?

– Você sabe que não. Como tem passado?

– Ah... tudo bem.

– Não foi muito convincente, Electra. E você parece cansada.

– Tenho andado ocupada – respondi, sorvendo um grande gole do meu champanhe. – Eu estava fotografando em Fiji na semana passada e vou para Paris na semana que vem.

– Talvez você deva desacelerar um pouco. Dar um tempo.

– Diz o cara que passa mais noites dormindo em seu jatinho do que na cama – provoquei.

– Então talvez nós dois devêssemos desacelerar. Posso convidá-la para passar uma semana no meu iate? Vai ficar ancorado em Santa Lúcia pelos próximos dois meses, antes de eu navegar para o Mediterrâneo, no verão.

– Bem que eu gostaria. – Suspirei. – Estou com a agenda lotada até junho.

– Junho, então. Podemos navegar pelas ilhas gregas.

– Talvez – respondi, dando de ombros, sem levá-lo a sério.

Quando estávamos juntos, Zed frequentemente fazia planos que acabavam nunca se concretizando e, para ser sincera, eu nem gostaria que se concretizassem. Ele era uma ótima companhia para uma noite e alguns atos físicos, porém, se fosse além disso, já começava a me irritar com sua meticulosidade e sua inacreditável arrogância.

O interfone tocou novamente e Zed se levantou para atender.

– Mande subir imediatamente, obrigado. – Ele nos serviu mais um pouco de champanhe. – Vamos jantar comida chinesa e prometo que será o melhor *chow mein* que você já provou. – Ele sorriu. – Como estão suas irmãs?

– Não sei. Ultimamente tenho estado muito ocupada para ligar para elas. Ally teve um bebê, um menino. O nome dele é Bear, como um ursinho, o que achei muito fofo. Por falar nisso, devemos nos reunir em junho, em Atlantis. Vamos no barco de Pa até as ilhas gregas para colocar uma coroa de flores onde Ally acredita que o caixão dele foi jogado no mar. Seu pai foi encontrado em uma praia ali perto, não foi?

– Sim, mas, assim como você, não quero pensar na morte dele porque isso me perturba – respondeu Zed, bruscamente. – Eu só penso no futuro.

– Eu sei, mas é tanta coincidência...

A campainha tocou e Zed foi abrir a porta.

– Aqui, Electra – disse ele, carregando duas caixas para a cozinha. – Venha me ajudar com isso.

2

Voltei do ensaio no dia seguinte, tomei um banho quente e me deitei na cama com uma garrafa de vodca. Eu estava me sentindo totalmente acabada – qualquer um que pensasse que modelos recebiam uma fortuna apenas para passear com belas roupas deveria tentar ser eu por um dia. Começar o dia às quatro da manhã, ter seis trocas de cabelos, roupas e maquiagem em um armazém congelante em algum lugar no centro da cidade *não era* nada fácil. Nunca reclamei publicamente – quer dizer, eu não estava trabalhando em uma fábrica de roupas na China e era muito bem paga pelo meu trabalho –, mas cada um tinha a própria realidade e às vezes, mesmo sendo um problema de pobre menina rica, as pessoas podiam reclamar para si mesmas, não?

Aquecida pela primeira vez naquele dia, eu me deitei sobre os travesseiros e verifiquei minhas mensagens de voz. Havia quatro só de Rebekah, a secretária de Susie, dizendo que tinha enviado um e-mail com alguns currículos de assistentes pessoais e que eu deveria dar uma olhada assim que pudesse. Eu estava lendo todos no meu notebook quando meu celular tocou e vi que era a própria Rebekah.

– Estou conferindo os currículos agora – avisei, antes que ela pudesse falar.

– Ótimo, obrigada, Electra. Na verdade, estou ligando porque há uma garota que seria perfeita para você, mas ela recebeu outra oferta e precisa dar uma resposta até amanhã. Tudo bem se ela aparecer aí no início da noite para vocês conversarem?

– Acabei de chegar da sessão da *Vanity Fair*, Rebekah, e...

– Você deveria vê-la, Electra. Ela tem ótimas referências. Era assistente de Bardin, e você sabe como ele é difícil. Quer dizer... – prosseguiu Rebekah, apressadamente. – Ela está acostumada a trabalhar sob pressão para clientes de alto nível do mundo da moda. Posso mandá-la até aí?

– Tudo bem.

Suspirei, sem querer parecer tão "difícil" quanto ela obviamente pensava que eu era.

– Ótimo, vou avisá-la. Ela vai ficar emocionada. É uma das suas maiores fãs.

– Certo, ótimo. Diga a ela para vir às seis.

Às seis em ponto interfonaram da portaria para informar que minha convidada havia chegado.

– Pode mandar subir – respondi, exausta.

Eu não estava ansiosa por aquela conversa. Desde que Susie sugerira que eu precisava de ajuda para organizar minha vida, inúmeras jovens tinham se candidatado, ansiosas para trabalhar, cheias de entusiasmo, mas foram embora poucas semanas depois.

– Eu sou uma pessoa difícil? – perguntei ao espelho enquanto me certificava de que não tinha nada preso entre os dentes. – Talvez. Mas isso não é novidade, é? – acrescentei, terminando minha vodca e dando uma ajeitada no cabelo.

Stefano, meu cabeleireiro, havia recentemente trançado meu cabelo bem rente ao couro cabeludo para prender longas extensões. Eu sempre ficava com a cabeça doendo depois de colocá-las.

Ouvi uma batida e fui atender, imaginando o que me esperava do outro lado. Qualquer expectativa certamente não batia com aquela figura pequena e arrumada, vestida em um tailleur marrom liso, com uma saia longa demais, logo abaixo dos joelhos. Meus olhos foram até seus pés, calçados com um par de sapatos marrons que Ma chamaria de "práticos". O mais surpreendente era que ela estava usando um lenço na cabeça, enrolado firmemente na testa e no pescoço. Vi que seu rosto era impecável: nariz pequeno, maçãs do rosto salientes, lábios rosados e uma tez clara, cor de café com leite.

– Olá. – Ela sorriu para mim e seus lindos olhos castanho-escuros se iluminaram. – Meu nome é Mariam Kazemi e é um grande prazer conhecê-la, Srta. D'Aplièse.

Eu amei o tom de voz dela – na verdade, se estivesse à venda, eu o compraria, pois era grave e modulado, derramando-se suavemente como mel.

– Olá, Mariam, entre.

– Obrigada.

Enquanto eu caminhava a passos largos em direção ao sofá, Mariam

Kazemi se demorou um pouco. Ela fez uma pausa para analisar os caríssimos salpicos e rabiscos nas telas penduradas nas paredes e percebi por sua expressão que, assim como eu, ela não tinha gostado deles.

– O proprietário os deixou aí. – Senti uma inexplicável obrigação de me explicar. – Quer tomar alguma coisa? Água, café, chá, algo mais forte?

– Ah, não, eu não bebo. Quer dizer, bebo, mas não álcool. Adoraria um pouco de água, se não for muito trabalho.

– Claro – respondi enquanto seguia para a cozinha.

Eu estava pegando uma garrafa de água Evian na geladeira quando ela apareceu ao meu lado.

– Imaginei que algum empregado fizesse esse tipo de coisa.

– Eu tenho uma empregada, mas, na maior parte do tempo, fico sozinha. Aqui está.

Entreguei-lhe a água. Ela caminhou até a janela e olhou para fora.

– A senhorita mora bem no alto.

– É verdade – concordei, percebendo que estava completamente surpresa com a atitude daquela mulher, que exalava calma como se fosse um perfume e não parecia nem um pouco impressionada por me conhecer ou pela cobertura onde eu morava.

Normalmente as candidatas pulavam de emoção e faziam mil promessas.

– Vamos nos sentar? – sugeri.

– Sim, obrigada.

– Então – comecei, quando estávamos acomodadas na sala de estar –, me disseram que você trabalhou para Bardin.

– Sim, sim.

– Por que pediu demissão?

– Recebi uma oferta que poderia ser melhor para mim.

– Não foi porque ele era difícil?

– Ah, não. – Mariam riu. – Ele não era nada difícil, mas há pouco tempo voltou a morar em Paris, e eu continuo aqui. Ainda somos excelentes amigos.

– Bom. Quer dizer, isso é ótimo. Por que você está interessada em trabalhar para mim?

– Porque sempre admirei o seu trabalho.

Uau, pensei. *Não é sempre que ouço alguém chamando o que eu faço de "trabalho"*.

– Obrigada.

– Acho que é um verdadeiro dom saber criar uma personalidade que complementa os produtos anunciados.

Eu a observei abrir sua mochila marrom, que era definitivamente mais "escolar" do que a "última moda", e me entregar seu currículo.

– Imaginei que a senhorita não tivesse tido tempo para ler meu currículo.

– Não li, de fato – concordei enquanto examinava os detalhes da vida dela, extraordinariamente breves e diretos. – Então você não fez faculdade?

– Não, minha família não teve como pagar. Na verdade, para ser sincera... – Ela ergueu a mãozinha delicada e esfregou o nariz. – Havia a possibilidade, sim, mas somos seis filhos, e não teria sido justo com os outros se eu tivesse ido, e eles não.

– Também tenho cinco irmãs! E não fiz faculdade.

– Bem, pelo menos temos algo em comum.

– Eu sou a caçula.

– E eu sou a mais velha – disse Mariam, sorrindo.

– Você tem 26 anos?

– Sim.

– Temos a mesma idade – constatei, sentindo, por alguma razão desconhecida, certo prazer por ter coisas em comum com aquele ser humano tão singular. – O que você fez quando saiu da escola?

– Trabalhei em uma floricultura durante o dia e frequentei um curso de administração à noite. Posso obter uma cópia do meu certificado de qualificação, se você precisar. Entendo de informática, sei criar planilhas e minha digitação é... bem, eu não sei a velocidade exata, mas sou bem rápida.

– Esse não é um dos meus principais requisitos, nem as planilhas. Meu contador cuida de todas as finanças.

– Ah, mas meus conhecimentos podem ser muito úteis em um papel organizacional também. Eu poderia planejar em detalhes o seu mês inteiro em um piscar de olhos.

– Se você fizer isso, é capaz de eu querer fugir – brinquei. – Vivo um dia de cada vez. É a única maneira que consigo dar conta de tudo.

– Entendo perfeitamente, Srta. D'Aplièse, mas é meu trabalho organizar mais do que isso. Com Bardin, eu botava até a lavanderia na planilha e resolvíamos juntos o que ele usaria em cada evento, até a cor de suas meias, que muitas vezes não combinavam de propósito – revelou Mariam, com uma risadinha, que me fez rir também.

– Você disse que ele é legal?

– Sim, é maravilhoso.

Verdade ou não, aquela garota tinha integridade. Incontáveis vezes, candidatas a assistente pessoal falaram mal de seus antigos empregadores. Talvez achassem justo me explicar em detalhes por que os haviam deixado, mas eu apenas pensava no que poderiam falar a meu respeito no futuro.

– Antes que me pergunte, saiba que sou muito discreta. – Mariam pareceu ter lido meus pensamentos. – Já notei que as histórias que circulam sobre celebridades, em nossa área, muitas vezes são falsas. É interessante...

– O quê?

– Não, nada.

– Por favor, diga.

– Bem, acho fascinante que, enquanto grande parte do mundo deseja a fama, a fama traga tantos problemas, até onde eu vi. As pessoas acham que vão ter o direito de fazer ou ser o que quiserem, mas na realidade elas perdem o bem mais precioso que nós, humanos, temos, que é a liberdade. A *sua* liberdade – acrescentou ela.

Eu a olhei com surpresa. Tive a sensação de que, apesar de tudo que eu possuía, ela sentia pena de mim. Não de forma condescendente, mas de maneira solidária e afetuosa.

– Sim, eu perdi a minha liberdade. Na verdade – declarei àquela completa estranha –, sou bem paranoica com o fato de que alguém me veja fazendo a coisa mais simples do mundo e a transforme em matéria só para vender jornal.

– Não é uma boa maneira de se viver, Srta. D'Aplièse. – Mariam balançou a cabeça solenemente. – Agora, sinto muito, preciso ir. Prometi à minha mãe que cuidaria do meu irmãozinho enquanto ela e meu pai estão fora.

– Certo. Essa função de babá... quer dizer, é uma coisa que você faz com regularidade?

– Ah, não, de jeito nenhum. E por isso mesmo é importante que eu chegue na hora hoje. É aniversário da mamãe, e a piada que corre na família é que a última vez que papai a levou para jantar foi quando ele pediu a mão dela em casamento, 28 anos atrás! Compreendo que, se a senhorita me aceitar, precisará de mim 24 horas por dia.

– E sabe que haverá muitas viagens ao exterior?

– Sim, isso não é problema. Não tenho nenhum compromisso romântico. Agora, se me der licença... – Ela se levantou. – Foi um prazer conhecê-la, Srta. D'Aplièse, mesmo que terminemos não trabalhando juntas.

Eu a observei se virar e caminhar em direção à porta. Mesmo em suas roupas feias, ela tinha uma graça natural, algo que um fotógrafo chamaria de "presença". Apesar de a entrevista ter levado cerca de quinze minutos e eu não ter feito a ela um décimo das perguntas que deveria, eu realmente, *realmente*, queria Mariam Kazemi e sua maravilhosa sensação de calma em minha vida.

– Escute, se eu lhe oferecesse o emprego agora, você aceitaria? Quer dizer – acrescentei, pulando do sofá para segui-la até a porta –, eu sei que você recebeu outra proposta e precisa responder até amanhã...

Ela parou por alguns instantes, depois se virou para mim e sorriu.

– Claro, eu aceitaria, sim. Acho que a senhorita é uma pessoa adorável, com uma alma boa.

– Quando você pode começar?

– Na semana que vem, se for do seu agrado.

– Combinado!

Estendi a mão e, depois de hesitar alguns segundos, Mariam a apertou.

– Combinado – repetiu ela. – Agora eu preciso mesmo ir.

– Claro.

Ela abriu a porta e eu a segui até o elevador.

– Você já conhece os procedimentos, mas vou mandar Rebekah escrever uma oferta formal de emprego e enviá-la para você de manhã.

– Combinado – disse ela, quando as portas do elevador se abriram.

– A propósito, que perfume você está usando? É bem agradável.

– Na verdade, é óleo corporal, e eu mesma faço. Até logo, Srta. D'Aplièse.

As portas do elevador se fecharam e Mariam Kazemi se foi.

✱ ✱ ✱

As referências de Mariam não apenas estavam corretas, como lhe faziam muitos elogios, então na quinta-feira seguinte nós duas embarcamos em um jato particular do aeroporto de Teterboro, em Nova Jersey, e seguimos para Paris. Para a viagem, a única alteração em seu vestuário foi a troca da saia por uma calça bege. Eu a observei se acomodar na cabine e tirar o notebook da mochila.

– Você já voou em um jato particular antes? – perguntei.

– Ah, sim, Bardin não usava outra coisa. Agora, Srta. D'Aplièse...

– Electra, por favor.

– Electra – corrigiu-se ela. – Preciso lhe perguntar se você prefere descansar um pouco durante o voo ou se gostaria de usar o tempo para repassar algumas coisas comigo.

Dado o fato de que eu e Zed ficamos juntos até as quatro da manhã, escolhi a primeira opção e, assim que decolamos, pressionei o botão que transformava meu assento em um leito, coloquei minha máscara nos olhos e adormeci.

Acordei três horas depois, sentindo-me revigorada – tinha bastante prática em dormir em aviões –, e espiei por um canto da máscara para ver o que minha nova assistente estava fazendo. Ela não se encontrava em seu assento, então imaginei que devia estar no banheiro. Tirando a máscara, sentei-me e, para minha surpresa, vi o traseiro de Mariam virado para mim no corredor estreito entre os assentos. *Talvez ela esteja praticando ioga*, pensei, vendo que ela estava de quatro, com a cabeça inclinada para o chão, no que parecia uma variação da postura da criança. Então eu a ouvi murmurando baixinho e, quando ela ergueu as mãos e a cabeça levemente, percebi que estava rezando. Constrangida por estar observando um ato tão pessoal, desviei os olhos e fui ao toalete. Quando voltei, Mariam estava em seu assento, digitando em seu notebook.

– Dormiu bem? – perguntou ela, com um sorriso.

– Sim, e agora estou com fome.

– Eu tinha pedido que providenciassem sushi. Susie me disse que é o seu prato favorito nas viagens.

– Obrigada. É mesmo.

A comissária de bordo já tinha aparecido ao meu lado.

– Posso ajudá-la, Srta. D'Aplièse?

Fiz meu pedido – frutas frescas, sushi e meia garrafa de champanhe – e depois me virei para Mariam:

– Você não vai comer?

– Já comi, obrigada.

– Você fica nervosa ao voar?

Ela franziu o cenho.

– Não, de maneira alguma. Por quê?

– Quando acordei, vi que você estava rezando.

– Ah. – Ela riu. – Isso não é porque estou nervosa, é porque é meio-dia em Nova York, quando eu sempre faço uma oração.

– Certo, uau, eu não sabia que era obrigatório.

– Por favor, não se preocupe, Electra, não é sempre que você vai me ver em oração. Costumo encontrar um espaço privado e discreto, mas aqui... – Ela gesticulou, mostrando a cabine apertada. – Não dá para fazer isso no toalete.

– Você tem que rezar todos os dias?

– Ah, sim, cinco vezes, na verdade.

– Uau, isso não a atrapalha?

– Nunca pensei dessa maneira, pois faço isso todos os dias desde criança. E sempre me sinto melhor depois da oração. Já faz parte de mim.

– Quer dizer que faz parte da sua religião?

– Não, parte de *mim*. Bem, aqui está o seu sushi. Parece delicioso.

– Por que você não me acompanha? Não gosto de beber sozinha – brinquei enquanto a comissária servia champanhe em uma taça.

– Gostaria de alguma coisa, senhorita? – perguntou ela a Mariam, que se sentara na minha frente.

– Um pouco de água, por favor.

– Saúde – falei. – Um brinde a uma relação de trabalho bem-sucedida.

– Sim. Tenho certeza de que será.

– Desculpe minha ignorância sobre o seu modo de vida.

– Por favor, não se desculpe. – Mariam me confortou. – Se eu fosse você, também não saberia nada.

– Você vem de uma família rigorosa?

– Não, na verdade não. Pelo menos não comparada às outras. Nasci em Nova York, assim como meus irmãos, então somos americanos. Como meu pai sempre diz, a nação deu aos meus pais um porto seguro quando eles precisaram e devemos honrar o seu modo de vida, assim como o modo de vida tradicional.

– Onde seus pais nasceram?

– No Irã... ou na Pérsia, como preferimos chamar em casa. É um nome muito mais bonito, não acha?

– Sim, também acho. Então seus pais tiveram que deixar o país deles contra a vontade?

– Sim. Ambos vieram para os Estados Unidos após a queda do xá.

– O xá?

– Ele era o rei do Irã, mas sua postura era muito ocidental. Os extremistas em nosso país não gostaram disso, então quem era aparentado com ele teve que fugir para salvar a própria vida.

– Se ele era rei, isso faz de você um membro da realeza?

– Bem – respondeu Mariam, sorrindo –, tecnicamente sim, mas não é como a realeza europeia. Há centenas de parentes dele... primos de segundo, terceiro ou quarto graus, primos por casamento. Imagino que no Ocidente diriam que minha família era da nobreza.

– Caramba! Tenho uma princesa trabalhando para mim!

– Quem sabe, se as coisas tivessem sido diferentes... Eu poderia muito bem ter me tornado uma princesa se tivesse me casado com o homem certo.

Eu ia dizer que estava brincando, mas, ao olhar para Mariam, as coisas se encaixaram. Seu ar de contenção, sua autoconfiança, suas boas maneiras... talvez fossem características que somente centenas de anos de criação aristocrática pudessem produzir.

– E você, Electra? De onde é sua família?

– Não faço ideia – respondi, esvaziando minha taça de champanhe. – Fui adotada quando era bebê.

– E nunca pensou em investigar seu passado?

– Não. Qual é o sentido de olhar para trás se você não pode mudar o passado? Eu só olho para a frente.

– É melhor você não conhecer meu pai. – Os olhos de Mariam demonstraram diversão. – Ele está sempre contando histórias da vida que levava com meus avós no Irã. E histórias de nossos antepassados, que viveram muitas centenas de anos atrás. Elas são lindas, e eu adorava ouvi-las quando criança.

– Bom, eu só ouvia os contos de fadas dos irmãos Grimm, e as histórias sempre tinham uma bruxa assustadora ou um troll que me deixavam apavorada.

– Nossas histórias também têm bruxas, mas elas são chamadas de *djinns*. Elas fazem coisas terríveis com as pessoas. – Mariam tomou um gole de água, olhando para Electra por cima da borda do copo. – Papai sempre diz que nossa história fornece o tapete sobre o qual nos colocamos e sobre o qual podemos voar. Talvez um dia você queira descobrir a sua. Bem, vamos repassar a programação de Paris?

Uma hora depois, Mariam voltou ao seu lugar para digitar as anotações que fizera durante a nossa conversa. Reclinei meu assento e vi o céu começar a escurecer lá fora, anunciando a noite na Europa. Em algum lugar sob aquela escuridão estava a casa da minha família – ou, pelo menos, a casa daquelas meninas tão diferentes umas das outras que Pa havia colecionado por todo o mundo.

Nunca me importei que não fôssemos do mesmo sangue, mas, ao ouvir Mariam falar sobre suas raízes – e ao vê-la dar continuidade a uma cultura que se mantinha havia séculos, que ela ainda celebrava em um jato particular com destino a Paris –, quase senti inveja.

Pensei na carta de Pa, guardada em algum lugar do meu apartamento em Nova York... Eu nem sabia onde ela estava. Como não a abrira e provavelmente já a perdera, concluí que nunca teria a chance de descobrir alguma coisa sobre o meu passado. Talvez "O Hoff" – como eu apelidara em segredo o advogado de Pa – pudesse me dar alguma luz... E lembrei que também havia aquelas coordenadas da esfera armilar que, segundo Ally, poderiam identificar de onde tínhamos vindo. De repente, pareceu-me a coisa mais importante do mundo encontrar a carta de Pa, quase importante o suficiente para pedir ao piloto que voltasse para que eu pudesse vasculhar minhas gavetas em busca dela. Naquela época, quando voltei a Nova York depois do quase memorial que fora arranjado porque aparentemente Pa decidira se enterrar no mar antes de chegarmos a Atlantis, eu estava com tanta raiva que não quis saber de nada.

Por que você ficou irritada, Electra?

O questionamento da terapeuta ecoou em meus ouvidos. A verdade era que eu não sabia a resposta. Sentia raiva desde que tinha aprendido a andar e falar, provavelmente antes disso também. Minhas irmãs adoravam descrever como eu gritava pela casa quando era bebê, e as coisas não melhoraram muito à medida que cresci. Eu certamente não podia culpar minha educação, que fora perfeita, apesar de estranha, uma vez que éramos todas adotadas e as fotos da família pareciam um anúncio da Gap, por causa das nossas diferentes etnias. Quando eu questionava Pa, ele sempre respondia que nos escolhera especialmente para ser suas filhas, e isso parecia acalmar minhas irmãs, mas não a mim. Eu queria saber o *porquê*. Tudo indicava que, agora que ele estava morto, eu jamais descobriria.

– Uma hora para o pouso, Srta. D'Aplièse – avisou a comissária enquanto enchia de novo minha taça. – Posso lhe trazer mais alguma coisa?

– Não, obrigada.

Fechei os olhos e torci para que meu contato em Paris tivesse cumprido sua promessa e entregado o que eu precisava em meu hotel, porque eu estava desesperada por uma carreira. Quando eu ficava lúcida, meu cérebro começava a funcionar e a pensar em Pa, minhas irmãs, minha vida... e simplesmente não me sentia bem com isso. Pelo menos não naquele momento.

❁ ❁ ❁

Dessa vez, eu realmente gostei de fotografar. A primavera em Paris – pelo menos depois que o sol nascia – era lindíssima e, se eu me sentia em casa em alguma cidade, era ali. Estávamos no Jardin des Plantes, repleto de flores de cerejeira, íris e peônias, e tudo parecia novo e fresco. O fato de eu gostar do fotógrafo também ajudou. Terminamos muito à frente do cronograma e continuamos a exercer a química no meu quarto de hotel naquela tarde.

– Por que você está morando em Nova York? – perguntou Maxime em francês enquanto tomávamos chá na cama, em delicadas xícaras de porcelana, e depois usávamos a bandeja para cheirar uma carreira de coca. – Você tem uma alma europeia.

– Sabe que eu não sei? – Suspirei. – É onde Susie, minha agente, mora, e faz sentido ficar perto dela.

– Sua *maman* modelo, você quer dizer? – comentou ele, me provocando. – Você já é uma mocinha, Electra, e pode tomar as próprias decisões. More aqui, então poderemos fazer isso com mais frequência – sugeriu ele, saindo da cama e desaparecendo no banheiro para tomar uma chuveirada.

Enquanto eu olhava pela janela para a Place Vendôme, lotada de pessoas passeando ou entrando nas elegantes lojas, pensei no que Maxime tinha dito. Ele tinha razão, eu podia morar em qualquer lugar; não faria a menor diferença, pois passava grande parte do tempo viajando, de qualquer maneira.

– Onde fica a sua casa? – sussurrei, sentindo-me de repente vazia diante da ideia de voltar a Nova York, para meu apartamento sem alma e cheio de ecos.

Por mero capricho, peguei meu celular e liguei para Mariam.

– Tenho algum compromisso em Nova York amanhã?

– Você vai jantar às sete com Thomas Allebach, o chefe de marketing do seu contrato de perfumes – respondeu Mariam de imediato.

– Certo. – Thomas e eu havíamos passado algum tempo juntos nos últimos meses desde que Mitch me deixara. Era agradável, mas eu não estava apaixonada. – E no domingo?

– Não há nada na agenda.

– Ótimo. Cancele o jantar. Diga a Thomas que as fotografias aqui atrasaram ou algo assim. Depois, mude o voo de volta para domingo à noite e estenda minha reserva no hotel por mais duas diárias. Quero ficar em Paris um pouco mais.

– Perfeito. É uma cidade maravilhosa. Vou confirmar tudo assim que terminar.

– Obrigada, Mariam.

– De nada.

– Eu vou ficar por mais um tempo – falei a Maxime quando ele saiu do banho.

– Que pena, estarei fora da cidade no fim de semana. Se eu soubesse...

– Ah. – Tentei não deixar minha decepção transparecer. – Bem, não devo demorar muito para voltar.

– Me avise quando, está bem? – disse ele, se vestindo. – Eu cancelaria se pudesse, mas é o casamento de um amigo. Desculpe, Electra.

– Vou ficar por causa da cidade, não por você – afirmei, forçando um sorriso.

– E a cidade a ama, assim como eu. – Ele deu um beijo em minha testa. – Tenha um fim de semana maravilhoso e mantenha contato.

– Pode deixar.

Depois que ele saiu, cheirei uma carreira para me animar e pensei sobre o que fazer em Paris. Mas, assim como em outras grandes cidades, no instante em que eu saísse do Ritz, seria reconhecida, e em poucos minutos alguém teria alertado a imprensa e uma comitiva indesejada começaria a me seguir.

Minha mão pairou sobre o celular para ligar para Mariam e pedir que voltasse ao Plano A quando, como que por mágica, o aparelho tocou.

– Electra? É Mariam. Só para avisar que o voo para Nova York foi alterado para domingo à noite e sua reserva no hotel foi estendida.

– Obrigada.

– Deseja que eu faça reservas para um restaurante?

– Não, eu...

Por alguma razão, lágrimas vieram aos meus olhos.

– Você está bem, Electra?

– Sim, estou bem.

– Você está... ocupada neste momento?

– Não, de jeito nenhum.

– Então, será que posso ir vê-la? Susie enviou alguns contratos hoje e você precisa assiná-los.

– Claro, pode vir.

Poucos minutos depois, Mariam chegou, espalhando seu maravilhoso aroma no quarto. Assinei os contratos, então olhei melancolicamente pela janela, para o crepúsculo da noite de Paris, que se aproximava.

– Quais são seus planos para esta noite? – perguntou ela.

– Não tenho nenhum. E você?

– Nada além de um banho, cama e um bom livro.

– Bem, eu gostaria de sair, visitar o café onde trabalhei como garçonete e comer uma comida normal, como uma pessoa normal. Só que não quero ser reconhecida.

– Compreendo. – Ela me encarou por alguns segundos, depois se levantou. – Tive uma ideia. Espere aí.

Ela desapareceu da sala, mas voltou em poucos minutos, segurando uma echarpe.

– Posso testar em você? Ver como fica?

– Você quer dizer, em volta dos meus ombros?

– Não, Electra, na cabeça, como na minha. As pessoas tendem a manter distância de uma mulher com um *hijab*. Em parte, é por isso que muitas mulheres da nossa fé usam um. Vamos tentar?

– Ok. Talvez seja o único visual que nunca experimentei – respondi, dando uma risadinha.

Sentei-me na beirada da cama enquanto Mariam enrolava o pano habilmente em volta da minha cabeça, passando as pontas sobre meus ombros e prendendo-as no lugar certo.

– Dê uma olhada – disse ela, indicando o espelho.

Obedeci e mal pude acreditar na mudança. Nem *eu* me reconheci.

– Ficou bom, muito bom, mas não podemos fazer muito quanto ao restante do corpo, né?

– Você tem calças ou leggings de cor escura?

– Só a calça de moletom preta que usei na viagem.

– Serve. Coloque enquanto vou buscar outra coisa.

Vesti a calça e logo Mariam voltou com uma roupa dobrada sobre o braço. Ela a sacudiu e vi que era uma peça larga e florida, feita de um tecido barato de algodão, com mangas compridas.

– Trouxe isso caso a gente vá a algum lugar mais elegante. Eu a guardo para ocasiões especiais, mas posso emprestá-la.

– Duvido que sirva em mim.

– Não acho que somos tão diferentes na parte de cima. E, embora eu use como um vestido, acho que em você vai ficar como uma bata. Experimente – insistiu ela.

Vesti a roupa e vi que Mariam tinha razão. O vestido encaixou direitinho na parte de cima, indo até o meio das coxas.

– Viu? Ninguém vai reconhecê-la agora. Você é uma muçulmana.

– E meus pés? Só tenho meus Louboutins ou minhas sapatilhas Chanel.

– Calce os tênis que você usou no voo – sugeriu ela, indo até a minha mala. – Posso?

– Vá em frente – respondi, olhando para a nova mulher no espelho.

Com o lenço na cabeça e o vestido simples de algodão, disfarçado de blusa, seriam necessários olhos de águia para descobrir quem eu era.

– Venha – disse Mariam enquanto eu calçava os tênis. – A transformação está completa. Só mais uma coisa... Posso olhar na sua bolsa de maquiagem?

– Ok.

– Aqui está, precisamos colocar um pouco de lápis preto nos seus olhos. Feche-os, por favor.

Obedeci, minha mente voltando para o tempo em que eu e minhas irmãs viajávamos no barco de Pa no cruzeiro anual de verão e saíamos para jantar onde quer que tivéssemos atracado. Na época, considerada jovem demais para usar maquiagem, eu me sentava na cama e observava Maia ajudar Ally a se maquiar.

– Sua pele é tão bonita... – Mariam suspirou. – Literalmente brilha. Agora estou convencida de que você não será incomodada por ninguém hoje à noite.

– Você acha?

– Tenho certeza. Teste o seu disfarce lá embaixo, quando passar pela recepção. Pronta para sair?

– Sim, por que não?

Fiz menção de pegar minha bolsa da Louis Vuitton, mas Mariam me impediu.

– Coloque o que você precisar na minha – disse ela, oferecendo sua bolsa barata de couro falso marrom. – Pronta?

– Pronta.

No elevador, embora três pessoas tenham entrado conosco, nenhuma olhou para mim. Atravessamos o saguão, o concierge nos espiou e voltou sua atenção para o computador.

– Uau, Christophe me conhece há anos – sussurrei enquanto saíamos e Mariam chamava o porteiro.

– Precisamos de um táxi para Montmartre – disse ela, em um francês bastante aceitável.

– *D'accord, mademoiselle*, mas há uma fila, então pode demorar uns dez minutos.

– Ok, vamos esperar.

– Não entro em fila para pegar táxi há anos – murmurei.

– Bem-vinda ao mundo real, Electra. – Mariam sorriu. – Pronto, aí vamos nós.

Vinte minutos depois, nos acomodamos a uma mesa no café em que eu trabalhara. Não era uma mesa muito boa – estávamos esmagadas por duas outras, e eu conseguia ouvir todas as conversas dos clientes ao redor. Fiquei olhando para George, que me dera o emprego de garçonete dez anos antes, de pé atrás do bar, mas sua cabeça não se virou para mim.

– Então, como é ficar invisível de novo? – indagou Mariam, depois que pedi meia jarra de vinho da casa.

– Ainda não sei. Com certeza é estranho.

– Libertador?

– Sim. Gostei de andar na rua sem ser notada, mas há prós e contras em tudo, não é mesmo?

– É, mas imagino que mesmo antes de se tornar famosa você já chamasse atenção.

– Acho que sim, só que nunca consegui descobrir se era um olhar amigável ou porque eu, bem, porque pareço uma girafa negra!

– Acredito que fosse porque você é muito bonita, Electra. Já eu, ainda mais desde o 11 de Setembro, sou tratada com suspeita em qualquer lugar. Como se todo muçulmano fosse um terrorista, sabe? – Ela abriu um sorriso triste, então bebeu sua água.

– Deve ser difícil para você.

– É, sim. Em qualquer regime político ou religioso, as pessoas *reais* nas ruas só querem viver em paz. Infelizmente, muitas vezes sou julgada antes mesmo de abrir a boca por causa de como eu me visto.

– Você nunca sai sem o lenço?

– Não, embora meu pai tenha dito que eu devia tirar o *hijab* quando estava procurando trabalho. Ele achou que podia me atrapalhar.

– Talvez você devesse experimentar, virar outra pessoa por algumas horas, assim como estou fazendo hoje. Poderia ser libertador para você também.

– Poderia, mas sou feliz sendo quem sou. Agora, vamos pedir?

Mariam começou a fazer o pedido em francês.

– Tantas habilidades ocultas... – impliquei. – Onde você aprendeu a falar francês tão bem?

– Aprendi na escola, depois aperfeiçoei quando estava com Bardin. É uma necessidade no mundo da alta-costura. E acho que tenho facilidade para idiomas. Percebi que você soa bastante diferente em francês e em inglês. É quase outra pessoa.

– Como assim? – perguntei, meio eriçada.

– Não é nada ruim – continuou ela, apressadamente. – Você é mais casual em inglês. Talvez porque seu sotaque tenha um tom americano. Você parece mais... séria em francês.

– Minhas irmãs ririam muito se ouvissem você dizer isso – comentei, sorrindo.

Enquanto comíamos *moules marinières* e aquele pão fresco crocante que apenas os franceses sabiam fazer, incentivei Mariam a falar sobre a família dela. Ficou claro que ela adorava seus irmãos e irmãs, e senti inveja do amor que brilhava em seus olhos.

– Mal posso acreditar que minha irmã mais nova vai se casar no ano que vem. Meus pais ficam me chamando de solteirona.

Ela sorriu enquanto comíamos *tarte tatin* de sobremesa. Eu já havia decidido que me livraria das calorias extras na academia do hotel no dia seguinte de manhã.

– Você acha que algum dia vai se casar? – perguntei a ela.

– Não sei. Ainda não estou pronta para isso. Ou talvez eu não tenha encontrado "o cara". Se não se importa que eu pergunte, e você? Já se apaixonou?

Dessa vez, não me importei. Naquela noite, éramos apenas duas garotas jantando fora e batendo papo.

– Já, e acho que não quero me apaixonar de novo nunca mais.

– Terminou mal?

– Com certeza. – Respirei fundo. – Ele partiu meu coração. Me deixou muito mal, mas... Bom, merdas acontecem, não é?

– Você vai encontrar outra pessoa, Electra, eu sei que sim.

– Você parece minha irmã Tiggy. Ela é muito espiritualizada e está sempre dizendo coisas assim.

– Bem, talvez ela esteja certa, e eu também. Realmente acho que existe uma pessoa certa para todo mundo.

– A questão é: será que vamos encontrá-la? O mundo é um lugar grande, sabe?

– É verdade – concordou Mariam, e então cobriu a boca para disfarçar um bocejo. – Desculpe, não dormi bem ontem à noite. Não me adaptei à mudança de fuso horário.

– Vou pedir a conta.

Acenei para chamar o garçom. Ele me ignorou completamente.

– Dá para acreditar nessa grosseria? – perguntei com raiva, pois, cinco minutos depois, ele ainda estava nos ignorando.

– Ele está ocupado, Electra. Vai vir nos atender quando tiver tempo. A paciência é uma virtude, sabia?

– Que eu nunca tive – murmurei, tentando manter a raiva sob controle.

– Bem – disse Mariam, quando finalmente saímos do restaurante, depois que o garçom decidiu nos agraciar com sua presença –, hoje aprendi que você não gosta de ser ignorada.

– Grande verdade. Em uma família de seis meninas, era preciso gritar mais alto para ser ouvida. E eu gritava mesmo – comentei, dando uma risada.

– Vamos tentar pegar um táxi de volta para o hotel...

Mal compreendi o que ela estava dizendo, pois minha atenção recaíra sobre um homem sentado sozinho a uma das mesas externas, bebendo um conhaque.

– Meu Deus... – sussurrei.

– O que foi?

– Aquele cara. Eu o conheço. Ele trabalha para a minha família.

Fui em direção à mesa e já estava praticamente em cima do sujeito quando ele olhou para mim.

– Christian?

Ele me encarou e percebi a confusão em seu rosto.

– *Pardon, mademoiselle*, eu a conheço? – perguntou ele em francês.

Inclinei-me para sussurrar em seu ouvido:

– Claro que sim, seu idiota! Sou eu, Electra!

– *Mon Dieu!* Claro que é você, Electra! Meu...

– Shh! Estou disfarçada!

– Bem, é um disfarce excelente, mas agora é claro que a reconheci.

Percebi que Mariam estava atrás de mim.

– Mariam, esse é Christian, ele é... bem, é praticamente da família. – Sorri para ele. – Você se incomoda que a gente se sente com você para beber alguma coisa? É *tanta* coincidência ver você aqui.

– Se me derem licença, vou voltar para o hotel – avisou Mariam. – Senão, pego no sono aqui mesmo. Foi um prazer conhecê-lo, Christian. *Bonne soirée* – disse ela, antes de se virar e desaparecer na multidão que caminhava ao longo da movimentada rua de Montmartre.

– Posso me juntar a você? – perguntei.

– Claro, por favor, sente-se. Vou pedir um conhaque para você.

Christian sinalizou para a jovem garçonete que servia as mesas externas. Eu tinha uma queda enorme por ele quando era mais nova – afinal, ele era o único cara com menos de 30 anos com quem eu tinha contato em Atlantis. Dez anos depois, ele não parecia ter mudado nada e me ocorreu que eu não fazia ideia de quantos anos ele realmente tinha. Ou, percebi, me sentindo culpada, de *quem* ele era.

– Então, o que você está fazendo aqui? – indaguei.

– Eu... bem, eu estava visitando um velho amigo.

– Certo – comentei, com uma forte sensação de que ele estava mentindo.

– Sabia que foi Ma quem encontrou um lugar para eu ficar quando cheguei a Paris, a poucas portas daqui? Eu trabalhava neste mesmo café. Parece que faz tanto tempo.

– E faz, Electra. São quase dez anos. Ah, aqui está o conhaque. *Santé.*

– *Santé.*

Brindei com ele, e tomamos um grande gole.

– Posso saber por que você está disfarçada nas ruas de Montmartre?

– Mariam, a garota que você acabou de conhecer, é minha assistente e eu estava reclamando que não podia ir a lugar nenhum sem ser reconhecida. Então ela me vestiu e saímos para jantar juntas.

– Você gostou de não ser você?

– Não sei, para ser sincera. Quer dizer, claro que tem as suas vantagens. Não estaríamos sentados aqui conversando sem sermos interrompidos se eu não estivesse disfarçada. Mas é igualmente irritante ser ignorada.

– Deve ser mesmo. – Christian tomou outro gole de seu conhaque. – Então, como você está?

– Estou bem. – Dei de ombros. – Como está Ma? E Claudia?

– Elas estão bem. Ambas com boa saúde.

– Sempre penso no que elas fazem hoje em dia, agora que nós saímos de casa e Pa se foi.

– Eu não me preocuparia com isso, Electra. Elas se mantêm muito ocupadas.

– E você?

– Há sempre muito que fazer na propriedade. É raro que passe um mês sem que uma ou mais de suas irmãs a visite. Ally está em Atlantis agora com seu lindo filhinho, Bear.

– Ma deve estar nas nuvens.

– Acho que sim. – Christian abriu um sorriso raro. – Ele é o primeiro da próxima geração. Marina está se sentindo útil de novo, e é bom vê-la feliz.

– Como está o Bear? Meu sobrinho – acrescentei, surpresa com o termo.

– Ele é tão perfeito quanto todos os bebês recém-nascidos.

– Ele chora? Grita? – indaguei.

Christian era uma das pessoas que eu e minhas irmãs tecnicamente empregávamos, mas naquela noite sua deferência estava me irritando.

– Ah, sim, às vezes ele chora e grita, mas que bebê não faz isso?

– Você lembra quando eu morava lá?

– Claro que lembro.

– Quer dizer, quando eu era bebê?

– Quando você era bebê, eu só tinha 9 anos, Electra.

Ah! Então Christian tem uns 35...

– Juro que me lembro de você dirigindo o barco quando eu era bem pequena.

– Sim, mas seu pai me vigiou até garantir que eu tinha aprendido, antes de me deixar comandar sozinho.

– Meu Deus! – Levei a mão à boca quando uma lembrança inundou minha mente. – Você lembra quando eu tinha uns 13 anos e fugi da escola para Atlantis? E então Pa disse que eu devia voltar e pelo menos tentar de novo, porque eu não tinha nem dado uma chance à escola? E eu não queria ir de jeito nenhum, então pulei do barco no meio do lago Genebra e tentei nadar até a praia.

Os olhos castanhos afetuosos de Christian demonstraram que ele recordava.

– Não dá para esquecer. Você quase se afogou. Nem pensou em tirar o casaco antes de pular e foi direto para o fundo. Por um momento, não consegui encontrar você... – Ele balançou a cabeça. – Foi um dos piores momentos da minha vida. Se eu tivesse perdido você...

– Pa teria ficado bravo, já sei – concordei, tentando aliviar o clima, pois Christian parecia prestes a chorar.

– Eu nunca teria me perdoado, Electra.

– Bem, pelo menos o golpe meio que funcionou. Ele me deixou ficar em casa por mais alguns dias.

– Verdade.

– Então, quanto tempo você vai ficar em Paris?

– Vou embora amanhã. E você?

– Domingo à noite. Acabei de mudar meu voo hoje à tarde, mas levei um bolo – expliquei, dando de ombros.

– Volte comigo para Atlantis e conheça seu sobrinho. Estou com o carro aqui e posso levá-la. Todo mundo ficaria muito feliz em vê-la.

– Você acha? – Balancei a cabeça. – Acho que não.

– Por quê? Marina e Claudia estão sempre falando de você. Elas têm um álbum com todas as suas fotos de modelo.

– É mesmo? Que fofo. Bem, quem sabe na próxima vez?

– Se mudar de ideia, você tem o meu número.

– Eu tenho. – Sorri. – Está gravado no meu cérebro. Quando as coisas ficavam ruins na escola, eu sempre sabia que você ia me resgatar.

– Preciso voltar. Vou embora amanhã de manhã cedo – explicou Christian, sinalizando para o garçom trazer a conta.

– Onde você está hospedado?

– No mesmo prédio onde você ficou. Uma amiga de Marina é a proprietária.

– É mesmo? Eu não sabia.

Foi então que me ocorreu uma lembrança fugaz daquela senhora parisiense – uma anciã cujo rosto tinha as marcas de uma vida inteira de absinto e cigarros.

– Enfim... – Christian se levantou. – Se você mudar de ideia, me avise. Vou sair às sete. Agora me deixe chamar um táxi para você.

Enquanto caminhávamos, reparei no fato de Christian ser pelo menos tão alto quanto eu. Ele também estava em excelente forma, o corpo musculoso delineado sob a camisa branca. Quando ele sinalizou para o táxi, por algum motivo ridículo tive a mesma sensação de quando ele me deixava na escola e eu o assistia partir, desejando estar no carro com ele.

– Onde você está, Electra?

– No Ritz – respondi, abrindo a porta de trás.

– Bem, foi bom ver você. Cuide-se.

– Pode deixar – falei pela janela, enquanto o táxi dava partida.

Quando me afundei na cama, meia hora depois, percebi de repente que não tinha cheirado nenhuma carreira desde aquela tarde com Maxime, o que me fez sentir muito bem.

✲ ✲ ✲

Irritantemente, acordei no dia seguinte às cinco da manhã e, embora eu tivesse tomado um comprimido para dormir, meu cérebro se recusava a desligar. Então fiquei deitada, contemplando um fim de semana vazio em Paris enquanto percorria a lista de contatos do meu celular para encontrar companhia e me manter ocupada. Percebi que não havia ninguém que eu realmente quisesse ver, porque teria que fazer um esforço para ser Electra, a Supermodelo, e desejava um pouco de tempo livre.

Mas não um tempo sozinha... refleti enquanto assistia aos ponteiros luminosos do relógio de cabeceira se moverem de maneira angustiantemente lenta em direção às seis horas.

Pensei em Atlantis, com Ma e Claudia, e em como eu poderia andar pela casa e pelos campos usando as velhas calças de moletom que havia deixado no meu quarto, na gaveta de baixo, e em como não precisaria fazer nenhum esforço para ser alguém além de mim mesma...

Antes que pudesse mudar de ideia, liguei para o celular de Christian.

– Electra, bom dia.

– Oi, Christian. Eu estava pensando que, na verdade, vou voltar de carro com você para Atlantis.

– Que boa notícia! Marina e Claudia ficarão muito felizes. Posso buscá-la no Ritz daqui a uma hora?

– Ótimo, obrigada.

Então mandei uma mensagem para Mariam.

Está acordada?

Sim. Do que você precisa?

Me ligue.

Ela ligou e eu expliquei que precisava voar de volta para os Estados Unidos partindo de Genebra, não de Paris.

– Sem problemas, Electra. Você precisa que eu reserve algum hotel?

– Não, eu vou para casa ver minha família.

– Que maravilha! – exclamou ela, com tanto carinho que pude imaginá-la sorrindo. – Já ligo de volta com todas as confirmações.

– E você, Mariam? – perguntei, subitamente consciente de que a estava deixando sozinha. – Vai ficar bem em Paris? Fique à vontade para comprar uma passagem para casa hoje mesmo com o cartão de crédito, se preferir.

– Não, Electra, estou muito feliz aqui. Eu estava planejando ver Bardin à tarde, se fosse conveniente para você, então vou fazer os arranjos e nos encontramos no aeroporto de Genebra amanhã à noite.

Cheirei uma carreira do pacote que Maxime me deixara, então joguei tudo o que trouxera na mala e na bolsa antes de encomendar uma seleção de doces franceses, além de algumas frutas, para me fazer sentir melhor diante do excesso de carboidratos. Depois do café da manhã, liguei para o mensageiro ir buscar minhas malas. Usando meus grandes óculos de sol de armação preta (Ceci disse uma vez que eu parecia uma mosca-varejeira quando os usava), segui minhas malas ao encontro de Christian e do conforto do Mercedes sedã. Quando ele me cumprimentou e abriu a porta traseira, balancei a cabeça.

– Eu vou na frente, se você não se importar.

– Nem um pouco – respondeu Christian enquanto se movia para abrir a porta do passageiro.

Quando me acomodei no banco da frente, senti aquele primeiro aroma reconfortante de couro, purificador de ar e a inconfundível fragrância de limão de Pa. Eu andava nos carros da família desde criança, e o cheiro nunca mudara, mesmo depois da morte dele. Era um aroma que passava a ideia de lar e segurança e, se fosse possível engarrafá-lo, eu o faria.

– Tudo certo, Electra? – indagou Christian, ligando o motor.

– Sim, obrigada.

– A viagem costuma levar umas cinco horas – explicou Christian quando nos afastamos do Ritz.

– Você contou a Ma que eu estou indo?

– Contei, sim. Ela perguntou se você tinha alguma dieta especial.

– Eu...

Percebi que, na última vez em que estive em casa, estava em pleno processo de desintoxicação, bebendo chá verde aos montes. Eu namorava Mitch, que estava completamente limpo, mas eu havia levado uma garrafa de vodca para qualquer emergência, no caso de não resistir. Acabei cedendo, mas foi um ato compreensível, porque era a primeira vez que eu voltava a Atlantis sem Pa. Um velório sem funeral.

– Você está bem, Electra?

– Ótima, obrigada. Christian?

– Oi?

– Você levou Pa a muitos lugares?

– Não, na verdade não. Na maioria das vezes, eu o levava ao aeroporto de Genebra para embarcar em seu jato particular.

– Você sabia aonde ele ia?

– Às vezes, sim.

– Para onde?

– Ah, muitos destinos ao redor do mundo.

– Sabe o que ele realmente fazia?

– Não tenho ideia, Electra. Ele era um homem muito reservado.

– Até demais. – Eu suspirei. – Você não acha estranho que nenhuma de nós soubesse? Tipo, a maioria das crianças sabe dizer que o pai é comerciante ou advogado, mas eu não, porque não tinha ideia.

Christian permaneceu calado, mantendo os olhos na estrada. Como motorista e piloto da família, era impossível não imaginar que ele soubesse mais do que estava revelando.

– Sabe de uma coisa? – falei.

– Não até você me contar, Electra.

Christian abriu um sorrisinho.

– Quando eu arrumava todos aqueles problemas na escola e você ia me buscar, você e seu carro eram o meu lugar seguro.

– E o que é um "lugar seguro"?

– Ah, é uma expressão da terapia que significa algum lugar que o deixa feliz onde você possa se imaginar. Sempre sonhei com você aparecendo para me levar embora.

– Fico honrado – disse Christian, com um sorriso genuíno dessa vez.

– Você se candidatou ao emprego com Pa? – sondei mais uma vez.

– Ele me conhecia desde garoto. Eu morava... naquela área, e ele me ajudou, e à minha mãe... me ajudou muito.

– Quer dizer que ele era uma figura paterna para você?

– Sim – concordou Christian, após uma pausa. – Era, sim.

– Então talvez você seja a misteriosa sétima irmã! – comentei, dando uma risada.

– Seu pai era um homem muito gentil e perdê-lo mexeu muito com todos nós.

Pa era gentil ou controlador? Ou os dois?, ponderei enquanto chegávamos aos arredores de Paris e entrávamos na autoestrada para Genebra. Reclinei meu assento e fechei os olhos.

3

– Electra, chegamos ao píer – sussurrou uma voz suave em meu ouvido.

Acordei e pisquei diante da luz brilhante, que então percebi ser o reflexo do sol na superfície vítrea do lago Genebra.

– Eu dormi por quatro horas inteiras – comentei, surpresa, ao sair do carro. – Não falei que você era o meu lugar seguro? – Sorri para Christian enquanto ele abria o porta-malas. – Só preciso da bolsa. Pode deixar o restante aí dentro até amanhã.

Christian trancou o carro e caminhou na frente até o pontão, onde a lancha estava atracada. Ele me ofereceu a mão para me ajudar a subir a bordo, em seguida foi fazer o que era necessário antes que pudéssemos partir, e eu me acomodei no macio banco de couro na popa. Pensei em como, a caminho de Atlantis, eu sempre me sentia animada com a perspectiva de chegar. E depois, no caminho de volta, como eu normalmente me sentia aliviada por estar indo embora.

Talvez desta vez seja diferente, disse a mim mesma, e então suspirei, pois isso *também* era algo que eu sempre sentia.

Christian ligou o motor e começamos a curta jornada para a casa da minha infância. Estava quente para o fim de março, e gostei da sensação do sol no meu rosto e dos meus cabelos esvoaçando.

Quando nos aproximamos da península onde ficava Atlantis, estiquei o pescoço para ter uma visão das árvores. Era uma casa espetacular – um pouco como um castelo da Disney, de tão linda. *E muito diferente de Pa*, pensei. Ele tinha um guarda-roupa mínimo; que eu soubesse, ele só usava os mesmos três paletós: um de linho para o verão, um de tweed para o inverno e outro de tecido indeterminado, entre as estações. O quarto dele era tão pouco mobiliado que parecia a habitação de um padre. Eu me perguntava se ele estava secretamente pagando penitência por algum crime que cometera no passado ou algo do tipo... Ao nos aproximarmos de Atlantis, refleti que o guarda-roupa e o quarto de Pa com certeza eram um paradoxo quando comparados ao restante da casa.

Ma já estava esperando por mim, acenando com animação. Ela estava vestida imaculadamente, como sempre, e percebi que usava uma saia de *bouclé* da Chanel que eu tinha surrupiado de uma arara de amostras porque sabia que ela ia adorar.

– Electra! *Chérie*, que surpresa inesperada! – exclamou ela, na ponta dos pés, enquanto eu me abaixava para receber dois beijos no rosto e um abraço. Então ela deu um passo para trás e me avaliou. – Você está linda como sempre, mas acho que está magra demais. Não se preocupe, Claudia tem os ingredientes prontos para fazer suas panquecas de mirtilo favoritas, se você quiser. Sabia que Ally está aqui com o bebê?

– Sim, Christian me contou. Mal posso esperar para conhecer meu sobrinho – respondi, seguindo-a pelo caminho que atravessava os jardins na frente da casa e levava até o lago.

O aroma da grama e das plantas florescendo era bem fresco em comparação ao cheiro fétido de Nova York. Respirei fundo para o ar puro penetrar em meus pulmões.

– Venha para a cozinha – disse Ma. – Claudia já está preparando um belo café da manhã.

Christian veio atrás de nós. Quando ele colocou minha bolsa ao pé da escada, me aproximei.

– Obrigada por me trazer. Estou feliz por ter vindo.

– De nada, Electra. A que horas partimos para o aeroporto amanhã?

– Por volta das dez da noite. Minha assistente reservou o jato para meia-noite.

– Ok. Se alguma coisa mudar, basta dizer a Marina e ela vai me informar.

– Combinado. Tenha um bom fim de semana.

– Você também.

Ele acenou para mim e desapareceu pela porta da frente.

– Electra!

Eu me virei e vi Ally vindo em minha direção, saindo da cozinha, os braços abertos para me abraçar.

– Olá, nova mamãe – falei enquanto ela me abraçava. – Parabéns.

– Obrigada. Ainda não consigo acreditar que tenho um filho.

Pensei, com uma pitada de inveja, que ela estava incrível. Seu rosto angular havia sido suavizado por alguns quilos da gravidez e seus fabulosos cabelos vermelho-dourados brilhavam como uma auréola contra sua pele de porcelana.

– Você está ótima – comentei.

– Não estou nada. Engordei 8 quilos, que não consigo mais perder, e só durmo cerca de duas horas por noite. Tenho um homenzinho faminto na minha cama – disse ela, rindo.

– Onde ele está?

– Dormindo para se recuperar da noite passada, é claro. – Ally arqueou uma sobrancelha em falsa frustração, mas percebi que nunca a tinha visto tão feliz. – Pelo menos isso nos dá a chance de conversar um pouco – acrescentou ela enquanto caminhávamos até a cozinha. – Hoje mesmo eu estava pensando que não a via desde junho passado, quando todas nós viemos aqui depois que Pa morreu.

– É verdade. Tenho estado muito ocupada.

– Tento acompanhar você e sua vida nos jornais e nas revistas, mas...

– Oi, Electra – cumprimentou Claudia em seu francês com forte sotaque alemão. – Como vai?

Claudia estava prestes a derramar a mistura para panqueca em uma frigideira e eu ouvi um chiado tentador.

– Estou bem, obrigada.

– Venha, sente-se e me conte tudo o que aconteceu desde a última vez que a vi – disse Ally, indicando uma cadeira na mesa comprida.

– Já conto, mas antes quero subir e me ajeitar um pouco.

Virei-me e saí da cozinha, sentindo um pânico repentino. Eu sabia como Ally gostava de interrogar todas nós e não tinha certeza de que estava em condições de passar por isso naquele momento.

Peguei minha bolsa e subi as escadas até o sótão – que não era exatamente um sótão, mas um andar espaçoso, onde ficavam os quartos de todas nós, meninas –, então abri a porta do meu cômodo. Tudo parecia exatamente igual a quando saí de casa para ir a Paris, na adolescência. Olhei para as paredes, pintadas na suave cor creme de sempre, e me sentei em minha cama. Comparado aos quartos das outras meninas, cujas paredes revelavam a personalidade de suas ocupantes, o meu estava nu. Não havia uma única pista sobre a pessoa que vivera ali os primeiros 16 anos de vida.

Nenhum pôster de modelos, estrelas pop, bailarinas ou esportistas famosos... nada para indicar quem eu era.

Abri minha bolsa, peguei a garrafa de vodca embrulhada em minhas calças largas de caxemira e tomei um bom gole. O quarto parecia expressar tudo o que se podia dizer sobre mim – apenas uma casca vazia. Eu não tinha – e nunca tivera – paixão por nada. *E*, pensei, enquanto devolvia a garrafa ao seu lugar e pegava o pequeno pacote escondido no bolso da frente da bolsa para cheirar uma carreira, *se eu não sabia quem eu era naquela época, ainda não sei quem sou agora.*

❂ ❂ ❂

Ao voltar para o andar de baixo, a vodca tinha me acalmado e a cocaína, me animado. Quando Ma, Ally e eu nos sentamos para apreciar o famoso café da manhã de Claudia, fiz o que elas esperavam de mim e lhes contei tudo sobre as festas glamorosas das quais participei e as celebridades que conheci, revelando algumas fofocas inofensivas.

– E você e Mitch? Li nos jornais que vocês se separaram. É verdade?

Eu estava esperando por isso; Ally era a grande pregadora do "vá direto ao ponto".

– Sim, alguns meses atrás.

– O que aconteceu?

– Ah, você sabe. – Dei de ombros enquanto bebia um pouco de café quente e forte, desejando que estivesse misturado com uísque. – Ele estava morando em Los Angeles, eu estava em Nova York, os dois sempre viajando...

– Então ele não era "o cara"? – perguntou Ally.

Um som estridente e repentino ecoou de algum lugar da cozinha e eu olhei em volta para descobrir de onde vinha.

– É a babá eletrônica. Bear acordou – constatou Ally, suspirando.

– Vou ver como ele está – ofereceu Ma, mas Ally já estava de pé e empurrou Ma gentilmente de volta para a cadeira.

– Você está de prontidão desde as cinco da manhã, querida, então é a minha vez.

Eu ainda não tinha conhecido meu sobrinho, mas já o amava. Ele acabara de me livrar da Grande Inquisição de Ally.

– Como é o seu novo apartamento? – perguntou Ma, mudando de assunto. Se a sensibilidade fosse uma pessoa, seria minha mãe substituta.

– É legal, mas meu contrato de aluguel é só de um ano, então provavelmente vou procurar outro em breve.

– Você não deve ficar muito lá, tendo que viajar tanto.

– É verdade, não fico, mas pelo menos me dá um lugar para guardar minhas roupas. Uau, olhe só quem chegou.

Ally estava se aproximando da mesa segurando um bebê com enormes olhos castanhos interrogativos. Seu cabelo ruivo-escuro já estava começando a encaracolar no topo da cabeça.

– Este é o Bear – apresentou Ally, uma mãe orgulhosa, os olhos brilhando. E por que não brilhariam? Qualquer pessoa corajosa o suficiente para dar à luz era uma heroína para mim.

– Meu Deus! Ele dá vontade de... morder! Quanto tempo? – perguntei quando Ally se sentou e o embalou no colo.

– Sete semanas.

– Uau, ele é tão grande!

– É porque tem muito apetite – explicou Ally, com um sorriso, enquanto desabotoava a blusa e posicionava o bebê.

Bear começou a mamar ruidosamente e eu estremeci.

– Não dói quando ele suga?

– No começo doía, mas já nos ajeitamos, não é, meu amor? – disse ela, olhando para a criança como eu achava que tinha olhado para Mitch algumas vezes.

Em outras palavras, com amor.

– Bem, agora vamos deixar vocês conversando e nos vemos mais tarde – disse Claudia, seguindo Ma para fora da cozinha depois de limparem tudo.

– Sinto muito pelo pai de Bear, Ally.

– Obrigada.

– Ele... O pai...?

– O nome dele era Theo.

– Theo sabia sobre Bear?

– Não, e nem eu sabia, até algumas semanas depois que ele morreu. Na época, pensei que o mundo estava desmoronando, mas agora... – Ally sorriu para mim e eu vi uma felicidade genuína em seus olhos azul-claros. – Eu não seria ninguém sem ele.

– Você chegou a pensar em...?

– Abortar? A ideia passou pela minha cabeça, sim. Quer dizer, eu era uma velejadora de sucesso, o pai de Bear estava morto, e na época eu nem tinha casa. Mas não teria coragem. Sinto que Bear foi um presente. Às vezes, quando estou amamentando de madrugada, sinto que Theo está por perto.

– Você quer dizer, o espírito dele?

– Isso.

– Eu não sabia que você acreditava nessa bobagem – comentei, com uma careta.

– Nem eu, mas aconteceu uma coisa incrível na noite anterior ao nascimento de Bear.

– O quê?

– Eu voei para a Espanha procurando Tiggy, que tinha acabado de ser diagnosticada com uma doença cardíaca, mas fugiu para encontrar sua família biológica. E ela me contou uma coisa, Electra, uma coisa que apenas Theo poderia saber.

Vi a mão pálida de Ally pousar no cordão que estava usando.

– Que coisa?

– Theo me deu isso aqui. – Ally levantou o pequeno olho turquesa preso ao cordão. – A corrente tinha arrebentado algumas semanas antes e Tiggy disse que Theo queria saber por que eu não estava usando o cordão. Então falou que ele gostava do nome Bear e, sabe de uma coisa, Electra? Ele gostava mesmo!

Lágrimas apareceram nos olhos de Ally.

– Bom, eu era uma cética, mas acho que agora fui convertida. E sei que Theo está cuidando de nós. – Ela deu de ombros e me lançou um sorriso triste.

– Eu bem que queria acreditar em algo assim – comentei. – O problema é que não acredito muito em nada. E como está o coração de Tiggy agora?

– Muito melhor, pelo visto. Ela voltou às Terras Altas escocesas e está muito feliz nos braços do médico que cuidou dela quando ficou doente. Ele também é o dono da propriedade onde ela trabalha.

– Ouviremos a marcha nupcial em breve?

– Duvido: tecnicamente, Charlie ainda é casado e está passando por um conturbado processo de divórcio, pelo que Tiggy me contou.

– E as outras irmãs?

– Maia ainda está no Brasil, com aquele namorado fofo dela, o Floriano, e a filha dele. Estrela está em Kent, na Inglaterra, ajudando o namorado, que por algum motivo é conhecido como Mouse, a reformar sua casa. E Ceci está na Austrália, morando com seu avô e sua amiga Chrissie no interior. Vi algumas fotos das pinturas dela, e são simplesmente incríveis. Ela é muito talentosa.

– Todo mundo começou uma vida nova?

– Parece que sim.

– E todas chegaram a isso pesquisando o próprio passado?

– Sim, e eu também. Mandei um e-mail para você dizendo que tinha um irmão gêmeo, não mandei?

– Hum...

– Ah, Electra, eu tinha, de verdade. E um pai biológico que é um gênio musical, mas um beberrão inveterado.

Vi Ally sorrir com carinho ao pensar nele enquanto movia habilmente o bebê de um seio para outro.

– Então – prosseguiu ela –, você fez alguma coisa em relação à carta de Pa?

– Nunca abri o envelope e, para ser sincera, nem lembro onde a coloquei. Talvez tenha perdido.

– Electra! – Ally me deu seu melhor olhar de desaprovação. – Você não pode estar falando sério.

– Ah, deve estar em algum lugar, só não me dei ao trabalho de procurar.

– Você não quer saber de onde veio?

– Não, não consigo entender por que eu iria querer. O que importa? Eu sou quem eu sou.

– Bem, para mim ajudou. E mesmo que você não queira saber o que tem na carta, as palavras escritas por Pa foram seu último presente para todas nós.

– Meu Deus! – Para mim, já bastava. – Vocês todas tratam Pa como se ele fosse algum tipo de deus! Ele foi só um cara que nos adotou... por algum motivo estranho que nenhuma de nós sabe exatamente qual foi!

– Por favor, não grite, Electra, isso perturba o bebê. Peço desculpas se eu...

– Vou sair para dar uma volta.

Levantei-me da mesa, caminhei até a porta da frente e a abri. Bati-a com força depois de sair e atravessei o gramado em direção ao cais, desejando, como sempre desejava depois de algumas horas em Atlantis, que não tivesse decidido voltar.

– O que há com minhas irmãs e meu pai? Ele nem é nosso pai biológico, pelo amor de Deus!

Continuei a reclamar comigo mesma quando me sentei, os pés balançando, olhando para o píer e tentando respirar fundo. Não funcionou. Talvez mais uma carreira funcionasse. Levantei e voltei à casa, entrando na ponta dos pés e subindo as escadas para que ninguém me ouvisse. Em meu quarto, tranquei a porta e peguei o que precisava.

Alguns minutos depois, estava me sentindo muito mais calma. Deitei-me na cama e pensei em todas as minhas irmãs, uma de cada vez. Por alguma razão, imaginei-as como princesas da Disney, o que era bem divertido. Elas não me irritavam tanto desse jeito, e eu as amava, todas elas, exceto Ceci (ela pareceu de repente a bruxa de *Branca de Neve*). Eu ri e decidi que aquilo era cruel, até mesmo para Ceci. Eu sabia que as pessoas diziam que não se podia escolher a própria família, apenas os amigos, mas Pa *nos* escolhera e ficamos ligadas umas às outras. Talvez a razão pela qual Ceci e eu não nos déssemos bem fosse porque ela não aceitava as minhas besteiras como as outras. E conseguia gritar mais alto do que eu. As outras faziam de tudo para manter a paz, mas ela não se importava. Era um pouco parecida comigo...

Minhas quatro irmãs mais velhas provavelmente nunca haviam pensado que tinham umas às outras – Ally e Maia, Estrela e Ceci –, o que me deixara com Tiggy. Ela era minha irmã mais próxima na infância – tínhamos apenas alguns meses de diferença – e, embora eu a amasse de verdade, não poderíamos ser mais diferentes. Também não ajudava muito o fato de todas as minhas irmãs mais velhas deixarem claro que sua irmã caçula favorita era Tiggy, não eu. Tiggy não brigava, não gritava nem fazia birra o tempo todo. Ela apenas ficava sentada no colo, chupando o dedo e sendo perfeita. Quando crescemos, tentei criar um vínculo com ela, pois me sentia sozinha, mas todas aquelas suas besteiras espirituais me deixavam maluca.

À medida que o efeito da cocaína ia passando, minhas irmãs foram deixando de ser princesas da Disney e voltaram a ser elas mesmas. Que diferença fazia, afinal? Pa estava morto, e nós éramos apenas um bando de mulheres unidas quando crianças e que agora seguiam caminhos diferentes. Respirei fundo e tentei fazer como todos os meus terapeutas sugeriram, ou seja, analisar por que eu ficara tão irritada. Para variar, achei que tinha a resposta: Ally contara que todas as minhas irmãs estavam felizes – elas haviam construído suas vidas com pessoas que as amavam. Até Ceci, que eu sempre achei que fosse tão pouco amável quanto eu, de alguma forma conseguira superar sua estranha obsessão por Estrela e seguir em frente. Mais especificamente, ela havia encontrado sua paixão na arte, algo que sempre amara.

E ali estava eu, o peixe fora d'água, como sempre. Desde a morte de Pa, eu não conseguira encontrar nada, exceto um novo contato para comprar drogas, mais confiável. Mesmo sendo de longe a irmã mais bem-sucedida em termos financeiros – pelo que meu contador dizia, eu poderia parar de trabalhar agora e nunca mais me preocupar com dinheiro –, de que adiantava se eu não tinha ideia do que mais eu queria fazer?

Ouvi uma batida à porta.

– Electra? Você está aí?

Era Ally.

– Sim, entre.

Ela entrou, com Bear nos braços.

– Sinto muito se eu disse algo que a chateou, Electra – desculpou-se ela, parando à porta.

– Não se preocupe. Não é você, sou eu.

– Enfim, me desculpe. É tão bom ver você e estou realmente feliz que tenha vindo. Você se importa se eu me sentar? Ele é bem pesadinho.

– Claro que não – respondi, com um suspiro.

A última coisa de que eu precisava era ficar presa em meu quarto sendo entrevistada por Ally.

– Eu só queria compartilhar uma coisa com você, Electra. Uma coisa que Tiggy me falou que devíamos investigar.

– Ah, é? O quê?

– Aparentemente, quando ela esteve aqui no mês passado, descobriu um elevador secreto que dava acesso a uma adega.

– Hum... certo. E daí?

– Ela comentou que o local era usado para armazenar vinho, mas notou que tinha uma porta escondida atrás de uma das prateleiras. Talvez nós devêssemos descobrir aonde ela leva.

– Ok. Por que não perguntamos a Ma?

– Podemos perguntar, mas Tiggy achou que ela não ia querer falar sobre isso.

– Caramba, Ally! Esta é a *nossa* casa e Ma trabalha para nós! Podemos perguntar o que quisermos e fazer o que quisermos aqui, não?

– Sim, podemos, mas... bem... – Ally suspirou. – Talvez devêssemos ter cuidado, por respeito. Ma está aqui há muito tempo... Ela administra a casa com Claudia e cuida de nós, e não quero que ela sinta que estamos passando por cima dela agora que as coisas estão... diferentes.

– Então, você quer dizer que devemos nos esgueirar no tal elevador no meio da noite e descobrir aonde a porta leva? – Arqueei uma sobrancelha. – Ainda não entendo por que precisamos ter tanto trabalho quando podíamos apenas perguntar.

– Electra, pare de ser tão teimosa. O elevador secreto e a adega *existem*, e Pa os criou por alguma razão. Não importa o que você pensa ou como se sente sobre ele, Pa era um homem prático. De qualquer forma, já estou passando as noites em claro por causa do Bear, então vou investigar. Eu só queria saber se você gostaria de me acompanhar. Tiggy falou que é preciso duas pessoas para empurrar o rack em frente à porta oculta. Ela também me contou onde estava a chave. Agora, você se importa de segurar o Bear rapidinho enquanto vou ao banheiro?

Ally se levantou e colocou Bear no meu colo. Para impedi-lo de cair para trás, tive que segurá-lo com as duas mãos. Ele deu um grande arroto em retaliação.

– Que ótimo! – disse Ally, parada à porta. – Estou tentando fazê-lo arrotar há uma hora!

A porta se fechou e Bear e eu fomos deixados sozinhos.

Olhei para ele e ele olhou para mim.

– Oi – falei, rezando para que ele não fizesse xixi em mim ou algo do tipo, pois era a primeira vez que eu segurava um bebê.

Ele deu um soluço e continuou me encarando.

– Em que você está pensando, rapazinho? Está se perguntando por que, mesmo sendo sua tia, eu sou de uma cor diferente da sua mãe? Você nunca conheceu o seu avô, mas ele era um homem muito esquisito – prossegui, porque ele parecia estar curtindo o papo. – Quer dizer, ele era incrível, tipo, muito inteligente e tudo o mais, mas acho que guardava muitos segredos de todas nós. O que você acha?

De repente, senti seu corpinho relaxar em meus braços e, quando Ally voltou, Bear havia fechado os olhos e dormia profundamente.

– Uau, você tem o dom. – Ally sorriu para mim. – Costumo balançá-lo por horas antes que ele durma.

– Acho que ele estava entediado.

Dei de ombros quando Ally o tirou delicadamente do meu colo.

– Vou colocá-lo no berço e descansar um pouco enquanto posso – sussurrou ela. – Vejo você mais tarde.

❂ ❂ ❂

Antes do jantar, certifiquei-me de ter tomado vodca suficiente para manter a calma, então preparei outra dose bem grande da garrafa da despensa quando desci. Felizmente, a conversa não passou muito de como a comida de Claudia era maravilhosa (ela fez seu famoso *schnitzel*, que devorei até o último pedaço) e dos planos de nossa viagem de barco à Grécia para deixar uma coroa de flores no aniversário de morte de Pa.

– Pensei que devíamos ir sozinhas no cruzeiro, mas Maia vai chegar na semana anterior com Floriano, que eu mal posso esperar para conhecer, e a filha dele, Valentina – informou Ally. – Estrela, Mouse e Rory, o filho dele, também virão, assim como Tiggy, Charlie e a filha dele, Zara...

– Uau! Então Maia, Estrela e Tiggy são todas madrastas?

– Uhum – assentiu Ally.

– E eu, como sua mãe substituta, sei que minhas meninas não vão amar menos as crianças sob seus cuidados porque não são do mesmo sangue – afirmou Ma.

– Ceci também vem?

– Ela disse que sim. E que espera que o avô e Chrissie, a amiga dela, possam vir também.

– Chrissie, a "amiga" dela?

Tanto Ma quanto Ally me encararam e me perguntei por que eu tinha que ser a única na família a expressar a verdade.

– Elas têm um relacionamento, certo?

– Não sei – comentou Ally –, mas ela parece muito feliz, o que é o mais importante.

– Sempre foi óbvio que Ceci era gay, não é? Que ela estava apaixonada por Estrela?

– Electra, a gente não deve se intrometer na vida dos outros – interrompeu Ma.

– Mas Ceci não é "os outros". Além disso, qual é o problema? Estou feliz por ela ter encontrado alguém.

– Vai ficar apertado aqui – continuou Ma, insistindo em mudar de assunto.

– Bem, como todas vocês agora têm famílias e eu continuo sozinha, se não houver espaço, talvez seja melhor eu não vir.

– Ah, Electra, não diga isso! Você tem que vir, você prometeu – retrucou Ally, demonstrando uma chateação genuína.

– Bem, talvez eu possa dormir no porão secreto que Tiggy encontrou quando esteve aqui – respondi, virando-me para Ma.

Ally me olhou com uma expressão de raiva, mas eu estava bêbada demais para me importar.

– Ah, o porão. – Ma olhou para nós duas. – Sim, falei com Tiggy sobre isso e não há nenhum mistério. Assim que terminarmos o maravilhoso strudel de maçã de Claudia, vou levá-las lá embaixo para verem.

Lancei de volta a Ally um olhar que dizia "Viu só?", e ela ergueu as sobrancelhas em exasperação. Quando terminamos a sobremesa, Ma se levantou e tirou uma chave da caixa na parede.

– E então, vamos descer?

Não houve necessidade de resposta, pois ela já tinha saído da cozinha e Ally e eu nos apressamos atrás dela. No corredor, Ma segurou uma maçaneta de latão e puxou um painel de mogno, revelando um pequeno elevador.

– Para que esse elevador? – perguntei.

– Como expliquei a Tiggy, seu pai já não era tão jovem e queria acesso fácil a todas as partes da casa.

Ma abriu a porta e nós três nos amontoamos lá dentro. Logo senti claustrofobia e respirei fundo enquanto ela apertava um botão de latão e a porta se fechava.

– Sim, entendi, mas por que ele escondeu esse lugar? – indaguei assim que o elevador começou a se mover.

– Electra, cale a boca – sibilou Ally, agora mais do que irritada comigo. – Ma vai explicar tudo.

Foi uma viagem de quatro segundos e senti o solavanco quando o elevador chegou ao fundo. A porta se abriu e nós entramos em um porão muito simples que, como Ally dissera, era preenchido por prateleiras de vinho.

– E aqui estamos. – Ma saiu do elevador e gesticulou para a sala. – A adega de seu pai. – Ela se virou para mim e sorriu. – Electra, lamento que não exista nenhum grande mistério.

– Mas...

Atrás de Ma, os olhos de Ally me enviaram uma mensagem que nem eu poderia ignorar.

– Eu... Bem, é muito legal. – Comecei a passear pelas prateleiras, observando o que Pa havia escondido ali embaixo. Puxei uma garrafa. – Uau, Château Margaux, 1957. Isso vale mais de 2 mil dólares nos melhores restaurantes de Nova York. Pena que sou mais fã de vodca.

– Podemos voltar? Preciso dar uma olhada em Bear – disse Ally, lançando-me outro olhar de aviso.

– Me dê só mais alguns minutos – respondi, continuando a transitar pelas prateleiras, pegando garrafas e fingindo estudar seus rótulos enquanto me mantinha alerta o tempo todo para a porta escondida que Ally mencionara.

No lado direito do cômodo, identifiquei um Rothschild Burgundy de 1972 e as linhas quase invisíveis de uma abertura no reboco, atrás das prateleiras.

– Certo – falei, voltando-me para as duas. – Vamos embora.

Enquanto caminhávamos em direção ao elevador, notei que ele era forrado de aço sólido.

– Para que isso serve, Ma? – perguntei, apontando.

– Se você pressionar esse botão – Ma indicou um lado do forro –, ele fecha as portas de aço em frente ao elevador.

– Quer dizer que, se apertarmos agora, ficaremos presas aqui? – indaguei, meu pânico aumentando instintivamente.

– Não, claro que não, Electra, mas impediria outras pessoas de acessar a adega pelo elevador. É como um cofre – explicou ela enquanto nos apertávamos de volta no pequeno espaço. – Nada de anormal na casa de uma família rica que vive em um local isolado. Que Deus nunca permita, mas se um dia Atlantis for assaltada ou coisa pior, podemos nos esconder aqui e pedir ajuda. E, sim, *chérie* – Ma me deu um sorriso hesitante ao chegarmos ao primeiro andar –, há sinal de wi-fi lá embaixo. Agora – disse ela enquanto saíamos do elevador, voltávamos para a cozinha e eu observava onde ela pendurava a chave na caixa –, por favor, me perdoem, mas estou cansada e quero me deitar.

– A culpa é de Bear. Você está acordada desde as cinco, Ma. Vou cuidar dele amanhã de manhã.

– Não, Ally. Se eu dormir agora, ficarei bem. Acordo cedo de qualquer maneira. Boa noite.

Ela meneou a cabeça e saiu da cozinha.

– Vou subir para dar uma olhada em Bear – disse Ally, prestes a seguir Ma, antes de eu lhe dar um tapinha no ombro.

– Então por que não pega o elevador? – Tirei a chave do gancho e a balancei na frente de Ma. – Ele vai até o sótão. Tinha um botão para isso.

– Não, Electra, não preciso, obrigada.

– Como quiser. – Dei de ombros quando ela seguiu para as escadas.

Eu me servi de mais uma vodca com Coca-Cola, atravessei o corredor e abri a porta do escritório de Pa. Era como um museu vivo; parecia que ele tinha acabado de sair e voltaria em breve. A caneta e o bloco de notas ainda estavam no meio da mesa, tudo imaculado como sempre. *Ao contrário de sua filha caçula,* pensei, com um sorriso, sentando-me em sua velha cadeira forrada de couro. Estudei as prateleiras com livros alinhados ao longo de uma parede, levantei-me e fui pegar o grosso *Oxford English Dictionary* que eu usara tantas vezes quando menina. Um dia, cheguei e encontrei Pa sentado em sua cadeira fazendo palavras cruzadas em um jornal inglês.

– Olá, Electra. – Ele sorrira ao olhar para mim. – Estou pelejando com esta aqui.

Eu tinha lido a pista – *elas baixam para dormir (9)* – e fiquei refletindo.

– Talvez "pálpebras"?

– Sim, claro, você está certa! Que garota inteligente.

A partir daí, durante as férias escolares, sempre que estava em casa, Pa me chamava em seu escritório, sentávamos juntos e fazíamos palavras cruzadas. Eu achava o passatempo reconfortante – ainda tinha o hábito de pegar algum jornal da sala de embarque enquanto esperava por um voo. A atividade também me deu um bom vocabulário em inglês, que eu sabia que surpreendia os jornalistas em entrevistas – todos eles presumiam que eu fosse tão superficial quanto a maquiagem que passavam na minha pele.

Guardei o dicionário de novo e estava prestes a sair da sala quando fui surpreendida pelo cheiro forte da colônia de Pa. Eu reconheceria aquele aroma fresco de limão em qualquer lugar. Um arrepio subiu pela minha espinha quando pensei no que Ally dissera sobre sentir que Theo estava por perto...

Estremecendo, saí às pressas do escritório, batendo a porta.

Ally estava de volta à cozinha, mexendo nas mamadeiras.

– Por que esse leite na jarra? – perguntei. – Pensei que você amamentasse o Bear.

– Sim, mas tirei esse mais cedo para que Ma possa dar mamadeira para ele amanhã de manhã.

– Eca. – Estremeci novamente enquanto ela despejava o leite em uma mamadeira. – Se eu tiver um filho, o que duvido, para começo de conversa, nunca ia conseguir passar por tudo isso.

– Nunca diga nunca. – Ally sorriu para mim. – A propósito, vi uma foto sua em uma revista há algumas semanas com Zed Eszu. Vocês estão juntos?

– Meu Deus, não – afirmei, enfiando os dedos na lata de biscoitos e pegando um amanteigado. – A gente sai de vez em quando em Nova York. Ou, para ser mais precisa, ficamos em casa.

– Quer dizer que você e Zed Eszu são amantes?

– Sim, por quê? Algum problema?

– Não, nenhum. Quer dizer... – Ally virou-se para mim, parecendo nervosa. – Eu...

– O quê, Ally?

– Ah, nada. Enfim, vou para a cama tentar dormir enquanto posso. E você?

– Eu vou também.

Só depois de tomar uma caneca da vodca que estava na minha bolsa e de ter me acomodado na cama da minha infância, sentindo-me deliciosamente tonta, foi que me lembrei do contorno da porta atrás da prateleira de vinhos no porão. Talvez eu devesse investigar...

– Amanhã – prometi a mim mesma, meus olhos se fechando.

4

Na manhã seguinte, acordei com o choro de Bear e peguei meus tampões de ouvido, na esperança de dormir mais umas duas horas, mas já era tarde demais. Estava bem acordada. Vesti meu roupão velho, que ainda estava pendurado atrás da porta, e saí do quarto em busca de alguma companhia. O choro vinha da suíte de Ma no fim do corredor, então bati suavemente à porta fechada.

– *Entrez.*

Entrei e tive a rara visão de Ma ainda vestida em seu roupão.

– Feche a porta, Electra. Não quero que Ally acorde.

– Bem – respondi, observando-a andar pelo cômodo com Bear choramingando em seu ombro –, ele com certeza *me* acordou.

– Agora você sabe como era para as meninas mais velhas serem acordadas por você todas as noites – comentou Ma, com um sorriso.

– Qual é o problema dele? – perguntei enquanto a observava bater nas costas de Bear ritmicamente.

– Gases, só isso. Ele tem dificuldade em colocá-los para fora.

– Era por isso que eu berrava?

– Não, você arrotava com facilidade. É que você gostava do som da própria voz.

– Eu fui um bebê tão difícil assim?

– Nem um pouco, Electra, você só não gostava de ficar sozinha. Adormecia nos meus braços, mas, no minuto em que eu a colocava no berço, acordava e chorava até eu pegá-la novamente. Pode me passar aquele paninho, por favor? – Ma apontou para um quadrado de tecido branco sobre a mesinha de centro.

– Claro – respondi, entregando-lhe o pano.

Olhei ao meu redor, para as bonitas cortinas floridas, o sofá de um creme adamascado, as fotos no aparador de mogno e as mesinhas espalhadas pelo cômodo. Havia rosas cor-de-rosa sobre a mesa de centro e pensei em como o lugar refletia a personalidade de Ma: elegante, discreta e imaculada. Fui até o aparador e peguei uma fotografia emoldurada de Ma usando um colar de pérolas e um vestido de noite, com Pa de paletó e gravata-borboleta.

– De onde é essa foto?

– Da ópera de Paris. Vimos Kiri Te Kanawa cantando "Mimi" em *La Bohème*. Foi uma noite muito especial – explicou Ma, ainda andando de um lado para outro sobre o macio carpete creme, com Bear no colo.

– Vocês costumavam sair juntos?

– Não, mas compartilhávamos o amor pela ópera, especialmente Puccini.

– Ma?

– Sim, Electra?

Mesmo aos 26 anos, eu não sabia se tinha coragem de fazer a pergunta que queimava na minha língua desde que eu era pequena.

– Você e Pa... bem, vocês tinham um relacionamento?

– Não, *chérie*. Você sabe que tenho 60 e poucos anos. Seu pai tinha idade suficiente para ser meu pai também.

– Até onde eu sei, a idade não impede que homens ricos tenham relacionamentos com mulheres jovens o suficiente para serem suas filhas.

– Talvez não, Electra, mas seu pai nunca teria consentido numa coisa dessas. Ele era um perfeito cavalheiro. Além disso...

– Além disso o quê?

– Eu... Nada.

– Por favor, diga o que você ia dizer.

– Bem, ele sempre gostou de outra pessoa.

– Sério? Quem?

– Chega, Electra, já falei demais.

Bear finalmente soltou um arroto enorme e, rápida como uma flecha, Ma enxugou o líquido leitoso que escorreu de sua boca com o paninho.

– *Bien, bien, mon petit chéri* – sussurrou ela enquanto limpava o bebê. – Ele não é lindo?

– Se você considera lindo alguém golfando às cinco da manhã, então, sim, ele é.

– Eu me lembro com tanta clareza de andar para cima e para baixo com você no colo, tentando acalmá-la quando você chorava – disse Ma, afundando em uma cadeira e aninhando Bear no braço.

Agora, ele estava com cara de quem tinha bebido muita vodca, revirando os olhos.

– Parece que foi ontem. E aqui estamos, com o primeiro de uma nova geração. Seu pai teria ficado tão feliz de conhecer Bear antes de morrer. Mas não era para ser.

– Não. Ma?

– Sim, Electra?

– Você estava com Pa quando ele me encontrou e me trouxe para casa?

– Não, eu estava aqui cuidando das suas irmãs.

– Então você não sabe de onde eu vim?

– Você já deve saber, pela sua carta.

– Eu a perdi. – Dei de ombros e me levantei antes que ela tivesse tempo de me repreender. – Vou descer e preparar um pouco de café para mim. Você quer alguma coisa?

– Não, obrigada. Vou colocar este pequenino de volta na cama, depois vou me vestir e desço para encontrá-la.

– Tudo bem, até daqui a pouco.

✲ ✲ ✲

Às oito horas, quando Ally acordou, eu já estava na minha segunda vodca e desejando que tivesse combinado o jato de volta a Nova York para mais cedo. Eu tinha catorze horas inteiras para preencher antes de ir embora. Eu não sabia o que era tirar um tempo para relaxar; meu limite de tédio era tão baixo que praticamente não existia.

– Quer sair para velejar, Electra? – perguntou Ally enquanto comia mais panquecas de Claudia.

– No seu barco a vela?

– É. O tempo está bonito e as condições são perfeitas: brisa suficiente, mas não para tornar o passeio desagradável.

– Você sabe que esportes radicais não são a minha praia.

– Fala sério, Electra, eu não chamaria um passeio suave no lago de "esporte radical", quando você só vai precisar ficar sentada sem fazer nada. – Ally revirou os olhos. – Bem, eu e Bear estamos indo, então. Vejo você mais tarde.

Suspirei pesadamente quando ela saiu e comi um bolinho recém-assado só porque ele parecia solitário na cesta. Ally voltou dez minutos depois, com Bear, que vestia o colete salva-vidas mais fofo do mundo e estava amarrado à cintura dela em um *sling*.

– Tem certeza de que não quer vir com a gente?

– Tenho, obrigada – afirmei e voltei para a sala de estar, decidindo me distrair com algum filme.

Liguei a televisão e analisei as pilhas de DVDs, mas não consegui encontrar um único que me interessasse.

– Merda – resmunguei, olhando para o meu relógio.

O que eu fazia ali quando estava entediada e impaciente, quando criança? *Você corria, Electra...*

– Corria – murmurei para mim mesma.

Se eu estivesse chateada ou alguém estivesse zangado comigo (e normalmente eram as duas coisas), eu saía pelas montanhas atrás da casa. Encontrava algum caminho tortuoso que me levasse por algum terreno acidentado, mas não totalmente vertical, e corria até tirar todos os pensamentos da cabeça.

Subi as escadas para o meu quarto e, na gaveta de baixo, encontrei minhas velhas leggings de lycra e uma camiseta com dizeres rudes, que Ma insistia que eu virasse do avesso quando usava. Por baixo das roupas, vi um dos cadernos antigos que eu costumava rabiscar quando criança. Peguei-o e folheei as páginas, cheias dos desenhos a lápis que eu fazia, de vestidos com golas cobertas por enormes babados, calças jeans com uma fenda que ia da coxa à bainha e camisas que pareciam formais na frente, mas tinham as costas abertas...

– Uau – sussurrei, lembrando a camisa que eu usara havia pouco tempo em uma sessão de fotos e que era quase do mesmo estilo das que eu tinha desenhado.

Eu havia anexado amostras de tecido que encontrara, todos coloridos. Eu *amava* cores brilhantes quando era mais nova. Enfiei o caderno no bolso da frente da minha bolsa, pensando que ele era a única coisa que eu possuía que ligava o meu eu infantil ao meu eu adulto. Então peguei meus tênis velhos nos fundos do armário, calcei-os e saí de casa pela porta da cozinha. Corri através da horta e abri o portão dos fundos, que subia em direção às montanhas.

Segui o caminho que percorrera pela última vez havia anos e, embora eu fosse à academia regularmente, minhas pernas doeram e os últimos metros foram difíceis. Tropecei em pedregulhos e escorreguei na grama úmida e dura, mas finalmente cheguei lá.

Ofegante, entrei no afloramento rochoso que representava apenas o sopé das montanhas que ainda se elevavam atrás de mim, mas que tinha uma vista espetacular do lago. Olhei para baixo, para os telhados de Atlantis, e, com a vantagem de toda a terapia que fizera, percebi por que aquela visão era tão especial para mim na infância: Atlantis era o meu universo, quando jovem – amplo e abrangente –, e ainda assim, lá em cima, parecia uma casinha de bonecas – pequena e insignificante.

Esta vista me dava perspectiva, disse a mim mesma enquanto balançava as pernas sobre a borda do cume. *Até* me *fazia me sentir pequena.*

Fiquei ali por algum tempo, curtindo aquele dia realmente maravilhoso. No lago, vi o que parecia um barco de brinquedo, sua vela ondulando ao sabor da brisa, deslizando suavemente pela água. E, de repente, eu não queria mais voltar à realidade, mas ficar ali em cima, onde ninguém pudesse me encontrar. Senti-me livre, e a ideia de voar de volta para Nova York e para as montanhas artificiais de Manhattan fizeram meu estômago se contorcer. Lá tudo era falso, ganancioso e sem sentido, enquanto tudo ali era real, puro e limpo.

– Nossa, Electra, você está começando a soar como Tiggy – repreendi a mim mesma.

Entretanto, mesmo se fosse verdade, o que importava? Tudo o que eu sabia era que estava desesperadamente infeliz e invejava cada uma das minhas irmãs, com suas novas vidas plenas e felizes. Quando Ally falou sobre todas levarem seus novos parceiros, amigos e parentes a Atlantis, eu me senti ainda mais sozinha, pois não tinha ninguém para levar comigo.

Quando me levantei, sabendo que tinha que voltar simplesmente porque fora uma idiota, estava com sede e me esquecera de levar uma garrafa de água, dei uma última olhada na vista.

– Por que eu sinto que posso ter tudo, mas não tenho nada? – perguntei às montanhas acima de mim.

Quando pulei do cume, percebi que, de alguma forma, eu precisava arrumar uma vida de verdade – e um pouco de amor. Mas onde eu deveria começar a procurar, só Deus – e talvez Pa, morando lá – sabia.

5

Nos dias que se seguiram, de volta a Nova York, lembrei como me senti bem depois da corrida pelas montanhas em Atlantis e passei a correr no Central Park sempre que minha agenda permitia. O bom disso era que, mesmo se uma pessoa me visse, eu podia ultrapassá-la sem problemas. Também tentei limitar minha ingestão de álcool e – talvez tenha sido devido à corrida e ao prazer natural que isso me trazia – não senti necessidade de usar tanta cocaína. Quando eu entrava em pânico, abria a seção de palavras cruzadas do *Daily Telegraph* e fazia uma para me acalmar.

Em resumo, eu me sentia um pouco mais sob controle.

A única coisa que me incomodava era que, embora tivesse procurado por todo o apartamento, eu não conseguia encontrar a carta de Pa. Eu me esforcei para lembrar onde colocara o envelope quando me mudei para lá. Até pedi ajuda a Mariam.

– Ah, Electra, precisamos encontrá-la – disse ela, os olhos expressivos cheios de simpatia enquanto se ajoelhava para remexer nas minhas gavetas de lingerie.

– Olhe, não estou dizendo que quero ler a carta, mesmo que a encontre, mas seria bom saber onde ela está.

– Claro que seria. São as últimas palavras dele para você e tenho certeza de que eram palavras que seu pai queria que você lesse. Não se preocupe, Electra, vamos encontrá-la.

Porém, depois de procurar em cada gaveta, armário e bolso de casaco no apartamento, até o otimismo de Mariam havia diminuído.

– Não se preocupe – falei, em uma ensolarada manhã de abril, enquanto ela esvaziava minhas gavetas de cabeceira pela enésima vez. – Talvez não fosse mesmo para eu ler a carta. Agora, vou me servir uma bebida. Quer uma?

Como sempre, Mariam recusou e disse que preferia água. Nós nos sentamos e repassamos os e-mails do dia, que, em sua maioria, consistiam em convites para a inauguração de uma nova loja de moda, uma estreia de filme ou um baile de caridade. Lembrei-me dos dias em que eu ficava empolgada quando recebia tais convites – mas agora entendia que eles não queriam a *mim*, e sim que eu lhes arrumasse citações em colunas sociais.

– Ah, quase me esqueci. – Mariam vasculhou sua mochila. – Susie me passou uma carta que foi enviada à agência.

– Essas cartas são trabalho seu – respondi, irritada. – Quase sempre são súplicas, pedidos de doação ou alguém fingindo ser meu irmão perdido há anos.

– Eu sei, Electra, e normalmente eu *cuidaria* disso, mas Susie e eu achamos que você deveria ler esta.

Ela me passou o envelope e vi que estava endereçado aos cuidados da agência, com uma letra elegante. Olhei para Mariam, sentada do outro lado da mesinha de centro.

– Por quê? O que diz aí?

– Acho que você deveria ler, só isso – repetiu ela.

– Está bem. – Suspirei e puxei a carta para fora do envelope. – Não é nada ruim, é? Tipo, o governo me cobrando impostos?

– Não, Electra, não é, juro.

– Ok.

Desdobrei o papel e vi um endereço do Brooklyn no topo. Então comecei a ler.

> *Minha querida Srta. D'Aplièse – ou posso chamá-la de Electra?*
> *Meu nome é Stella Jackson e sou sua avó biológica...*

– Meu Deus! – Amassei a carta e a joguei em Mariam de brincadeira. – Você sabe quantas cartas desse tipo, de "parentes perdidos", eu recebo? Susie costuma jogá-las no lixo. O que essa daqui quer?

– Pela carta, nada além de conhecê-la.

– Ok, então o que há de tão incomum nisso que fez você me convencer a ler?

– Tem mais coisa no envelope, Electra. – Mariam indicou o lugar onde eu o havia descartado, em cima da mesa de centro. – Eu realmente acho que você deve dar uma olhada.

Apenas para fazê-la calar a boca, peguei o envelope novamente e olhei seu interior. Havia uma pequena fotografia em um canto. Peguei-a e vi que era em preto e branco, ligeiramente amarelada nas bordas. Era de uma bela mulher negra segurando um bebê e sorrindo para a câmera.

– E aí?

Olhei para Mariam.

– E aí o quê?

– Você não vê a semelhança?

– Com quem?

– Com você, é claro! Susie percebeu imediatamente, e eu também.

Olhei de novo.

– Sim, ela é negra, e tudo bem, com certeza é linda, mas... – Dei de ombros. – Tenho certeza de que existem milhares de mulheres que se parecem com ela... e comigo.

– Electra, você sabe muito bem que há muito *poucas* mulheres que se parecem com você. O formato do rosto dela, o formato dos olhos e as maçãs do rosto. Sério, ela é igualzinha a você. Quer dizer... você é igualzinha a ela.

– Bom, enquanto eu não encontrar a carta de Pa, não vou adotar como família qualquer pessoa que me escreva só porque se parece um pouco comigo, ok?

– É melhor encontrarmos essa carta, então – comentou Mariam, pegando e alisando a carta da tal avó (que, para mim, parecia impossível de desamassar), e depois a enfiando de volta no envelope junto com a fotografia. – Vou colocar isso no cofre, está bem?

– Está bem.

Meu celular tocou com uma notificação de mensagem e olhei para ele.

– Amanhã de manhã venho pegar você às oito horas. Você tem a reunião com Thomas e Marcella para discutir a campanha de Natal de perfumes... Electra?

– Sim. Beleza. Tchau – respondi, gesticulando para dispensá-la enquanto estudava a mensagem que acabara de chegar.

– E depois as fotos para a campanha do relógio à tarde. Se você não precisa de mais nada, nos vemos de manhã.

Eu não estava ouvindo, pois não conseguia desviar os olhos das palavras na tela, então apenas acenei na direção de Mariam enquanto ela caminhava para a porta. Peguei minha vodca e tomei um bom gole enquanto relia.

Oi, querida, estou na cidade para um show e estava pensando se você estaria livre amanhã. Seria bom conversar. Mitch.

Merda! Merda! Merda!

Engoli a vodca e me levantei para pegar mais e acalmar meu coração acelerado.

Li a mensagem de novo e de novo, depois procurei em meu notebook para ver se ele estava dizendo a verdade. Estava. Sua atual turnê passaria pelo Madison Square Garden dali a duas noites. Levantei, fui até as amplas portas de vidro e abri uma delas para chegar ao terraço. Mitch estava em algum lugar ali na cidade. Naquela noite, onde quer que ele estivesse, estávamos respirando o mesmo ar.

Olhei para o meu celular novamente e tentei decifrar se ele estava me oferecendo uma bandeira branca e, se estivesse, o que isso significava. Mas as bandeiras podiam ter certos lemas, como "Oi, sinto sua falta, amo você e percebi o meu erro" ou "Agora que já passou algum tempo, seria bom a gente retomar a amizade..."

E eu não tinha ideia de qual era.

Apenas diga não, Electra... É muito perigoso voltar a isso.

– Merda! Droga!

Dei um soco na barreira de vidro que me impedia de mergulhar não sei quantas centenas de metros para a morte. Naquele momento, eu me perguntei se seria a opção mais fácil; estava literalmente em agonia, pois não tinha ideia do que fazer. Desejei ter uma amiga próxima para quem pudesse ligar e pedir conselhos. Como era triste ter cinco irmãs, mas nenhuma que pudesse considerar amiga ou em quem pudesse confiar plenamente.

– Ignore a mensagem – falei em voz alta, enquanto andava de um lado para outro no terraço, arrancava uma flor de um arbusto e jogava as pétalas por cima da parede de vidro.

De volta ao apartamento, joguei meu celular na cama, virado para baixo. Talvez eu *devesse* deixar para lá. Afinal, se eu não respondesse e ele não se desse ao trabalho de escrever de novo, isso me diria o bastante.

Sim, era isso que eu ia fazer. Servi-me de mais uma vodca e fui até o closet, pensando no que usaria caso fosse encontrá-lo. Se eu tinha uma arma, eram as roupas. Um telefonema para qualquer designer da cidade e o traje que eu quisesse seria entregue em questão de horas. Claro, isso dependeria de onde iríamos nos encontrar. Se fosse na minha casa, eu tinha que parecer casual, mas sexy. Ele sempre amou as minhas pernas, então talvez a resposta fosse simples...

Entrei no banheiro e tirei a roupa antes de pegar uma toalha branca e macia do trilho aquecido. Enrolei-me nela e abri a torneira, coloquei a mão na água corrente e joguei algumas gotas na minha pele. Prendi os cabelos em um coque alto e me estudei de corpo inteiro no espelho que ia do teto ao chão.

Eu ri, porque com certeza era *isso* que eu usaria se Mitch fosse me visitar no apartamento. No entanto, se eu fosse sair para vê-lo... Larguei a toalha no chão e voltei ao closet. Já estava pegando um vestido Versace verde-esmeralda quando uma mensagem apitou no celular e eu corri para pegá-lo.

Era de Mitch e prendi a respiração quando a abri.

Electra, você recebeu minha mensagem? Realmente quero ver você e conversar amanhã.

– Isso! – gritei. – Ele está desesperado!

Pulando – literalmente – na minha cama, bebi um pouco mais de vodca para reunir coragem e tentei formular uma resposta.

Oi, acabei de ver.

Meus dedos pairaram sobre a tela enquanto eu analisava a programação que ele teria para o dia seguinte. Entrevistas ocupariam a manhã; depois do almoço, ele e a banda iriam ao local do show para ensaios e passagens de som. Calculei que Mitch estaria livre às oito.

Não posso amanhã durante o dia porque tenho uma reunião para a campanha de perfumes, mas devo estar em casa lá pelas oito.

Li tudo de novo e fiquei satisfeita o suficiente para enviar a mensagem. A resposta não demorou mais que alguns segundos.

Posse estar às nove na sua casa. Que tal?

Nesse ponto, decidi tomar um banho. Aumentei o volume do som e me deitei em uma banheira profunda de água perfumada, ouvindo o último CD de Mitch. Saindo da banheira e saboreando o prazer de ter todo o poder (para variar), passei no quarto e peguei meu celular.

Sim, pode ser. Te vejo amanhã.

Apertei o botão de enviar e me permiti um sorriso. *E a melhor coisa sobre isso,* pensei enquanto me olhava no espelho, *é que posso usar minha nova roupa favorita.*

❂ ❂ ❂

Mal dormi naquela noite e – apesar de ter prometido a mim mesma que não faria isso, porque Mitch era capaz de notar alguém cheirado a quilômetros de distância – de manhã estava tão nervosa que precisei cheirar uma carreira antes de ir à reunião para discutir a campanha dos perfumes.

– Você está bem? – perguntou Mariam quando saí do banheiro.

– Sim, muito bem. Vamos entrar?

Duas horas depois, quando terminou, fiquei feliz que Mariam estivesse lá para registrar o que havia sido acordado em minha agenda para a próxima sessão de fotos no Brasil, além do lançamento em outubro. Eu só sabia que estava fedendo como uma prostituta barata – o cliente comparecera à reunião e eles obviamente tiveram que pulverizar a sala com o perfume antes de chegarmos.

– Uau – disse Mariam quando pegamos o elevador. – Eles não estão poupando nenhuma despesa nessa campanha. Nunca fui ao Rio, você já?

– Não tenho certeza, mas acho que não.

– Você não falou que sua irmã mais velha mora lá?

– Devo ter falado, se você sabe – respondi, me perguntando se eu teria tempo de pedir à manicure que fosse lá em casa à tarde.

– Você pode visitá-la, não?

– Acho que sim – comentei enquanto Mariam saía na frente e nos instalávamos no banco de trás da limusine que nos aguardava.

– Quer que eu peça algo para o seu almoço?

– Não, obrigada, vou arrumar alguma coisa para comer em casa mesmo.

– Electra, sua geladeira está vazia e é importante comer alguma coisa. Você tem a sessão de fotos às três para a campanha da Jaeger-LeCoultre.

– O quê? – Eu me virei para ela, horrorizada. – Você não mencionou isso ontem.

– Mencionei, sim, Electra – afirmou ela, calmamente. – Você não se lembra daquele relógio incrível com diamantes cor-de-rosa que mandaram para você experimentar na semana passada com dois seguranças a tiracolo?

Infelizmente, eu *lembrava*.

– Que merda – sussurrei, pois tinha começado a perceber que Mariam estremecia toda vez que eu falava um palavrão. – Dá para cancelar? Dizer que estou doente ou algo assim?

– Acho que sim, claro, mas por quê?

– Porque eu tinha me esquecido totalmente de um compromisso hoje.

– A que horas começa?

– Por volta das oito – respondi, pensando que precisava de uma boa hora para me preparar para a chegada de Mitch.

– Bem, eles querem uma foto do pôr do sol, e vai estar escuro lá pelas sete e meia, então acho que você consegue chegar ao seu compromisso se for direto depois do ensaio.

– Preciso de um tempo para me arrumar! Meu Deus! Eles não podem adiar por uma semana? A campanha só começa daqui a alguns meses. De quanto tempo de antecedência esses caras precisam?!

– Electra, não quero tomar conta da sua vida, mas...

– Não, não quer! Ninguém quer, embora todo mundo tome!

Eu a observei corar e baixar os olhos.

– Me desculpe se eu faço isso.

De repente, me senti péssima. Não era culpa de Mariam, era minha.

– Não, *eu* é que peço desculpas. Estou muito ansiosa hoje, só isso. Enfim – suspirei –, acho que você tem razão. Não seria nada elegante de minha parte deixá-los na mão. Só vou ter que ser maravilhosa e conseguir a foto perfeita bem depressa.

– Se alguém pode fazer isso, é você, Electra. Ok, então tem certeza de que não quer nada para comer?

– Talvez um macarrão com wasabi e couve.

– Pode deixar. Agora, tenho que me encontrar com Susie, mas volto para buscá-la às duas e meia. Ok?

– Ok.

De volta ao meu apartamento, cheirei duas carreiras de cocaína, porque meus nervos estavam em frangalhos, acompanhadas com vodca Grey Goose. Então bebi um bocado de água, gargarejei meia garrafa de enxaguante bucal e masquei chiclete enquanto me sentava na cama tentando relaxar, praticando os exercícios de respiração que minha terapeuta havia ensinado.

Não deu certo. Nada deu certo, exceto a vodca e sua companheira em pó, que eu apelidara de Paraíso Branco.

– Por que as coisas boas fazem tão mal? – reclamei enquanto cheirava mais duas carreiras do único remédio que eu sabia que conseguia me acalmar.

– Olá, Electra, você está linda como sempre.

Tommy, meu superfã, se aproximou quando saí do prédio.

– Obrigada.

– Há algo que eu possa fazer por você hoje? – indagou ele.

– Não, mas obrigada por perguntar – respondi, sorrindo para ele ao passar, antes de entrar na limusine que me esperava.

– Ele é um homem tão gentil... – comentou Mariam no banco traseiro do carro. – E muito protetor em relação a você. Talvez devesse contratá-lo oficialmente como guarda-costas. Dá para ver como é musculoso por baixo daquelas camisas velhas.

– Mariam! – Eu me virei para ela e levantei uma sobrancelha. – Estou chocada.

– Fala sério, Electra, posso não beber ou falar palavrões, mas ainda estou viva. – Ela sorriu ao entrarmos no meio do trânsito. – Então, o que você vai fazer de tão importante hoje à noite?

– Ah, é só um jantar com um amigo.

– Bem, vamos fazer o possível para que você esteja de volta ao seu apartamento a tempo.

Cheguei em casa pouco antes das oito, com um ombro doendo por ter tido que manter o braço exatamente na posição correta até eles conseguirem a foto perfeita do relógio. Fiquei aliviada ao ver que Tommy não estava no lugar de sempre. Ele gostava de me ver chegar em casa a salvo antes de ir embora. A última coisa de que eu precisava era alguém vendo Mitch entrar no meu prédio, embora ele fosse um mestre do disfarce, com um armário cheio de barbas, bigodes e perucas falsos. Depois que o mensageiro abriu a porta da cobertura, corri para encher a banheira e examinei minha maquiagem pós-fotos para decidir se valia a pena mantê-la. Eu sabia que Mitch me preferia *au naturel*, então tirei tudo e entrei na água, tomando cuidado para não molhar o cabelo. Eu queria tanto um cabelo naturalmente sedoso. Talvez um dia eu o raspasse, como Alek Wek – uma modelo com quem me encontrei algumas vezes nas passarelas –, o que seria muito mais fácil.

Depois do banho, fui até a cozinha para colocar um pouco de gelo na minha vodca e diluí-la.

– Merda! – exclamei, vendo que Mariam tinha razão ao dizer que minha geladeira estava vazia. Mitch não aguentava mais do que alguns minutos sem beber uma dose de chá verde gelado.

Por outro lado, quem dá a mínima para o que ele bebe?, disse a mim mesma, voltando ao banheiro e escovando os dentes. *Ele me deu um fora, lembra? Ele partiu meu coração.*

– É isso mesmo! – respondi em voz alta para o meu reflexo no espelho, enquanto passava um pouco de vaselina nos lábios.

Na sala de estar, olhei para o relógio e vi que faltavam quinze minutos para as nove. Como eu não pretendia vestir nada além da toalha, havia pouco mais a fazer, exceto encher uma garrafa de água com vodca para ter doses de emergência à mão sem ele perceber o que eu estava bebendo. Agarrando meu portfólio, peguei minhas melhores fotos recentes e as deixei soltas ao acaso na mesa de centro, para fazer parecer que eu estava tentando escolher uma. Depois resolvi colocar uma música, mas não conseguia decidir entre Springsteen – que Mitch idolatrava – ou pop dos anos 1980, que eu amava e ele odiava. Então, não toquei nenhuma.

– Meu Deus! Estou estressada – murmurei ao me sentar no sofá.

Detectei uma pitada de suor acre e voltei imediatamente ao banheiro para me limpar e borrifar mais perfume. Eu não ficava tão nervosa desde a minha primeira passarela em Paris.

E se ele quiser você de volta? Você vai aceitar, como um cordeirinho?

Você sabe que sim, Electra...

Eu não tinha mais tempo para pensar, pois o concierge interfonou para dizer que um tal "Sr. Mike" estava lá embaixo, no lobby.

– Sim, mande-o subir – respondi e logo bati o interfone, corri de volta para o banheiro e borrifei meus ombros com um pouco de água do banho.

Verificando meu reflexo no espelho, esperei a campainha tocar. Demorou uma eternidade, então ouvi uma voz conhecida da sala de estar.

– Electra? Cadê você?

Meu Deus do céu! Mitch estava no meu apartamento!

– Já vou!

Fiz uns barulhos bem altos com a água do banho, jogando mais um pouco sobre os ombros, então verifiquei se a toalha estava posicionada sedutoramente antes de entrar na sala de estar.

E lá estava ele, em pessoa – o cara que havia partido o meu coração. Ele tinha tirado o boné e a barba falsa e parecia (irritantemente) tão alto e sexy quanto eu me lembrava, vestindo calças jeans sujas, uma camisa xadrez e as botas de caubói que ele sempre usava. Se algum homem podia representar o macho americano era Mitch. Notei que o cabelo dele estava mais comprido do que na última vez em que o vi, e ele obviamente não se barbeava havia um bom tempo, porque notei a barba por fazer em seu queixo. Eu só queria agarrá-lo e arrancar suas roupas.

– Como você entrou?

– A porta estava aberta. – Ele deu de ombros. – Você não deve tê-la fechado direito.

– Caramba, eu faço isso direto. Um dia serei assassinada na minha própria cama.

– Espero que não. – Os olhos dele me analisaram brevemente de cima a baixo, então se desviaram. – Obviamente eu a interrompi. Você quer se vestir?

– Eu... Ah, é claro. Acabei de sair da banheira. As fotos demoraram muito.

– Tudo bem, não tenho pressa. Vai lá.

– Ok – respondi e entrei no quarto com raiva de mim mesma.

Parte de mim acreditava que bastaria ele me ver seminua, com nada mais do que uma toalha, para me agarrar imediatamente. Mas ficou claro que teria todo um ritual envolvendo a gente se conhecer de novo antes disso.

Como eu não tinha um Plano B em termos de roupas, deixei cair a toalha e parei no meio do closet, sem ideia do que vestir. No fim, optei por minhas calças jeans prediletas e joguei um colete verde por cima – Mitch era um sulista tradicional e tinha uma queda por um par de jeans apertados.

Ofegando e me abanando, porque ainda estava suando de ansiedade, voltei para a sala e o encontrei sentado no sofá, olhando minhas fotos.

– Juro que você fica mais bonita cada vez que a vejo. E estou falando de você mesma, não dessas fotos – comentou ele, com um sorriso.

– Obrigada. Quer beber alguma coisa?

– Tem Coca-Cola?

– Pensei que você só bebesse chá.

– Foi um dia estressante e às vezes preciso de uma dose de cafeína.

– Vou dar uma olhada – falei, entrando na cozinha.

Vi que havia duas latas de Coca-Cola na porta da geladeira.

– Aqui está.

Entreguei a lata a ele. Mitch nunca bebia do copo.

– Então... – comecei, colocando-me a certa distância dele no sofá e pegando minha garrafa de "água". – O que você tem feito?

– Ocupado com a turnê. Descobri que amanhã à noite será meu centésimo show.

– Uau, legal – disse, sugando o canudo com força e enchendo a boca com vodca pura. Engoli e assenti para ele. – Bem, está quase acabando.

– É, pois é, e eu mal posso esperar para voltar para Malibu e tirar um tempo para relaxar em casa. E você, Electra? Como está?

– Bem. Ocupada como você, mas bem, sim.

– É ótimo ouvir isso. Como eu disse, você está fantástica.

– Você está ótimo também.

– Obrigado, mas não acredito nem um pouco. Meses sem dormir na própria cama cobram seu preço. Vou tirar um tempo de férias depois de amanhã à noite. Estou ficando velho demais para esse negócio – comentou ele, sorrindo preguiçosamente para mim, um sorriso que sempre deixava milhões de mulheres de joelhos.

– Não seja idiota, Mitch. Roqueiros nunca morrem, você sabe disso. Olhe para os Stones, por exemplo.

– É, tem razão. – Ele revirou os olhos. – Agora, meu bem, venha me dar um abraço.

Ele não precisava pedir duas vezes. Afundei em seus braços abertos, esperando o momento em que ele inclinaria minha cabeça para trás e me beijaria. Em vez disso, ele acariciou meu cabelo.

– Comparada comigo, você é um bebê, não é?

– Não mesmo. Na minha linha de trabalho, tive que crescer depressa. Eu me sinto velha, provavelmente mais velha do que você.

Olhei para ele, meus lábios se entreabrindo, mas Mitch apenas me encarou com uma expressão estranha.

– Então sem ressentimentos?

– Por que haveria?

– Porque... eu deixei você na mão.

– É verdade, mas já passou. Você teve suas razões. Eu compreendo.

– Bem, você está sendo muito generosa, Electra, mas com certeza não me faz sentir menos idiota. Não teria sido correto continuar quando eu sabia que não ia dar certo.

Esperei pelo "mas", que nunca veio.

– Estou muito feliz que você tenha superado – falou ele. – Nunca foi minha intenção magoá-la.

– Eu já disse, estou bem.

Aquela conversa não estava acontecendo do jeito que eu imaginara, então me afastei, peguei a garrafa de "água" e tomei outro gole.

– Parece que você está sóbria também.

– Estou – concordei, enquanto sorvia um grande gole de vodca.

Era a hora de ir direto ao ponto.

– Por que você veio afinal?

– Porque... porque tenho que lhe contar uma coisa.

– O quê?

– Bem, eu queria que você soubesse antes do anúncio oficial. Eu meio que senti que lhe devia isso.

Eu o encarei silenciosamente, sem ter ideia do que ele queria dizer, mas com a certeza de que não seria uma declaração de amor eterno.

– Vou me casar... com uma moça maravilhosa que conheci na turnê. Ela trabalha como *backing vocal* e é sulista como eu. A gente combina, sabe?

Eu já tinha ouvido descrições de sangue virando gelo, mas, até aquele momento, nunca tinha experimentado a sensação.

– Parabéns – consegui dizer, quase engasgando com o esforço.

– Obrigado. Agora estou me sentindo um idiota por ter vindo contar pessoalmente, porque é óbvio que você está bem.

– Estou, estou mesmo – concordei, usando todo o meu autocontrole para não pegar a pesada estatueta de bronze sobre a mesa de centro e bater com ela naquela cabeça bonita e arrogante.

– Acho que é isso. Vou contar aos fãs amanhã à noite. Vou puxar Sharon até o palco e contar tudo.

Eu o vi assentir diante da imagem idealizada do cenário que ele estava imaginando. Fiquei em silêncio, sugando com força o meu canudo, mas não havia mais nada para sugar.

– Posso conseguir ingressos VIP para você se quiser.

– Desculpe, tenho um compromisso amanhã à noite – respondi, dando de ombros com indiferença.

Eu o observei se levantar.

– Bem, então vou deixar você em paz. Tenho que dormir um pouco essa noite. Amanhã será um grande dia.

– É o que parece – assenti, sem me mexer.

Então ele me olhou e talvez algo na minha expressão tenha lhe dado alguma pista.

– Fiz besteira em vir até aqui? Eu só...

– Mitch?

– Sim?

– Dá para sair do meu apartamento? *Agora!*

Eu me levantei do sofá, parando bem na frente ele.

– Claro. Estou indo. Sinto muito, Electra – disse ele, caminhando em direção à porta. – A última coisa que eu queria era magoá-la.

– Bem, adivinhe? Você me magoou! Bastante!

Marchei à frente dele e abri a porta.

– Adeus, Mitch. Tenha uma boa vida com sua nova esposa.

Sorte a dele não ter dito mais nada, porque, se tivesse aberto a boca, eu poderia muito bem ter acabado na prisão, cumprindo pena por assassinato. Quando Mitch passou pela porta, eu a bati com tanta força que os copos chocalharam no armário da cozinha. Então deslizei pela parede e explodi em grandes soluços de raiva e dor.

6

— Deseja alguma coisa, Srta. D'Aplièse? – perguntou o comissário de bordo.

– Sim, um copo de água tônica com gelo.

– Gostaria de uma fatia de limão?

– Não, obrigada.

– Que tal algo para comer?

Olhei em volta do meu assento à procura do cardápio.

– Não se preocupe, tenho um aqui.

Ele me entregou o cartão. Minha cabeça estava girando tanto que eu mal conseguia me concentrar.

– Vou querer o macarrão refogado e a salada.

– Perfeito. Algum vinho para acompanhar?

– Não, apenas a água tônica.

O comissário assentiu e se afastou da cabine da primeira classe. Abri o compartimento onde minha bolsa e as compras no aeroporto estavam armazenadas e, certificando-me de que ninguém estava olhando, abri a tampa da garrafa de Grey Goose que eu tinha comprado e dei um gole. Quando o comissário de bordo voltasse com minha água tônica, eu tomaria a metade e a encheria com meu estoque particular de vodca. Reclinei meu assento e fechei os olhos, mas estranhas luzes brilhavam em minhas pálpebras. Eu sabia que tinha usado muita cocaína na noite anterior e o êxtase não me fizera bem. O efeito só começara a diminuir às sete da manhã, quando eu já havia tomado dois comprimidos para dormir. Depois disso, só me lembrava de alguém chamando meu nome e de fazer um esforço enorme para abrir os olhos, então vi Mariam me encarando e avisando que estava na hora de partir para o aeroporto JFK.

– Oi.

Falando no diabo, pensei, quando Mariam apareceu ao meu lado, vindo de seu assento na classe executiva.

– Oi – respondi, erguendo os olhos para ela.

– Como está se sentindo?

– Estou bem, obrigada. Dormi tarde ontem à noite, só isso.

– Bem, o voo para São Paulo demora dez horas, então espero que você consiga dormir um pouco antes de embarcarmos no jato particular para o Rio. Você tem um dia inteiro de fotografias amanhã.

– Eu sei. Vou ficar bem, sério.

– A propósito, você falou com a sua irmã?

– Não, ainda não.

– Bem, com certeza dá tempo de vê-la amanhã à noite ou na quinta-feira, antes de pegarmos o voo noturno de volta.

– É, eu vou falar com ela quando pousarmos.

– Ótimo. Ok, bem, se precisar de alguma coisa, é só enviar o comissário para me buscar – avisou Mariam, com um sorriso.

– Pode deixar – assenti, enquanto minha água tônica chegava com uma porção de castanhas-de-caju. – Obrigada.

Assim que ambos se retiraram, engoli metade da água tônica e em seguida preenchi o copo com um pouco da vodca, como planejado.

As últimas duas semanas haviam sido as piores da minha vida, literalmente de *toda* a minha vida, refleti, enquanto tomava dois grandes goles da bebida. Aonde quer que eu fosse, havia fotos de Mitch com sua Noivinha Muito Bonitinha em capas de revistas e jornais, a TV repetindo o momento em que ele anunciou que ia se casar com ela no palco do Madison Square Garden. Todos estavam falando sobre isso, as vozes se transformando em sussurros quando eu aparecia. Assim como as notícias na programação da CNN, aquele circo de pesadelo passava o tempo todo dentro da minha cabeça. E, claro, eu não podia nem *começar* a deixar transparecer que me importava. Qualquer indício de bancar a ex-namorada triste daria à mídia o que todos queriam. Então resolvi me divertir: toda noite eu ia à estreia de algum filme, a uma boate ou a uma chamativa galeria de arte. Liguei para todos os amigos famosos que pudessem me acompanhar – Zed fora muito útil e havia fotos e notícias nas colunas debatendo se éramos oficialmente um casal. Eu tinha feito tudo aquilo porque não queria que *ninguém* me visse chorar.

– Ninguém – murmurei, acabando com a minha vodca.

– Macarrão e salada, Srta. D'Aplièse – anunciou o comissário, aparecendo ao meu lado de repente, como se fosse a Fada Sininho.

Ele puxou a minha mesa e outro comissário abriu uma toalha e ajeitou os talheres antes que a comida fosse colocada diante de mim.

– Algo mais?

– Talvez uma taça de champanhe – respondi, com um sorriso.

– Por que não? – concordou ele, fazendo menção de levar meu copo quase vazio de água tônica.

– Quero um pouco mais de água tônica também, por gentileza.

– Pois não, Srta. D'Aplièse.

Meu Deus, pensei, era cansativo ser eu. Até voando a 30 mil pés de altura, eu ainda fingia ser outra pessoa. Outra pessoa limpa, sóbria e sob controle.

Depois do macarrão, tomei água tônica com vodca de novo e dei uma olhada na seleção de filmes. No meio do mais recente Harry Potter (as comédias românticas seriam a minha última opção naquele momento), peguei no sono e só acordei quando todo mundo já havia apagado suas luzes e se enrolado em seus edredons, os cintos de segurança apertados por cima. Depois de me levantar para ir ao banheiro, voltei à cabine e, com a estranha iluminação azul, achei que ela se assemelhava a um laboratório espacial voador. *Humanos adormecidos são tão vulneráveis,* pensei enquanto voltava para minha própria área, que magicamente se transformara em uma cama enquanto eu estava fora. E se havia algo que eu não podia demonstrar era vulnerabilidade; ao primeiro sinal de que eu estava sofrendo, a mídia transmitiria os detalhes sórdidos ao redor do mundo. Pessoas de Tallahassee até Tóquio balançariam a cabeça umas para as outras. Sentadas às suas mesas de jantar, diriam que eu tinha feito por merecer e ficariam felizes se eu estivesse sofrendo, porque, diriam, esse era o preço do sucesso.

Talvez fosse, mas enquanto olhava pela janela e via as luzes do que deveria ser a América do Sul lá embaixo, pensei que nunca pedira pelo sucesso. Muitas "celebridades" que conheci me contavam que sonhavam desde crianças em ficar ricas e famosas. Eu apenas sonhava com um mundo onde não me sentisse uma estranha, um mundo ao qual eu pertencesse. Porque isso era tudo o que eu sempre quis de verdade.

✲ ✲ ✲

– Caramba, está quente! Podemos fazer uma pausa? – perguntei ao diretor.

Eram três da tarde e eu já estava ficando sem forças.

– Só mais uma tomada, Electra, e acho que podemos encerrar por hoje. Você está indo muito bem, querida.

Mordendo minha língua com força – eu nunca havia quebrado a minha regra de ouro de não passar de reclamações amenas –, voltei pela areia macia da praia de Ipanema para me posicionar em minhas marcas. A maquiadora logo se aproximou e passou mais pó em meu rosto para cobrir a transpiração.

– Ela está pronta! – gritou ela em meio ao vento forte e ardente da praia.

– Ok, Electra! – falou o diretor no megafone. – Dê três passos à frente, então comece a levantar os braços até eu dizer "corta".

Fiz um sinal de ok para ele.

– E... ação!

Lá fui eu novamente, pela vigésima vez, rezando para que fosse a última e eu pudesse tirar o robe de chiffon branco – com um capuz abaulado que inflava como um paraquedas atrás da minha cabeça, a parte de baixo colando de umidade na minha pele – e me jogar nas enormes ondas que rugiam atrás de mim.

– Ok, corta!

Fiquei parada, esperando o diretor verificar o resultado.

– Gente, isso é tudo por hoje!

Quase arranquei o robe e fui tropeçando pela areia até a tenda que era usada como camarim.

– Alguém quer nadar? – perguntei, quando o diretor e Mariam enfiaram a cabeça lá dentro.

– Não sei se o seguro cobre um mergulho com as ondas desse tamanho, Electra – alertou-me o diretor.

– Ah, fala sério, Ken. Estou vendo crianças nadando.

– Que tal amanhã à tarde, quando terminarmos? Então posso deixar você se afogar tranquilamente – brincou ele. – Joaquim acabou de chegar, parece que está tudo dando certo.

– Tudo bem. Vou voltar ao hotel e dar um mergulho na piscina. Agora, se você me der licença, preciso trocar de roupa.

– Claro, querida.

Ken saiu, mas Mariam ficou e me entregou uma garrafa de água.

– Bom trabalho – comentou ela, sorrindo. – As fotos estavam incríveis.

– Ótimo. Agora vamos sair daqui – murmurei, me virando para a camareira e sorrindo docemente. – Obrigada pela ajuda hoje.

– Foi um prazer, Electra. Vejo você amanhã às sete – disse ela, com seu inglês carregado.

Quando voltei ao Copacabana Palace, havia um grupo de caçadores de autógrafos reunidos na entrada. Eles gritaram quando saí da limusine, e eu sorri para suas câmeras e assinei suas fotos e livros de autógrafos.

Uma vez lá dentro, quase corri para o elevador, ansiosa para chegar à minha suíte.

– Quer que eu vá com você? – perguntou Mariam.

– Não, vou tomar um banho frio e descansar um pouco. O dia hoje foi bem longo.

– E o seu mergulho? – indagou ela, quando as portas do elevador se abriram.

– Talvez mais tarde – respondi, entrando e apertando o botão para a cobertura. – Depois eu ligo – acrescentei, antes que as portas se fechassem.

De volta à minha suíte, peguei minha bolsa e peguei a vodca. Minhas mãos tremiam visivelmente quando levei o copo aos lábios – eu não tinha ousado levar drogas no voo e contei com a chance de que alguém na filmagem poderia compartilhar seu suprimento. Não foi o que aconteceu, e eu não conhecia ninguém o suficiente para confiar.

Quando estava entrando no chuveiro, o telefone do quarto tocou. Deixei tocar, pensando que não havia ninguém no planeta com quem eu quisesse conversar.

Debaixo do chuveiro, soltei uma torrente de palavrões que fariam Ma, que havia nos ensinado a nunca blasfemar, estremecer. Ainda assim, Mitch merecia cada um deles. Agarrando uma toalha e voltando para a sala, vi a luz vermelha indicando uma mensagem piscando no telefone. Fui até lá, peguei o aparelho e apertei o botão para ouvi-la, imaginando que devia ser da recepção perguntando a que horas eu ia querer o serviço de quarto.

Em vez disso, ouvi o tom reconfortante da voz de minha irmã Maia.

"Oi, Electra, que pena que você não pôde atender. Floriano viu uma foto sua em um jornal hoje de manhã, chegando ao Copacabana Palace. Não sei por quanto tempo você vai ficar aqui, mas eu adoraria vê-la. Moro bem pertinho do hotel, e meu número é..."

Peguei o lápis ao lado do telefone e escrevi o número no bloco de notas. Contemplei a noite que teria pela frente. Havia um jantar programado em algum restaurante elegante para o elenco e a equipe, do qual eu participaria, mas poderia facilmente me livrar fingindo cansaço. Maia havia dito que morava perto, então talvez eu devesse pular o jantar, ligar para minha irmã mais velha e ir conhecer sua nova família.

A verdade era que eu não queria fazer *nenhum* dos dois. O fato era que eu não queria fazer nada, exceto ficar sozinha e esquecer até que estava respirando.

– Meu Deus, preciso de cocaína! – gritei, pensando que a única desvantagem da minha nova e brilhante assistente pessoal era o fato de ela ter horror a essas coisas.

Amy pelo menos estava sempre disponível se eu precisasse de drogas, pois também gostava da coisa. Mariam provavelmente cairia desmaiada se eu pedisse que ela me trouxesse uma água tônica com vodca.

A campainha da minha suíte tocou, mas eu a ignorei. Trinta segundos depois, tocou novamente.

– Quem é? – perguntei.

– Sou eu, Joaquim – disse uma voz profunda e ressonante do outro lado da porta.

– Joaquim?

Eu conheço algum Joaquim?

Então, a ficha caiu, como diria Pa; ele era o novo modelo em alta na cidade e ia aparecer no comercial comigo. O diretor havia mencionado que ele chegaria hoje e estaria pronto para as filmagens do dia seguinte.

– Espere aí, já vou.

Vesti meu roupão e fui abrir a porta.

– Olá, Electra.

Ele sorriu preguiçosamente para mim, seus cachos pretos caindo ao redor de um rosto que já era quase tão famoso quanto o meu por sua beleza. Avaliei o resto dele e lhe dei um sorriso.

– Olá para você também.

– É uma honra finalmente conhecê-la. Estou incomodando?

– Não, entre – respondi, abrindo mais a porta.

– Só pensei que, se vamos nos beijar no set amanhã, eu devia me apresentar a você primeiro.

– Claro. – Indiquei o sofá. – Sente-se. – Eu o observei enquanto ele atravessava a sala e concluí que sim, ele *era* gostoso. – Uma bebida?

– O que você tem aí?

– O conteúdo de um minibar ou serviço de quarto – respondi, dando de ombros.

– Que tal champanhe?

– Como quiser.

Liguei para o serviço de quarto e pedi uma garrafa de Taittinger no gelo.

– Sabe, isso é uma loucura! – comentou ele, sorrindo, mostrando seus dentes brancos e uniformes.

– Por quê?

– Porque um ano atrás eu morava aqui no Rio e ganhava a vida limpando a areia do outro lado da rua. – Ele apontou através da janela para a praia de Copacabana, lá embaixo, em uma perfeita linha branca. – Então uma senhora americana se aproximou e disse que faria de mim um astro. Agora, aqui estou eu, sentado na melhor suíte do Copacabana Palace, com uma das mulheres mais famosas do mundo.

– É, comigo foi parecido. Transição estranha, não é?

– Sim, é. E amanhã estaremos na praia que eu costumava limpar e vou receber mais dinheiro para beijar você do que ganharia em cinco anos!

Ao estudá-lo mais de perto, percebi que ele não devia ter mais do que 19 ou 20 anos – um menino. Eu me senti velha.

– Electra, posso lhe dizer uma coisa?

– O que você quiser.

– Ainda tenho fotos suas no quarto que eu dividia com meus irmãos mais novos. Você é minha... Como se diz mesmo? Minha *pin-up girl*!

– Ah, que fofo, obrigada – falei quando a campainha tocou, trazendo o champanhe. – Então... – Ergui a taça em um brinde quando o copeiro saiu. – Um brinde ao seu sucesso. Vi seu rosto em cartazes por toda Nova York. Você ficou bem famoso.

– Não tanto quanto você – respondeu ele, me dando um sorriso largo de menino e depois tomando um gole do champanhe.

– Bem, pode ser uma montanha-russa bem louca e, se você alguma vez precisar de algum conselho, vou ficar feliz em ajudar. Já passei por tudo isso – falei, do fundo do coração.

– E ainda está passando! Minha agente me fala o tempo todo que a minha vela pode queimar tão rápido quanto acendeu. Então vou fazer de tudo para garantir que ela se mantenha acesa, porque nunca mais quero voltar para lá. – Joaquim indicou a praia novamente. – Tenho que me comportar, não é?

– Sim, você provavelmente já está aprendendo qual é o problema com a fama.

– Eu sei que é difícil; as pessoas me veem na rua ou no bar e tenho que tirar fotos e dar muitos autógrafos. E os compromissos, nossa! – Ele passou a mão pelos cabelos. – Estive em três continentes no mês passado. Eu acordo e nem sei onde estou. Mas não reclamo porque sei que tive muita sorte.

– Sim, esse é o espírito – murmurei enquanto esvaziava minha taça e nos servia mais.

– E estou tomando mais disso do que deveria.

Eu o vi enfiar a mão no bolso da calça jeans e tirar um saquinho de pó branco.

– Você se importa se eu...? – perguntou ele, indicando o saquinho.

De repente, acreditei em Deus, Papai Noel e no Coelho da Páscoa ao mesmo tempo.

– E se eu dissesse que me importo?

Sorri enquanto ele batia um pouco de pó sobre a mesa.

Ele pareceu assustado.

– Então, é claro que não, Electra, mas as pessoas do nosso meio me disseram que você... não se importava.

Foi a minha vez de ficar assustada, embora tenha tentado não demonstrar.

– Não, mas tento não criar um hábito, é claro.

– Mas é uma ocasião especial, a primeira vez que a gente se encontra. Quer me acompanhar?

Se eu quero?! Tentei parecer calma.

– Por que não? – respondi.

– Aqui, você primeiro. É muito boa. De um amigo que conheço aqui no Rio.

E quando aquela sensação tão bem-vinda começou a preencher meus sentidos, eu ri alto.

– É boa *mesmo*. Talvez você possa me dar o número do seu amigo, só para o caso de eu precisar de mais um pouco.

– Não se preocupe, Electra, eu tenho o suficiente para nós dois.

Joaquim encontrou o sistema de som e ligou bem alto, depois nos sentamos no terraço com vista para a praia de Copacabana. De repente, a vida era maravilhosa e meu novo amigo se tornava mais atraente a cada segundo.

– Você vai ao jantar hoje à noite? – indagou ele.

– Eu deveria, mas não estou com vontade.

– Eu também não. Estou na minha cidade natal e quero me divertir. Posso levar você para conhecer alguns lugares menos conhecidos dos turistas.

– Eu adoraria, de verdade. Quase nunca consigo conhecer as cidades que visito.

Levantei-me, pretendendo ligar para Mariam, mas ele me seguiu e me agarrou pela cintura.

– Ou podemos nos divertir aqui mesmo... sozinhos.

Seus quadris balançaram atrás de mim ao ritmo da música. Ele me virou para encará-lo e não perdeu tempo em me beijar.

Uns 45 minutos mais tarde, a campainha tocou. Eu a ignorei, então ouvi meu celular tocar também.

– Espere aí – pedi, beijando Joaquim antes de sair da cama, vestir meu roupão e ir à sala para atender meu celular.

– Electra, é Mariam. Estou na porta.

– Ai, meu Deus! – murmurei, indo abrir e pegando no caminho um envelope que havia sido deslizado por baixo da porta. – Oi – falei, tentando parecer sonolenta, embora estivesse totalmente alta.

– Você não está vestida, e temos que sair para o jantar em quinze minutos.

– Desculpe, mas não estou me sentindo muito bem. Você pode pedir desculpas por mim? Diga que vou para a cama cedo.

– Ok...

Eu podia sentir os olhos de Mariam me perfurando. Entreguei a ela o envelope.

– E pode cuidar disso para mim? Não sei o que é. Vejo você amanhã.

– Tudo bem, mas não se esqueça de ligar o alarme para as seis e meia.

– Pode deixar.

– Melhoras – desejou ela.

– Obrigada. Boa noite.

Fechei a porta e coloquei a corrente de segurança também. Andando lentamente até a mesa de centro, cheirei outra carreira e depois voltei para o quarto e para os braços ansiosos de Joaquim.

7

Talvez por termos ficado tão íntimos na noite anterior, as filmagens foram tranquilas e terminamos tudo às quatro da tarde.

– Lembra que eu disse mais cedo que o recado que o concierge passou por debaixo da sua porta era da sua irmã Maia? – perguntou Mariam, enquanto eu me trocava no camarim.

– Sim, não tenho espuma no lugar do cérebro, sabia? – falei enquanto vestia o short.

– Vai ligar para ela quando voltar ao hotel? O bilhete dizia que ela estava livre hoje à noite, e nós só temos que sair para o aeroporto às dez.

– Claro que vou – respondi, irritada.

Ultimamente, eu começara a sentir que Mariam estava agindo como uma mãe superprotetora... e mandona. No entanto, quando voltei para minha suíte, disquei o número que anotara no dia anterior.

– Oi! – respondeu imediatamente a voz gentil de Maia.

– Ei, sou eu, Electra.

– Electra! Não acredito que você está aqui no Rio. Quanto tempo você vai ficar?

– Volto hoje à meia-noite.

– Então você tem tempo para passar algumas horas aqui e conhecer Floriano e Valentina?

– Provavelmente não – menti, pensando no compromisso que tinha com Joaquim em vinte minutos. – Mas a gente pode beber alguma coisa aqui no hotel, por volta das oito, antes de eu partir para o aeroporto.

– Ah, tudo bem. Combinado.

– É só pedir ao concierge para mandar você à minha suíte, ok? Vou deixar avisado.

– Ok. Mal posso esperar para ver você.

– É, tchau.

Desliguei e fiz uma carreira do saquinho que Joaquim me deixara na noite anterior, antes de tomar um banho. Liguei para o serviço de quarto e pedi uma garrafa de vodca e outra de champanhe no gelo. Dez minutos depois, Joaquim estava em minha suíte, e logo depois em minha cama.

– Você é linda – murmurou ele no meu ouvido. – Fico querendo você o tempo todo.

Pegamos no sono depois, então acordamos, cheiramos outro par de carreiras e transamos de novo. Então, quando reclamei que ainda estava difícil ficar acordada, ele tirou algumas pílulas da carteira.

– Experimente isso aqui, Electra. Nada vai deixar você mais ligada.

Engoli um comprimido com champanhe, e ele fez o mesmo. Dez minutos depois, estávamos fazendo amor mais uma vez, tomamos banho e ficamos rindo feito dois idiotas enquanto Joaquim tentava me ensinar a sambar nu no terraço.

– Alguém pode nos ver – sussurrei quando vi a piscina lá embaixo, sobre a balaustrada.

– E daria uma bela foto.

Ele sorriu enquanto me beijava.

– Não!

Mesmo naquela névoa de drogas e álcool, eu sabia que o que ele estava fazendo era perigoso, então o puxei de volta para dentro.

E encontrei Mariam e minha irmã Maia paradas no meio da sala de estar.

– Opa! – exclamei, tentando me cobrir com as mãos e observando Joaquim pegar uma almofada, demonstrando algum pudor.

Caí em uma gargalhada histérica ao ver a expressão no rosto de minha assistente e minha irmã.

– Desculpe, pessoal, vocês deveriam ter batido.

– Nós batemos, e ligamos para o quarto. Estávamos preocupadas, então no fim o gerente nos deixou entrar – disse Mariam e, naquele momento, me deu vontade de dar um soco naquela cara virginal e certamente não alcoólatra. – Vou pegar seu roupão, Electra.

– Acho melhor eu deixar vocês a sós – acrescentou Joaquim, desaparecendo atrás de Mariam dentro do quarto.

– Por favor, sente-se – falei para Maia quando Mariam voltou e me entregou meu roupão.

– Temos que sair para o aeroporto em quarenta minutos. Vou fazer as malas para você – disse ela, calmamente.

– Obrigada.

Joaquim reapareceu completamente vestido e eu lhe dei um grande abraço.

– Vejo você no aeroporto?

– Não, vou ficar um pouco mais e depois viajo para o México, para fotografar para a *Gentlemen's Quarterly*.

– Tudo bem – assenti. – Mantenha contato, está bem?

– Ligo para você quando for a Nova York – disse ele. – Tchau, Electra. Tchau, senhora – acrescentou ele ao sair, dirigindo-se a Maia.

– Quer champanhe? – perguntei à minha irmã, pegando a garrafa sobre a mesa de centro e a sacudindo. – Opa, acabou. Vou pedir mais.

– Não, obrigada, Electra.

– Quer outra coisa? – ofereci, enquanto me servia de um pouco de vodca pura da garrafa que pedira mais cedo.

– Não, estou bem. E você?

– Ah, estou ótima. E louca pelo Rio! Que cidade incrível.

Maia me observou beber a vodca silenciosamente. Coloquei o copo sobre a mesa e a estudei.

– Sabe, você é a mais bonita da família. Você é quem devia estar fazendo o meu trabalho.

– Obrigada pelo elogio.

– Não, é sério – continuei, observando seus incríveis cabelos escuros e brilhantes, sua pele impecável e os grandes olhos escuros que me lembravam os de Joaquim. – Você está realmente linda. Quer dizer, ainda mais do que da última vez que a vi – declarei, assentindo vigorosamente.

– Bem – respondeu Maia em seu tom de voz calmo e gentil –, talvez seja porque estou feliz. Você está feliz, Electra?

– Ah – respondi, abrindo meus braços –, estou em êxtase! O Joaquim não é lindo? Ele é brasileiro, sabia? Os brasileiros são todos tão bonitos assim? Acho que vou querer me mudar para cá, se forem!

– Está na hora de se preparar para ir para o aeroporto, Electra. – Mariam apareceu atrás de mim. – Deixei as roupas que você costuma usar para viajar em cima da cama.

– Obrigada – falei, cambaleando um pouco ao pegar a vodca na mesa.

– Você se lembrou da minha roupa de baixo também? – Eu ri. – Não vou demorar – acrescentei para Maia e lhe dei um pequeno aceno para entrar no quarto.

Pude ouvir minha irmã e minha assistente conversando em voz baixa enquanto eu me vestia.

– Ei, Mariam! Estou morrendo de fome. Você pode pedir ao serviço de quarto para me fazer um sanduíche para viagem? – gritei para ela.

– Claro – respondeu Mariam.

Sentei-me na cama e tentei amarrar meus tênis antes de perceber que os calçara nos pés errados, o que me provocou uma onda de risadas. Pensei em como Maia e Mariam eram, sei lá, parecidas. Ambas eram muito controladas, e nunca dava para saber o que estavam pensando, e...

– Adivinha? Acabei de perceber que tem todas as letras de "Maia" em "Mariam"! – anunciei, entrando na sala e me sentando pesadamente no sofá. – Não é legal?

As duas abriram sorrisos sem graça e então um homem de uniforme apareceu à porta.

– Você veio me levar? – perguntei a ele, rindo de novo.

Mariam foi falar com o homem e ele desapareceu rapidamente.

– Eu estava brincando! Ele precisa levar minhas malas.

– Electra, Mariam e eu estávamos conversando, e pensamos se você não gostaria de ficar comigo aqui no Rio por alguns dias – disse Maia. – Você falou que gostou tanto...

– Gostei, mas foi porque eu me diverti muito com Joaquim, sabe? A gente se deu muito bem.

– Eu percebi – concordou Maia. – Vocês parecem ter tido uma ótima conexão.

– Tivemos mesmo.

– Então – disse Maia, depois de uma pausa –, que tal você ficar aqui hoje à noite e tentar dormir um pouco, e amanhã decidimos se você fica mais um dia?

– Você não tem nada planejado até depois do fim de semana – acrescentou Mariam.

– Eu... não sei.

Dei de ombros, depois abri um bocejo enorme. E a ideia de afundar naquela cama grande e confortável no cômodo ao lado, em vez de ir ao aeroporto e embarcar em um avião de volta para – o quê? Meu apartamento vazio? – me pareceu bem atraente.

– Joaquim estará aqui amanhã também – lembrei de repente, com um sorriso. – Foi o que ele disse.

– Disse mesmo – concordou Maia.

– Então... – Mariam parou na minha frente. – Vamos ficar aqui? Tirar umas férias?

– Tudo bem – assenti.

– Certo, vou descer e estender a reserva do quarto e fazer a alteração dos voos, ok?

– Ok.

Quando ela se foi, Maia se aproximou do sofá, sentou-se ao meu lado e pegou minhas mãos.

– Mariam é adorável, não é?

– É, ela é um anjo. O que é meio irritante às vezes – acrescentei, erguendo uma sobrancelha.

Senti os olhos de Maia me observando.

– O que foi?

– Ah, eu estava pensando em quanto eu te amo, irmãzinha.

– Também amo você, irmãzona.

Ao encará-la, vi lágrimas em seus olhos.

– Ei, por que você está chorando? Você não está feliz em me ver?

– Estou muito feliz, Electra, juro. Agora – disse ela, enquanto eu bocejava de novo –, que tal a gente ir para o quarto e eu colocar você na cama, como fazia quando você era pequena, e lhe contar uma história?

Uma lembrança voltou à minha mente: de Maia, talvez com 13 anos, sentada na minha cama lendo contos de fadas para mim. Ela me disse uma vez que seu nome significava "mãe" em grego, e eu decidi que, se fosse para ter uma mãe, seria como ela.

– Claro – concordei, me levantando, ainda instável, e caminhando com ela até o quarto. – Ei! – Enquanto me arrastava para a cama, dei um tapinha nos lençóis ainda amarrotados da tarde que passei com Joaquim. – Tem espaço para você deitar ao meu lado.

Maia endireitou as cobertas do seu lado da cama, depois deitou por cima delas. Ela estendeu a mão para mim novamente e eu a segurei e apertei com força, sentindo os efeitos do êxtase e da cocaína diminuindo.

– Você sempre foi minha irmã favorita, sabia? – falei, virando-me para ela.

– É mesmo? Que fofo você dizer isso, Electra. Bem, tenho que confessar que você foi o bebê mais lindo de todos. Mesmo quando berrava.

– Eu sei do que você e Ally me chamavam.

– Sabe?

Vi um rubor subir lentamente pelo pescoço comprido de Maia.

– Sim, vocês me chamavam de Tricky. Eu sei que significa "difícil, complicada"... De onde vocês tiraram esse apelido?

– Do seu nome, Electra, que parece *elétrica.* Então reduzimos para Tricky, que soa mais carinhoso, entendeu? Sinto muito, querida, era só brincadeira.

– Fiquei magoada na época, mas acho que vocês tinham razão. E acho que não mudei muito.

Lágrimas começaram a arder em meus olhos.

– Bem, você pode ter feito algumas birras, mas também era a mais inteligente de todas as minhas irmãzinhas. Quando fazíamos aquelas competições mentais de matemática com Pa, no barco, todos os verões, você sempre ganhava.

– Eu era? Como fiquei burra, e não mais inteligente? Você sabe que fui reprovada em todos os meus exames na escola.

– Acho que você não ligava para eles, então não fazia nenhum esforço.

– Verdade. Maia? Posso tomar um café? Estou me sentindo muito tonta.

– Claro. Com ou sem cafeína?

– Com, definitivamente – respondi enquanto ela pegava o telefone. – Aquela história de vida saudável que eu estava vivendo na última vez em que a gente se viu era só por causa do Mitch. O corpo dele era um templo.

– É mesmo? – indagou Maia, enquanto esperava o serviço de quarto responder. – Vi uma foto dele em uma revista, e ele mais parecia um velho acabado.

Eu ri enquanto Maia pedia o café, mas a risada se transformou em um gemido, que se transformou em soluços.

– Ei – disse ela, com suavidade. – O que houve?

– Ah... tudo. – Dei de ombros enquanto as lágrimas escorriam pelo meu rosto. – Principalmente Mitch, eu acho. Não estou em um bom momento.

– Eu entendo, querida. E acho que você nunca pode demonstrar, não é?

– É, não posso. A mídia faria uma festa, e não quero que ninguém sinta pena de mim.

– Bem, eu não sou um jornal, apenas sua irmã, que ama você. Venha aqui.

Maia me puxou para um abraço e eu respirei o delicioso aroma natural de sua pele.

– Isso me faz lembrar de casa – comentei, com um sorriso.

– Que fofo você dizer isso.

– Sabe, fui a Atlantis há algumas semanas e não me senti em casa. – Balancei a cabeça com veemência. – Nem um pouco.

– Eu sei, Electra. É porque Pa se foi.

– Não foi só ele, mas todas vocês também. É meio triste estar lá apenas com Ma e Claudia.

– Ally contou que estava lá e que você conheceu Bear.

– Sim, ele é uma gracinha. Ela tem sorte de ter alguém para amar, e para amá-la. Eu... não. Não tenho ninguém.

Então comecei a chorar de verdade, contra a camisa branca de Maia, que cheirava a limpeza e calmaria, como ela.

– Desculpe, estou sendo dramática, é a... a coisa que tomei.

Percebi que era a primeira vez que eu confessava isso para alguém próximo.

– Eu sei.

– Além disso – falei, limpando meu nariz que escorria –, quero pedir desculpas por ter sido má com você quando cheguei em casa, em Atlantis, depois que Pa morreu.

– Você foi má? Não lembro.

– Eu fui. Eu disse que não adiantava nada ser bonita se você nunca parava com ninguém. Foi sem pensar, Maia, de verdade. Você é tão doce, tão boa e tão perfeita. Tudo o que eu não sou.

A campainha tocou e Maia foi buscar o café trazido pelo garçom.

– Aqui está – disse ela enquanto me entregava a xícara.

Quando me sentei, minha cabeça retumbou e me senti nauseada, então deitei de novo.

– Talvez daqui a pouco.

– Ok. Electra, meu bem?

– Oi?

– O que você acha de tirar um tempo e procurar ajuda?

– Já procurei muita ajuda. – Suspirei. – Já demiti cinco terapeutas nos últimos meses.

– Isso não parece nada bom, mas eu quis dizer uma ajuda mais... formal.

– Tipo o quê?

– Conheço um lugar muito bom no Arizona. Um amigo de Floriano esteve lá e saiu outra pessoa. Eu...

Apesar da dor de cabeça, sentei-me e olhei para ela.

– Você está insinuando que eu preciso de uma clínica de reabilitação?

– Bem, sim. Mariam contou que você não tem estado... – Maia suspirou enquanto tentava encontrar as palavras certas – ... muito bem, recentemente.

– É óbvio que não! O amor da minha vida anunciou que vai se casar com outra e isso está estampado em todos os meios de comunicação! O que eu deveria fazer? Saltar de alegria?

– Você o amava de verdade, não é?

– Amava, mas vou superar. Essas semanas só estão sendo difíceis. E por que Mariam estava falando de mim?

– Não, Electra. Ela só se preocupa com você...

– Ela se preocupa com seu maldito emprego! É com isso que ela se preocupa!

– Electra, meu bem, por favor, fique calma...

– Uau! – Eu explodi. – Cara, eu odeio essa frase mais do que tudo! Queria ter contado quantas vezes vocês todas, Pa e Ma me disseram isso!

– Desculpe, só estou tentando ajudar...

– Não tente. Eu vou ficar bem – respondi, assentindo ferozmente. – Muito bem. Agora podemos conversar sobre outra coisa, por favor?

– Podemos, Electra, mas...

– Não! Quero que você me conte uma história, como antigamente.

– Ok... – Maia olhou para mim. – Qual história você quer?

– A sua. Quero que você me conte como conheceu seu namorado aqui no Rio e se apaixonou.

– Ok... Você quer um café antes de eu começar?

– Não, estou muito enjoada agora. Conte sobre você e Floriano... aliás, eu adorei esse nome... e me distraia dessa merda toda.

Dei um tapinha na cama ao meu lado e Maia voltou a se deitar. Apoiei a cabeça no peito dela, incapaz de fechar os olhos, porque isso fazia minha cabeça girar, mas me sentindo reconfortada quando ela começou a acariciar meus cabelos.

– Bem, eu o conheci quando fui ver o Cristo Redentor pela primeira vez. Por falar nisso, você devia tentar visitá-lo também antes de ir embora, porque é simplesmente incrível. Ele era o guia do passeio, sabe, e...

Ouvi a história, e foi tão romântica quanto qualquer outro conto de fadas.

– E então vocês viveram felizes para sempre.

– Sim, ou pelo menos espero que sim. Quer dizer, ele não é um príncipe e temos muito pouco dinheiro, mas estamos felizes.

– E a parente que Floriano ajudou você a encontrar? Chegou a conhecê-la?

– Sim, mas ela estava muito doente e infelizmente morreu logo depois de nos conhecermos. Mas fico feliz por ter passado algum tempo com ela.

– Conte mais da história, Maia – insisti, louca para parar de pensar na cocaína ali tão perto, na gaveta da mesinha de cabeceira.

Eu não conseguiria dormir se cheirasse, e precisava desesperadamente descansar. Eu dormia tão bem quando estava com Mitch...

Então Maia me contou a história do homem que projetou o Cristo Redentor, do jovem escultor por quem sua bisavó havia se apaixonado tão profundamente e...

A próxima coisa que percebi foi Maia me beijando na testa e apagando a luz.

– Aonde você vai? – perguntei, agarrando seu braço no escuro.

– Para casa, Electra. Você precisa dormir.

– Maia, por favor, não me deixe. Fique um pouco mais, por favor. E acenda a luz. Estou com medo do escuro.

– Você nunca teve medo do escuro – disse ela, atendendo ao meu pedido.

– Mas eu agora tenho. Quero encontrar o amor, como você e Floriano, e Izabela e Laurent. – Sorri para ela.

– *Chérie*, você só tem 26 anos. Tenho quase 34: oito a mais que você. Ainda há muito tempo para você encontrar o amor, acredite.

– Espero não ter que esperar mais oito anos por isso. – Dei de ombros. – Eu me sinto tão velha, Maia...

– Juro que você não é. – Ela colocou a mão na minha testa e eu gostei da sensação de sua palma fresca em minha pele. – Você teve que crescer muito depressa, não foi?

– Acho que sim.

– Você é tão corajosa e forte, Electra.

– Não sou, não. – Meneei a cabeça. – Quer saber um segredo?

– Acho que sim – respondeu ela, com um sorriso.

– Sabe por que eu acho que gritava tanto quando era pequena?

– Não, por quê?

– Porque eu odiava ficar sozinha, e ainda odeio.

– Talvez você deva arrumar uma colega de apartamento.

– Quem ia querer morar comigo?

– Electra, não seja tão dura consigo mesma. Você é um ícone para milhões de mulheres em todo o mundo. Eu adoraria levá-la para passear pelas montanhas do Rio e mostrar a fazenda que herdei da minha avó. Criei nela um centro para crianças desfavorecidas das favelas. Se você for comigo, elas vão achar que estão sonhando. Não percebe que é uma inspiração para elas?

– É, mas essas crianças não me conhecem, não é? Olhe só você, transformando sua herança em algo que ajuda os outros. Eu não faço nada por ninguém além de mim mesma.

Ouvi Maia dar um pequeno suspiro, mas eu estava *tão* deprimida que me sentia sem forças, então fechei os olhos e implorei para que o sono chegasse.

✺ ✺ ✺

Acordei na manhã seguinte com a mãe de todas as ressacas, peguei um Tylenol e um Advil e engoli os comprimidos com uma garrafa de água. Verifiquei as horas e vi que passava um pouco das seis. Pedi café e uma cesta de pães de queijo, que tinha descoberto que vinham bem quentes e eram deliciosos. Enquanto esperava o serviço de quarto chegar, minha mente repassou o que acontecera no dia anterior e meu coração se apertou ao lembrar vagamente de minha dança nua com Joaquim no terraço. E as expressões nos rostos de Mariam e Maia quando surgimos na sala de estar...

– Deus do céu, Electra – gemi enquanto saía cambaleando da cama para abrir a porta para o serviço de quarto.

Enquanto tomava o café quente, também lembrei que admiti para minha irmã que eu havia consumido algumas coisas – o que não devia ter sido exatamente uma surpresa para ela, uma vez que me encontrara claramente chapada e completamente nua com um cara desconhecido. Então ela sugeriu que eu ficasse mais tempo e pensasse em fazer uma reabilitação...

Merda! Isso não era nada bom. E, ainda pior, Mariam obviamente havia me dedurado. Bem, eu não ia de jeito nenhum – nenhum MESMO – para uma casa de malucos. Só tive um dia ruim, só isso. E eu certamente não ia fazer um passeio com a Santa Maia para ouvir sermões. Peguei o telefone e liguei para Mariam.

– Bom dia, Electra, como está se sentindo?

– Ótima, estou ótima – menti, me perguntando se algum dia uma ligação minha pegaria Mariam sonolenta. – Preciso que você reserve de novo nossos voos para Nova York o mais rápido possível.

Houve uma breve pausa na linha.

– Certo. Pensei que o plano fosse você ficar aqui mais um pouco e passar um tempo com sua irmã.

– Não era um plano, Mariam, era uma ideia, mas acho que preciso voltar a Nova York.

– Como eu falei, você não tem nenhum compromisso na agenda, então pode ficar mais...

– E eu estou dizendo que quero que você providencie nossa viagem de volta a Nova York, ok? Minhas malas já estão feitas e estou pronta para sair daqui a qualquer instante.

Mariam entendeu que eu não queria ser questionada e, uma hora depois, estávamos a caminho do aeroporto. Enviei uma mensagem para Maia agradecendo pela noite anterior e dizendo que eu a veria em Atlantis para o memorial de Pa, em junho.

Quando o jato decolou, senti alívio por ter escapado. Ninguém ia me trancar em lugar nenhum. *Jamais.*

8

Assustada com a maneira como me descontrolei no Rio, eu estava determinada a fazer um esforço sério para permanecer limpa no fim de semana. Bebi toneladas de água e pedi uma variedade de sucos carregados de vitamina C. No primeiro dia, consegui chegar à hora do almoço antes de me servir de uma pequena dose de vodca. Sabendo que beberia mais se não fosse me distrair, atravessei a rua e fui correr no Central Park.

– Você está bem, Electra? – perguntou Tommy enquanto eu me aproximava correndo, na volta.

– Estou bem, sim. E você?

– Tudo bem, obrigado por perguntar. Sabe, quando você estava no Rio, veio aqui uma mulher muito parecida com você.

– É mesmo? – Levantei uma sobrancelha enquanto diminuía a velocidade. – Bem, se ela voltar, diga que eu saí, mesmo se você souber que estou em casa. É só mais uma maluca convencida de que é minha parente.

– Pode deixar, mas ela realmente *parecia* da sua família. Até amanhã, Electra.

Ao chegar em casa, tirei minha roupa suada de correr e estava prestes a tomar um banho quando o interfone tocou.

– Sim?

– Bom dia, Srta. D'Aplièse, chegaram algumas caixas aqui em seu nome. Podemos subir com elas?

– Sim, claro, desde que não contenham explosivos – brinquei.

Cinco minutos depois, o porteiro e seu ajudante apareceram com um carrinho carregado com duas grandes caixas de papelão, que depositaram no chão da minha sala de estar.

– Quem trouxe isso? Parecem aquelas caixas usadas para fazer mudança.

– Algum entregador em uma van. Também deixou isto aqui. – Ele me entregou um envelope. – Precisa de ajuda para desempacotá-las, senhorita?

– Não. Mas obrigada mesmo assim.

Cheia de curiosidade, como uma criança que acabou de receber um presente, tirei a tampa de uma das caixas. Estava cheio de roupas – *minhas* roupas. No topo da pilha havia uma caixa de sapatos, que abri para encontrar minha máscara de dormir de seda, meu protetor labial, tampões para os ouvidos, um par de óculos escuros... *e* por baixo de toda essa porcaria, vislumbrei o grosso papel velino creme da carta de Pa Salt.

Puxando-a ali do fundo, percebi imediatamente o que eram aquelas caixas: tudo o que eu deixara na casa de Mitch, em Malibu. A caixa de sapatos era o conteúdo da mesa de cabeceira ao lado da cama que compartilhei com ele, pensando que seria o lugar onde dormiria para sempre...

– Não, Electra! *Você não vai deixar que ele a magoe nunca mais!*

Liguei para o concierge e lhe pedi que enviasse o carrinho de volta para recolher as caixas.

– Se suas esposas ou namoradas desejarem alguma coisa daí, podem ficar para elas. E envie o resto para alguma instituição de caridade – instruí o carregador, quando pôs as caixas no carrinho.

– Certo, Srta. D'Aplièse. Farei isso, obrigado.

Saí para o terraço, segurando o envelope que Mitch enviara com meus pertences, juntamente com uma caixa de fósforos. Queimei a carta sem abri-la. Então fui até o armário de bebidas preparar uma vodca com tônica para mim, com um pouco de gelo. Eu merecia uma bebida depois *daquilo*. E, embora tentasse controlar meus pensamentos para focar apenas na boa notícia – o reaparecimento da carta de Pa –, não consegui. Só ficava imaginando Mitch chegando em casa de sua turnê. Sabendo que sua noiva se juntaria a ele em breve, tirou todas as minhas coisas de sua casa e me apagou de sua vida.

Tomei outro grande gole e depois enchi o copo. Desde que eu me mantivesse longe da cocaína, tudo bem, certo? Então olhei fixamente para a carta de Pa, esperando por mim como uma bomba-relógio, na mesa de centro.

– Devo abrir você? – indaguei.

Pensando em como todas as minhas irmãs pareciam ter encontrado o bilhete premiado para a felicidade, tomei outro grande gole de vodca, peguei a carta e a abri.

Atlantis
Lago Genebra
Suíça
Minha querida Electra...

– Ai, meu Deus! – Engoli em seco quando lágrimas encheram meus olhos antes mesmo de ler uma única palavra.

Parte de mim se pergunta se você um dia lerá isto; talvez você guarde esta carta em algum lugar, para o futuro, ou até a queime – não sei, porque você é a mais imprevisível de todas as minhas filhas. E, ironicamente, também a mais vulnerável.

Electra, eu sei que nunca tivemos um relacionamento muito fácil. Duas personalidades fortes e determinadas costumam brigar, mas também amam mais apaixonadamente. São qualidades que compartilhamos.

Antes de qualquer coisa, quero pedir desculpas pela última vez que nos vimos, em Nova York. Basta dizer que nenhum de nós estava em seu melhor momento. De minha parte, me doeu profundamente ver minha extraordinária filha caçula ter que recorrer ao abuso de substâncias para enfrentar um jantar com o próprio pai. Você sabe muito bem como eu me sinto a respeito das drogas e só posso esperar e rezar para que você tenha decidido – ou decida – tomar as medidas necessárias para se livrar delas para sempre. Qualquer pai que vê uma filha amada se destruindo fica devastado, mas há apenas uma pessoa que pode ajudá-la, Electra, e é você mesma.

Agora, chega disso. Também quero explicar por que pode ter parecido que eu não estava tão orgulhoso de você quanto talvez você imaginasse que eu deveria estar. Em primeiro lugar, quero lhe dizer que toda vez que eu via a sua foto em uma revista, meu coração se enchia de orgulho por sua beleza e elegância. E, é claro, pelo seu talento, pois entendo que é preciso ter um dom para saber como atrair a câmera, além de um tipo de paciência que acho que eu nunca teria – e que não pensava que você tivesse! Mas você, de alguma forma, aprendeu, por isso eu a admiro de verdade.

A razão pela qual eu ficava tão frustrado em seus tempos de escola era que eu podia ver quão inteligente você era, talvez a mais naturalmente inteligente de todas as suas irmãs. Só espero que um dia você seja capaz de combinar a fama que conquistou com o cérebro que possui. Se isso acontecer, você será uma força imparável. Não há limites para o que pode se tornar – uma voz para aqueles que não podem falar por si. Verdadeiramente, minha linda menina, você tem capacidade para fazer coisas extraordinárias.

Espero que isso explique por que muitas vezes achei difícil ser seu pai; ver uma criança com tamanho potencial, e sem se dar conta disso, pode ser muito frustrante. E eu me pergunto se falhei com você – você nunca me falou de verdade por que odiava o colégio interno. Se tivesse confiado em mim, talvez eu pudesse tê-la ajudado, mas também sei quanto você é orgulhosa.

Infelizmente, agora devo deixar que descubra por si mesma quem você é e a pessoa incrível que pode se tornar. No entanto, não vou deixá-la sem lhe oferecer ajuda. Como você vai descobrir, todas as suas irmãs receberam uma carta e, em cada uma delas, forneci pistas suficientes para encontrarem o caminho de volta até seus pais biológicos se desejarem. No seu caso, tudo o que posso oferecer é o nome e o número de contato de sua avó, que mora não muito longe de onde você vive hoje. Ela é uma das mulheres mais inspiradoras que já tive o privilégio de encontrar, e gostaria muito de tê-la conhecido por mais tempo. Junto com essa informação, estou anexando uma fotografia. A semelhança é inquestionável, e estou confiante de que ela vai ajudá-la quando eu não puder mais.

Minha querida Electra, saiba que você é e sempre será profundamente amada por seu pai.

Pa Salt

Tomei outro gole de vodca e permaneci sentada, surpresa, olhando fixamente para a carta. Talvez meu cérebro não estivesse suficientemente limpo para absorver o que Pa escrevera ou talvez eu simplesmente não quisesse entender. Suspirei, então tirei outro item do envelope. Era uma foto em preto e branco e...

– Meu Deus! Caramba...

Analisei a fotografia novamente, mas já sabia que era a mesma que vira algumas semanas antes, enviada por uma mulher que afirmava ser minha avó.

Olhei mais de perto e, sim, a mulher na foto se parecia muito comigo – ou talvez eu me parecesse muito com ela. Lembrei que Mariam tinha dito que guardaria a carta da minha "avó" no cofre, então fui buscá-la. Hesitante, abri o envelope e coloquei a fotografia que a mulher me enviara ao lado da de Pa. Eram idênticas.

Virei a foto de Pa e vi que havia um endereço escrito no verso, juntamente com um número de celular. Olhei para a carta amassada que Mariam havia insistido em desamassar e li o endereço na parte superior.

Mais uma vez, eram idênticos. Em seguida, li a carta (escrita em papel notadamente caro), que mostrava a mesma caligrafia delicada que endereçara o envelope.

Apartamento 1
Sidney Place, 28
Brooklyn 11201

Minha querida Srta. D'Aplièse – ou posso chamá-la de Electra?

Meu nome é Stella Jackson e sou sua avó biológica. Tenho certeza de que você já recebeu muitas cartas, também imagino que grande parte delas tenha sido para lhe pedir alguma ajuda. Garanto que esse não é o caso. Simplesmente decidi que era hora de me apresentar.

Sei que você é uma mulher ocupada, mas sinto que seria benéfico se nos encontrássemos. Seu pai adotivo me descreveu como uma "pista viva". Não sei se aprecio a descrição, mas, por enquanto, incluo uma fotografia em que apareço com sua mãe. Posso ser contatada dia e noite no endereço acima e através do meu telefone celular.

Espero ansiosa o seu retorno.

Abraços,

Stella Jackson

Quem quer que Stella fosse, certamente era bem-educada. Eu não saberia por onde começar a escrever uma carta daquelas; passava a sensação (desconfortável) de que ela estava tentando marcar um encontro para discutir a renovação das partes comuns de um edifício residencial com um vizinho que jamais conhecera. Em vez de se apresentar à sua neta havia muito perdida, se esse fosse mesmo o caso...

Mas, até mesmo para mim, a amante do ceticismo, parecia impossível que aquela mulher não fosse quem dizia ser.

– Meu Deus! Tenho um parente de sangue! – anunciei ao quarto, me levantando e andando pelo aposento. – Então, Electra – falei, imitando as entonações nasais de Theresa ao começar uma conversa imaginária comigo mesma –, como se sente ao descobrir que tem um parente de sangue vivo e perto de você?

– Bem, Theresa, ainda não sei. Ainda não a vi.

– E planeja conhecê-la?

– Ainda não decidi.

– É um assunto muito importante, então leve o tempo que precisar. E, se quiser conhecê-la, prepare-se muito bem.

– Como assim, Theresa? Você acha que eu posso não gostar dela ou o quê?

– Não, eu só quis dizer que é perigoso criar muitas expectativas, para o caso de se decepcionar.

– Por favor, não se preocupe, porque eu *vou* me preparar bem. Vou beber meia garrafa de vodca e cheirar algumas carreiras antes, prometo.

– Ótima ideia, Electra, você precisa estar relaxada quando se encontrar com ela...

Eu ri, depois fui até meu pote especial para pegar um pouco de Paraíso Branco. Afinal, pensei, não era todo dia que uma pessoa descobria que tinha uma avó de verdade.

Então, o que você vai fazer hoje e amanhã, Electra?, perguntei a mim mesma. *Sua agenda não está muito agitada para as próximas 24 horas, não é?*

Bem, poderia ficar, mas não tem ninguém que eu queira ver.

E Joaquim?

Ele está no México, lembra? E ele é um menino mau, muito mau. Balancei um dedo para o meu insistente alter ego.

Voltei para olhar as duas fotos de minha avó, perguntando se a criança em seus braços era mesmo minha mãe; depois, respirei fundo e peguei meu celular. Disquei o número do telefone anotado no verso da fotografia que Pa me deixara e ouvi chamar.

– *Stella Jackson falando.*

– Ah, olá, meu nome é Electra D'Aplièse e...

– Electra! Ora, ora...

Sua voz me pareceu estranhamente familiar e percebi que era porque sua entonação lembrava a minha.

– Sim, recebi suas mensagens. Achei melhor fazer contato.

– Estou muito feliz que você tenha me ligado. Quando posso ir vê-la?

– Eu... Talvez amanhã?

– Amanhã não posso, é domingo. Hoje à noite? Além disso, como posso esperar outro dia inteiro antes de conhecer minha neta pessoalmente?

– Tudo bem. – Dei de ombros. – Venha hoje à noite. Às sete está bom?

– Sim, sim. Eu tenho o seu endereço, então nos vemos às sete. Até logo, Electra.

– Hum... Certo, até logo.

Encerrei a ligação, percebendo que ela estaria ali em pouco mais de uma hora.

– Ok – falei, meneando a cabeça enquanto andava atordoada pelo apartamento. – Então minha avó... minha avó biológica... vem me visitar hoje à noite. Estou tranquila, bem tranquila... Caramba, como isso aconteceu?

A boa notícia, pensei, enquanto arrumava freneticamente a sala de estar e soprava quaisquer vestígios de pó branco da mesa de centro, *é que eu não entrei em desespero por causa de Mitch e suas caixas*. E isso era o que minha terapeuta chamaria de um verdadeiro progresso. Depois de ajeitar tudo o que pude, parei na frente do meu closet. O que exatamente uma neta deveria usar para conhecer sua avó? Tirei uma jaqueta de tweed Chanel, que pensei em usar com uma calça jeans, para suavizar.

Mas você está no seu apartamento, Electra, e está fazendo uns 30 graus aqui dentro, com o sol brilhando nas janelas.

No fim, optei pela calça jeans e uma camiseta branca lisa, e calcei sapatilhas brancas Chanel sem enfeites para adicionar um pouco de classe. A próxima parada era a cozinha – os idosos bebiam chá, certo? Procurei nos armários, mas bules não eram itens muito valorizados nas superelegantes coberturas alugadas de Nova York.

– Olhe, ela vai ter que aceitá-la do jeito que você é, Electra – disse a mim mesma, com firmeza. – O que significa que vou oferecer água ou vodca com tônica – concluí, rindo.

Pensei em ligar para Mariam e pedir que trouxesse correndo um serviço de chá e um bolo, mas, por algum motivo, eu não queria que ela soubesse que eu ia conhecer Stella Jackson. Preferia que fosse um segredo – um bom segredo.

Não tive mais tempo para refletir, porque o concierge interfonou para me informar que a Sra. Jackson estava lá embaixo e perguntou se ela podia subir.

– Sim, claro – concordei, e passei o minuto seguinte andando de um lado para outro de novo, o coração batendo forte no peito.

A campainha tocou e eu respirei fundo, tentando não pensar no que tudo aquilo significava. E se eu a odiasse? Seria a minha cara reagir mal, depois que todas as minhas irmãs encontraram seus finais felizes ao conhecer suas famílias, pensei ao abrir a porta.

– Oi.

Eu sorri, simplesmente porque estava acostumada a sorrir para a câmera de maneira automática ou, na verdade, produzir qualquer expressão que a situação exigisse.

– Olá, Electra. Eu sou Stella Jackson, sua avó.

– Por favor, entre.

– Muito obrigada.

Enquanto ela caminhava na minha frente, senti como se estivesse tendo o maior déjà-vu da minha vida. Tommy não estava brincando quando afirmou que ela se parecia comigo. Era como olhar para uma imagem assustadora de mim mesma, só que mais velha.

– A senhora parece tão jovem! – comentei, sem conseguir me conter.

– Ora, obrigada. Na verdade, tenho quase 68 anos.

– Uau! Eu teria lhe dado no máximo 45. Por favor, sente-se.

– Obrigada. – Eu a observei olhar em volta. – Que belo apartamento você conseguiu por aqui.

– Sim, morar aqui é bem conveniente.

– Eu já morei do outro lado do parque. É uma boa área. É segura, muito segura.

– Morava no Upper East Side? – perguntei, encarando-a.

Agora que ela estava na minha frente, notei que usava uma camisa muito bem cortada e calças pretas de alfaiataria. O que parecia um cachecol Hermès estava amarrado alegremente em torno de seu pescoço esbelto, e seu cabelo tinha um corte bem curto, em estilo afro. Ela exalava beleza e elegância naturais – e parecia rica!

– Sim, morei por algum tempo.

Percebi que ela estava me observando com a mesma intensidade com que eu a encarava.

– Qual é a sua altura? – perguntou ela.

– Pouco mais de 1,80 metro.

– Então eu sou mais alta. – Stella pareceu satisfeita. – Tenho 1,87 metro.

– Posso pegar algo para a senhora beber?

– Não, obrigada.

– Ok. Vou preparar algo para mim, então.

Fui até o bar e agi como se não conseguisse encontrar a vodca antes de servi-la, acrescentando um pouco de água tônica.

– Você gosta de vodca? – indagou ela.

– De vez em quando, sim. E a senhora? – respondi, enquanto tomava um pequeno gole.

– Não, nunca gostei muito de álcool.

– Certo. – Foi tudo o que consegui dizer. – Então, a senhora disse na carta que queria me ver.

– Sim, disse.

– Por quê?

Ela me encarou por um tempo antes de me oferecer um pequeno sorriso.

– Você provavelmente está se perguntando o que eu quero, não é? Pensando que estou aqui para tirar proveito de sua fama e riqueza?

Senti meu rosto ficando vermelho. Aquela mulher, com certeza, não fazia rodeios.

E isso te lembra alguém, Electra...?

– Sim, um pouco – respondi, decidindo que devia combater fogo com fogo.

– Bem, posso lhe garantir que não estou aqui para pedir dinheiro. Já tenho o suficiente.

– Certo. Ótimo – falei, prestando atenção no seu sotaque americano, que era bastante refinado; ela era uma mulher elegante. – Vamos nos sentar?

Indiquei o sofá, mas Stella Jackson foi direto para uma das duas cadeiras de encosto alto e se acomodou nela.

– Você vai me fazer a grande pergunta?

– E qual seria? Tipo... – Dei de ombros. – Tenho tantas.

– De onde você veio, talvez? – sugeriu ela, me encarando.

– Essa seria uma boa pergunta, para começar – concordei, tentando dar um pequeno e educado gole em minha bebida, mas não conseguindo e tomando um bem grande.

– Você é descendente de uma longa linhagem de princesas, ou no equivalente a isso, no Quênia.

– O Quênia não fica na África?

– Muito bem, Electra. Fica, sim.

– E a senhora também nasceu lá?

– Nasci.

– Então, como você... ou minha mãe... veio parar aqui?

– Ah, essa é uma longa história.

– Gostaria de ouvi-la, se estiver preparada para contar.

– Sim, claro que sim. Foi o que eu vim fazer aqui. Antes de começar, acho que eu gostaria de um copo d'água.

– Vou pegar agora mesmo.

Quando me levantei e caminhei até a cozinha para pegar na geladeira um pouco de água mineral, minha cabeça girava, mas não por causa da vodca. A senhora sentada em meu sofá não era nada do que eu esperava. A pergunta que ardia em minha mente era por que eu tinha sido adotada, se aquela mulher parecia viver tão bem? Onde estaria e quem seria minha mãe?

– Obrigada – disse Stella, enquanto eu lhe entregava o copo e ela tomava um gole. – Agora, por que você não se senta?

Eu me sentei, hesitante.

– Você parece estar com medo, Electra. Está?

– Talvez – admiti.

– Eu compreendo. Bem, já faz muito tempo desde que contei essa história. Tenha paciência, está bem?

– Sim, claro.

– Então, por onde devo começar?

Vi minha avó tamborilar os dedos nas pernas. Era um gesto tão familiar – eu fazia isso o tempo todo quando estava pensando – que o último fio de dúvida que me restava sobre aquela mulher ser minha avó verdadeira desapareceu.

– Pa sempre dizia que devemos começar do começo.

Stella sorriu.

– Então o seu querido pai estava certo, e é o que eu vou fazer...

Cecily

Nova York

Véspera de ano-novo, 1938

9

— Cecily, querida, o que está fazendo deitada na cama? Vamos sair para a festa em meia hora.

– Eu não vou, mamãe. Avisei a você no almoço.

– E eu falei que você ia de qualquer maneira. Quer que todo mundo importante em Manhattan fique fofocando por você não aparecer hoje à noite?

– Não dou a mínima para fofocas, mamãe. Além disso, tenho certeza de que eles têm assuntos mais interessantes do que o término do meu noivado.

Cecily Huntley-Morgan voltou os olhos para *O Grande Gatsby* e continuou a ler.

– Bem, *você* pode não se importar, mas eu não gostaria da indignidade de todos pensarem que minha filha está escondida em casa, na véspera de ano-novo, porque está com o coração partido.

– Mas eu *estou* me escondendo. E eu *estou* com o coração partido.

– Tome, beba isso.

Dorothea Huntley-Morgan ofereceu à filha uma taça de champanhe cheia até a borda.

– Vamos brindar ao ano-novo juntas, mas você tem que me prometer que vai engolir tudo de uma vez, está bem?

– Não estou com disposição, mamãe...

– Essa não é a questão, querida. Todo mundo bebe champanhe na véspera de ano-novo, estando ou não com disposição para isso. Pronta?

Dorothea levantou a própria taça para incentivar a filha.

– Se você prometer que vai me deixar em paz depois.

– Um brinde a 1939 e a novos começos!

Dorothea bateu a taça contra a da filha.

Relutante, Cecily bebeu o conteúdo da taça, como a mãe pedira. A efervescência a deixou nauseada, provavelmente porque ela não tinha comido quase nada além de umas poucas colheradas de sopa nos últimos dias.

– Eu sei que será um ano maravilhoso se você *deixar* que seja.

Cecily se deixou abraçar, um abraço forte, e, pelo cheiro do hálito de sua mãe, percebeu que aquela não era a primeira bebida da tarde. E era tudo culpa dela: Jack Hamblin terminara seu breve noivado dois dias antes do Natal, enquanto sua família estava reunida para as festas em sua casa nos Hamptons. Ela e Jack se conheciam desde a infância, a família dele era dona de uma das propriedades vizinhas, em Westhampton. Eles haviam passado o verão juntos, e Cecily não conseguia se lembrar de uma época em que não estivesse apaixonada por ele. Mesmo naquela vez na praia, quando tinham 6 anos, em que ele dissera ter um presente para ela, que acabou sendo um caranguejo que imediatamente a mordeu no dedo e o fez sangrar pelo maiô todo. Mas Cecily não permitira que ele a visse chorar naquele dia e, quase dezessete anos depois, também não chorou quando ele revelou que não podia se casar com ela porque amava outra pessoa.

Ela ouvira rumores sobre Patricia Ogden-Forbes – quem não ouvira, na alta sociedade de Nova York? Uma herdeira de Chicago, filha única de uma família extremamente rica, sua beleza tinha sido comentada por toda a cidade desde que ela surgira em Manhattan para os feriados de Natal. Jack – que era um parente distante dos Vanderbilts, como Dorothea nunca se cansava de lembrar a ela e a qualquer pessoa que se interessasse em ouvir – aparentemente batera o olho na Srta. Ogden-Forbes e jogara tudo para o alto. Até o casamento com Cecily.

– Lembre-se, querida, Patricia não tem berço – sussurrou sua mãe em seu ouvido. – No fim do dia, ela é apenas a filha de um açougueiro.

E você é filha de um fabricante de pasta de dente, pensou Cecily, mas não disse nada.

Pensava sobre isso constantemente – que a chamada Alta Sociedade dos Estados Unidos era composta por comerciantes e banqueiros. A nobreza havia sido concedida às famílias com as maiores fortunas, não às que tinham o sangue mais azul. Não que houvesse algo de errado nisso, mas, diferentemente da Europa, não havia lordes, duques ou príncipes na Terra da Liberdade.

– Você não pode ir à festa, Cecily? Apenas por uma hora se achar que não aguentará mais do que isso – implorou Dorothea.

– Talvez. Só que *ela* estará lá, mamãe, com ele.

– Eu sei, querida, mas você é uma Morgan e nós somos corajosos e fortes e enfrentamos nossos inimigos! – Dorothea ergueu o queixo da filha para olhá-la nos olhos. – Você consegue, eu sei que consegue. Pedi a Evelyn que passasse seu vestido de cetim verde e vou lhe emprestar o colar Cartier da sua avó. Você será um sucesso... e quem sabe não há alguém naquele baile apenas esperando por você?

Cecily sabia que o que *estava* esperando por ela era a humilhação de quando seu ex-noivo desfilasse com a namorada rica e bela de Chicago pelo salão de festas do Waldorf Astoria, diante do *crème de la crème* da sociedade de Nova York. Mas sua mãe estava certa: ela podia ser muitas coisas, não uma covarde.

– Tudo bem, mamãe. – Ela suspirou. – Você venceu.

– Essa é a minha menina! Vou pedir que Evelyn traga o seu vestido, arrume seu cabelo e lhe prepare um banho. Você não está muito cheirosa, querida.

– Nossa, obrigada, mãe. – Cecily deu de ombros. – Vou precisar de mais champanhe! – gritou ela quando Dorothea saiu do quarto. – Baldes de champanhe!

Fazendo uma careta, Cecily colocou o marcador em *O Grande Gatsby*, balançando a cabeça diante da noção ridícula de que o amor – e uma grande mansão – podiam conquistar tudo.

Cecily tinha os dois. E sabia que não era verdade.

❋ ❋ ❋

A boa notícia era que o salão de festas do Waldorf Astoria era tão amplo que parecia ser necessário atravessar toda a trilha de Oregon para chegar ao outro lado. Um lustre deslumbrante pendia do teto alto e luzes brilhavam nas varandas que cercavam a sala. O burburinho de conversas e risadas era abrandado pelo luxuoso tapete vermelho, e os músicos estavam concentrados em um coreto que fora montado em uma extremidade do salão, com uma pista de dança na frente, com piso brilhante de parquê. As mesas de jantar adjacentes estavam imaculadamente postas com toalhas de linho, porcelana branca, cristais cintilantes e arranjos de flores. Um garçom apareceu ao lado de Cecily com uma bandeja de taças de champanhe, e ela agarrou uma com a mão suada.

Todo mundo importante em Nova York estava lá, claro. *Só as joias das mulheres certamente poderiam comprar um país grande o suficiente para abrigar as centenas de milhares de pobres desta nação*, pensou Cecily ao encontrar seu nome no cartão de uma das mesas e se sentar. Estava feliz por ficar de frente para uma parede, em vez de ter que enfrentar aquele abismo de riqueza e iminente humilhação, tentando, mesmo sabendo que não devia, encontrar Jack e Patricia...

– Olhe só quem está aqui, querida!

Cecily ergueu a cabeça e se viu encarando os olhos límpidos de uma das belezas mais renomadas da sociedade de Nova York: Kiki Preston. Ao receber um abraço, Cecily notou como as pupilas de sua madrinha pareciam dilatadas, como enormes orbes escuros rodeados pela auréola da íris.

– Minha querida! Sua mãe me contou sobre sua *peleja*... Não faz mal. Há muitos outros peixes no mar.

Kiki piscou para Cecily. Então, agarrando o encosto da afilhada, ela cambaleou um pouco e afundou na cadeira mais próxima, antes de pegar uma piteira de marfim e acender um cigarro.

Cecily não via sua madrinha havia anos – mais ou menos desde que tinha 12 ou 13 anos – e só pôde olhar admirada para a mulher que sua mãe um dia lhe confidenciara ter tido um caso com um príncipe do trono inglês. Ela sabia que Kiki estava morando na África havia muitos anos, mas sua pele ainda era pálida e luminosa como o fio de pérolas enfeitando seu pescoço delgado, realçando as linhas fluidas do vestido Chanel de frente única que estava usando. Seu cabelo estava preso no alto, destacando as primorosas maçãs do rosto e a testa proeminente, que emolduravam seus olhos verdes hipnotizantes.

– Não é maravilhoso ver sua madrinha depois de tanto tempo? – disse Dorothea, entusiasmada. – Kiki, você devia ter me avisado que vinha a Manhattan, e eu teria feito uma festa só para você.

– Seria mais como um velório – murmurou Kiki, exalando um fino fluxo de fumaça. – Tantas mortes... Vim para cá visitar advogados...

– Eu sei, minha querida. – Dorothea sentou-se do outro lado de Kiki e segurou a mão dela. – Você tem passado por momentos terríveis nesses últimos anos.

Enquanto Cecily observava a mãe confortar a criatura exótica ao seu lado, pela primeira vez em dias sentiu uma ínfima e irônica sensação de esperança para a própria vida. Ela sabia que Kiki havia perdido vários parentes, inclusive o marido, Jerome, em uma série de circunstâncias trágicas.

Como Cecily pensava que Kiki – mesmo tendo cerca de 40 anos – era a mulher mais linda que já vira, sua madrinha era a prova viva do fato de que beleza não trazia necessariamente felicidade.

– Com quem você está sentada para jantar? – Cecily ouviu Dorothea perguntar a Kiki.

– Não tenho absolutamente nenhuma ideia, mas deve ser alguma gente chata, então talvez eu fique aqui com você.

– Gostaríamos muito, minha querida. Vou buscar um garçom para montar outro lugar.

Quando a mãe se afastou, Kiki voltou os olhos para a afilhada e estendeu a mão. Cecily a pegou e descobriu que os dedos longos e afunilados que apertavam os dela estavam gelados, apesar do calor do salão.

– Você fez a coisa certa, tendo coragem de vir aqui esta noite – afirmou Kiki, apagando o cigarro em um cinzeiro. – Não dou a mínima para ninguém neste salão. Nada é de verdade, você sabe. – Ela suspirou, pegou a taça de champanhe que Dorothea havia deixado em cima da mesa e a bebeu de um gole só. – Como minha amiga Alice diz, todos nós vamos virar pó um dia, não importa quantos malditos diamantes tenhamos – comentou Kiki, o olhar se perdendo, como se estivesse tentando ver através das paredes do Waldorf.

– Como é a África? – indagou Cecily depois de alguns minutos, sentindo que deveria conduzir a conversa, pois sua madrinha parecia perdida em outro mundo.

– É um lugar majestoso, aterrorizante, misterioso e... totalmente inexplicável. Tenho uma casa às margens do lago Naivasha, no Quênia. Quando acordo de manhã, vejo hipopótamos nadando, girafas metendo a cabeça entre as árvores, como se quisessem fingir que são galhos... – Kiki riu, com sua voz rouca e profunda. – Você deveria ir me visitar, sair deste gueto claustrofóbico da cidade e ver como é o mundo real.

– Um dia, eu adoraria – concordou Cecily.

– Querida, não existe "um dia". O único tempo que temos é agora, neste minuto ou milissegundo, talvez... – Ela parou de falar ao pegar sua bolsa de festa cravejada com o que pareciam ser centenas de minúsculos diamantes cintilantes. – Agora, você vai me dar licença, pois preciso ir ao toalete, mas volto logo.

Com um elegante aceno de cabeça, Kiki se levantou e abriu caminho através das mesas. Ela fazia Cecily se lembrar de Daisy Buchanan – a mulher que Jay Gatsby idolatrava, em *O Grande Gatsby* –, a inalcançável melindrosa da década de 1920. Mas os tempos tinham mudado. Não eram mais os Loucos Anos 1920, mesmo se sua mãe e suas amigas ainda vivessem como se estivessem naquele glorioso momento de loucura, depois do fim da guerra. Fora das sacrossantas paredes do salão de baile, o resto da América ainda lutava com as consequências da Grande Depressão. A única vez que Cecily sentiu a crise financeira na pele foi quando ela tinha uns 13 anos e viu seu pai chorando no ombro de sua mãe, descrevendo como um de seus grandes amigos havia pulado de uma janela depois do colapso de Wall Street. Depois disso, ela tomou o jornal de seu pai das mãos da governanta, Mary, quando ela o estava jogando no lixo, e fez o possível para acompanhar o que estava acontecendo. Surpreendentemente, o assunto nunca fora levantado em Spence, a escola particular para meninas que ela frequentava, mesmo quando perguntara aos professores sobre o tema em várias ocasiões. Quando saiu de lá, Cecily implorou ao pai, Walter, que a deixasse estudar na Faculdade de Economia em Vassar – citando que duas de suas amigas, cujos pais eram mais esclarecidos, iam estudar na Brown. Para sua surpresa, Walter concordou com uma educação superior, mas questionou sua escolha de carreira.

– Economia? – Ele franziu a testa, antes de tomar um bom gole de seu conhaque preferido. – Minha querida Cecily, essa é uma carreira completamente reservada aos homens. Por que você não estuda História? Não será muito cansativo e pelo menos você estará preparada para conversar com os amigos e colegas de seu futuro marido.

Ela fez como lhe fora ordenado, compreendendo que era uma solução conciliatória. Estudando economia como uma disciplina eletiva, Cecily amara as aulas de álgebra, estatística e as famosas lições da professora Mabel Newcomer. Sentada na sala de aula forrada com painéis de madeira, e estimulada por outras mulheres brilhantes ao seu redor, ela jamais se sentira tão inspirada.

Então, como foi que se pegou de volta ao seu quarto de infância, na mansão da família na Quinta Avenida, sem esperanças para o futuro? Agora, sozinha à mesa, Cecily olhou em volta procurando sua mãe e tomou um gole de champanhe, em uma tentativa de impedir que pensamentos melancólicos a invadissem.

Nas férias de verão da faculdade, Cecily se juntou à família na casa de praia nos Hamptons, e teve que se beliscar quando Jack começou a cortejá-la, procurando por ela nas festas, insistindo que o acompanhasse aos jogos de tênis, enchendo-a de elogios e presentes que a confundiam e emocionavam em igual medida. Os pais dela assistiram a tudo com previsível satisfação, sem dúvida sussurrando pelas suas costas sobre um possível noivado. Jack propôs casamento em setembro, ironicamente durante o terrível furacão que atingiu Long Island quase sem nenhum aviso. Ela se lembrou daquela tarde assustadora, quando Jack, sua família e os empregados apareceram, pálidos, na casa dos Huntley-Morgans procurando abrigo da violenta tempestade. A mansão dos Hamblins na praia de Westhampton estava sendo açoitada por enormes ondas raivosas, com risco de completa inundação, enquanto a de Cecily ficava mais para dentro, em terrenos mais elevados, e continha uma grande adega. Quando todos se esconderam, enquanto o vento soprava acima, arrancando telhas e derrubando árvores, Jack a puxou para o lado e a abraçou.

– Cecily, meu amor – sussurrou ele, enquanto ela tremia em seus braços. – Momentos como este nos fazem lembrar como a vida pode ser terrivelmente curta... Quer se casar comigo?

Ela olhou para ele, perplexa.

– Você não pode estar falando sério, Jack!

– Garanto que estou. Por favor, querida, diga sim.

E, claro, ela disse. No fundo, Cecily devia ter sabido que aquilo era bom demais para ser verdade, mas o espanto por ter sido escolhida, juntamente com o intenso amor que sempre sentira por ele, obscureceu seu discernimento e removeu todo o bom senso. Apenas três meses depois, o noivado fora cancelado e agora ali estava ela, sentada sozinha no ano-novo, sentindo-se totalmente humilhada.

– Cecily! Você veio! Nunca imaginei que viesse.

Seus devaneios foram interrompidos ao ver sua irmã mais nova, Priscilla, parada à sua frente, com um lindo vestido de seda cor-de-rosa, os cabelos louros caindo em ondas perfeitas sobre os ombros. Ela lembrava Carole Lombard – seu ídolo – e fazia questão de adotar o estilo de sua estrela de cinema favorita. Infelizmente, o marido de Priscilla, Robert, não era nenhum Clark Gable. De salto, Priscilla ficava mais alta que ele. O homem estendeu as mãos pequenas e bastante suadas para Cecily.

– Querida cunhada, sinto muito pela sua perda – disse Robert, e Cecily lutou contra o desejo de responder que Jack não estava morto. – Mas feliz ano-novo assim mesmo.

Cecily deixou que segurasse seus ombros e a beijasse, molhando suas duas bochechas. Não conseguia entender como Priscilla suportava ir para a cama todas as noites com aquele homem feio e magro, cuja pele pastosa a fazia lembrar um mingau azedo.

Talvez ela fique deitada quieta, contando os dólares que ele tem no banco, pensou Cecily, cruelmente.

Atrás de Priscilla estava a irmã do meio, Mamie. Aos 21 anos, ela era apenas treze meses mais nova que Cecily. Mamie sempre tivera pouco busto e o corpo de um menino, mas sete meses de gravidez a haviam transformado. O vestido azul de cetim enfatizava sutilmente seus seios recentemente aumentados e o suave inchaço do bebê a caminho.

– Olá, querida. – Mamie a beijou no rosto. – Você está maravilhosa, especialmente dadas as circunstâncias.

Cecily não tinha certeza se fora um elogio ou um insulto.

– Ela não está maravilhosa, Hunter?

Mamie virou-se para o marido, que, ao contrário de Robert, era mais alto do que todos eles.

– Ela está linda! – concordou Hunter, envolvendo Cecily em um abraço que mais parecia a marcação de um jogador de futebol americano.

Cecily gostava muito de Hunter – na verdade, quando Mamie o apresentara à família, no ano anterior, ela sentira uma quedinha por ele. Cabelos louros e olhos castanhos, com dentes brancos e perfeitos, ele se formara com honras em Yale e seguira os passos do pai no banco da família. Hunter era esperto e elegante, e pelo menos trabalhava para ganhar dinheiro, embora Mamie dissesse que ele passava muito tempo almoçando no Union Club com seus clientes. Cecily torceu para ficar sentada ao lado dele durante o jantar; poderiam trocar ideias sobre o efeito que a anexação que Herr Hitler fizera dos Sudetos estava tendo sobre a economia americana.

– Senhoras e senhores, por gentileza, sentem-se para o jantar – soou uma voz estrondosa vinda da frente do salão de baile.

– Bem a tempo, papai – disse Cecily, enquanto Walter Huntley-Morgan II andava em direção à mesa.

– Fui pego no saguão por Jeremiah Swift, possivelmente o homem mais chato de Manhattan. – Walter sorriu para Cecily com carinho. – Onde é que vou me sentar? – perguntou ele a ninguém em particular.

– Do outro lado, perto de Edith Wilberforce – respondeu Cecily.

– Provavelmente a mulher mais chata de Manhattan. Mas sua mãe insiste que gosta dela. A propósito, você está muito linda – acrescentou ele, com um olhar afetuoso para a filha mais velha. – Corajoso de sua parte, Cecily, e eu gosto de gente que tem coragem.

Cecily deu ao pai um sorriso fraco enquanto ele se afastava em direção ao assento que lhe fora designado. Para um homem mais velho, pensou, ele ainda era muito atraente – apenas uns fios cinza em seus cabelos louros e o leve contorno de uma barriga indicavam a passagem dos anos. Os Huntley-Morgans eram conhecidos como uma família "bonita", embora Cecily sentisse que havia decepcionado a todos nesse aspecto. Com Priscilla, loura e com os olhos azuis do pai, e Mamie, que puxara à mãe, às vezes ela se sentia como uma criança trocada na maternidade, com seus cachos castanhos rebeldes, olhos que mudavam entre azul-claro em um dia bom e cinza em um dia ruim, e um punhado de sardas no nariz, que se multiplicavam à luz do sol. Com pouco mais de 1,5 metro de altura e um corpo esbelto que Cecily considerava um tanto magro demais, ela se sentia pequena perto das irmãs, que tinham um belo porte e eram esculturais.

– Você viu Kiki, Cecily? – indagou Dorothea enquanto ocupava seu assento a três cadeiras da filha.

– Não desde que ela foi ao toalete, mamãe – respondeu enquanto o aperitivo de camarão era servido e o local reservado para Kiki permanecia vazio.

Exatamente o que eu precisava: um assento vazio ao meu lado...

Hunter se inclinou e sussurrou para ela:

– Se ela não aparecer nos próximos dez minutos, vou me sentar perto de você.

– Obrigada – disse Cecily, tomando um gole do vinho que um dos garçons havia acabado de servir e ciente de que seria uma noite bem longa.

Uma hora depois, como Kiki não havia retornado, seu prato e seus talheres foram removidos, e Hunter se acomodou ao lado. Eles tiveram uma longa conversa sobre a situação na Europa; Hunter não acreditava que haveria guerra devido ao acordo do primeiro-ministro britânico com Hitler, no início do ano.

– A verdade é que o Sr. Hitler é imprevisível, o que está tornando os mercados voláteis novamente, bem na hora em que começavam a se estabilizar. É claro – Hunter se inclinou para ela –, há certas pessoas que estão pulando de alegria ao pensar em uma guerra na Europa.

– É mesmo? – Cecily franziu a testa. – Por quê?

– Guerras exigem armas e munições, e a América com certeza é boa em produzir isso. Ainda mais quando não estamos diretamente envolvidos no confronto militar.

– Você tem certeza de que a América não vai se envolver?

– É quase certo. Nem o Sr. Hitler se atreveria a pensar em anexar os Estados Unidos da América.

– É difícil acreditar que qualquer ser humano possa realmente *desejar* uma guerra.

– As guerras enriquecem as pessoas... e, portanto, os países, Cecily. Olhe para a América após a Grande Guerra. Um novo grupo de bilionários surgiu. É tudo um ciclo. Para explicar de modo grosseiro, tudo o que sobe tem que descer, e vice-versa.

– Isso não é deprimente?

– Acho que sim, embora acredite que sempre é possível que os seres humanos aprendam com seus erros e avancem. No entanto, aqui estamos nós, com a Europa à beira de um confronto. – Hunter suspirou. – Mas é preciso ter fé na natureza humana, e talvez – acrescentou ele, enquanto a banda começava a tocar e as pessoas a se mover em direção à pista de dança – a véspera de ano-novo seja a única noite em que é melhor nos esquecermos de nossas preocupações e celebrar. Quer dançar comigo? – convidou ele, se levantando e oferecendo a mão a Cecily.

– Eu adoraria – respondeu ela, com um sorriso.

Dez minutos depois, ela estava de volta ao seu assento, à mesa deserta. Todo mundo estava dançando com seus parceiros e, para piorar, Cecily tinha visto o brilho de um deslumbrante vestido prateado, acompanhado de um par de pernas longas e bem torneadas, passar por ela nos braços de seu ex-noivo.

Embora não fumasse, Cecily pegou o maço que alguém havia deixado na mesa e acendeu um, só para dar a si mesma algo com que se ocupar. Ela ponderou sobre como era possível se sentir solitária em uma sala com centenas de pessoas, e estava pensando em pegar um táxi de volta para casa quando Kiki apareceu, arrastando com ela um homem bem atraente.

– Ah, Cecily! Você não pode ficar sentada aqui sozinha. Posso lhe apresentar o capitão Tarquin Price? Ele é um grande amigo meu, do Quênia.

– Prazer em conhecê-la – disse o homem, fazendo uma reverência formal para Cecily.

– Agora vou deixar vocês, jovens, conversando. Preciso ir ao toalete.

Quando Tarquin se sentou ao lado dela e lhe ofereceu outro cigarro, prontamente recusado, Cecily pensou que sua madrinha devia ter uma bexiga seriamente fraca.

– Ouvi dizer que a senhorita é afilhada de Kiki.

– Sim, sou. E o senhor é um grande amigo dela?

– Ah, eu não iria tão longe; nos encontramos duas vezes no Muthaiga Club, em Nairóbi. Eu estava de folga e Kiki me convidou para passar o Natal com ela em Manhattan. Sua madrinha é o tipo de mulher que faz amigos com muita facilidade. Ela é muito interessante, não é?

– Sem dúvida. – Cecily só desejou poder fechar os olhos e ouvir aquele sotaque inglês a noite toda. – O senhor também mora no Quênia?

– Por enquanto, sim. Sou capitão do Exército britânico e fui destacado para lá alguns meses atrás, quando essa coisa toda com Hitler explodiu.

– E gosta de lá?

– É sem dúvida um dos países mais belos que já vi. Bem diferente da Inglaterra – afirmou ele.

Seu belo rosto, com pele bronzeada que combinava com os grossos cabelos escuros e os olhos castanhos, abriu-se em um sorriso.

– Já viu leões e tigres por lá?

– Bem, eu odeio corrigi-la, senhorita...?

– Por favor, me chame de Cecily.

– Cecily. Parece ser um mito comum que haja tigres na África. No entanto, não há nenhum. Mas, sim, com certeza já vi alguns leões. Atirei em um há apenas algumas semanas.

– É mesmo?

– Sim. – Tarquin assentiu. – O danado apareceu farejando nosso acampamento. Os negros estavam todos dormindo e foram pegos de surpresa. Ainda bem que ouvi a comoção, agarrei minha arma e o matei antes que ele jantasse todos nós. Havia senhoras presentes também.

– Havia mulheres acampando com vocês?

– Sim, e algumas delas atiravam muito melhor do que os homens. É preciso ser esperto com uma arma para se viver na África, seja homem ou mulher.

– Nunca segurei uma arma, muito menos disparei.

– Tenho certeza de que aprenderia com rapidez. A maioria das pessoas aprende. Então, Cecily, o que você faz aqui em Nova York?

– Ajudo minha mãe com seus trabalhos de caridade, na maior parte do tempo. Faço parte de vários comitês...

A voz de Cecily sumiu. Parecia tão tolo contar sobre almoços de caridade a um homem do Exército britânico que acabara de matar um leão.

– Quer dizer, eu gostaria de fazer muito mais, porém...

Vamos, Cecily, pelo menos tente soar um pouco menos deprimida e tímida...

– Na verdade, eu me interesso muito por economia.

– Que interessante. Por que não damos uma volta pelo salão de dança e você me conta exatamente como e onde eu deveria investir meus insignificantes soldos do Exército?

– Eu... Está bem – concordou ela, pensando que pelo menos dançava melhor do que batia papo.

Com a música de Benny Goodman e sua banda tocando bem alto, mesmo que ela pensasse em algo inteligente e divertido para dizer, Tarquin não seria capaz de ouvi-la. Ela percebeu, com prazer, que ele era um dançarino muito melhor do que Jack, e isso lhe trouxe certa animação quando quase colidiram com seu ex-noivo e sua deusa prateada. A meia-noite chegou e vários balões foram soltos.

– Feliz ano-novo, Cecily. – Tarquin se inclinou para beijá-la no rosto. – Um brinde aos amigos, antigos e novos.

Depois de "Auld Lang Syne", a banda voltou a tocar, e Tarquin não parecia querer sair do lado dela, até que Kiki apareceu, como o belo espectro que era, e puxou o braço dele.

– Você me faria o favor de me acompanhar até minha suíte? Dancei a noite toda e meus pobres pés estão me matando. Preciso tirar esses sapatos. Convidei algumas pessoas para se juntarem a mim e continuar a festa lá em cima. Claro que você deve vir também, querida Cecily.

– Obrigada, Kiki, mas nosso motorista já deve estar esperando lá fora.

– Então diga ao motorista que espere mais um pouco – pediu Kiki, rindo.

– Não posso, preciso ir para casa.

Depois de várias noites sem dormir, Cecily se sentia prestes a adormecer nos braços de Tarquin.

– Bem, se você tem mesmo que ir... gostaria de vê-la de novo antes de voltar ao Quênia. Eu estava dizendo a Cecily que ela deveria passar um tempo lá.

– Sem dúvida – concordou Tarquin, olhando com carinho para Cecily. – Bem, foi um prazer conhecê-la. – Ele segurou a mão dela e a levou aos lábios. – Seria um prazer lhe mostrar o país, caso faça a viagem. Espero que nos encontremos novamente em breve. Boa noite.

– Boa noite.

Enquanto Cecily o observava escoltar Kiki pela multidão e procurava por seus pais, ela pensou que, mesmo que nunca mais visse o capitão Tarquin Price, naquela noite ele fora um verdadeiro cavaleiro de armadura.

10

Assim como o restante dos nova-iorquinos, Cecily não gostava do mês de janeiro, mas aquele em particular parecia mais triste do que qualquer outro de sua vida. Em geral, a vista do Central Park coberto de neve da janela de seu quarto a animava, mas naquele ano choveu muito e as calçadas estavam cobertas de um lodo cinza que combinava com o céu escuro.

Antes da saída abrupta de Jack de sua vida, ela preenchia seus dias com os planos para o casamento e as inúmeras instituições de caridade que sua mãe e suas amigas administravam incansavelmente – na visão de Cecily, isso significava desperdiçar horas sem fim decidindo sobre um local para o mais recente evento de arrecadação de fundos e, depois, mais tempo escolhendo os menus. A lista de convidados vinha a seguir – dependendo de quantos dólares o destinatário do convite teria para gastar. Dorothea confiava na filha mais velha para lhe informar com quem suas amigas debutantes estavam se casando; se o noivo ou novo marido fosse rico o suficiente, Cecily deveria convidá-los para os eventos.

Mesmo sabendo que sua mãe e as companheiras trabalhavam duro por aquelas boas causas, Cecily nunca tinha visto qualquer uma delas sujar suas imaculadas luvas de seda visitando uma das instituições para as quais arrecadavam fundos. Quando Cecily sugeriu ir ao Harlem visitar o orfanato para o qual um jantar de caridade arrecadara mais de mil dólares, Dorothea a encarou como se ela estivesse louca.

– Cecily, querida, onde está com a cabeça?! Você seria assaltada por aqueles negros antes que tivesse a chance de sair do carro. Já está fazendo muito por aqueles pobres bebês de cor. Contente-se com isso.

Desde os conflitos do Harlem de 1935, que aconteceram quando ela estava no segundo ano da faculdade, Cecily tinha consciência de que havia uma grande tensão. Em muitas ocasiões, ela se sentiu tentada a perguntar a

Evelyn, a empregada negra que trabalhava para a família havia vinte anos, como era sua vida, mas a regra de ouro era nunca ter conversas pessoais com a criadagem. Evelyn morava no sótão, com os outros funcionários da cozinha, saindo de casa somente aos domingos para ir à "minha igreja", como ela dizia. Archer, o motorista, e Mary, a governanta, tinham se casado e moravam no Harlem. Em Vassar, algumas mulheres faziam comentários abertos e francos, exigindo mudanças sociais. Sua amiga Theodora costumava deixar o campus nos fins de semana para ir a manifestações pelos direitos civis no notório Distrito 19. Ela se esgueirava de volta ao dormitório pela janela do quarto pouco antes da meia-noite de domingo, cheirando a cigarro e transbordando de raiva.

– O mundo precisa mudar – sussurrava ela, irritada, enquanto vestia a camisola. – A escravidão pode ter acabado, mas ainda tratamos toda uma raça como se as pessoas fossem menos que seres humanos, segregando-as, calando-as. Estou cansada disso, Cecily...

Janeiro também era um período muito tranquilo para o circuito dos comitês de caridade, por isso Cecily estava ainda mais presa em casa com seus pensamentos. Nem o rádio lhe proporcionava algum alívio, pois Hitler continuava a fazer discursos incendiários, atacando britânicos e os "belicistas" judeus.

– Com certeza está sendo péssimo passar por esse inverno de 1939 – murmurou Cecily para si mesma, enquanto passeava pelo nevoeiro que cobria o Central Park, apenas para sair um pouco de casa.

Dorothea fora visitar a mãe em Chicago. Naquela noite, quando Cecily se sentou com o pai à vasta mesa da sala de jantar que dava para o jardim nevado, ela se perguntou se algum dia teria coragem de sugerir que eles jantassem, em tais ocasiões, na pequena mesa da sala que recebia o sol matinal, e que era muito mais aconchegante.

– Você gostou do novo estilo da decoração? – perguntou Walter à filha, tomando um gole de vinho e gesticulando vagamente para a nova e reluzente mobília.

A casa da Quinta Avenida, com sua imponente fachada de pedra de frente para o Central Park, havia sido decorada recentemente por Dorothea no elegante estilo art déco; Cecily ficara desorientada ao entrar e ver as reformas pela primeira vez. Parecia que estava vendo seu próprio reflexo a todo momento, em todas aquelas superfícies espelhadas, e começou a sentir falta dos pesados móveis de mogno que conhecia desde a infância. O único remanescente de seu quarto original era Horace, seu antigo ursinho de pelúcia.

– Bem, eu gostava de como era antes, mas mamãe com certeza parece feliz com o novo visual – arriscou-se a dizer.

– Muito, e isso é bom.

Quando o pai ficou em silêncio, Cecily decidiu introduzir o assunto sobre o qual vinha se questionando.

– Tenho prestado atenção nas notícias, papai, e queria perguntar uma coisa: por que Hitler continua a ameaçar a todos? Ele conseguiu o que queria no Acordo de Munique, não é verdade?

– Porque, minha querida – explicou Walter, se inflamando –, o sujeito é um psicopata, no sentido mais verdadeiro da palavra. O que quero dizer é que ele não sente culpa nem vergonha, e é improvável que vá cumprir qualquer acordo que tenha feito.

– Então pode acontecer uma guerra na Europa?

– Quem sabe? – Walter deu de ombros. – Acho que depende da direção em que o vento sopra na cabeça daquele homem. Você deve ter notado que a economia alemã está crescendo. Ele superou a crise, então tem dinheiro para bancar uma guerra se quiser.

– Tudo se resume a dinheiro, não é? – comentou Cecily, com um suspiro, enquanto brincava com sua costeleta de cordeiro.

– Muitas coisas, sim, mas não tudo. O que você fez hoje?

– Nada. Absolutamente nada.

– Não almoçou com nenhuma de suas amigas?

– Papai, a maioria de minhas amigas está casada, grávida ou tomando conta de seus filhos.

– Tenho certeza de que não demorará muito para que você esteja no mesmo barco – reconfortou-a o pai.

– Não tenho tanta certeza disso. Papai?

– Sim, Cecily?

– Eu... Bem, eu queria saber se, já que não vou me casar nem tão cedo, você reconsideraria a possibilidade de eu conseguir algum tipo de... – Cecily engoliu em seco – ... emprego. Talvez haja uma vaga no seu banco?

Walter limpou o bigode com o guardanapo e o dobrou cuidadosamente, colocando-o ao lado do prato.

– Cecily, nós já conversamos sobre isso muitas vezes. E a resposta é não.

– Por quê? As mulheres estão arrumando empregos por toda a cidade de Nova York! Elas não esperam mais que algum homem apareça e tome conta de suas vidas! Tenho um diploma e quero usá-lo. Não há nada que eu possa fazer no seu banco? Sempre que o encontro no almoço, vejo garotas saindo, então elas devem fazer algo lá dentro...

– Você está certa, elas fazem. Trabalham na datilografia, passam os dias datilografando as cartas dos diretores e depois lambendo envelopes, colando selos postais e enviando ao departamento de correspondência. É isso que você quer?

– Sim! Pelo menos eu estaria fazendo algo útil.

– Cecily, você sabe tão bem quanto eu que filha minha não pode trabalhar no setor de datilografia do banco. Nós dois seríamos motivo de chacota. Essas meninas vêm de contextos completamente diferentes...

– Eu sei disso, papai, mas não me importo com "contextos". Só quero... preencher o meu tempo – contestou Cecily, sentindo as lágrimas de frustração aflorarem.

– Minha querida, eu entendo como a traição de Jack a magoou e a desestabilizou, mas tenho certeza de que alguém aparecerá em breve.

– E se eu não *quiser* me casar?

– Então se tornará uma solteirona solitária, com um monte de sobrinhas e sobrinhos. – Os olhos de Walter traíram um lampejo gentil de diversão. – Isso lhe parece atraente?

– Não... Sim, quero dizer, no momento eu realmente não me importo, papai. Qual é o sentido de me permitir uma educação universitária se eu nunca puder colocar em prática o que aprendi?

– Cecily, essa educação ampliou sua mente, dando a você a compreensão de assuntos que permitirão que fale com confiança em jantares...

– Meu Deus! Você parece a mamãe. – Cecily apoiou a cabeça nas mãos. – Por que não me deixa usar meu diploma de uma maneira mais produtiva?

– Cecily, eu sei como é não poder seguir o caminho que seu coração deseja. Estudei economia em Harvard apenas porque meu avô estudou, e só Deus sabe quantos outros "figurões" antes dele. Quando me formei, tudo o que eu queria fazer era viajar pelo mundo e ganhar a vida longe dos negócios. Acho que eu me imaginava como um grande caçador ou algo assim. – Ele riu de um jeito triste. – É claro que, quando contei a meu pai o que estava planejando, ele me olhou como se eu tivesse enlouquecido e a resposta foi não. Então tive que segui-lo até o banco e assumir meu lugar na diretoria.

Cecily observou o pai fazer uma pausa para tomar um grande gole de vinho.

– Você acha que eu realmente gosto do que faço? – perguntou ele.

– Eu... bem, pensei que talvez você gostasse, papai. Pelo menos está trabalhando.

– Se é que se pode chamar de trabalho. Na realidade, eu encontro e saúdo clientes, levo-os para almoços e jantares e faço com que se sintam amados, enquanto meu irmão mais velho, Victor, faz todos os negócios. Sou apenas uma companhia agradável. E não se esqueça de que as coisas pioraram desde a quebra da Bolsa.

– Mas o banco sobreviveu, certo? Ainda temos dinheiro, não temos?

– Sim, mas a nossa família continua como sempre foi por causa da herança de sua mãe, não da minha riqueza. Eu entendo a sua frustração, mas nada é perfeito. A vida é um desafio a ser enfrentado, então devemos simplesmente tirar o melhor proveito dela. E, pelo menos, quando você se casar e tiver que administrar uma casa, será capaz de identificar imediatamente qualquer um de sua equipe que esteja tentando tirar vantagem de você. – Ele sorriu. – Você está destinada a ser uma esposa, e eu estou destinado a acompanhar Victor e a observá-lo conduzir o banco da família em direção à ruína. Agora, se você já terminou, vou pedir a Mary que traga a sobremesa.

✺ ✺ ✺

Enquanto um dia cinzento dava lugar a outro, Cecily pensou muito sobre a conversa incomumente honesta que tivera com o pai. Mais tarde, percebeu que ele se sentia humilhado pelo fato de a esposa ser muito mais rica. A enorme residência na Quinta Avenida fora herdada por Dorothea de seu pai, de quem Cecily ganhara o nome. Cecil H. Homer fora um dos primeiros a fabricar creme dental em escala industrial nos Estados Unidos e, com isso, fez enorme fortuna. Ele e a esposa, Jacqueline, se divorciaram quando Dorothea era criança, com a palavra "deserção" registrada nos documentos legais – o que significava, segundo dizia Dorothea, achando graça, que seu pai havia abandonado Jacqueline por um tubo de creme branco com menta, e não por outra mulher. Aos 13 anos, ela se tornou a única herdeira da fortuna do pai quando ele morreu de ataque cardíaco à mesa de trabalho e, aos 21, a proprietária legal da mansão na Quinta Avenida, além de uma grande propriedade nos Hamptons e uma série de depósitos em dinheiro e investimentos no exterior.

O casamento com Walter Huntley-Morgan acontecera logo depois. Walter era de excelente linhagem, mas era de seu irmão mais velho a responsabilidade de administrar o banco da família, fazendo do pai de Cecily apenas uma "alternativa aceitável", como ele mesmo dizia, melancolicamente.

Entretanto, por mais que tentasse argumentar consigo mesma que o pai tinha razão, que a vida *era* um desafio a ser enfrentado, só conseguia pensar que ela *não tinha* nenhum desafio e temia enlouquecer de tédio. Cecily também estava ciente do fato de que, mesmo no mais sombrio mês de janeiro, sempre havia algo acontecendo em seu círculo de Nova York, mas nem um único convite para um almoço ou um chá da tarde pousava na travessa de prata do corredor. E, lendo a coluna social do *New York Times*, ela acabou entendendo o porquê: era impensável que a ex-noiva e a atual pudessem ser convidadas para as mesmas reuniões, e Patricia Ogden-Forbes a havia substituído na preferência da sociedade. Mesmo suas amigas mais próximas pareciam tê-la abandonado.

Certa tarde, Cecily tomou um gole de conhaque da garrafa que ficava no aparador da sala de estar e ligou para sua amiga mais antiga e íntima, Charlotte Amery. Depois de falar com a governanta de Charlotte, que logo saiu para procurá-la, ela foi informada de que sua amiga estava "muito ocupada".

– É urgente! – avisou ela. – Por favor, diga a ela para retornar minha ligação o mais depressa possível.

Duas horas se passaram antes de a governanta, Mary, avisar que Charlotte estava na linha para falar com ela.

– Oi, Charlotte, como vai?

– Estou bem, querida. Como você está?

– Bom, você sabe, fui abandonada pelo meu belo noivo, e provavelmente haverá guerra na Europa... – respondeu ela, rindo.

– Ah, Cecily, sinto muito.

– Nossa! Eu estava brincando, Charlotte. Estou bem, sério.

– Ah, fico feliz. Deve estar sendo difícil para você, com Jack e tudo o mais.

– Claro que é uma situação chata, mas estou sobrevivendo. Eu estava pensando que não tinha notícias suas há algum tempo. Quer sair amanhã? Podemos tomar um chá da tarde no Plaza. Eles têm as melhores broinhas da cidade.

– Ah, não posso. Rosemary organizou uma festinha na casa dela. Parece que a amiga inglesa dela veio visitar e vamos aprender a jogar bridge!

Cecily engoliu em seco. Rosemary Ellis era, sem dúvida, a rainha da sua geração, e até então tinha sido amiga de Cecily.

– Entendo. Talvez na semana que vem?

– Não estou com a minha agenda aqui, mas que tal eu ligar para você na segunda-feira e combinamos alguma coisa?

– Boa ideia – disse Cecily, tentando não deixar a voz falhar.

Nada na sociedade de Nova York era espontâneo. Cada ida ao cabeleireiro, cada prova de roupa e manicure eram marcadas e documentadas com semanas de antecedência. Charlotte não ligaria de volta na segunda-feira.

– Tudo bem – Cecily conseguiu dizer. – Tchau. – Ela bateu o telefone e explodiu em lágrimas.

Uma hora depois, estava deitada na cama, olhando para o teto, pois não conseguia nem pensar em ler um livro, quando Evelyn bateu à porta.

– Com licença, Srta. Cecily, Mary me mandou subir porque há uma dama e um cavalheiro lá embaixo no corredor. Eles perguntaram por sua mãe e foram informados de que ela estava fora. Mas a dama disse que também queria vê-la.

Evelyn atravessou a sala e entregou um cartão a Cecily, que leu e suspirou. Sua madrinha Kiki estava lá embaixo. Pensou em fingir que não estava se sentindo bem, mas sabia que sua mãe nunca a perdoaria se não recebesse a velha amiga por ela.

– Leve-os para a sala de estar e avise que descerei em dez minutos. Preciso me arrumar.

– Mas o fogo não está aceso, Srta. Cecily.

– Então vá acendê-lo, Evelyn.

– Sim, senhorita.

Cecily rolou da cama e verificou seu reflexo no espelho. Depois de escovar os cabelos irritantemente encaracolados e concluir que se parecia mais com Shirley Temple do que com Greta Garbo, de ajeitar a blusa e a saia e calçar os sapatos, ela acrescentou um toque de batom antes de descer as escadas para cumprimentar Kiki.

– *Querrrrida!* – Kiki ronronou ao abraçar Cecily. – Como você está?

– Estou bem, obrigada.

– Você não me parece bem, minha cara. Está com uma fisionomia cansada e pálida como o céu de Manhattan.

– Ah, tive um resfriado, mas já estou melhorando – mentiu Cecily.

– Não posso dizer que estou surpresa. Manhattan é uma geladeira nesta época do ano, além de vazia!

Kiki riu e estremeceu, apertando seu casaco de visom no corpo enquanto caminhava em direção ao fogo recém-aceso. Ela pegou um cigarro e a piteira na bolsa.

– Devo dizer que admiro o gosto ousado de sua mãe em design. Art déco não é para todo mundo. – Ela gesticulou para a sala de estar, com uma parede toda revestida de vidro espelhado. – Você se lembra de Tarquin, não lembra? – perguntou Kiki, claramente assinalando a presença do homem bonito com quem Cecily dançara na véspera de ano-novo, duas semanas antes.

Ele ainda estava usando seu grosso casaco de tweed. Mesmo com o fogo aceso, a temperatura na sala de estar não passava muito de zero.

– Com certeza. – Cecily sorriu. – Como vai, Tarquin?

– Vou muito bem, obrigado, Cecily.

– Posso lhes oferecer uma bebida? Chá? Café?

– Sabe, acho que um pouco de conhaque seria ótimo para aquecer a todos nós. Tarquin, você faria o favor de nos servir? – pediu Kiki, indicando as garrafas no aparador.

– Claro. Um para você também, Cecily?

– Eu...

– Ora, vamos lá, conhaque é medicinal, especialmente para um resfriado. Você não concorda, Tarquin?

– É claro que sim. Certamente.

Talvez não no meio da tarde, pensou Cecily.

– Então, para onde sua mãe viajou? Climas mais quentes, espero? – perguntou Kiki.

– Não, na verdade ela foi a Chicago visitar a mãe dela. Isto é, minha avó.

– E que mulher horrível é Jacqueline – comentou Kiki, sentando-se no guarda-fogo com tampa de couro na frente da lareira. – Podre de rica, é claro – acrescentou, enquanto Tarquin entregava a ambas um copo de conhaque. – Ela é parente dos Whitneys, sabia?

– Não sei quem são eles – revelou Tarquin, oferecendo a poltrona ao lado do fogo para Cecily antes de se sentar à sua frente, enquanto Kiki permanecia no guarda-fogo. – Perdoem-me, temo não conhecer muito bem a sociedade americana.

– Basta dizer que, se morássemos na Inglaterra, os Vanderbilts e os Rockefellers estariam lutando pelo trono, enquanto os Whitneys apenas observariam, indecisos sobre quem apoiar – disse Kiki, com uma gargalhada.

– Então a avó de Cecily é da realeza americana?

– Ah, sem dúvida, mas isso tudo não é um embuste? – comentou Kiki, suspirando dramaticamente enquanto jogava a bituca do cigarro no fogo da lareira. – Mas, Cecily, meu bem, é uma pena que sua mãe não esteja aqui, pois eu ia sugerir que ela viajasse de volta para o Quênia comigo no fim do mês, quando eu for embora dos Estados Unidos. E, claro, que você fosse junto. Você ia amar; o céu está sempre azul, o clima é sempre quente e a vida selvagem é simplesmente extraordinária.

– Kiki, entendo seu desejo de voltar... mas não é bem assim, Cecily – interrompeu Tarquin. – Sim, o céu é azul, só que também chove. Chove a cântaros, e os animais não são tão adoráveis se decidirem enxergá-la como almoço.

– Minha querida, isso nunca aconteceria na Casa Mundui! Cara Cecily, você e sua mãe precisam ver por si mesmas.

– Bem, é muita gentileza sua, mas duvido muito que mamãe esteja preparada para deixar minha irmã Mamie antes de ela ter o bebê.

– Ah, que bobagem, as mulheres dão à luz todos os dias, aos milhares; eu mesma tive três! Na outra semana, eu estava entrando na cozinha de casa para dar instruções para um almoço em que ia receber alguns convidados e encontrei uma das minhas criadas agachada no chão com a cabeça de um bebê entre as pernas. É claro que pedi ajuda, mas, quando chegaram, o resto da criança já havia deslizado para fora e jazia na poeira, gritando alto, ainda preso pelo cordão.

– Meu Deus do céu! – exclamou Cecily. – E o bebê sobreviveu?

– É claro que sim. Um dos parentes da mãe cortou o cordão, pegou o bebê nos braços e ajudou a mãe a ir descansar. No dia seguinte, lá estava ela, de volta à cozinha. Acho que se faz muito barulho com essas coisas hoje em dia. Você não acha, Tarquin?

– Para ser sincero, nunca pensei nisso – respondeu ele, parecendo um pouco esverdeado enquanto tomava um gole de conhaque.

– De qualquer forma, o ponto é que você e sua mãe deveriam voltar comigo para o Quênia. Vou embora no fim de janeiro, depois de visitar os advogados do meu falecido marido em Denver, então há tempo de sobra para tomar todas as providências. Agora, onde é o toalete?

– No corredor, à direita. – Cecily se levantou. – Vou lhe mostrar.

– Depois de ter achado caminho no meio da mata, acho que sou capaz de encontrar o toalete sozinha – disse Kiki, sorrindo e saindo da sala.

– Então, Cecily, o que tem feito desde que nos conhecemos? – quis saber Tarquin.

– Não muita coisa. Como eu disse, estive resfriada.

– Bem, uma visita ao Quênia a deixará curada em pouco tempo. A ideia lhe agrada?

– Sinceramente, não sei. Quer dizer, eu já estive na Europa, é claro. Londres, Escócia, Paris e Roma, mas não havia leões por lá. No entanto, mesmo que a ideia me atraísse, minha mãe jamais deixaria Mamie, independentemente de qualquer argumento de Kiki. Os nativos são... amigáveis? – indagou Cecily.

– A maioria dos que conheci, sim. Muitos deles trabalham para nós no Exército e os kikuyus de Kiki são bastante dedicados a ela.

– Kikuyus?

– São a tribo local em Naivasha e arredores.

– Então eles não carregam lanças e usam tanga por aí para tampar o... meio? – perguntou Cecily, corando.

– Os maasais são mesmo assim, mas eles vivem nas planícies, cuidando de seu gado. Não arrumarão problemas se você não arrumar problema com eles.

– E então? – disse Kiki, entrando novamente na sala e balançando a bolsa, cujas alças estavam entrelaçadas em seus elegantes dedos brancos. – Conseguiu convencer Cecily a vir junto comigo?

– Não sei. Consegui? – indagou Tarquin, fitando Cecily com um brilho no olhar.

– Bem, definitivamente parece mais interessante do que Nova York, mas...

– Meu bem – Kiki pousou a mão no braço de Tarquin –, devemos ir ou vamos nos atrasar para o chá com os Forbes, e você sabe como eles são sempre pontuais.

– Volto para a África amanhã – avisou Tarquin, se levantando. – Devo me apresentar de novo à base ainda esta semana, mas espero que você pense mais sobre ir para o Quênia e então nos encontraremos novamente em breve, Cecily.

– E eu vou voltar aqui para obrigá-la a aceitar! – prometeu Kiki, rindo, enquanto Tarquin segurava a porta para ela sair.

Depois que eles se foram, Cecily sentou-se no guarda-fogo e bebeu o resto de seu conhaque, ponderando sobre a oferta de Kiki. Na véspera de ano-novo, ela havia entendido que o convite não passava de mera conversa educada, não uma proposta de verdade.

– África – murmurou lentamente, enquanto passava o dedo pela borda do copo.

Por capricho, ela se levantou e pegou o casaco e o chapéu no armário no corredor. Uma vez lá fora, dirigiu-se à biblioteca local antes que fechasse.

✲ ✲ ✲

Naquela noite, durante o jantar, Cecily contou ao pai sobre a sugestão de Kiki.

– O que acha, papai? Mamãe me permitiria viajar sem que ela fosse como acompanhante?

– O que eu acho? – Walter colocou seu copo de conhaque na mesa e juntou os dedos enquanto pensava no assunto. – Acho que gostaria de poder ir com você no lugar da sua mãe. Sempre desejei conhecer a África. Talvez uma viagem para visitar Kiki seja exatamente do que você precisa para esquecer Jack e seguir em frente. Você é minha garota especial – acrescentou Walter, ficando de pé para beijar a cabeça da filha. – Agora, tenho uma reunião no clube. Diga a Mary que voltarei às dez. Vou conversar a respeito com sua mãe quando ela voltar de Chicago. Boa noite, minha querida.

Depois que o pai saiu, Cecily subiu as escadas, deitou-se na cama e abriu os três livros que pegara na biblioteca. Havia infinitos esboços, pinturas e fotografias de negros nativos e de homens brancos orgulhosamente de pé sobre cadáveres de leões ou segurando uma enorme presa de marfim em cada mão. Ela estremeceu com a visão, mas era um estremecimento que continha um arrepio de emoção ao pensar em visitar o que parecia ser a terra mais gloriosa e selvagem do planeta. Uma terra onde ninguém teria *ouvido* falar dela ou do noivado rompido com Jack Hamblin.

❂ ❂ ❂

– Cecily, pode se juntar a mim e à sua mãe na sala de estar, quando estiver pronta? – perguntou Walter quando ela entrou em casa, espanando a neve do casaco.

Ela havia ficado fora o dia todo, fazendo o cabelo na parte da manhã e saindo para visitar Mamie à tarde.

– Claro, papai. Eu já vou.

Depois de entregar o casaco a Mary, ela caminhou até o lavabo do térreo e se arrumou no espelho. Quando entrou na sala, o fogo ardia alegremente. Seu pai a recebeu, e ela viu que o rosto de sua mãe parecia feito de pedra.

– Sente-se, querida.

– Sobre o que vocês queriam conversar comigo? – quis saber Cecily, quando seu pai se sentou em uma cadeira ao lado do fogo.

– Kiki voltou aqui hoje para implorar que fôssemos para a África com ela. Falei que não deixaria Mamie sozinha tão perto do nascimento – disse Dorothea –, mas seu pai acha que você deveria ir sem mim.

– Sim – concordou Walter. – Como expliquei à sua mãe, não é apenas uma oportunidade para você ver mais do mundo, mas também significa que, quando voltar, o casamento já terá passado e você poderá seguir em frente com a sua vida.

– Jack e Patricia anunciaram a data? – perguntou Cecily, o mais calma possível.

– Sim, eles vão se casar no dia 17 de abril. Todas as colunas sociais divulgaram as notícias esta manhã.

– Então, o que acha, mamãe?

– Bem, concordo com seu pai que o casamento de Jack e Patricia será o principal assunto de Manhattan nos próximos meses, o que será muito difícil para você. Mas isso é motivo para correr para a África? O lugar parece totalmente não civilizado. Nativos seminus no meio da rua, animais selvagens vagando no jardim... – comentou Dorothea, horrorizada. – E, é claro, há o risco de doenças. Walter, poderíamos apenas enviar Cecily para a casa de minha mãe, se ela precisar se afastar.

Cecily e o pai se entreolharam e compartilharam um estremecimento conjunto.

– Bem, Kiki conseguiu sobreviver aos últimos vinte anos, e existe uma comunidade de expatriados muito bem estabelecida por lá, como você sabe – disse Walter.

– Eu sei, e a fama deles me preocupa mais do que os leões – respondeu Dorothea, sem rodeios. – Todos eles parecem um pouco atrevidos, pelo que li nos jornais. Havia aquela amiga de Kiki... qual era mesmo o nome dela?

– Alice de Janzé – lembrou Walter. – Mas isso foi há muitos anos.

– O que aconteceu? – perguntou Cecily, observando a troca de olhares entre os pais.

– Ah, bem... – Dorothea deu de ombros. – Foi um grande escândalo. Alice e Kiki faziam parte do que era conhecido como "Grupo do Happy Valley", lá no Quênia. Havia todo tipo de comentário sobre o comportamento deles. Alice era casada, mas tinha uma... relação infeliz com um homem chamado...?

– Raymund de Trafford – completou Walter.

– Esse mesmo. Enfim, Alice se apaixonou por Raymund e ficou tão devastada quando ele se recusou a se casar com ela que atirou nele em um trem na Gare du Nord, em Paris, quando estavam se despedindo, antes de apontar a arma para si mesma. Nenhum dos dois morreu – acrescentou Dorothea.

– Meu Deus! – Cecily estava boquiaberta. – Ela foi presa?

– Não. Houve um julgamento, é claro, e ela passou um curto período sob custódia, mas acabou se casando com o tal sujeito!

– Não acredito!

Cecily ficou extasiada com o puro romance da história. A África estava começando a parecer emocionante.

– Mas tudo isso aconteceu há muito tempo. E tenho certeza de que Kiki não se comporta assim – comentou Walter, com firmeza. – Ela disse que cuidaria de nossa filha como se fosse a dela. Bem, agora, Cecily, a verdadeira questão é: você quer ir?

– Na verdade... sim, acho que quero. E não apenas por causa do casamento de Jack. Sou uma mulher crescida e posso lidar com isso. É mais porque, bem, o Quênia parece fascinante.

– Mesmo que vá perder o nascimento do seu sobrinho? – questionou Dorothea.

– Ah, mamãe, você estará com Mamie, e eu não vou embora para sempre, sabia? São só algumas semanas.

– E é claro, querida – disse Walter, virando-se para a esposa –, que Cecily pode ficar com Audrey enquanto estiver na Inglaterra, a caminho da África.

Audrey era a "amiga troféu" de Dorothea, a que ela gostava de exibir, uma vez que se casara com um lorde inglês quinze anos antes. E se tinha alguma coisa capaz de convencer a mãe a deixá-la fazer a viagem, era a ideia de sua filha ficar com Audrey e todos os jovens ingleses solteiros que poderia conhecer enquanto estivesse lá.

– Verdade, verdade... Mas a Inglaterra é segura hoje em dia, Walter, com as ideias do Sr. Hitler?

– Manhattan é segura hoje em dia? – Walter ergueu uma sobrancelha. – Se segurança fosse prioridade, nunca sairíamos de casa. Então, está decidido?

– É claro que eu teria que entrar em contato com Audrey para verificar se ela estará em casa quando Cecily chegar à Inglaterra, e pedir que mande seu motorista buscá-la no navio. Kiki também poderia ir com Cecily visitar Audrey. As duas se conheceram quando moravam em Paris – pensou Dorothea em voz alta.

Walter lançou um olhar para a filha e deu uma minúscula piscadela.

– Bem – disse Cecily –, se vocês dois concordam com a minha ida, então eu vou. Sim, eu vou.

Pela primeira vez em semanas, os lábios de Cecily formaram um sorriso espontâneo.

Tendo pouco mais de duas semanas para se preparar para a jornada, Cecily e Dorothea se mantiveram ocupadas comprando tudo de que a moça precisaria para a viagem: roupa formal para a semana na casa de Audrey, vestidos e blusas feitos de algodão e musselina (que tiveram que ser encomendados especialmente a uma costureira, já que estavam em pleno inverno), juntamente com saias e até shorts, o que deixou Dorothea hesitante.

– Ah, Senhor, para onde estamos enviando você? – comentou a mãe, fazendo uma careta quando Cecily os experimentou.

– Para um lugar muito quente, mamãe. Como o verão nos Hamptons.

Apesar da constante negatividade de Dorothea, enquanto Evelyn a ajudava a encher seu baú, a empolgação de Cecily aumentava. Na noite anterior à partida, suas irmãs chegaram com os maridos para jantar. Walter presenteou a filha com uma câmera Kodak Bantam Special, e suas irmãs lhe deram um par de binóculos para "observar os homens", como disse Priscilla.

– Tome cuidado, maninha – disse Mamie quando estavam no corredor, depois do jantar. – Espero poder apresentá-la a seu novo sobrinho ou sobrinha quando voltar.

– Volte para casa feliz – desejou Hunter, enquanto lhe dava um beijo de despedida.

– E de preferência casada! – gritou Priscilla dos degraus da entrada.

– Vou fazer o possível – respondeu Cecily, vendo-os sair para a noite nevada.

11

Inglaterra
Fevereiro de 1939

Quando o vapor se aproximou do porto de Southampton, Cecily ficou bastante decepcionada ao ver que a Inglaterra parecia tão sombria e cinza quanto a Manhattan que deixara para trás. Ela ajeitou seu novo chapéu e colocou a estola de pele em volta dos ombros quando o comissário veio pegar sua bagagem.

– Há alguém à sua espera, senhorita?

– Sim.

Cecily enfiou a mão na bolsa e pegou um cartão impresso com o nome do motorista que tinha sido enviado – assim ela esperava – de Woodhead Hall para pegá-la.

– Obrigado, senhorita. Permaneça dentro de sua cabine por enquanto. Faz um frio cortante lá fora. Voltarei para buscá-la quando o carro estiver estacionado.

– Obrigada, Sr. Jones. O senhor me ajudou muito.

Cecily entregou-lhe uma excelente gorjeta de 5 dólares e o rapaz corou, assentindo em agradecimento.

– Bem, foi realmente um prazer cuidar da senhorita. Talvez eu a encontre novamente na viagem de volta?

– Espero que sim.

O comissário fechou a porta da cabine e Cecily se sentou na cadeira ao lado da portinhola. Assim que chegasse a Woodhead Hall, ela sabia que precisaria telefonar para os pais e avisar que estava em segurança. As 24 horas antes de sua partida de Nova York, havia uma semana, tinham sido um tanto agitadas. A criada de Kiki telefonara na manhã em que elas deviam partir para dizer que sua patroa estava de cama, com bronquite. O médico a avisara de que o problema poderia se transformar em pneumonia se ela não repousasse por alguns dias. Cecily não vira nenhum problema em adiar a viagem enquanto Kiki se recuperava, mas, depois de ter organizado a visita a Woodhead Hall, Dorothea discordara.

– Segundo Kiki, o médico garantiu que ela estará bem o suficiente para viajar em uma semana, o que significa que poderá encontrá-la na Inglaterra para embarcar no voo para o Quênia. Você ainda pode visitar Audrey e sua família, Cecily. Ela fez planos especiais para a sua chegada.

Então Cecily partiu sozinha de Nova York e, apesar de suas preocupações iniciais, acabara gostando dos dias a bordo do navio. Mais do que tudo, a aventura ajudara a aumentar sua autoconfiança, pois ela fora obrigada a conversar com estranhos durante o jantar e a aceitar convites para jogar cartas (algo que fazia muito bem). Também houve pelo menos três jovens a cortejá-la; era quase como se, longe de Manhattan, onde ninguém a conhecia, Cecily pudesse finalmente ser ela mesma.

Houve uma batida na porta da cabine e o Sr. Jones apareceu.

– Seus documentos foram verificados e o carro está estacionado no porto – informou ele, devolvendo-lhe o passaporte. – E seu baú está pronto, Srta. Cecily. Pronta para partir?

– Sim, obrigada.

Um vento frio a atingiu quando ela desceu pela prancha, e a pesada neblina embaçava tudo ao seu redor. O motorista a ajudou a se acomodar no Bentley e ligou o motor.

– Está confortável, senhorita? – perguntou ele, quando ela se sentou no banco de couro macio. – Há cobertores extras, caso necessite.

– Estou absolutamente bem, obrigada. Quanto tempo dura a viagem?

– Depende do nevoeiro, mas eu diria que estaremos em Woodhead Hall em duas ou três horas. Há um frasco de chá quente, se estiver sequiosa.

– Obrigada – disse Cecily novamente, imaginando o que diabos significaria "sequiosa".

Na realidade, a viagem levou mais de três horas, e ela ficou cochilando e despertando, incapaz de ver qualquer coisa das terras inglesas através do nevoeiro. Quando estivera na Inglaterra anteriormente, Audrey havia recebido Cecily e seus pais em sua mansão na capital, na Eaton Square, e depois eles seguiram para Paris. Ela torcia para que o tempo melhorasse um pouco a fim de que pudesse ver parte dos famosos campos britânicos. Dorothea já visitara a amiga em sua vasta propriedade rural, em um lugar chamado West Sussex, e declarara que era muito bonito. Mas quando o motorista atravessou um par de enormes portões e anunciou que haviam chegado, era quase noite, e tudo o que Cecily podia ver era o contorno de um casarão gótico contra uma luz fraca e fantasmagórica. Ao se aproximar da grandiosa entrada, Cecily suspirou de decepção ao ver a fachada de tijolos vermelhos. Não era como as casas sobre as quais tinha lido nos livros de Jane Austen, tão delicadas; mais parecia algo saído dos contos de Edgar Allan Poe.

A porta foi aberta por um homem pernóstico, que ela quase confundiu com o marido de Audrey, lorde Woodhead, mas que se anunciou como o mordomo. Cecily entrou no vasto salão, onde a peça central era uma impressionante, mas bastante feia, escadaria de mogno.

– Querida Cecily! – Audrey, tão atraente e vivaz quanto Cecily se lembrava, veio cumprimentá-la, beijando-a nas bochechas. – Como foi a viagem? Eu odeio viajar pelo mar, e você? Todas aquelas ondas enormes. Elas podem perturbar bastante a digestão. Venha, vou lhe mostrar o seu quarto, você deve estar completamente exausta. Pedi à criada que acendesse a lareira. Meu querido Edgar às vezes é bastante frugal com o aquecimento.

Uma vez instalada, Cecily sentou-se e foi aquecer as mãos perto do fogo, observando a imponente cama de dossel. O cômodo era totalmente congelante e ela estava feliz por sua mãe tê-la alertado sobre a temperatura nas casas de campo inglesas, certificando-se de que ela embalasse ceroulas e camisas de baixo para se manter aquecida.

Embora Audrey teimasse que Cecily devia estar cansada após a jornada, ela se sentia bem desperta. Quando a criada desempacotou as "roupas da Inglaterra" e tirou o vestido para ser passado para o jantar daquela noite, Cecily pegou um cardigã de lã, abriu a porta do quarto e espiou o corredor. Virou à esquerda, caminhou e, quando chegou ao fim, havia contado doze portas. Voltando ao seu, ela prosseguiu direto para o outro lado.

– São 24 portas – disse, e suspirou, imaginando como as criadas conseguiam lembrar quem estava em qual quarto, pois não havia número, como nos hotéis.

Retornando ao seu cômodo, ela encontrou a criada novamente alimentando o fogo.

– Pendurei seu vestido no roupeiro, senhorita, pronto para esta noite.

– Roupeiro?

– Sim – confirmou a criada, apontando para o closet. – Preparei também um banho no toalete ao lado, senhorita, mas é um pouco frio aqui, então acho melhor ir depressa antes que a água congele, e depois volte para se aquecer junto ao fogo.

– Certo, obrigada.

– A senhorita precisará de ajuda com o cabelo? Faço o cabelo da madame quase todas as noites. Sou muito habilidosa.

– Bem, é muito gentil de sua parte, mas tenho certeza de que consigo me ajeitar sozinha. E você é...?

– Meu nome é Doris, senhorita. Estarei de volta em um instante, uma vez que tenha tomado o seu banho.

Cecily sentiu-se desconcertada ao se despir e pôr o roupão para ir ao banheiro ao lado. Doris parecia falar uma língua estrangeira, mas certamente não estava errada sobre a temperatura do toalete e da água. Ela entrou e saiu o mais rápido que pôde, e estava voltando para o quarto quando viu um jovem mais ou menos de sua idade caminhando pelo corredor em sua direção.

Devido ao seu estado de espírito em relação a Jack, Cecily não sentia nenhuma vontade de pensar em homens, mas, quando ele olhou para ela e sorriu, seu coração disparou. Debaixo dos cabelos pretos brilhantes (compridos demais para um cavalheiro), um par de grandes olhos castanhos emoldurados por longos cílios a avaliou.

– Olá – disse ele quando a alcançou. – Posso perguntar quem é a senhorita?

– Sou Cecily Huntley-Morgan.

– É mesmo? E o que exatamente veio fazer aqui?

– Ah, minha mãe e lady Woodhead são velhas amigas, e vou passar uns dias aqui antes de viajar para o Quênia.

Cecily pôs a mão no decote, sentindo-se exposta no precário roupão que vestira depois do banho.

– África? – repetiu ele com um sorriso. – Muito bem. Eu sou Julius Woodhead. – Ele ofereceu a mão a Cecily. – Prazer em conhecê-la.

– Igualmente.

Cecily aceitou a mão estendida e teve uma estranha sensação, não muito diferente de um choque elétrico, que fez seu braço estremecer.

– Nós nos vemos no jantar – despediu-se ele, seguindo em frente. – Parece que vai ser faisão de novo. Só tome cuidado com o tiro.

– Eu... Certo, vou tomar – respondeu ela, sem ter ideia do que ele quis dizer.

Julius desapareceu em um cômodo ao longo do corredor. Com a mão trêmula, ela abriu a porta de seu quarto, depois a fechou e foi se sentar ao lado do fogo.

– Julius Woodhead... – sussurrou ela. – Ele não pode ser um dos filhos de Audrey, pode?

Para começar, ela achava que Audrey não tinha filhos. Em segundo lugar, o rapaz estava usando um velho suéter de lã com buracos do tamanho do sinete no anel de seu pai.

– Meu Deus – disse ela, se abanando, sentindo-se subitamente corada.

Cecily se levantou, foi até a gaveta de lingerie e decidiu que, afinal, pediria a Doris que arrumasse seu cabelo para o jantar.

❂ ❂ ❂

– Seja bem-vinda, minha querida – disse Audrey, quando Cecily entrou na ampla sala de estar, que fazia a de seus pais parecer uma casa de bonecas. – Venha, fique perto do fogo. – Audrey a puxou para perto da lareira, então pegou um coquetel de uma bandeja carregada por um criado e o entregou a Cecily. – Fico feliz por ver que está usando veludo. É muito mais quente do que cetim ou seda. Vamos instalar um sistema de aquecimento central no próximo mês. Eu disse a Edgar que, se não instalasse, eu me recusaria a passar outro inverno nesta casa.

– Estou bem, Audrey. E é muito gentil de sua parte me hospedar aqui.

– Bem... – A mulher gesticulou vagamente ao redor da sala, indicando os convidados. – Infelizmente, o início de fevereiro não é a alta temporada social aqui. A maioria das pessoas está ausente, em climas mais quentes ou esquiando em St. Moritz. E meu querido Edgar estará em Londres a semana toda, então você não conseguirá conhecê-lo, mas fiz o que pude. Agora, deixe-me apresentá-la a alguns de meus amigos e vizinhos.

Cecily fez a ronda com Audrey, assentindo e sorrindo para o grupo reunido. Para seu desapontamento, somente o filho do vigário, Tristan Sei Lá o Quê, tinha mais ou menos a sua idade. Ele contou que estava fazendo uma breve visita aos pais, que moravam na vila local, enquanto treinava em algum lugar chamado Sandhurst como oficial do Exército britânico.

– O senhor acha que haverá uma guerra? – perguntou Cecily ao rapaz.

– Espero que sim, Srta. Huntley-Morgan. Não faz sentido treinar para algo que nunca acontece.

– O senhor realmente *deseja* que haja uma guerra?

– Duvido que haja uma pessoa na Inglaterra que não pense assim. Herr Hitler precisa de uma boa surra. E estou ansioso para ajudar.

Sentindo-se levemente enjoada, talvez por causa dos dois coquetéis que bebera ou do longo dia de viagem, Cecily finalmente conseguiu se livrar de Tristan e voltar para perto da lareira.

– Boa noite, Srta. Huntley-Morgan. Fico feliz em ver que se vestiu para o jantar.

Cecily virou-se e viu Julius – simplesmente divino em suas roupas formais – sorrindo para ela com indisfarçada diversão.

– Bem, eu tinha acabado de sair do banho!

– Jura? Pensei que estivesse se esgueirando pelo corredor, saindo do quarto do seu amante.

– Eu...

Cecily sentiu um rubor subir pelo pescoço até chegar ao rosto.

– Estou brincando. – Julius sorriu. – Devo dizer que a senhorita está maravilhosa nesse vestido. Combina com seus olhos.

– Mas meu vestido é roxo!

– Ah, sim, é verdade. – Julius deu de ombros – Não é isso que os cavalheiros dizem às damas o tempo todo?

– Quando apropriado, sim.

– Bem, eu sou assim mesmo; inapropriado deveria ser meu sobrenome. Perdoe-me. Ouvi dizer que minha boa e velha tia Audrey organizou esta pequena festa só para a senhorita. Aparentemente, é a convidada de honra.

– Foi muito gentil da parte dela. Não era necessário.

– Como a senhorita é americana, imagino que esteja procurando por algum membro elegível da aristocracia britânica. É verdade que existem alguns aqui, mas todos com mais de 50 anos. Exceto por mim, é claro – acrescentou ele, com um sorriso.

– O senhor disse que Audrey é sua tia?

– Sim, mas não de sangue. Meu falecido pai era o irmão mais novo do tio Edgar.

– Ah, sinto muito por sua perda.

– Obrigado por suas condolências, mas meu pai morreu há vinte anos, na Grande Guerra. Eu tinha apenas 18 meses de idade na época.

– Entendo. E o senhor tem mãe?

– Tenho, sim. Felizmente, ela não está aqui esta noite... – Julius inclinou-se para Cecily. – Meu tio e minha tia não a suportam.

– Por que não?

– Ah, porque, em vez de ficar de luto enquanto meu pai descansava em seu sono eterno, ela conheceu um homem muito mais rico do que papai e se casou com ele seis meses depois de enviuvar. Ela mora na Itália agora.

– Eu amo a Itália! O senhor teve muita sorte de crescer lá.

– Não, Srta. Huntley-Morgan – disse Julius, acendendo um cigarro. – Mamãe não me levou com ela quando resolveu viver em climas mais quentes. Ela me largou na porta deste mausoléu e fui criado pela babá do velho tio Edgar, a Srta. Naylor, que era uma mulher horrorosa.

– Então o senhor mora aqui, em Woodhead Hall?

– Sim. Fiz o que pude para me libertar, mas de vez em quando me pego voltando.

– O que o senhor faz? Quero dizer, para ganhar a vida?

– Bem, "ganhar a vida" é um eufemismo, porque eu mal ganho um centavo com isso, o que é uma pena. Mas, na verdade, sou poeta.

– Meu Deus! Eu devia ter ouvido falar do senhor?

– Ainda não, a menos que seja uma ávida leitora do *Woodhead Village Gazette*, que, por pura bondade, publica os meus excêntricos escritos.

Um barulho alto ecoou de algum lugar fora da sala de estar, e reverberou por alguns segundos.

– O gongo do jantar, Srta. Huntley-Morgan.

– Por favor, me chame de Cecily – disse ela, enquanto atravessavam o corredor com o restante dos convidados e adentravam a sala de jantar igualmente ostensiva e gelada.

– Agora, vamos ver onde minha tia a colocou – comentou Julius, marchando ao longo da mesa e olhando para os nomes manuscritos com bela caligrafia na parte superior de todas as placas marcadoras dos lugares. – Como imaginei! – Ele sorriu para ela. – Você está aqui, junto ao fogo. Já eu fui banido para a Sibéria, no outro extremo da mesa. Lembre-se do tiro – avisou ele ao se afastar.

Cecily sentou-se, bastante decepcionada por ter sido colocada ao lado de

Tristan, em vez de Julius. Durante todo o jantar, embora tenha conseguido conversar tanto com o filho do vigário quanto com o major idoso à sua direita, seus pensamentos e olhos continuavam flutuando até Julius. Depois de dar uma mordida no faisão, ela extraiu da boca um pequeno fragmento de metal prateado e encarou o rapaz.

– Eu avisei – murmurou ele com um sorriso, retomando a conversa com uma mulher de meia-idade e seios fartos, que aparentemente era a esposa do major.

– Então, a senhorita está indo para a África? Onde exatamente? – retumbou o major. – Estive lá alguns anos atrás. Meu irmão mais novo comprou uma fazenda de gado no Quênia, em algum lugar a oeste das montanhas Aberdare.

– Bem, é para lá que vou também; para o Quênia, quer dizer. Ficarei em uma casa às margens do lago Naivasha. O senhor já ouviu falar desse lugar?

– Se já ouvi falar?! Claro que sim, minha querida. Então você vai se juntar ao Grupo do Happy Valley?

– Receio não entender do que se trata. Minha madrinha me convidou para uma estada na casa dela.

– E quem seria sua madrinha, se posso ter a ousadia de perguntar?

– Uma senhora chamada Kiki Preston. Ela é americana, como eu.

– Meu bom Deus! – Cecily observou as bochechas coradas do major se tornarem ainda mais vermelhas quando ele a encarou. – Ora, ora, quem teria imaginado, uma menina doce como você...

– O senhor a conhece?

– Ora, eu mentiria se dissesse que sim, porque nunca a vi pessoalmente. Mas com certeza já *ouvi falar* muito dela. Todos no Quênia ouviram.

– Ela é famosa por lá?

– Ah, sim, ela é. Ela e a amiga Alice de Trafford são o que se pode chamar de infames. O Muthaiga Club, em Nairóbi, vivia envolto de fofocas sobre suas travessuras e, claro, daquela bela menina, Idina Sackville. Se eu fosse vinte anos mais jovem e solteiro, Idina certamente poderia ter me desviado do bom caminho, como de fato fez com muitos outros malfeitores sortudos. As festas dela e de Joss Erroll eram lendárias. E... tenho quase certeza de que sua madrinha, Kiki, era conhecida como a garota com a agulha de prata.

– O senhor quer dizer que ela costurava? – perguntou Cecily, confusa.

– Ela devia ter muitas criadas para fazer isso por ela, mas... – O major percebeu a expressão nervosa de Cecily. – Bem, minha querida, muitas coisas não passam de fofoca. Além do mais, isso aconteceu há quase vinte anos, quando eu estava lá. Certamente todos os envolvidos superaram as travessuras da juventude.

– Parece que eles se divertiram muito por lá.

– Ah, sim. – O major limpou a boca com o guardanapo. – Infelizmente, meu irmão não fazia parte dessa cena, pois estava mais interessado em seu gado do que em se divertir no Muthaiga Club. Mesmo assim, passamos algumas noites bem alegres. Acho que a senhorita deveria procurar meu irmão enquanto estiver pela região. Vou deixar o nome e o endereço dele com Audrey. Veja bem, não é difícil encontrá-lo: basta perguntar por Bill e eles apontarão na direção certa.

– O senhor disse que ele administra uma fazenda de gado?

– Isso mesmo. Um sujeito engraçado, esse meu irmão – refletiu o major. – Nunca se casou e parece passar bastante tempo nas planícies com a tribo Maasai. Ele sempre foi um pouco solitário, mesmo quando criança. Agora, Srta. Huntley-Morgan, fale-me um pouco sobre a sua vida.

❋ ❋ ❋

Cecily estava quase desmaiando de cansaço quando o último convidado finalmente partiu e ela pôde se despedir e subir pesadamente a escada sem fim. Já ia abrir a porta do quarto quando uma mão pousou em seu ombro. Com um gritinho, ela se virou e encontrou Julius sorrindo para ela.

– Vim apenas verificar se todos os seus dentes ainda estavam no lugar, depois daquele faisão horrível.

– Meu Deus! Você me assustou, aparecendo assim de repente.

– Minhas desculpas, Cecily, mas antes de ir dormir eu queria lhe perguntar se por acaso você cavalga.

– Sim, eu sei cavalgar. Temos cavalos em nossa propriedade nos Hamptons. Eu adoro, apesar de não ter certeza se sei cavalgar da maneira "educada".

– Não sei qual é a maneira "educada", mas não importa. Normalmente saio cedo para uma corrida através dos Downs. Assim me sinto revigorado e consigo fazer meu trabalho da manhã. Se quiser se juntar a mim, estarei nos estábulos às sete. Se não houver neblina, é claro.

– Eu adoraria, Julius, mas não tenho roupa adequada.

– Vou pedir a Doris que consiga uma calça de equitação e botas. Há um guarda-roupa cheio dessas peças que convidados foram esquecendo ao longo dos anos. Certamente haverá algo do seu tamanho. Até amanhã, talvez – despediu-se ele, sorrindo.

– Sim. Boa noite, Julius.

Dez minutos depois, embora extremamente aliviada por estar na horizontal (ainda que em um colchão que parecia ter sido estofado com crina de cavalo até ficar completamente rígido), Cecily não conseguia dormir. E seu maldito coração começava a bater forte cada vez que pensava em Julius.

Ela simplesmente não entendia. Tinha certeza de que sempre fora apaixonada por Jack, mas sua mente *e* seu corpo jamais haviam reagido daquela maneira a um homem. Julius nem fazia seu tipo – ela sempre achara os louros muito mais atraentes, e ele era moreno, de aparência quase mediterrânea. E a forma como se dirigia a ela... Cecily definitivamente não aprovava suas insinuações, especialmente porque haviam se conhecido naquela noite. Era como se ele não se importasse com o que pensassem a seu respeito...

E por que deveria? E, mais ainda, por que eu deveria me importar?

Por fim, Cecily adormeceu e, em seus sonhos, viu mulheres empunhando enormes agulhas de costura prateadas contra as lanças dos nativos, e Julius sendo atacado por um leão...

Acordou com um sobressalto e se sentou, então saiu da cama e foi correndo puxar as cortinas para ver se estava nublado. Com um aperto no estômago, viu que a manhã estava gloriosa e fresca. O vasto gramado, que se estendia até onde os olhos alcançavam, ainda estava branca da geada, que certamente derreteria logo, a julgar pelo perfeito nascer do sol rosado que espreitava acima das infinitas fileiras de castanheiros que delimitavam os jardins.

– Alguém deveria escrever uma ópera sobre essa vista – murmurou ela, ouvindo em seguida uma batida à porta. Era Doris chegando com uma bandeja de chá.

– Dormiu bem, senhorita?

– Ah, sim, muito bem. Obrigada, Doris.

– Posso servi-la?

– Não precisa, pode deixar.

– Está bem. Vai cavalgar? Separei uma roupa e botas que acho que vão lhe servir. Tem um belo corpo esbelto, Srta. Cecily.

– Obrigada. Eu... Sim, acho que vou dar uma volta.

– Por que não, com essa manhã tão bonita? – Doris sorriu para ela. – Volto em um segundo com a sua roupa.

Cecily tomou um gole de chá, muito mais aguado do que o que estava acostumada, e de repente se lembrou de que ainda não tinha contatado seus pais para avisar que estava segura e bem na Inglaterra. Ela pensou no que sua mãe diria se contasse que ia cavalgar com o sobrinho de Edgar e Audrey...

– Ela provavelmente começaria a organizar a festa de noivado antes mesmo de eu voltar – murmurou Cecily, rindo sozinha.

– O que disse, senhorita? – perguntou Doris.

– Nada, eu estava apenas me lembrando de telefonar para meus pais e avisar que cheguei em segurança.

– Não precisa se preocupar com isso, Srta. Cecily. O mordomo telefonou para eles ontem à noite. Agora, vamos vestir a roupa de montaria?

❂ ❂ ❂

Julius já estava montado em um magnífico garanhão preto quando Cecily chegou aos estábulos.

– Olá! Fiquei me perguntando se você apareceria – comentou Julius, olhando para Cecily de cima do cavalo. – Pode montar, por favor – disse ele, indicando a bonita égua castanha que um dos cavalariços estava levando para o jardim.

Cecily permitiu que o rapaz a ajudasse a subir na sela. A égua relinchou e jogou a cabeça para trás, quase a desequilibrando.

– Bonnie é bastante agitada, Cecily. Acha que consegue lidar com ela?

Não era bem uma preocupação, mas um desafio.

– Vou fazer o possível – respondeu ela, tomando as rédeas do cavalariço e firmando a égua.

– Então vamos.

Os dois saíram dos jardins e Cecily seguiu Julius pelo caminho estreito que levava a um campo aberto através das árvores. Ele esperou alguns segundos até que ela o alcançasse.

– Confortável? – indagou ele.

– Acho que sim, mas prefiro ir devagar por um tempo se você não se importar.

– Claro. Vamos seguir em um trote suave pelo gramado e ver se você está pronta para os grandes campos dos Downs. – Julius apontou para um ponto vago no horizonte. – A vista de lá é simplesmente deslumbrante.

Os dois partiram devagar, dando a Cecily tempo para ganhar equilíbrio e confiança, e então Julius começou a galopar e ela o seguiu. Cecily sentia o cheiro intenso da terra e via a geada cintilando e derretendo, enquanto flocos de neve ocasionais – os precursores da primavera – pontilhavam a grama alta sob os castanheiros. Apesar do frio, os pássaros cantavam, e Cecily finalmente se sentiu em um romance de Jane Austen.

– Avise se precisar ir mais devagar – disse Julius, enquanto o rabo do garanhão balançava de um lado para outro na frente dela. – Não posso permitir que a convidada de honra de tia Audrey quebre o pescoço sob a minha tutela!

Com o vento cortante no rosto, os olhos de Cecily começaram a lacrimejar e o nariz a escorrer, mas ela seguiu obstinadamente o cavalo de Julius. Quando estava prestes a fazer Bonnie parar, pois não conseguia mais enxergar com clareza, Julius diminuiu a velocidade à sua frente e se virou na sela.

– Tudo bom? – perguntou ele.

– Não tenho certeza. Sem dúvida preciso de um lenço – respondeu ela, ofegante.

– Claro.

Julius virou a montaria e foi em direção a Cecily até ficarem frente a frente. Ele então tirou um lenço de linho branco do bolso superior da jaqueta de tweed, inclinou-se e começou a secar os olhos dela.

– Eu posso fazer isso sozinha... – disse ela, tentando pegar o lenço da mão dele.

– Não me incomodo, embora não pretenda ajudá-la a assoar o nariz – brincou ele, entregando-lhe o lenço, e ela assoou o mais delicadamente possível. – Você tem olhos muito bonitos.

– Obrigada pelo elogio, mas acho que não o mereço neste momento. Estão lacrimejando muito.

– Talvez possamos ir até os Downs amanhã de manhã, embora o vento nesta época do ano seja bastante intenso. E suponho que você esteja acostumada a um clima mais quente, na América.

– Não, é muito mais frio em Nova York do que aqui. Eu só... talvez esteja me resfriando.

– Não seria nenhuma surpresa. Meu querido tio Edgar é muito apegado ao dinheiro, e você pode imaginar que o custo para a instalação de um sistema de aquecimento de uma casa do tamanho de Woodhead Hall seja bem alto. Bastante ridículo, até, quando consideramos que é possível viver em uma cabana nos trópicos, com necessidades mínimas. Mas vamos voltar e pedir a Doris que a coloque na frente de um fogo alto, com uma xícara de chá quente.

– Por favor, se quiser sair para desfrutar dos Downs, eu consigo encontrar facilmente o caminho de volta.

– De modo algum. Posso vê-los em qualquer dia da semana – respondeu ele, sorrindo. – Já você está aqui apenas por um curto período, então prefiro ficar olhando para você.

Cecily desviou o rosto para que ele não visse o rubor se espalhando por seu pescoço. Agarrou as rédeas com firmeza enquanto voltavam, lado a lado, em um trote.

– Então – disse ela, limpando a garganta –, como você gasta seu tempo aqui? Escrevendo poemas, suponho?

– Bem que eu gostaria. – Julius suspirou. – Talvez um dia eu fuja para Paris e more em algum sótão de Montmartre. Infelizmente, a maior parte do meu tempo é ocupada ajudando o tio Edgar na propriedade. Ele está me preparando para assumir os negócios, mas, como um cavalo recalcitrante, acho difícil não ter certa resistência. Especialmente com os livros de registros. Deus, os livros! Você sabe o que é um livro de registros, presumo?

– Sei, sim. Meu pai também passa boa parte da vida em cima desses livros.

– Uma vida sem esses livros seria sublime, se ao menos eu pudesse vivê-la – afirmou Julius, rindo. – Acho que o querido tio Edgar percebeu que minha matemática e minha perspicácia para os negócios são inexistentes, mas, como sou tudo o que ele tem em termos de herdeiro, não há escolha a não ser torcer e acreditar que um dia eu aprenderei a somar. O problema é que não tenho o mínimo interesse.

– Ah, eu gosto de fazer contas – revelou Cecily, sorrindo.

– Que extraordinário! Meu Deus, Srta. Huntley-Morgan, você se torna mais perfeita a cada palavra que sai de sua linda boca. Jamais conheci uma mulher que confessasse apreciar matemática.

– Bem, eu aprecio, mesmo que pareça loucura – disse ela, na defensiva.

– Por favor, o que falei não foi uma crítica. Foi mais um desejo de encontrar uma mulher como você para me casar. E, em vez de lhe entregar meu coração, eu lhe entregaria os livros de registros. Bom – concluiu ele, apontando para a mansão, mais próxima –, chegamos, e sugiro que você vá diretamente para casa, em vez de voltar caminhando dos estábulos comigo.

Cecily estava prestes a protestar, porque quaisquer minutos que pudesse passar com seu novo companheiro seriam eternamente preciosos, mas Julius já desmontara do cavalo e olhava para ela com expectativa. Quando a ajudou a desmontar, suas mãos permaneceram firmes em volta de sua cintura até os pés dela tocarem o chão.

– Você é tão esbelta... Não sinto um grama de excesso de carne em seus quadris. Agora, corra de volta para casa e daqui a pouco apareço para verificar como está.

– Eu estou bem, de verdade...

Só que Julius já havia montado de novo e tomado as rédeas da égua que Cecily montara. Ele fez uma pequena saudação e trotou com os dois animais na direção dos estábulos.

❁ ❁ ❁

Cecily ficou frustrada ao ver que Julius não aparecera para o almoço; ela e Audrey ficaram sozinhas à mesa. Em meio às perguntas de Audrey sobre Dorothea, as irmãs de Cecily, além dos amigos e conhecidos do círculo da mãe, que a própria Cecily só conhecia vagamente, ela mal conseguia engolir a sopa, que relataram ser de legumes, mas tinha gosto de água com sabão aquecida.

– Minha querida, você mal tocou no seu cordeiro – comentou Audrey enquanto a empregada tirava a mesa, ao fim dos pratos principais. – Talvez você esteja *mesmo* pegando um resfriado.

– Talvez – concordou Cecily, um pedaço de carne gordurosa e incomível ainda escondido em um canto da boca. – Vou subir e descansar. Não sei por que ficaria doente; faz muito mais frio em Manhattan.

– Pode ser, mas aqui o problema é a umidade – explicou Audrey com seu estranho sotaque meio americano, meio britânico. – Julius comentou mais cedo que você podia estar adoentada. Vou mandar Doris ao seu quarto com uma garrafa de água quente e um pouco de aspirina e, se preferir jantar por lá mesmo hoje à noite, isso pode ser facilmente arranjado. Infelizmente, devo participar de uma reunião às seis. Faço parte do conselho paroquial local e essas reuniões são sempre arrastadas. Como eu disse, Edgar está em Londres e não tenho ideia de onde Julius vai passar a noite... – Audrey ergueu as sobrancelhas. – Não que isso seja incomum. De qualquer maneira, quero que você esteja em forma e bem para domingo. Vou fazer um pequeno coquetel para a sua última noite aqui. Então, vá descansar.

Em seu quarto no segundo andar, deitada na cama, Cecily observava as chamas do fogo dançarem à sua frente. Ela definitivamente não estava doente – na pior das hipóteses, um leve calafrio –, mas havia outra coisa lhe tirando o apetite. Ela fechou os olhos, louca para dormir, mas tudo o que via era o rosto de Julius, secando seus olhos naquela manhã...

Ela abriu a mão e sentiu o cheiro do lenço que estava segurando – e o cheiro *dele*.

Cecily, você está sendo ridícula! Para começar, não sabe nada sobre ele e, além de estar se recuperando de um coração partido, vai para a África daqui a cinco dias e nunca mais vai vê-lo, disse a si mesma com determinação, guardando o lenço na gaveta da cabeceira. *Hoje você vai jantar no quarto e não vai mais pensar nele...*

Por fim, ela acabou pegando no sono e acordou quando o céu estava escuro, anunciando a chegada da noite. Doris apareceu trazendo mais chá.

– Se não estiver se sentindo bem, posso sugerir que não tome banho hoje à noite? O toalete está congelante. A que horas gostaria de jantar? Talvez às sete horas, assim dá tempo para digerir a comida? – indagou Doris, enquanto reacendia o fogo.

– Está ótimo, obrigada.

– Bem, hoje é minha noite de folga, então Ellen, a criada do salão, cuidará da senhorita depois que eu sair. Basta tocar a sineta, se precisar dela.

– Está bem. Não tem ninguém em casa para jantar hoje? – sondou Cecily.

– Não que eu saiba, senhorita. O Sr. Julius vem e vai sem avisar, então não posso ter certeza sobre ele – respondeu Doris, ecoando as palavras de Audrey.

– Há alguma coisa para se fazer nas redondezas? Quer dizer, existe uma cidade aqui perto?

– Existe, mas não sei se chamaria de cidade. Haslemere tem lojas e cinemas, que é aonde eu e Betty iremos à noite. Vamos assistir *As aventuras de Robin Hood,* com Errol Flynn. Bem, se não precisar de mais nada, direi a Ellen para trazer seu jantar às sete.

– Divirta-se, Doris.

– Vou me divertir, sim, e espero que a senhorita melhore depressa.

Depois que Doris saiu, Cecily pegou *O Grande Gatsby* – que, com a cabeça tão agitada nas últimas semanas, ainda não conseguira terminar – e sentou-se para ler perto da lareira. Ela *não* ia pensar se Julius estaria em algum lugar da casa, ela *não*...

Às sete horas em ponto, houve uma batida à porta e Ellen apareceu com a bandeja prometida. Havia mais sopa, ovo cozido e finas fatias de pão com manteiga. Mesmo se ela estivesse com fome, a comida parecia pouco convidativa. Ela bateu no ovo, desconfiada. Parecia sólido como uma rocha. Estava prestes a tomar um bocado de sopa morna quando ouviu outra batida. Antes que pudesse dizer "entre", ela foi aberta.

– Boa noite, Cecily. Ouvi dizer que você estava jantando em seu quarto e, como estava prestes a fazer o mesmo, pensei que deveríamos unir forças para lamentar a falta de destreza da cozinheira.

E lá estava Julius, segurando uma bandeja idêntica à dela.

– Você se importa se eu acompanhá-la?

– Eu... Não, claro que não.

– Ótimo – disse ele, colocando sua bandeja na mesinha perto do fogo e se sentando de frente para Cecily. – Então, como soube que você estava com calafrios, e vendo que nossa ceia é praticamente incomível, eu trouxe uma coisinha que vai aquecer nossos corações.

Com isso, Julius tirou de um bolso uma garrafa do que parecia ser conhaque e de outro uma caneca própria para colocar escovas de dentes.

– Teremos que compartilhar, mas a vida sempre exige certo improviso, não é? – Ele sorriu e despejou uma grande quantidade de bebida na caneca antes de oferecer a ela. – As damas primeiro. Apenas com fins medicinais, é claro.

– Acho que eu...

– Certo, eu vou primeiro, então – disse ele, tomando um grande gole. – Ah, assim está melhor. Nada como uma dose de uísque para combater o frio.

O coração de Cecily estava vibrando sem parar, e ela precisava de algo para acalmá-lo.

– Talvez um golinho não me faça mal.

– Claro que não, e um gole maior pode realmente lhe fazer bem – encorajou Julius, vendo-a virar a caneca timidamente entre os lábios. – Certo, agora o ovo.

Cecily o observou pegar a colher de chá, bater bem no topo e cortar o ovo com uma faca.

– Cozido, como sempre. – Ele suspirou. – Já falei com a minha tia sobre o padrão de comida da casa e as duvidosas qualificações do cardápio e da mulher que o prepara, mas minhas palavras parecem cair em ouvidos moucos. – Ele se recostou na cadeira. – Não dá para comer. Tudo o que nos resta é beber. Um brinde. – Ele pegou a caneca de escova de dentes e virou o conteúdo. – Então, conte-me sobre a sua vida em Nova York – disse ele, enchendo a caneca outra vez e entregando-a de volta para ela. – Nunca estive lá, mas todo mundo diz que é uma cidade maravilhosa.

– É, sim. Os arranha-céus parecem ir até as nuvens; mas também existem grandes espaços abertos para que você nunca se sinta claustrofóbico. Nossa casa tem vista para o Central Park, e dá para andar por quilômetros quase sem esbarrar em outro ser humano. É o melhor dos dois mundos, eu acho. É o meu lar – disse ela, dando de ombros –, e eu o amo.

– Se gosta tanto de lá, por que vai fugir para a selva africana daqui a alguns dias?

– Porque... minha madrinha me convidou.

– É mesmo? – Os penetrantes olhos castanhos de Julius encontraram os dela. – Considerando que a Europa está uma confusão hoje em dia, e que o Quênia pode acabar envolvido numa guerra iminente, eu diria que há mais nessa história.

– Eu... ia me casar. E... bem, não deu certo.

– Entendo. Então – disse Julius, dando mais um gole na caneca compartilhada –, em resumo, você está fugindo.

– Na verdade, espero *encontrar* alguma coisa lá. É uma oportunidade maravilhosa ver um país completamente diferente, e decidi aproveitá-la.

– Faz muito bem, e eu aprecio o seu estado de espírito positivo. Qualquer lugar deve ser melhor do que Woodhead Hall no meio do inverno. – Julius suspirou. – Mas esse é o meu destino. A menos que, é claro, haja uma guerra na Europa. Nesse caso, sem dúvida, viajarei para terras distantes, usando um uniforme, para enfrentar a morte certa. Portanto, é preciso aproveitar o momento, não é? – Ele encheu de novo a caneca. – Talvez eu possa me tornar o Rupert Brooke da nova guerra, embora prefira não terminar meus dias em um campo de batalha em Gallipoli.

– Sinto muito, mas desconheço a pessoa que você citou.

– Minha nossa, Srta. Huntley-Morgan, você tem algum grau de instrução?

– É claro que tenho. Estudei em Vassar, uma das melhores faculdades para mulheres dos Estados Unidos! – protestou Cecily, magoada.

– Então seu professor de literatura inglesa falhou miseravelmente com você. Rupert Brooke foi um gênio e o mais famoso poeta de guerra de todos os tempos. Vou lhe dar um livro de poemas dele imediatamente.

– Literatura nunca foi minha disciplina preferida, embora eu goste de ler por prazer. – Cecily deu de ombros, sentindo-se muito mais relaxada depois do uísque. – Como falei, sou melhor em aritmética.

– Então você tem um cérebro lógico, e não estético. Vamos testá-lo: agora mesmo, com que rapidez você consegue calcular, vejamos... 907 menos 214?

– Dá 693 – disse Cecily, depois de alguns segundos.

– E 172 divididos por 6?

– Dá 28,6.

– E 560 vezes 39?

– Dá 21.840. – Cecily riu. – Isso foi muito fácil. Faça um teste sobre álgebra ou logaritmos.

– Como eu mal sei o significado de qualquer uma dessas palavras, acho que não vou me dar a esse trabalho. Você é uma moça muito inteligente! Já ficou frustrada por ter uma educação universitária e, no entanto, por ser mulher, não poder usar seu diploma para ganhar a vida, mas apenas para manter as finanças domésticas?

– Para ser honesta, é claro que sim. Mas papai simplesmente não permite que uma filha dele trabalhe. Acho que é assim que as coisas são.

– Ora, isso não é irônico? Tudo o que eu quero é ser deixado em paz para pensar nas palavras perfeitas de um poema e sonhar, em vez de aprender os procedimentos da administração de uma propriedade... e me meter com livros de registros, é claro. – Ele sorriu. – E aqui está você, que poderia fazer tudo isso com entusiasmo, tendo essa chance negada por ser mulher.

– A vida nunca é justa, e acho que precisamos aceitá-la. Quer dizer, nós dois somos muito privilegiados, Julius. Um dia você vai herdar toda esta terra e esta casa, e eu vou ter uma vida confortável como esposa e mãe. Nenhum de nós está vivendo na pobreza, está?

– Certamente não, mas a questão é, Srta. Huntley-Morgan... – disse ele, olhando-a nos olhos. – Dinheiro traz felicidade? Quer dizer, você é feliz? Eu sou?

Neste momento, estou mais feliz do que nunca, pensou Cecily.

– Eu me sinto bem agora – respondeu ela em voz alta.

– Mas o que você acha que traz a verdadeira felicidade?

– Bem... o amor, talvez – respondeu Cecily, pensando que, mesmo que o rubor estivesse se espalhando por seu rosto, ela já devia estar vermelha devido ao uísque.

– Absolutamente certo! – Julius bateu no braço da cadeira. – Então, você *tem* uma alma poética sob toda essa lógica.

– Todo mundo sabe que o amor é o que nos faz feliz.

– Só que também traz a dor mais aguda, você não acha?

– Concordo.

Foi a vez de Cecily drenar o conteúdo da caneca. Sua cabeça girava pela falta de comida e pelo excesso de bebida, mas ela não se importava. Aquela era a conversa mais deliciosamente verdadeira que já tivera com um homem.

– Você é uma mulher muitíssimo interessante, mas, como minha tia deve voltar a qualquer instante de uma de suas intermináveis reuniões, preciso ir embora. – Julius se levantou, assim como Cecily. – Vamos cavalgar de novo amanhã? – perguntou ele, aproximando-se. – Isto é, se você estiver melhor, é claro.

Então, ele segurou a mão dela e a puxou para perto. Antes que ela tivesse tempo de protestar, a boca de Julius estava colada na dela, e Cecily o beijou mais apaixonadamente do que já havia beijado Jack. Até quando uma das mãos dele deslizou para acariciar seus seios e a outra a puxou para tão perto que ela pôde sentir a excitação dele, não o deteve.

– Meu Deus, você é linda – sussurrou ele em seu ouvido.

Somente quando uma de suas mãos começou a avançar por dentro de sua blusa foi que ela – com esforço – se afastou.

– Julius, não *deveríamos*...

– Eu sei, não *deveríamos* – disse ele, a outra mão subindo para o rosto de Cecily e o acariciando suavemente. – Desculpe, Cecily. É que você é simplesmente... irresistível. E, antes que eu fique ainda mais tentado, vou me despedir. Boa noite.

Ele a beijou mais uma vez, antes de sair do quarto com sua bandeja de jantar quase intocada.

12

Cecily *com certeza* se sentira bem o suficiente para cavalgar com Julius na manhã seguinte ao "Beijo"; na verdade, pensou ela dois dias depois, deitada nos braços dele sobre um cobertor que cheirava a cavalo, ela nunca se sentira mais saudável em toda a vida. Depois de assistirem ao nascer do sol nos Downs, Julius sugerira que amarrassem seus cavalos para que ele pudesse lhe mostrar o caramanchão – uma estranha construção no meio do nada, longe dos olhos curiosos da cidade. Lá dentro era escuro e úmido, mas, no minuto em que a porta foi fechada, Cecily caíra nos braços dele. Todo o seu bom senso a abandonou enquanto o deixava ir mais longe. E, no dia seguinte, ainda mais longe...

– O que eu estou fazendo? – murmurou ela, olhando pela janela do quarto, depois de quase ter ultrapassado os limites naquela manhã. – Vou para o Quênia daqui a dois dias. Não quero ir para o Quênia – sussurrou, com as lágrimas lhe subindo aos olhos. – Quero ficar aqui, com Julius...

Cecily voltou desconsolada para a cama e se deitou, fechando os olhos. Estava exausta de uma sequência de noites sem dormir, seu coração palpitando toda vez que pensava em estar nos braços dele. No entanto, ela também estava eufórica, com mais energia do que nunca – pelo menos quando se tratava de estar com ele.

– Nunca me senti assim com Jack, nunca – refletiu ela, deitada na cama de dossel, lembrando-se das vezes que suportara, em vez de apreciar, os beijos de boa-noite do ex-noivo. – Deus, o que devo fazer?

Eles não conversaram sobre o futuro. Na verdade, não conversaram sobre nada, porque os lábios de Julius estavam sempre selados nos dela, principalmente quando se encontravam sozinhos. Mas ele dissera várias vezes que ela era a moça mais bonita do mundo, que jamais conhecera alguém como Cecily e *até* que pensava estar apaixonado...

– Bem, *eu* tenho certeza de que o amo – disse ela, mais lágrimas brotando em seus olhos ao pensar em partir.

Mas ainda restavam dois dias, dois dias em que ele poderia pedir a ela que ficasse...

Naquela noite, depois do jantar com Audrey, Cecily fingiu uma dor de cabeça e pediu permissão para subir ao seu quarto. Era simplesmente insuportável a dor de ver Julius conversando do outro lado da mesa, sabendo que todos aqueles preciosos minutos estavam sendo desperdiçados quando ela não estava em seus braços. Sob os lençóis, ela apagou a luz, rezando para que sua mente se acalmasse e a deixasse dormir. Já estava cochilando quando ouviu uma batida na porta.

– Cecily, querida, você está dormindo?

Antes que ela percebesse, Julius estava ao lado dela na cama, abraçando-a.

– Julius, o que você está fazendo? E a sua tia? Eu...

– Ela se retirou para dormir. Além disso, ela dorme do outro lado do corredor. Agora, fique quieta e deixe-me beijar você.

Primeiro ele a livrou das cobertas, depois da camisola.

– Não! Não podemos, não devemos! Vou para o Quênia em breve...

– Mas não é delicioso? Nua pela primeira vez, pele contra pele...

Julius pegou a mão dela e a colocou sobre a pele acetinada do pescoço dele, depois a guiou para baixo, e ela sentiu a leveza dos pelos de seu peito, depois os músculos do abdômen e depois...

– *Não!* Por favor, não posso. Nem sequer somos um casal oficial.

– Ah, somos, sim. Um casal ligado por um apaixonado caso de amor. Eu te amo, Cecily. Eu te amo muito...

– E eu te amo – murmurou ela.

Julius soltou sua mão para poder tocar seus seios, antes de deslizar mais para baixo.

– Você vai me esperar voltar? – indagou ela, arfando.

– Esperar pelo quê? – perguntou ele, rolando para cima dela, e Cecily sentiu sua ereção pressionando-lhe o corpo.

– Por mim, é claro – sussurrou ela. Era difícil pensar quando seu corpo experimentava tantas sensações maravilhosas.

– Claro que sim, minha querida, claro.

Foi só quando ele começou a penetrá-la que o cérebro de Cecily finalmente venceu o corpo.

– Julius! Corro o risco de engravidar. Não posso fazer isso, por favor.

– Não se preocupe, querida, não vou deixar isso acontecer, prometo. Vou tirar antes. Agora relaxe e confie em mim.

– Nem estamos noivos, Julius!

– Então vamos ficar – disse ele, começando as investidas. – Era para ser, querida Cecily, não era?

Por um momento fugaz, ela pensou em como Dorothea ficaria emocionada se ela um dia se tornasse a castelã de Woodhead Hall. Por certo até seu pai poderia perdoá-la por aquela noite, se esse fosse o prêmio.

– Sim – respondeu.

❂ ❂ ❂

Cecily acordou tarde na manhã seguinte, olhou para o relógio ao lado da cama e viu que já passavam das nove horas. Ficou deitada, ainda sonolenta pelos esforços da noite anterior, sua mente pulando do erro que havia cometido – e do qual logo se reconfortava pensando nas muitas moças em Vassar que perderam a virgindade durante a faculdade – para como e quando anunciariam o noivado. Julius não tinha realmente *afirmado* que se casaria com ela, nem quando – talvez quando ela voltasse da África. Claro, havia também a ameaça da guerra...

Por fim, ela se sentou e pôs as pernas para fora da cama, o corpo dolorido em lugares que ela nem sabia que podiam doer. Ao se levantar para tocar a sineta, viu uma pequena mancha de sangue no lençol de baixo.

– Ainda não está no dia das minhas regras... – murmurou para si mesma, confusa.

Então se lembrou das conversas entreouvidas em Vassar e percebeu o que o sangue poderia ser.

Corando ao pensar que Doris perceberia, ela puxou o lençol e o edredom sobre a mancha antes de tocar a sineta. Então notou que um envelope fora empurrado por baixo da porta. Correndo para pegá-lo antes que Doris chegasse, ela se sentou na cama e o abriu.

Minha querida Cecily,

Tive que ir a Londres hoje para resolver negócios do meu tio, mas espero voltar para me despedir de você antes de sua partida. Esta semana foi maravilhosa, não foi? Caso eu não retorne a tempo, faça uma boa viagem, minha menina. E escreva para mim com seu endereço no Quênia assim que puder. Vamos manter contato.

Julius

Cecily teve pouco tempo para refletir sobre as entrelinhas daquele bilhete antes de Doris entrar com a bandeja de chá.

– Bom dia, Srta. Cecily. O dia não está lindo hoje? – perguntou ela, puxando as cortinas. – Dormiu até tarde desta vez, mas não há mal nisso, especialmente porque a festa é hoje à noite e amanhã a senhorita estará em um avião em Southampton. Graças a Deus não serei eu – acrescentou Doris, estremecendo enquanto servia o chá de Cecily. – Eu estaria fazendo mil orações. Está tudo certo? A senhorita não me parece muito bem.

Cecily, que estava olhando pela janela, virou-se para Doris e deu um sorriso.

– Talvez eu esteja um pouco nervosa com o voo, só isso.

– É preciso sair bem cedo, então que tal arrumarmos a sua mala hoje à tarde? Então a senhorita poderá descansar um pouco antes da festa. Quer que eu ajeite seu cabelo de novo?

– Por que não? – Cecily sorriu, desesperada para que a empregada saísse do quarto a fim de que ela tentasse dissecar completamente a nota que Julius deixara. – Obrigada, Doris. Já desço para o café da manhã.

– Tudo bem, senhorita. Toque se precisar de mim.

Com um aceno de cabeça, Doris saiu do quarto.

Cecily releu o recado no minuto em que a porta foi fechada. Não conseguia entender os sentimentos por trás daquelas palavras – ou por que Julius não tinha mencionado que iria a Londres naquela manhã. Talvez ele estivesse com pressa – sim, isso poderia explicar a frieza que parecia permear suas palavras. Era um contraste enorme com o que ele lhe dissera na noite anterior.

Ele espera voltar a tempo de se despedir pessoalmente, repetiu para si mesma enquanto bebia seu chá. *Talvez isso fosse apenas um recado para o caso de ele não chegar...*

Sentindo-se muito sozinha – Julius havia sido seu companheiro durante grande parte do período que passara ali –, Cecily foi dar um passeio para clarear a mente. Tinha uma sensação incômoda enquanto repassava as palavras da carta. As pessoas costumavam escrever muito mais formalmente do que quando falavam, mas, por outro lado, Julius era um poeta...

Naquela tarde, Cecily andou de um lado para outro no quarto, enquanto Doris dobrava as roupas ordenadamente e as guardava no baú; a criada falava tanto que tudo o que Cecily precisou fazer foi murmurar "Sim", "Não" ou "É mesmo?" de vez em quando, até Doris finalmente terminar.

– Pronto, senhorita. Agora pode relaxar e aproveitar a festa.

– Você sabe se Julius estará presente hoje à noite?

– Não me pergunte, senhorita, ele tem as próprias regras. – Doris revirou os olhos para exagerar seu argumento. – Ele muitas vezes passa a noite em Londres. É lá onde mora a noiva dele.

– A noiva dele?!

– Sim, ela se chama Veronica. Uma moça da alta sociedade. Sempre a vejo nas páginas de uma ou outra revista. Só Deus sabe o que vai acontecer quando eles se casarem e ela tiver que morar aqui, no meio do nada.

Cecily se deixou cair na cama, imaginando se desmaiaria pelo choque.

– Entendo. Eu... Há quanto tempo – Cecily engoliu em seco – eles estão noivos?

– Há pouco mais de seis meses, eu diria. O casamento está marcado para o verão.

– Lady Woodhead nunca mencionou isso para mim.

– Não, bem, talvez ela não quisesse dizer nada porque não aprova. Ela acha que a Srta. Veronica é um tanto "promíscua" para ser a próxima senhora desta propriedade. Bem, a juventude passa rápido, não é verdade, senhorita? E tenho certeza de que ela vai sossegar quando estiver casada. Além disso, acho que vai ter muito trabalho como esposa dele, se é que a senhorita me entende.

– Receio que não – respondeu Cecily com voz rouca. – Por favor, explique.

– Suspeito que ele tenha outras mulheres, e as outras criadas aqui concordam. Eu sei com certeza que ele estava correndo atrás de uma garota na vila; eu e Ellen a vimos saindo da casa uma manhã, alguns meses atrás, quando estávamos acendendo as lareiras de madrugada. Esses homens! Às vezes eu acho que seria melhor passar a vida sozinha em vez de confiar neles. Certo, vou deixar a senhorita descansar e volto às cinco para preparar seu banho.

Doris saiu e Cecily ficou sentada onde estava, as mãos cruzadas no colo, olhando pela janela. Ainda podia senti-lo dentro dela; seu ventre dolorido era uma lembrança de como havia sido enganada. Antes, ela se perguntava como algumas mulheres podiam ser tolas em acreditar nas palavras doces e vazias de um homem, quando só o que eles queriam era se aproveitar delas. Agora quase certamente se juntara ao grupo.

Ele nunca havia mencionado Veronica nem seu casamento...

A menos, claro, que ele estivesse planejando cancelá-lo naquela noite e fosse esse o motivo de sua ida a Londres...

– Não, Cecily – sussurrou ela, baixando a cabeça e balançando-a devagar. – Não seja tão ingênua, você sabe que ele não está fazendo nada disso.

Uma lágrima brotou em seus olhos, mas ela a secou com força. Não se permitiria nenhuma autopiedade. Ela mesma se colocara naquela situação. Fora uma idiota, apesar de toda a sua suposta esperteza. Tão *idiota* que não merecia nem uma gota de simpatia.

Depois de um tempo, ela se levantou, caminhou até o baú, girou as chaves de metal para trancá-lo e se sentou em cima dele.

Tudo o que sabia com certeza era que nunca mais confiaria em homem nenhum.

13

Lago Naivasha, Quênia

– Bem-vinda à Casa Mundui, querida! – disse Kiki, saltando do banco do carona do Bugatti branco que as levara na viagem de três horas desde Nairóbi, e que agora estava coberto por uma espessa camada de poeira marrom-avermelhada.

Cecily mantivera os olhos fechados durante quase todo o caminho, em parte devido à poeira que se encrespava ao redor do carro como a fumaça da lâmpada de Aladim e os fazia coçar, mas principalmente porque estava tão exausta que precisaria de um esforço enorme para mantê-los abertos.

– Ah! – exclamou Kiki, erguendo os braços para o céu. – Estou tão feliz por estar em casa. Vamos lá, quero lhe mostrar o lugar. Você tem que ver tudo e depois vamos beber champanhe para comemorar sua chegada. Ou talvez possamos beber antes da visita. E então vou chamar alguns amigos para tomar um coquetel mais tarde e conhecê-la.

– Kiki, eu... Bem, depois de toda essa jornada, não consigo dar nem mais um passo – comentou Cecily, descendo do carro, pestanejando à luz do sol que parecia perfurar suas pupilas.

Ela fechou os olhos contra o ataque solar, cambaleou um pouco e agarrou a porta do carro.

– Claro. Pobrezinha. – Kiki se aproximou rapidamente, amparando-a. – Aleeki! – chamou ela. – Venha ajudar a Srta. Cecily a entrar na casa, ela está quase desmaiando. Coloque-a na suíte Rosa, do fim do corredor. Aquela onde Winston ficou.

– Sim, *memsahib*.

Um braço forte e dedos de aço abraçaram os ombros de Cecily. Ela abriu os olhos, esperando ver um negro alto e forte, mas se viu diante dos olhos castanhos e perplexos de um homem idoso de aparência aquilina.

– Apoie-se em mim, *memsahib*.

E Cecily se apoiou, terrivelmente envergonhada, porque o homem devia ter pelo menos três vezes a idade dela. Enquanto era guiada para dentro de casa e subia as escadas, só pôde notar o maravilhoso frescor, depois do calor sufocante da viagem de carro.

– Este seu quarto, *memsahib*.

Cecily caminhou direto para uma poltrona ao canto e sentou-se antes que desabasse no chão. Aleeki puxou o lençol branco e o edredom – por que diabos havia um edredom com um calor daqueles? –, então estendeu a mão e puxou a corda do ventilador de teto, que zumbiu e entrou em ação.

– Fechar persianas, *memsahib*?

– Sim, por favor.

Cecily deu um suspiro de alívio quando o sol que invadia as inúmeras grandes janelas foi banido do quarto.

– Chá? Café?

– Não, apenas água, obrigada.

– Água ali – disse ele, apontando para uma garrafa ao lado da cama. – Tem mais embaixo. – Ele indicou o armário. – Ajuda com roupas? Posso chamar criada.

– Não, obrigada. Eu só preciso dormir.

– Certo, *memsahib*. Campainha para ajuda, entende? – avisou ele, apontando para um botão na parede ao lado da cama.

– Sim, obrigada.

Finalmente, a porta foi fechada. Cecily teve vontade de chorar de alívio ao dar alguns passos até a cama grande e afundar no colchão. Ela deveria se despir, claro – suas roupas estavam sujas de poeira da viagem –, mas...

Seus olhos se fecharam e, com a brisa do ventilador refrescando com delicadeza seu rosto quente, ela adormeceu.

❁ ❁ ❁

– Minha querida, é hora de acordar. Você não vai conseguir dormir à noite se não levantar agora. Além disso, alguns amigos chegarão em uma hora para conhecê-la.

A voz da madrinha penetrou nos sonhos de Cecily.

– Muratha preparou o seu banho e aqui está um copo de champanhe para animá-la.

– Eu... Que horas são? – murmurou Cecily.

Sua voz soou rouca e ela engoliu em seco, pois sua garganta doía devido à secura.

– São cinco da tarde, querida. Você dormiu profundamente pelas últimas seis horas.

E poderia dormir por mais seis semanas, pensou Cecily enquanto levantava a cabeça do travesseiro e erguia os olhos exaustos para fitar a madrinha.

Kiki estava bem-disposta, os cabelos escuros presos em um coque baixo, a maquiagem perfeita. A longa seda verde do roupão que usava realçava seus brincos de esmeralda e diamantes e o colar combinando. Em suma, ela estava deslumbrante; não parecia ter acabado de cruzar continentes de avião, barco e automóvel. Fosse o que fosse que sua madrinha guardava em sua bolsa brilhante, Cecily pensou que usar um pouco lhe seria útil naquele momento.

– Beba tudo, querida; juro que é o estimulante perfeito – afirmou Kiki, estendendo o copo, mas Cecily balançou a cabeça, perguntando-se por que os mais velhos insistiam continuamente para que ela bebesse.

– Não posso, de verdade, Kiki.

– Bem, então vou deixar na sua cabeceira para o caso de você mudar de ideia. Escolhi algo de seu baú para você usar hoje à noite e Muratha o passou. Está pendurado bem ali, no seu guarda-roupa. – Kiki apontou para um armário em estilo oriental enquanto se alvoroçava pelo quarto e começava a abrir as persianas. – Você só precisa se arrumar logo, minha querida, ou vai perder o seu primeiro pôr do sol em Mundui. Por mais triste que eu esteja, isso nunca deixa de me animar.

Cecily observou sua madrinha parar por alguns segundos, olhando pela janela. Um pequeno suspiro escapou de seus lábios antes de se virar e sorrir para a afilhada.

– Estou tão feliz por você ter vindo, meu bem. Vamos nos divertir muito juntas e dar um jeito em seu coração partido. Vejo você lá embaixo, o mais tardar às seis.

Kiki saiu do cômodo, deixando no ar o rastro de seu perfume de sempre – que era tão incomum e exótico quanto ela.

Agora totalmente desperta, Cecily ficou ciente da inacreditável sede que sentia. Tirando a tampa do frasco, ela bebeu um pouco de água morna, que deixava na boca um sabor ligeiramente amargo. Houve outra batida à porta e uma jovem negra de cabelo eriçado, que parecia ter sido cortado com uma navalha, de tão curto, entrou no quarto. Ela usava um vestido simples de algodão bege, largo em seu corpo esbelto. Parecia ter uns 13 ou 14 anos... *Pouco mais que uma criança*, pensou Cecily.

– *Bwana*, banho pronto.

A menina indicou a porta atrás dela, depois acenou para Cecily.

Relutante, Cecily saiu da cama e a seguiu até o cômodo contíguo, onde havia uma banheira grande e um lavatório com um enorme assento de madeira. Parecia um trono.

Muratha indicou a barra de sabão, a toalha de rosto e a pilha de toalhas de algodão dobradas ordenadamente ao lado da banheira.

– Certo, *bwana*?

– Certo, obrigada – respondeu Cecily, assentindo e sorrindo para ela.

Se alguma vez antes pensara em um banho como um "deleite", agora ela percebia que desconhecia o verdadeiro sentido da palavra. A jornada começara em Southampton e durara três – ou quatro? – dias. Fizeram várias paradas para reabastecer o avião, a última em um lugar chamado Kisumu, à beira do lago Victoria, embora Cecily já tivesse perdido todo o senso de tempo e direção naquele ponto da jornada. Ela cambaleara para fora do pequeno avião e Kiki a conduzira a uma cabana ao lado do aeroporto, onde elas apenas jogaram uma água no corpo antes de embarcar em outro voo que levaria (em algum momento) a Nairóbi. Seu corpo não vira uma única barra de sabão durante todo aquele tempo. Tampouco vira sono, ou mesmo paz interior, desde que deixara a Inglaterra...

Depois de afundar completamente, Cecily examinou a água à sua volta, escurecida, com uma camada de areia nas bordas da banheira. Desejou poder tomar outro banho e se limpar, mas não havia tempo. E quem sabia quantos galões os empregados tiveram que carregar para encher *aquilo*? Não havia nenhuma torneira à vista.

De volta ao quarto, Cecily se reconfortou com o fato de que a casa de Kiki não era a cabana de barro que ela esperava. Com suas grandes janelas quadradas de vidro, pé-direito alto e piso de madeira, mais parecia as antigas casas coloniais que vira em Boston. O quarto em si era pintado de branco, o que ressaltava o mobiliário oriental. Uma pesada cama de madeira ficava no centro, acima da qual pendia uma estranha engenhoca composta do que parecia ser uma rede. Cecily caminhou até uma das janelas e, pela primeira vez, olhou para os arredores.

Ela levou a mão à boca ao ofegar bem alto. As palavras de Kiki não tinham feito justiça à paisagem. O sol estava baixo no céu ainda azul, lançando um feixe de luz dourada sobre árvores de aparência estranha, com copas planas. Os gramados da Casa Mundui se estendiam graciosamente até as margens de um vasto lago, a água refletindo os tons do céu enquanto pássaros coloridos brincavam através das árvores. As cores pareciam mais vivas do que tudo que ela já tivesse visto antes.

– Uau! – exclamou ela para si mesma, porque a vista era quase "bíblica", como uma de suas amigas em Vassar (que estudava teologia, claro) gostava de dizer.

Pela primeira vez desde que saíra do litoral da Inglaterra, sua pulsação – que acelerava loucamente sempre que se lembrava do que fizera com Julius, sem mencionar os momentos voando por cima de terra e mar, nos últimos dias – começou a desacelerar um pouco. Ela abriu a janela e inclinou o rosto para a explosão de calor, ouvindo os chamados de pássaros e animais desconhecidos e pensando que a Inglaterra *e* os Estados Unidos pareciam muito distantes. Aquele era outro país – outro mundo! –, e Cecily teve a repentina e estranha sensação de que era um lugar que moldaria o resto de sua vida.

– *Bwana?* – chamou uma voz tímida atrás dela, arrancando Cecily de seu devaneio.

– Eu... Sim, olá.

– Não, não, não! – Muratha, a jovem criada, se aproximou. – Nunca, nunca – disse, fechando a janela com firmeza. – Noite, não – acrescentou ela, abanando o dedo. – *Mbu.*

– Como?

A menina agitou os dedos e fez um som de zumbido, e em seguida indicou a faixa de rede acima da cama.

– Ah! Você quer dizer mosquitos?

– Sim, sim, *bwana*. Muito ruim. – Muratha deslizou o dedo pelo pescoço e fez uma expressão de agonia, depois verificou se a janela estava firmemente fechada e presa, como se os mosquitos pudessem abrir fechaduras destrancadas. – De noite, não. Entende?

– Sim, sim, entendo.

Cecily assentiu exageradamente, pensando no quinino que aparentemente evitava a malária e que sua mãe insistira em adicionar à caixa de medicamentos que o médico da família prescrevera para ela levar.

Ela observou a menina ir ao armário e tirar de lá o vestido para a noite.

– Ajudar você?

– Não, obrigada.

– *Hakuna matata, bwana* – respondeu Muratha, saindo do quarto.

❁❁❁

– *Querrrrida!* – cumprimentou-a Kiki quando Cecily chegou à varanda, escoltada por Aleeki. – Chegou na hora certa.

Kiki tomou seu braço e a conduziu pela varanda, e então para fora, passando pelas estranhas árvores de copas planas que cresciam para os lados em vez de para cima, até a beira da água.

– Fico muito feliz que ninguém tenha chegado e possamos compartilhar juntas seu primeiro pôr do sol. Não é simplesmente espetacular?

– É, sim.

Cecily respirou fundo, vendo o sol acender o céu com raios laranja e vermelhos, enquanto se retirava após um longo dia. Um coro agudo de cigarras cantava e enchia o ar quente com suas vibrações. A cacofonia fez Cecily estremecer e se arrepiar, apesar do calor. Quando finalmente o sol despencou no horizonte, o ruído intensificou-se no crepúsculo agora arroxeado.

– Não tenha medo, querida, são apenas insetos, pássaros e animais dizendo boa-noite uns aos outros. Ou pelo menos é isso que gosto de pensar, até ouvirmos o rosnado de um leão na varanda às três da manhã! – Ela riu. – Estou brincando. Isso só aconteceu uma vez até agora. E a boa notícia é que ninguém foi comido. Quando você estiver recuperada da viagem, vamos fazer um safári pela selva.

Uma onda repentina nas águas paradas do lago chamou a atenção de Cecily.

– Ah, é apenas um hipopótamo saindo para nadar à noite. – Kiki deu de ombros, acendendo um de seus infinitos cigarros em sua longa piteira de marfim. – Eles são tão feios e enormes que acho incrível que não afundem, mas são uns amores, na verdade. Se não os perturbarmos, eles não nos perturbam. – Kiki soltou lentamente a fumaça pelo nariz.

– Esta é a chave da vida na África: temos que respeitar o que estava aqui primeiro. As pessoas e os animais.

Um mosquito zumbiu junto ao ouvido de Cecily e ela o afastou, se perguntando se deveria respeitá-lo.

– E não se preocupe com os mosquitos – afirmou Kiki, observando seu incômodo. – Você inevitavelmente será picada. Espero que não morra de malária. E então vai se tornar uma habitante local e ficará imune. E *Aloe vera* é uma beleza para tratar as picadas. Champanhe? – ofereceu Kiki, enquanto voltavam para a varanda, onde vários criados, todos vestidos em variações de algodão bege, estavam preparando as mesas.

Cecily viu que Aleeki, que a ajudara mais cedo, usava roupas que o diferenciavam dos demais. Além de um colete cinza, ele tinha um longo pedaço de tecido xadrez preso na cintura, que parecia mais uma saia do que calças. Usava um boné estampado e apertado, que lembrava um fez. Ele olhou para Cecily com seus olhos escuros e sérios e apontou para o bar.

– Ou talvez um martíni? – sugeriu Kiki. – Aleeki prepara um excelente.

– Acho que não devo beber hoje à noite, Kiki. Ainda estou tão cansada da viagem...

– Dois martínis, por favor, Aleeki – ordenou Kiki, tomando o braço de Cecily. – Acredite, querida, eu viajo pelos continentes há muitos anos e a melhor coisa a fazer é começar do jeito como pretende continuar. Sente-se – disse ela, guiando-a para uma das várias mesas em estilo cafeteria que haviam sido colocadas na varanda.

– Quer dizer que devemos ficar bêbadas o tempo todo?

– Acho que seria desonesto se eu não dissesse que todo mundo aqui bebe mais do que deveria, mas isso entorpece a dor e torna tudo um pouco mais agradável. Afinal, quem quer viver até os 80 anos? Todo mundo que eu conheci e que era divertido já morreu!

Kiki deu uma risada rouca enquanto Aleeki trazia a bebidas. Pegou sua taça imediatamente, e Cecily – não querendo ser rude – fez o mesmo.

– Saúde, minha cara, e bem-vinda ao Quênia.

Elas brindaram e, enquanto Kiki terminava o drinque dela em um só gole, Cecily bebeu apenas um pouquinho e quase se engasgou com a intensidade do álcool.

– Hoje – disse Kiki, batendo em sua taça para indicar a Aleeki que precisava de mais uma dose –, você vai conhecer algumas das figuras que vivem nas redondezas. E pode ter certeza: *todos* são mesmo peculiares. Acho que é preciso ser, para viajar pelo mundo e decidir se estabelecer em um país como este. A vida aqui, em todos os sentidos, é bastante selvagem. Ou pelo menos era. Aleeki, querido, ligue o gramofone, por favor. Precisamos de música.

– Sim, *memsahib* – respondeu ele, entregando a Kiki mais um martíni.

Cecily analisou a mulher sentada ao seu lado, seu perfil irretocável delineado contra o céu escuro, cor de âmbar, e concluiu que Kiki era o ser humano mais intrigante que ela já conhecera: na viagem até a África, Kiki ora ficara eufórica – dançando pelo espaço estreito entre os assentos da aeronave, cantando músicas de Cole Porter bem alto enquanto o avião balançava e mergulhava por entre as nuvens –, ora ficara desmaiada, totalmente apagada. Quando elas embarcaram no avião que faria o trecho final da jornada, ela vira Kiki admirando a paisagem abaixo.

– É tão bonito, mas tão brutal... – sussurrara sua madrinha, quase para si mesma, com lágrimas nos olhos.

Embora Cecily soubesse quantas perdas Kiki sofrera nos últimos anos, a madrinha raramente se referia àquilo de maneira direta, apenas em termos gerais. E, apesar de terem passado quatro dias juntas, espremidas em uma lata voadora, Cecily sentiu que não sabia mais sobre aquela mulher agora do que quando deixaram Southampton. Apesar da beleza exuberante e do que sua mãe chamara de "riqueza extraordinária", sem falar da suprema confiança social, que Cecily nem sonhava em ter, ela sentia que, por baixo da superfície, havia certa vulnerabilidade em Kiki.

Entretanto, nenhum vestígio dessa vulnerabilidade ficou em evidência quando os primeiros convidados chegaram e foram conduzidos por Aleeki à varanda.

– Meus queridos, voltei! – Kiki se levantou e foi saudar o casal com um forte abraço. – Contem tudo o que aconteceu desde que eu parti. Do jeito que conheço o Happy Valley, sei que terão muitas novidades e, depois de quase morrer de pneumonia em Nova York, não tenho palavras para expressar como é bom estar em casa. Agora venham cumprimentar a minha linda afilhada. Cecily, querida, esta é Idina, uma das minhas melhores amigas em todo o mundo.

Cecily cumprimentou a mulher, que usava um longo vestido diáfano que sua mãe, sem dúvida, teria dito que era feito do melhor chiffon. Idina cheirava a perfume caro, seus cabelos curtos haviam sido ondulados com cuidado e suas sobrancelhas estavam perfeitamente arqueadas.

– E quem é esse? – perguntou Kiki, sorrindo para o cavalheiro alto ao lado de Idina.

– Ora, é Lynx, é claro! – respondeu Idina com um sotaque bem britânico. – Você deve lembrar, eu lhe escrevi sobre ele. Estamos noivos e vamos nos casar.

– Olá, Cecily – disse Lynx, fazendo uma cortesia e beijando sua mão.

Cecily viu que o rosto dele tinha traços simétricos e que os olhos que a avaliavam eram afiados e inteligentes, como os de um lince, como seu próprio nome dizia.

– Muito prazer em conhecê-la, minha querida – comentou Idina. – Espero que Kiki tenha lhe contado sobre todos os escândalos que causei desde que cheguei ao Quênia.

– Na verdade, ela tem sido muito discreta.

– Isso não me soa como Kiki. Enfim, estou no bom caminho agora, não é verdade, Lynx?

– Espero que sim, minha cara – afirmou ele, enquanto Aleeki se aproximava com uma bandeja de martínis e champanhe. – Embora, pelo que Idina me contou, eu possa perceber que perdi a maior parte da diversão.

– Por aqui as coisas não são mais como antes, mas fazemos o nosso melhor para viver de acordo com a reputação escandalosa que conquistamos ao longo de todos esses anos – retrucou Idina, piscando para Kiki.

Satisfeita por ouvir, em vez de participar, e ainda bastante cansada, Cecily fez um esforço para se sentar bem ereta na cadeira e não correr o perigo de cochilar. Idina e Kiki continuaram fofocando sobre seus amigos em comum, enquanto Lynx permanecia pacientemente sentado ao lado da noiva.

Cecily viu Aleeki colocar um samovar dourado sobre a mesa. Kiki removeu a tampa e revelou um pequeno monte de pó branco e vários canudos finos de papel. Ainda conversando com Idina, ela puxou o samovar para si, em seguida pegou um canudo e separou uma porção de pó. Kiki enfiou o canudo no nariz, inclinou-se e inspirou fundo. Depois, tirando o canudo do nariz, limpou os vestígios de pó do rosto e passou o samovar para Idina, que fez o mesmo.

– Quer um pouco, meu bem? Com certeza vai ajudá-la a ficar acordada até mais tarde – disse Kiki.

– Eu... ahn... Não, obrigada.

Como Cecily não tinha ideia do que era aquele pó e de por que alguém o colocaria no nariz, e não na boca, decidiu que era melhor não arriscar.

– Alice, minha querida! – Kiki levantou-se mais uma vez para cumprimentar outra mulher que chegara à varanda, usando um vestido de seda azul-escuro que delineava seu corpo magro. Seus olhos eram grandes e castanhos, os cabelos escuros e curtos, emoldurando seu elegante maxilar. – É a nossa madona marota! – Kiki cumprimentou a convidada recém-chegada com um abraço caloroso. – Obrigada por não ter vindo com roupa de fazenda, minha querida. E olhe só quem você arrastou até aqui!

– Na verdade – disse Alice –, acho que foi ele quem me arrastou.

Cecily reconheceu o homem imediatamente, embora sua aparência fosse bem diferente da que ele ostentara em Nova York. O capitão Tarquin Price estava vestido com roupas militares, apesar do calor da noite.

– Desculpe, não tive tempo de me trocar. Vim direto de Nairóbi e fiz um grande desvio até a fazenda de Alice para buscá-la.

– Acho que você está muito elegante, querido – elogiou Kiki, conduzindo os dois até a mesa. – E veja só quem *eu* consegui arrastar de Manhattan – gabou-se ela, indicando Cecily.

– Meu Deus! Srta. Huntley-Morgan, então nos encontramos outra vez. Fico feliz que tenha conseguido vir – disse Tarquin, com notável sutileza, enquanto Cecily se levantava para receber um beijo educado no rosto. Ele pegou uma taça de champanhe e sentou-se ao lado dela. – Como foi a viagem?

– Longa – respondeu Cecily, tomando um gole de martíni. – E poeirenta.

– Mas está feliz por ter vindo? É um lugar um tanto extraordinário este onde sua madrinha vive, não é?

– Eu ainda não sei dizer, pois dormi a maior parte do dia. Com certeza o pôr do sol é incrível e o lago é maravilhoso. Pode-se nadar nele?

– Desde que se tome cuidado com os hipopótamos, sim. E com os crocodilos, é claro...

– Crocodilos?!

– Estou brincando, Cecily. É claro que se pode nadar. A água é maravilhosamente refrescante. Eu mesmo já dei alguns mergulhos matinais. De qualquer forma, bem-vinda ao Quênia. Tenho que admitir que estou bastante surpreso por você ter vindo. É preciso um coração valente, em especial nas mulheres, para enfrentar a viagem.

– Espero me acostumar com o local, porque não gosto da ideia de fazer a viagem de volta tão cedo.

– Dê um tempo a si mesma; é muito diferente de Nova York, quase outro planeta, pode-se dizer. Agora que está aqui, aproveite. Esqueça Manhattan, Cecily, com seus preconceitos inerentes, e aproveite cada segundo de sua estada aqui.

– É o que pretendo fazer, se parar de me sentir tão sonolenta. – Cecily abafou mais um bocejo. – Kiki me recomendou um pouco daquilo – comentou ela, apontando para o samovar. – Disse que ajudaria a me manter acordada, mas a verdade é que não tenho ideia do que seja.

– Aquilo, minha querida Cecily – explicou Tarquin, inclinando-se na direção dela –, é uma substância altamente viciante e ilegal chamada cocaína.

– Cocaína? Santo Deus! Quer dizer, eu já ouvi falar, é claro, mas nunca tinha visto. Se é ilegal, a polícia poderia vir prender Kiki?

– Minha querida, nós *somos* a "polícia" aqui – revelou Tarquin, rindo. – Como você vai perceber, vale tudo em Happy Valley.

Os dois assistiram a Kiki dar outra cheirada do samovar.

– Você já experimentou? – perguntou Cecily a Tarquin.

– Um cavalheiro nunca deve mentir, e eu estaria mentindo se dissesse que não. Então, sim, eu a uso de vez em quando, e de fato ela provoca umas sensações incríveis. Mas eu não a recomendaria para uma jovem como você. Como tenho certeza de que já sabe, sua madrinha enfrentou tempos terrivelmente difíceis. Qualquer coisa que a ajude a seguir em frente é válida... Nem você nem eu estamos em posição de julgar.

– Não, é claro que não. Só que eu não gostaria que ela ficasse doente por causa disso.

– Eu entendo, Cecily, mas, como expliquei, as regras normais não se aplicam a Kiki ou ao Quênia, e esse é o melhor conselho que posso lhe dar.

Tarquin a deixou alguns minutos depois, provavelmente para conversar com alguém muito mais interessante. Cecily ficou satisfeita em apenas se sentar e assistir à multidão reunida, sendo, vez ou outra, apresentada aos amigos de meia-idade de sua madrinha. Aleeki e seu bando de criados andavam de um lado para outro, mantendo os copos dos convidados cheios e carregando bandejas redondas de canapés. Percebendo que não tinha comido nada o dia todo, Cecily experimentou um ovo recheado e ficou surpresa ao mordê-lo e perceber que tinha o mesmo sabor dos de casa. Por algum motivo, imaginara que ia comer antílopes assados em fogueiras, e não iguarias ao estilo americano. Depois de experimentar tudo o que apareceu, Aleeki se inclinou para sussurrar ao seu ouvido:

– Posso fazer um sanduíche, se *memsahib* quiser. E tem sopa na cozinha.

– Ah, não precisa, esses canapés estão divinos – respondeu ela, sensibilizada por ele ter notado seu óbvio apetite.

– Sozinha e esquecida por sua madrinha tão cedo, minha querida?

Alice, a mulher do vestido de seda azul que havia chegado com Tarquin, sentou-se ao lado dela.

– Não leve para o lado pessoal, ela não vai se lembrar nem do próprio nome até o fim desta noite – disse ela, com a voz arrastada. – Acho que conheci sua mãe certa vez em Nova York. Ela mora naquela bela casa cercada por blocos de apartamentos na Quinta Avenida, não é?

– Sim, ela... nós moramos – respondeu Cecily, olhando nos olhos de Alice, que eram muito bonitos, mas pareciam bastante vidrados. – Eu... Você mora aqui perto? – acrescentou ela, tentando encontrar algum assunto.

– Depende do que você considera "perto", não é mesmo? Não é tão longe, pelo menos não pelo voo de um corvo. O problema é que não somos corvos, somos? Apenas humanos, malditos humanos, com braços e pernas, mas sem asas. Você precisa ir à minha fazenda. Conhecer todos os meus animais.

– Que tipo de animal você tem?

– Ah, de todo tipo. Tive um filhote de leão de estimação por anos, mas infelizmente precisei me livrar dele quando ficou grande demais.

– Um leão?

– Sim. Você gosta de armas?

– Não sei dizer. Nunca segurei nem usei uma.

– Boa menina, então não use. Os animais também têm corações e mentes, sabia? Eles têm sentimentos assim como nós.

As duas observaram quando a mulher chamada Idina passou por elas com Lynx, o homem com quem havia chegado. O casal caminhou em direção ao lago, depois desapareceu na escuridão.

– Sabia que Idina já foi casada com o amor da minha vida? – Alice suspirou. – Nós o compartilhamos, muito tempo atrás...

– Ah... – Cecily quase engasgou com a bebida. – Ele está aqui hoje?

– Não, embora more bem perto daqui, no Palácio Djinn, no lago. Não deixe Joss Erroll seduzi-la, ouviu, minha querida? Seria bom saber que pelo menos uma virgem conseguiu manter sua virtude a salvo dele.

Cecily corou fortemente com as palavras de Alice, não porque a chocassem – estava aprendendo depressa que as selvagens planícies da África não eram em nada inferiores à natureza feroz de seus habitantes –, mas porque isso a lembrou do fato de que ela não tinha mais nenhuma "virtude" a perder.

– Os americanos acham que vai haver guerra? – indagou Alice, olhando em volta, distraidamente, para os outros convidados.

– Acho que estão tão incertos quanto o resto do mundo – respondeu Cecily, tentando acompanhar a conversa, que parecia saltar de forma abrupta de um assunto para outro.

No entanto, Alice tinha um jeito cativante, por mais louco que parecesse.

– Espero que não, ou será o fim do nosso estilo de vida aqui. Joss vai se envolver, é claro. E eu não poderia suportar a morte dele, entende? – Alice se levantou. – Muito prazer em conhecê-la, querida. Venha me visitar assim que puder.

Cecily observou-a desaparecer no meio da multidão da varanda. Alguns dos convidados começaram a dançar ao som da música do pequeno gramofone, e uma mulher beijava abertamente seu parceiro, enquanto as mãos dele deslizavam pelas costas de seu vestido.

– Hora de dormir – disse Cecily, suspirando e se levantando.

Ela ouviu um eco de gargalhadas perto do lago, virou-se e viu as costas de dois corpos completamente nus correndo para a água. Com outro suspiro, ela se dirigiu ao santuário de seu quarto.

Cecily foi acordada pela cacofonia do amanhecer, repleta de pios, cantos e grasnados de pássaros e animais desconhecidos. Ela permaneceu deitada, desesperada para voltar a pegar no sono. Ficara várias horas acordada, na noite anterior, perturbada pelas risadas dos convidados e pelo gramofone, que tocara embaixo da janela de seu quarto até pelo menos quatro da manhã. Mesmo depois disso, ela ouvira sons e risadinhas sufocados dentro da casa. Se era possível acordar exausta, era como Cecily se sentia. No entanto, enquanto obrigava as pálpebras a se manterem fechadas, o coro do amanhecer apenas aumentava de volume.

– Droga! – xingou ela, percebendo que contar ovelhas, ou leões, não ia ajudar.

Levantou-se então, demorando alguns segundos para se livrar do mosquiteiro, e foi até uma das janelas para abrir as persianas.

– Ai, meu Deus!

Ela ofegou ao ver, no gramado que levava ao lago, uma girafa mordiscando as folhas de uma das árvores achatadas.

Apesar do cansaço e da ansiedade que ainda lhe causavam um nó no estômago, depois de tudo o que testemunhara na noite anterior, Cecily não pôde deixar de sorrir. Procurou pela câmera que o pai lhe dera como presente de despedida, mas não fazia ideia de onde Muratha a guardara depois de esvaziar o baú. Quando finalmente a encontrou, a girafa havia desaparecido. Ainda assim, pensou, mesmo sem a girafa, a vista era suficiente para emocionar qualquer um.

Não eram nem sete da manhã e o céu turquesa já brilhava, lançando uma luz cintilante no lago. Cecily caminhou até seu guarda-roupa para procurar um dos vestidos de algodão que Kiki sugerira que ela trouxesse de Nova York. Depois de se vestir apressadamente e de escovar superficialmente os cabelos – que ficaram ainda mais indisciplinados no calor –, ela abriu a porta, atravessou o corredor silencioso e desceu na ponta dos pés.

– Bom dia, *memsahib*.

O coração de Cecily deu um pulo enquanto ela se virara e via Aleeki atrás dela.

– Dormiu bem?

– Sim, obrigada.

– Deseja café da manhã?

– É muita gentileza sua, mas eu ia dar um passeio até o lago primeiro.

– Então vou servir o café da manhã na varanda. Fica pronto na sua volta. Chá ou café, *memsahib*?

– Café, por favor. Obrigada, Aleeki.

Ela avançou para a saída, mas Aleeki a ultrapassou e abriu a porta rapidamente, fazendo uma mesura ao vê-la passar. Não havia nenhum sinal da festa da noite anterior; todos os traços obviamente haviam sido apagados pelos criados. Enquanto colocava os óculos escuros para proteger seus olhos sensíveis de um sol que parecia ter se aproximado quilômetros, da noite para o dia, Cecily ficou admirada pelo fato de o "camareiro" de Kiki, como ouvira sua madrinha chamá-lo, parecer tão disposto depois do que devia ter sido uma noite de ainda menos sono do que a dela. Na beira da água, Cecily olhou para a esquerda e viu um grupo de hipopótamos tomando sol na margem, a uns 100 metros dali.

– Isso é surreal – sussurrou para si mesma. – Estou mesmo aqui?

Ela foi até um banco na margem do lago e notou um sutiã branco pendurado ali. Pensou em Idina e seu noivo nadando nus na noite anterior e se perguntou, com uma risada, se devia alertar Aleeki para a presença daquela peça de roupa. Ele era tão inescrutável que Cecily já podia imaginá-lo totalmente indiferente à notícia, mesmo que ela lhe entregasse o sutiã em plena mesa do café.

– Talvez tenha sido apenas uma festa de boas-vindas que saiu um pouco de controle – disse Cecily a um pássaro de cor azul-metálica e verde, empoleirado em uma árvore à beira da água.

Ela tinha quase certeza de que era um martim-pescador. Isso se confirmou quando, alguns segundos depois, o pássaro mergulhou subitamente e fisgou um peixe.

Cecily ficou ali por um tempo, sentindo os ombros relaxarem enquanto observava o mundo natural seguir seu curso ao redor. Independentemente do comportamento dos humanos – ainda dormindo na casa atrás dela –, tudo naquela paisagem tinha o próprio ritmo, e era a isso que ela deveria tentar se conectar.

Depois de algum tempo, o sol a forçou a ir para as sombras da varanda lateral da casa – tinha que se lembrar de usar chapéu, mesmo àquela hora da manhã, ou ficaria com o rosto cheio de sardas como a pelagem de um leopardo. Ela caminhou pelos jardins que margeavam a varanda, cheios de flores de aroma adocicado e plantas de aparência exótica, cujos nomes ela não saberia pronunciar. O sol já havia aquecido a grama sob seus pés e o ar zumbia com insetos mergulhando a cabeça nas flores ricas em néctar.

– Tudo pronto, *memsahib*.

Aleeki puxou uma cadeira para Cecily quando ela chegou à varanda. A mesa estava posta para o café da manhã, com todos os tipos de guloseimas em cestas e travessas de prata.

– Obrigada – disse Cecily, sentindo-se um pouco tonta devido ao sol.

– Aqui. – Aleeki lhe ofereceu um copo d'água e um leque. – Muito útil no calor. Posso servir seu café?

– Sim, por favor – agradeceu Cecily, bebendo a água fria e começando a se abanar rapidamente. – Meu Deus, como está calor hoje.

– Calor todos os dias, mas *memsahib* vai se acostumar.

Aleeki estalou os dedos e um criado surgiu carregando uma versão gigantesca de seu leque. Ele começou a abaná-lo e a tontura de Cecily diminuiu.

– *Memsahib* precisa usar chapéu, é muito importante – explicou Aleeki. – Leite no café?

– Não, obrigada. E, por favor, diga a ele que pode parar agora. Que horas minha madrinha costuma se levantar para o café da manhã?

– Quase nunca antes do meio-dia. Temos frutas, cereais e pão fresco com geleia caseira e mel. Podemos torrar o pão, se desejar, mas também temos ovos. Gema mole?

– Acho que estou satisfeita por enquanto, obrigada – respondeu Cecily, indicando o banquete sobre a mesa.

Aleeki fez sua mesura habitual e se afastou para a lateral da varanda. Ao tomar um gole de café, Cecily sentiu como se estivesse fazendo o seu desjejum em uma versão tropical do Waldorf Astoria. A comida até aquele momento fora mais saborosa do que qualquer coisa que o chef da família preparava em Manhattan. *E* os criados eram mais atenciosos.

Enquanto Aleeki lhe servia uma segunda xícara de café e Cecily comia uma fatia do belo pão fresquinho com mel, ela se virou para o criado:

– Há quanto tempo você trabalha para minha madrinha?

– Ah, desde que ela chegou aqui e construiu esta casa. Muitos anos, *memsahib*.

– Eu adoraria ver o que há além das árvores – comentou ela, indicando os troncos delimitando os jardins e a casa. – O que há por lá?

– De um lado, uma fazenda de gado; do outro, *memsahib* cria seus cavalos. Se desejar montar depois do café da manhã, posso conseguir um bom cavalo.

Cecily recordou de repente suas cavalgadas com Julius pelos campos ingleses congelados e a fogueira improvisada que acenderam no caramanchão, onde se aqueceram juntos.

– Talvez outra hora, Aleeki. Ainda estou um pouco cansada hoje.

– Claro, *memsahib*. Ovos agora?

– Não, obrigada – murmurou ela, a lembrança de Julius interrompendo a beleza e a calma de sua primeira manhã no Quênia.

❂ ❂ ❂

Eram duas da tarde quando Cecily vislumbrou sua madrinha passeando na varanda. Ela passara as últimas horas sozinha no quarto, evitando o sol intenso do meio-dia e fazendo o possível para tirar fotografias do privilegiado ângulo de sua janela. Ela teria que encontrar algum lugar para revelá-las e depois enviá-las para a família. Escrevera uma longa carta no grosso papel velino que Aleeki lhe havia fornecido, documentando as aventuras até o momento (a maioria delas, ao menos). O processo a fizera chorar algumas vezes; seu lar nunca lhe parecera tão distante quanto agora.

– Cecily, querida! Você está dormindo? – chamou uma voz alta embaixo da janela.

Bem, se eu estivesse, certamente teria acordado...

Ela enfiou a cabeça pela janela.

– Não, estava escrevendo para meus pais.

– Então venha imediatamente!

– Claro.

Com um suspiro, Cecily pegou a carta e desceu as escadas.

– Champanhe? – ofereceu Kiki quando Cecily se aproximou da mesa da varanda.

A madrinha estava sentada sozinha, com uma garrafa no balde de gelo e um maço de cigarros Lucky Strike, aparentemente seus únicos sustentos.

– Não, obrigada, ainda estou satisfeita do almoço.

– Por favor, aceite minhas desculpas, querida. – Kiki suspirou, tomando uma grande dose de champanhe e tragando sua piteira. – A festa foi até tarde ontem à noite.

Cecily não achou que Kiki parecia pesarosa.

– Então, o que você achou dos meus amigos? Espero que eles tenham sido gentis com você. Pedi que fossem.

– Eles foram todos muito gentis, obrigada.

– Bem, você fez sucesso com Alice. Ela nos convidou para tomar chá amanhã na Fazenda Wanjohi. Gostou dela?

– Sim, ela é certamente muito interessante...

– Ah, é mesmo. Você sabia que há alguns anos Alice foi julgada por atirar no amante em uma estação ferroviária da França?

– Meu Deus! Foi ela? – indagou Cecily, lembrando-se da menção que a mãe fizera ao escândalo.

– A própria. Felizmente, ela atirou nele em Paris, uma cidade que entende o amor, e não foi presa por tentativa de assassinato. Ela é louca e eu simplesmente a adoro.

– Ela me contou que certa vez teve um filhote de leão de estimação.

– O querido Sansão, sim... Ela só o largou quando ele estava comendo duas zebras por semana. – Kiki tomou outro gole de champanhe. – Então, Aleeki está cuidando bem de você?

– Ah, sim, ele é maravilhoso. Eu estava pensando se seria possível enviar esta carta para os meus pais.

– Isso não é problema. Entregue-a a Aleeki e ele resolve para você.

– Está bem. Onde fica a cidade mais próxima daqui?

– Depende do que você quer fazer ou comprar. Gilgil é a mais próxima, mas é um grande depósito de lixo atravessado por uma ferrovia. Depois tem Nairóbi, é claro, onde pousamos ontem, e Nyeri, que fica a alguns quilômetros daqui, do outro lado das montanhas Aberdare, mas é bem popular no Wanjohi Valley.

– Wanjohi Valley?

– Onde mora a maioria das pessoas que estiveram aqui ontem à noite, inclusive Alice. Você vai ver amanhã, quando formos tomar chá com ela. Só que não estou me sentindo muito bem hoje. Acho que também estou sofrendo com os efeitos de nossa jornada, além da bronquite. Aleeki pode lhe mostrar a biblioteca, se precisar de um livro para ler, e nos encontraremos para jantar às oito da noite, está bem?

– Está bem.

Como que por mágica, pois Cecily não identificou qualquer aceno, Aleeki apareceu ao lado de sua patroa. Kiki levantou-se, pegou o braço dele e voltou para o interior da casa.

Enquanto Cecily se vestia para o jantar naquela noite, pensou em todas as coisas que sabia – ou entreouvira – sobre sua madrinha: que era uma herdeira e, mais importante, era parente dos Vanderbilts e dos Whitneys. Ela se divorciara do primeiro marido e depois se casara com Jerome Preston – Cecily se lembrava de tê-lo conhecido quando criança e de ter se impressionado com sua beleza e natureza jovial. Toda a sua família ficara em choque ao saber de sua morte súbita e inesperada, cinco anos antes. Então, sua mãe lhe revelara que o cunhado de Kiki também havia morrido e, recentemente, seu amado primo William sofrera uma paralisia causada por um acidente de carro.

Agora, ali estava Kiki, deitada em sua cama a alguns metros de distância, sozinha...

– E tão triste. – Cecily suspirou, pega de surpresa por aquele pensamento. – Ela é uma pessoa triste.

14

– cho que patroa está mal de novo hoje – anunciou Aleeki quando Cecily apareceu na varanda ao meio-dia do dia seguinte, pronta para o chá na fazenda de Alice.

– Meu Deus, não é nada sério, é?

– Não, até de noite ela está recuperada, *memsahib*. Mas disse que a senhorita deveria ir sozinha. E pediu desculpas.

Aleeki estava segurando duas cestas de vime: uma cheia de garrafas de champanhe e a outra coberta por um pano de linho, que Cecily presumiu que contivesse algum alimento.

Ela seguiu Aleeki até os fundos da casa, e ele abriu a porta traseira do Bugatti, que fora tão limpo e polido que o sol brilhava em seu teto branco. O interior estava quente como fogo em brasa e Cecily empoleirou-se perto da janela aberta, abanando-se violentamente no banco de couro cor de creme.

– Este é Makena, *memsahib*. Motorista vai levá-la até a Fazenda Wanjohi.

O homem, vestido de um branco imaculado, fez uma mesura a ela. Cecily se lembrava vagamente dele, da viagem até a casa.

– Vejo a senhorita no jantar – despediu-se Aleeki.

Ele fechou a porta e Makena deu a partida no motor.

A viagem ao longo do lago foi agradável, mas só começou a ficar interessante quando passaram por um povoado, que Cecily imaginou que fosse Gilgil, pois viu a linha de trem cortando o centro. Sentia o potente motor do carro se esforçando para subir a estrada irregular e esburacada (que, na América, seria considerada apenas uma trilha estreita), e sorriu quando pensou como era típico de Kiki ter um carro elegante, mas fundamentalmente inadequado para o terreno queniano. Ao longe, o cenário tornava-se cada vez mais exuberante e verdejante e ela pôde ver uma cadeia de montanhas, seus picos cobertos por nuvens. Queria perguntar a Makena como eram chamadas, mas, depois de algumas tentativas, percebeu que o inglês dele se limitava a poucas frases. Sentiu que a temperatura estava ficando consideravelmente mais baixa, com um vento que soprava seus cabelos sobre o rosto. Os aromas ali eram diferentes dos que havia na Casa Mundui; ela sentia um cheiro metálico no ar que prometia chuva, além da fumaça de madeira queimada que emanava das várias fazendas por onde passavam.

– Meu Deus! – exclamou ela ao ver casas que não eram muito diferentes das que havia nas aldeias inglesas pelas quais passara a caminho do aeroporto, em Southampton.

O mesmo valia para os impecáveis jardins, cobertos de rosas em flor, lírios e jasmins, enchendo o ar com sua fragrância rica e doce.

Duas horas depois de partirem, o Bugatti parou em frente a uma casa térrea em formato de U, com grandes telhados similares aos outros que havia observado no caminho. Ela presumiu que fosse para proteger os cômodos do sol, mas, ao sair do carro, Cecily sentiu um pequeno arrepio porque o vento era cortante. Arbustos verde-escuros margeavam o gramado e um antílope pastava; ele a encarou com seus grandes olhos castanhos, e voltou calmamente a pastar.

– Olá, minha querida, você veio!

Cecily virou-se e viu Alice se aproximando, vestindo uma camisa de algodão bem larga e um par de calças cáqui.

– Ah, sim, oi. Quer dizer, olá, Alice. Perdoe-me, eu estava hipnotizada pela vista. É... espetacular – comentou Cecily, admirando o vale verdejante ao pé do qual corria um rio.

– É extraordinário, não é? Quando vemos isso todo dia, tendemos a ignorar.

– Na última vez em que estive na Europa com meus pais, viajamos de Londres até as Terras Altas da Escócia por alguns dias. Aqui lembra um pouco lá – disse Cecily, percebendo que sua anfitriã tinha uma criatura de aparência estranha, aninhada alegremente em seu pescoço.

A tal criatura era pequena e peluda, com um nariz pontudo e comprido e orelhas redondas, e Cecily achou que parecia um gatinho esquisito.

– O que é isso? – indagou ela enquanto caminhavam em direção à casa, seguidas por vários cães.

– É um mangusto e tem apenas alguns dias de vida. Eu o encontrei abandonado debaixo de um arbusto no jardim. Ainda não lhe dei um nome, é claro, porque se der um nome vou ter que adotá-lo, aí então vou me apegar e ele terá que dormir comigo todas as noites. Isso deixaria os cães enciumados e... Você não quer ficar com ele?

Alice tirou o mangusto do ombro e o colocou, se contorcendo, nas mãos de Cecily.

– Eles são ótimos para criar em casa e são excelentes para matar bichos perigosos.

– Nunca tive um animal de estimação, Alice, e, como só vou ficar por um tempo, não seria correto aceitar.

– Pena. Então vou ter que soltá-lo de volta na natureza, e ele certamente será comido. Eles são ótimos protetores, porque não são afetados por veneno de cobra. Encontrei uma cobra no meu quarto uma vez e minha querida Bertie, que eu tive durante anos, pulou da cama e a matou para mim. Fique com ele um pouquinho e veja como você se sente antes de decidir – disse ela, guiando Cecily para um amplo terraço onde várias pessoas estavam sentadas tomando chá a uma mesa comprida.

– Eu... Tudo bem – concordou Cecily, tentando controlar a criatura, que parecia desesperada para subir em seu ombro e escapar de suas mãos. – Esqueci de dizer que minha madrinha não pôde vir hoje. Ela pediu desculpas. Estava se sentindo indisposta.

– Aleeki me ligou mais cedo – disse Alice, despreocupada. – Sobra mais champanhe para nós, hein? Vamos abrir – anunciou ela para o grupo, indicando as cestas que Makena estava carregando. – Essa é... – começou ela, gesticulando levemente em direção a Cecily.

– Cecily Huntley-Morgan.

Enquanto lutava para segurar o mangusto e cumprimentar o grupo ali reunido, Cecily ficou aliviada ao ver pelo menos dois rostos jovens sentados à mesa.

– Me dê essa criatura inoportuna. – Alice tomou o animal das mãos dela e o colocou no ombro, onde ele se encolheu, contente, e fechou seus minúsculos olhos rosados. – Vá sentar-se ali, perto de Katherine.

Cecily foi, um pouco sem fôlego e bastante despenteada. Após a longa jornada, ela também estava louca para perguntar onde ficava o banheiro, mas se sentia acanhada demais para fazê-lo.

– Olá, eu sou Katherine Stewart – apresentou-se a jovem ao lado dela, cuja aparência sua mãe teria chamado de "despretensiosa".

Ela era um tanto roliça, mas não menos atraente por isso, na opinião de Cecily, com seus impressionantes cabelos ruivos lindamente cacheados emoldurando um rosto de pele clara e um par de olhos tão azuis quanto o céu de safira acima deles.

– E eu sou Cecily Huntley-Morgan. Prazer em conhecê-la.

– Você chegou agora? – indagou Katherine, com um leve sotaque britânico.

– Não exatamente. Cheguei alguns dias atrás, de avião. Com certeza foi uma longa jornada e ainda estou sofrendo as consequências.

– Chá ou champanhe?

Katherine sorriu para ela quando o criado de Alice, que fazia as vezes de Aleeki ali, ofereceu as opções. Ao contrário do sempre impecável Aleeki, o homem usava uma túnica branca amarrotada e manchada e um fez vermelho amassado.

– Chá, com certeza. Obrigada.

– Boa escolha. Mesmo tendo sido criada no Valley, mal consigo acreditar em como todo mundo bebe à tarde. E de manhã – disse Katherine, em voz baixa.

Cecily não a conhecia o suficiente para comentar, mas assentiu.

– Chá é suficiente para mim a esta hora do dia.

– Então, Cecily, onde você está hospedada?

– Na casa de minha madrinha, que fica no lago Naivasha. É lindo, mas muito mais quente do que aqui.

– Bem, estamos mais uns 300 metros acima do nível do mar do que a casa dela, e muitas vezes temos que acender a lareira à noite. Talvez tenha sido por isso que muitos dos colonos originais escolheram esta área: o clima lembra o da Inglaterra, lembra seus lares.

– Eu bem que falei para Alice que o lugar me lembrava as Terras Altas escocesas, especialmente com essas montanhas roxas no fundo.

– Ora, meu pai é escocês e eu estudei em um colégio interno perto de um lugar chamado Aberdeen. – Katherine sorriu. – Que é onde as Terras Altas começam.

– Você só veio para visitar a família?

Cecily deu uma mordida em um sanduíche de pepino oferecido por um dos criados em uma bandeja de prata.

– Na verdade, voltei para ficar. A princípio, meu pai veio como missionário, com minha mãe, antes de eu nascer; infelizmente, minha mãe morreu há um tempo, mas papai ainda está muito bem, e meu noivo, Bobby Sinclair, mora aqui. Depois que nos casarmos, vou me mudar para a fazenda dos pais de Bobby. Eles voltaram para a Inglaterra alguns anos atrás. E pretendemos comprar mais gado juntos e reformar a casa, que é arcaica.

Katherine sorriu carinhosamente para o outro lado da mesa, onde estava um homem robusto, com um rosto queimado de sol e cabelos escuros com uma estranha mecha grisalha no topo.

– Como vocês se conheceram?

– Conheço Bobby desde criança, quando morava aqui. Ele é dez anos mais velho do que eu, mas sempre o adorei. Você nunca conseguia se livrar de mim quando eu estava em casa nas férias escolares, não é verdade, amor? – comentou com o noivo.

– Sim, isso é mesmo verdade. – Bobby sorriu de volta para Katherine. – Ela parecia um pequenino molusco, sempre me visitando para ver se eu a levava para nadar no rio. Quem diria que acabaríamos nos casando um dia?

O carinho entre os dois era visível, e o fato de eles se conhecerem desde a infância e estarem para se casar logo ressuscitou a imagem de Jack. Cecily se obrigou a lembrar o voto que fizera a si mesma quando viu as planícies da África, ainda no avião que a afastara dos dois homens que haviam destruído sua fé no romance; o amor, com toda a alegria e a dor que podia trazer, era algo que ela não tinha pressa de experimentar novamente.

– Quanto tempo você vai passar aqui? – perguntou Katherine.

– Eu... não tenho certeza. Algumas semanas, imagino.

– Bem, se ainda estiver no país, vá ao nosso casamento. Estamos loucos para encontrar qualquer pessoa com menos de 50 anos, não é, Bobby?

– Estamos, e espero que você esteja me incluindo nessa categoria, apesar dos meus cabelos grisalhos.

– Eu ficaria feliz em participar, se puder. Obrigada. – Cecily baixou a voz: – Você por acaso sabe onde, ahn...?

– O toalete, você quer dizer? Claro. Vamos lá, eu lhe mostro.

Cecily seguiu Katherine em direção à casa, ouvindo risos da mesa quando o champanhe começou a fazer efeito. O interior era deliciosamente fresco, embora caótico, com cães correndo entre as pernas das pessoas e livros e papéis espalhados em cima do que pareciam finos móveis antigos, porém empoeirados.

Depois de usar o toalete e fazer um esforço para se arrumar um pouco, Cecily vagou pelo corredor e saiu para o pátio. Ouvia vozes altas vindo de uma edificação ao lado da casa principal e caminhou naquela direção, descobrindo que se tratava da cozinha. Katherine estava falando com muita firmeza (e fluência) em uma língua estrangeira com uma mulher negra de aparência desleixada, e que, pelo fato de usar avental, era obviamente uma cozinheira ou uma empregada. Mesmo que Cecily não pudesse entender uma palavra do que estava acontecendo, ficou claro que discordavam de algo. A mulher estava gesticulando, mas Katherine parecia não aceitar o que ela dizia.

Katherine a viu parada ali, disse suas últimas palavras para a mulher, depois caminhou em direção a Cecily.

– Meu Deus, você viu o estado daquela cozinha? Está nojenta! Não é de admirar que a pobre Alice sofra de dores no estômago.

– Ela está doente?

– Sim, já faz algum tempo. Ela consultou o Dr. Boyle na semana passada... só porque eu a levei à força. Ele vai enviá-la para o hospital em Nairóbi para mais exames. Mas, é claro, quando o gato sai...

– Como?

– O que eu quero dizer é que Alice passou um tempo sem se preocupar com a criadagem e, como sua velha governanta, Noel, abandonou o navio há algumas semanas, os empregados simplesmente não estão fazendo o que deveriam. Mas não faz mal. – Katherine sorriu para Cecily enquanto voltavam para a varanda. – Alice pediu que eu ficasse aqui enquanto ela estiver em Nairóbi, então em breve vou colocar tudo isso em ordem, com certeza.

– Conhece Alice há muito tempo?

– Desde criança. Minha mãe era amiga dela, o que agora eu percebo que era bem estranho, pois as duas eram assustadoramente diferentes.

– De que maneira?

– Bem, Alice era uma herdeira rica e certamente seguiu o estilo de vida hedonista do Valley, e minha mãe era uma mulher de fala simples, casada com um missionário escocês sem dinheiro. Acho que foi o amor das duas pelos animais que as uniu. Quando Alice e seu primeiro marido viajavam para o exterior, minha mãe vinha aqui comigo para ganhar um extra como governanta e cuidar do zoológico. Bem, agora – disse Katherine enquanto voltavam a se sentar à mesa – quem sabe você possa vir aqui me visitar quando Alice estiver no hospital?

– Eu adoraria.

Ela estava gostando de Katherine cada vez mais.

– Veja, a pequena Minnie gostou de você – comentou Alice quando um Dachshund pulou no joelho de Cecily. – Os animais têm faro para pessoas boas – acrescentou ela, se servindo de mais champanhe.

Mais uma vez, Cecily recusou a oferta de uma taça de "espumante", como Alice chamava a bebida, e voltou sua atenção para as nuvens pesadas que estavam se concentrando no topo da cordilheira, atrás da fazenda.

– Opa! – Katherine levantou-se quando o céu de safira pareceu escurecer quase instantaneamente e grandes gotas de chuva começaram a cair. – Para a varanda, pessoal – avisou ela, reunindo o máximo que pôde da mesa em uma das cestas.

Como uma máquina bem lubrificada, os convidados se mudaram para outra mesa sob a cobertura quando a chuva ganhou força.

– É só uma pancada de chuva – explicou Katherine. – Espere até a *verdadeira* estação das chuvas chegar, em abril, e a estrada se transformar em um mar de lama vermelha que desce das colinas.

– Isso parece impressionante – disse Cecily –, mas não tenho certeza se ainda estarei aqui a essa altura.

– Falando em ir embora, querida, é melhor nos prepararmos – disse Bobby, aproximando-se e colocando um braço protetor ao redor dos ombros de Katherine.

Bobby era como um grande animal assomando sobre a futura esposa.

– Vocês moram por aqui? – questionou Cecily ao casal.

– Sim, apenas uns 15 quilômetros a oeste em linha reta, mas na estrada pode demorar muito tempo. Você cavalga, Cecily? – indagou Bobby.

– Cavalgo, sim.

Cecily se perguntou por que os cavalos, que até então constituíam apenas uma pequena parte de seu passado, de repente tinham assumido um papel tão significativo em seu presente.

– Geralmente é a melhor maneira de andar por essas bandas, para ser honesto. Bom, é assim que nós vamos para casa – disse Bobby.

– Foi realmente um prazer conhecê-la, Cecily – disse Katherine, com um sorriso caloroso. – Vou entrar em contato para que você venha me fazer companhia enquanto Alice estiver no hospital. Você deve pernoitar aqui na próxima vez. É uma jornada e tanto daqui até Naivasha.

Cecily assistiu a Bobby e Katherine montarem seus cavalos e trotarem fazenda afora.

Uma hora depois, a chuva parou e os convidados se aventuraram lá fora mais uma vez. Cecily esperava que não fosse considerado rude ir embora.

– Acho que preciso voltar para casa agora – disse ela, aproximando-se da anfitriã à cabeceira da mesa, o bebê mangusto ainda no ombro. – Minha madrinha vai dar um jantar hoje à noite.

Cecily não tinha certeza disso, mas havia grande chance de acontecer.

– Claro, minha querida, e fico muito feliz que você e Katherine tenham se dado tão bem. Ela é uma moça adorável, com muito mais bom senso do que eu jamais terei. Envie meus cumprimentos a Kiki e venha me ver outra vez em breve, está bem? – A mão delicada de Alice apertou a de Cecily. – É tão revigorante ter a companhia de pessoas mais jovens, em vez dessa velharia acabada que vive de glórias passadas.

– Eu adoraria voltar a visitá-la. Obrigada, Alice.

Cecily não se deu ao trabalho de se despedir dos demais convidados – era óbvio que estavam todos acomodados para a noite, bebendo champanhe como se fosse água, suas risadas ecoando pelo vale enquanto ela caminhava em direção ao Bugatti. Makena abriu a porta para ela e a acomodou no banco de trás, com um cobertor sobre os joelhos para afastar o frio que a chuva havia trazido.

Mesmo sem ter tomado champanhe, Cecily sentiu-se um pouco tonta quando pegaram a estrada, agora lamacenta. Talvez seu mal-estar se devesse à tal altura acima do nível do mar, pensou, enquanto olhava pela janela e via a vasta extensão do Vale da Grande Fenda emergir abaixo dela. Era um contraste completo com a vegetação verde e luxuriante acima, e totalmente espetacular. Ela sabia, por ter estudado sobre a África, que a fenda se estendia por quilômetros e tinha sido formada havia milhões de anos pelas forças primordiais da natureza. Mas nenhum livro poderia tê-la preparado para aquela imponente realidade, especialmente a partir daquele ponto de vista. O pôr do sol banhava o vale plano e quase sem árvores, criando um rico brilho adamascado, e, forçando os olhos, Cecily conseguia ver pequenos pontos que poderiam ser animais ou pessoas – ou ambos – se movendo quase imperceptivelmente por toda aquela espetacular extensão de terra.

– Como este país é incrível – murmurou ela, apoiando a cabeça na janela do carro. – É muita coisa para absorver.

Ela suspirou, desejando que sua família estivesse ali para apreciar aquela maravilha ao seu lado e fazer sentido de tudo; o contraste entre Manhattan e aquele lugar era como uma fenda tão ampla quanto o próprio vale majestoso – eram mundos diferentes. Ela queria ser capaz de compreender o que via, tanto as pessoas quanto o local. Mas parecia o mesmo que tentar engolir um elefante – algo simplesmente avassalador. No entanto, de alguma forma, ela jurou que conseguiria fazê-lo antes de voltar para casa.

A próxima coisa que sentiu foi Aleeki sacudindo-a delicadamente para acordá-la.

– Bem-vinda, *memsahib*. Ajuda para sair do carro?

Cecily assentiu, e os dois caminharam juntos atravessando a varanda e entrando na casa.

– Que horas são? – perguntou Cecily.

– Oito e meia.

– Ah. – Cecily olhou para a varanda deserta e ouviu o silêncio. – Minha madrinha saiu?

– Não, *memsahib*. Ela ainda está mal. Dorme no quarto. A senhorita deve estar com fome. Posso botar mesa na varanda ou mandar bandeja para o quarto, o que preferir.

– Um copo de leite está ótimo, obrigada. Posso tomar um banho? Sinto-me imunda da viagem.

– Claro, *memsahib*. Muratha vai levar leite e encher banheira.

– Obrigada. – Cecily caminhou em direção às escadas e então parou. – Minha madrinha está bem? Quer dizer, é grave?

– Vai ficar bem logo. Não se preocupe. Vou cuidar dela.

– Por favor, dê-lhe boa-noite por mim, então.

– Claro – assentiu Aleeki, fazendo uma reverência. – Boa noite, *memsahib*.

15

No dia seguinte, com Kiki ainda indisposta, Cecily sentiu-se agradecida (e culpada) pela paz que reinara na casa. Pela primeira vez desde sua chegada, sentia como se tivesse tempo para respirar e apreciar a beleza ao seu redor. Aleeki estava à disposição, com sugestões para entretê-la, e naquela tarde Cecily foi levada ao lago por Kagai, um garoto kikuyu que lhe contou, em seu inglês hesitante, que nascera ali. Além de lhe ensinar algumas frases nativas básicas, ele lhe mostrou como mergulhar uma vara ao lado do barco e mantê-la firme até sentir um puxão. Então ele a ajudou a puxar um peixe que se contorcia, cuja pele metálica refletia as cores do arco-íris. No meio do imenso lago prateado, com a água bem parada, ela observou os hipopótamos se aquecerem ao sol, depois se levantarem e deslizarem seus imensos corpos na água, movimentando-se com a graciosidade de um cisne.

No dia seguinte (ainda sem sinal de Kiki), ela acompanhou Aleeki até Gilgil, postou mais uma carta para seus pais e levou o rolo da câmera para ser revelado por um alemão, que, segundo Aleeki, tinha um quarto escuro nos fundos da oficina de carros. Cecily vagou pela cidade, parando nas barracas ao longo da rua, onde eram vendidas frutas e legumes estranhos e familiares.

– São bananas? – perguntou Cecily, apontando para frutas grandes e verdes, quando Aleeki se juntou a ela depois de concluir suas tarefas.

– Sim, *memsahib*, mas são bananas-da-terra. São parecidas. Ficam gostosas no ensopado. Aqui, nós chamamos *matoki*. Quer que a cozinheira prepare algumas?

– Por que não? Eu certamente gostaria de experimentar alguns dos pratos locais antes de partir.

– Temos bastante tempo, *memsahib* – disse ele, enquanto negociava um bom preço com o vendedor. – Comida indiana também é popular, muito picante. Eu gosto muito.

– Nunca comi nada picante – admitiu Cecily enquanto voltavam para o carro, atravessando a rua quente e empoeirada.

– Tem que provar um curry, alguns ensopados e *yugali*. São muito populares entre kikuyus.

– Você é kikuyu? – quis saber Cecily, vencida pela curiosidade.

– Não, *memsahib*, sou da Somalilândia – respondeu ele. – Logo do outro lado da fronteira.

Antes que pudesse fazer mais perguntas, Cecily se sobressaltou com uma voz atrás dela:

– Cecily?

Quando se virou, viu Katherine correndo em sua direção.

– Puxa, achei mesmo que fosse você! Como está sua adaptação?

– Muito bem, eu acho. Obrigada, Katherine.

– Demora algum tempo para a gente se acostumar, mas, quando você conseguir, será difícil partir, acredite.

– Aleeki, esta é Katherine Stewart. Eu a conheci no chá de Alice.

– Prazer em conhecê-la, *memsahib* – disse Aleeki, com uma mesura.

– Como está Alice? – perguntou Cecily.

– Ainda está no hospital em Nairóbi e parece que vai ficar lá por mais algum tempo. Bobby vai me levar para visitá-la à tarde.

Cecily sentiu que, qualquer que fosse o problema de Alice, certamente não era intoxicação alimentar causada pela sujeira da cozinha.

– Mande lembranças minhas a ela, por favor.

– É claro. E venha me visitar na Fazenda Wanjohi logo que puder. Bobby está ocupado, resolvendo problemas de nossa própria fazenda e daquela casa velha que se tornará nosso teto dentro de um mês. – Katherine sorriu. – Estou solitária. Que tal na próxima sexta-feira?

Cecily olhou automaticamente para Aleeki em busca de confirmação.

– Certamente, *memsahib*. Qual horário melhor?

– Que tal Cecily chegar para almoçar e sair depois do café da manhã de sábado? – sugeriu Katherine.

– Vou ajeitar tudo – respondeu Aleeki.

– Preciso encontrar Bobby; ele está no banco resolvendo um empréstimo para comprar mais gado para a fazenda. – Katherine ergueu as sobrancelhas. – Mas nos vemos no fim da semana. Até logo, Cecily.

– Até logo, Katherine. E obrigada.

Enquanto Aleeki a ajudava a entrar no carro, que estava um forno como sempre, Cecily perguntou:

– Katherine já visitou a Casa Mundui?

– Não, acredito que não – respondeu o criado, antes de fechar a porta traseira com firmeza e em seguida acomodar-se no banco do carona ao lado de Makena.

Cecily baixou a janela, pegou seu leque e se abanou o mais rápido que pôde, sentindo a temida tontura outra vez e se perguntando por que Aleeki deixara perfeitamente claro, apesar de suas palavras educadas, que sua nova amiga não era bem-vinda na Casa Mundui.

❂ ❂ ❂

Quando o dia da visita chegou, Cecily já estava desesperada por companhia. Mais cinco dias se passaram e sua madrinha ainda não havia se aventurado a sair do quarto. Apesar de ter implorado a Aleeki para deixá-la ver Kiki, a resposta era sempre "*Memsahib* está dormindo". Em vários momentos durante a semana, Cecily se perguntou se a madrinha poderia estar morta e Aleeki não teria tido coragem de lhe contar.

No café da manhã, Cecily estava prestes a insistir para visitar Kiki antes de partir para a Fazenda Wanjohi quando Aleeki lhe entregou um envelope. Abrindo-o e tirando um caro papel de carta, ela viu a elegante e familiar letra da madrinha.

Minha querida,

Perdoe-me por não atender às suas necessidades – eu me encontro indisposta. O descanso remediará minha doença, tenho certeza, então estarei ao seu dispor pelo resto de sua estada.

Por enquanto, espero que Aleeki esteja atento a todos os seus caprichos. Ele me disse que você vai visitar Katherine na Fazenda Wanjohi. Aproveite!

Um grande beijo,
Kiki

Pelo menos, pensou ela após o café da manhã, enquanto Aleeki acenava para o Bugatti que partia, sua madrinha estava viva e agora ela podia se afastar da Casa Mundui e de sua estranha e silenciosa atmosfera com a consciência tranquila.

❂ ❂ ❂

– Cecily! Você veio! Estou muito feliz por tê-la aqui! – exclamou Katherine quando Cecily desceu do carro na entrada da Fazenda Wanjohi.

– E eu estou realmente feliz por ter vindo – respondeu ela, enquanto Makena descarregava não apenas sua bolsa, mas também cestas de vime cheias de champanhe e comida, cortesia de Kiki.

– Meu Deus! Sua madrinha acha que vamos dar uma festa hoje à noite?

Katherine pegou o braço de Cecily e as duas caminharam em direção à casa.

– Talvez uma visita não possa ser completa se não houver champanhe.

– Vejo que você já aprendeu como funcionam as coisas por aqui – comentou Katherine, levando Cecily para o que agora era, depois de apenas uma semana, um interior radicalmente reformado.

As pilhas de livros e papéis tinham desaparecido, e o cheiro de cachorro e outras vidas selvagens desconhecidas fora camuflado pelo doce perfume de cera e dos lírios e rosas dispostos sobre uma brilhante mesa de mogno.

– Uau! Você fez milagres nesta casa – disse Cecily, enquanto Katherine lhe mostrava o quarto.

– Obrigada. Receio que seja mais para mim do que para Alice. Não suporto viver em meio ao caos. Até montei um canil temporário de malha de arame para prender os cães dela. Embora os macacos, que acham que isso aqui é a segunda casa deles, não possam ser contidos com tanta facilidade. Você acha que eu sou cruel?

– De jeito nenhum – respondeu Cecily. Uma das criadas apressou-se em pegar sua bolsa. – Por favor, diga a ela para não desfazer as malas. Não há nada além de minha camisola, escova de dentes, uma muda de roupa e roupa de baixo limpa.

– Acho que não vai adiantar – comentou Katherine, e então rugiu ordens para a garota, que parecia meio aterrorizada. – Todos eles se esquecem de que recebem um bom salário e são bem cuidados por Alice. Em troca, precisam fazer algum trabalho. Bem, você deve estar com sede. Há limonada caseira pronta na varanda.

– Sem champanhe? – ironizou Cecily, fingindo-se horrorizada, enquanto Katherine ria.

Elas se sentaram na varanda e Cecily admirou a vista dos pastos verdes espalhados diante dela e o brilho do rio correndo entre eles. Antílopes, cavalos e cabras passeavam livremente, e a brisa suave e fresca acariciava seu rosto.

– Como está Alice? – indagou Cecily, enquanto tomava um gole da deliciosa limonada.

– Não muito bem, infelizmente. Inseriram um dreno em seu estômago. William, quer dizer, o Dr. Boyle, acha que as dores podem ser resultado dos ferimentos à bala que ela sofreu em Paris há muitos anos.

– Ela vai ficar bem?

– Espero que sim, embora ela não tenha se cuidado.

– Meu Deus. Que vida complicada a de Alice. Ela deve ter amado muito aquele homem para querer matá-lo e depois a si própria.

– Já ouvi muitas versões da história, mas aparentemente Raymund lhe disse que não podia se casar com ela porque sua família havia ameaçado deserdá-lo se ele o fizesse. Ora, as coisas que as pessoas fazem por amor, não é? – Katherine suspirou. – Embora eu ache que também daria um tiro em Bobby se ele de repente anunciasse que não iria mais se casar comigo. Simplesmente não consigo imaginar minha vida sem ele.

– Então, quando e onde você vai se casar? – perguntou Cecily.

– Em menos de um mês, como devo ter mencionado. No que diz respeito ao lugar, tudo tem sido bastante complicado.

– Por quê?

– Bem, meu pai trabalha em uma missão em Tumutumu, do outro lado das montanhas Aberdare, e está lá há anos. Ele fala o idioma local fluentemente e, como você já deve ter ouvido, eu também. Ele gostaria que eu me casasse lá, mas a igreja é uma cabana, e não consigo imaginar gente como Idina e os outros daqui chegando ao casamento em suas roupas elegantes, especialmente se as chuvas começarem – explicou Katherine, dando uma risada.

– Bom, é o seu casamento, a decisão deve ser sua.

– Meu *e* de Bobby, sim, embora ele não se importe, desde que nos casemos logo. Mas você tem que entender que, ao chegarem ao Quênia, meus pais moravam na missão. Quando eu nasci, e como meu pai viajava muito para a selva africana para pregar o evangelho, minha mãe insistiu para que ele construísse uma casinha no vale para que eu pudesse pelo menos fazer alguns amigos.

– Faz sentido – concordou Cecily. – Então você cresceu entre dois mundos?

– Sim, suponho que sim. E, para ser sincera, amei os dois. Fui mandada para a escola quando tinha 10 anos, mas durante as férias passava a maior parte do tempo com mamãe, irritando Bobby aqui em cima, e depois ficava pelo menos duas semanas na missão com papai. O que me leva de volta ao problema de onde Bobby e eu devemos nos casar. Acho que finalmente chegamos a um acordo; vamos nos casar oficialmente na missão em Tumutumu, o que deixará meu pai feliz, e a festa será realizada no Muthaiga Club, no dia seguinte. A querida Alice insistiu em pagar pela festa como nosso presente de casamento, embora eu tenha sugerido que fosse mais útil um cheque para nos ajudar a mobiliar nossa nova casa. Ela continua uma romântica, mesmo depois dos desastres de seus próprios casamentos. E, claro, é uma boa desculpa para uma festa também – acrescentou ela, com ironia. – Só espero que ela esteja bem o suficiente para participar. Então, o que você acha?

– Acho que parece a solução perfeita. Aonde vocês vão na lua de mel?

– Ora, não vamos a lugar nenhum. – Katherine sorriu. – Vou me mudar para a antiga casa dos pais de Bobby, que, como eu já disse, está fazendo o possível para reformar antes do grande dia, coitado. Já será lua de mel suficiente. Além disso, reabastecer uma fazenda de gado é um negócio arriscado. Vou ajudar Bobby com os animais. Pelo menos vou poder colocar em prática todos os anos que passei em Dick's.

– Onde?

– A Faculdade de Veterinária Dick, em Edimburgo. Sou formada em veterinária, Cecily, o que certamente será útil para mantermos o gado saudável. Bill Forsythe, vizinho mais próximo de Bobby, e logo meu também, está nos ensinando sobre métodos modernos de criação de gado e os meandros da vacinação, banho de pesticidas e tudo mais. Existem muitas doenças com as quais se preocupar quando se tem animais em grande número juntos. Antraz, peste bovina, pleuropneumonia. Sem mencionar os leões, que vão tentar conseguir uma refeição gratuita – acrescentou Katherine. – Na realidade, convidei Bill para se juntar a nós para jantar hoje à noite. Devo avisá-la de que ele é realmente pitoresco.

– Tudo bem, estou me acostumando com os habitantes locais. Com certeza há algumas pessoas bem interessantes por aqui – comentou Cecily.

– Bill tem um relacionamento especial com a tribo Maasai, que tem muito a nos ensinar também, com seus remédios naturais desenvolvidos ao longo dos séculos.

– Os funcionários daqui são maasais? – perguntou Cecily, quando uma mulher saiu da cozinha com uma vassoura e começou a varrer a varanda coberta que cercava o pátio interno.

– Não, são kikuyus. Os maasais são nômades. Eles passam a vida com o gado, nas planícies. Os funcionários domésticos tendem a ser kikuyus, e Ada, como é conhecida aqui, foi recomendada por minha mãe e veio da missão quando Alice estava precisando de mais ajuda.

– Você acha que eles são bons criados?

– Sem dúvida, desde que tenham uma liderança firme. São pessoas muito leais, em geral. Agora, chega desses assuntos. Conte-me, o que você costuma fazer lá em Manhattan?

– Eu... Nada de mais. Eu estava noiva e, de repente, não estava mais.

– Ah, então você veio para superar um coração partido? Posso perguntar quantos anos você tem?

– Completo 23 este ano. Uma velha encalhada.

– De jeito nenhum! – Katherine riu. – Vou fazer 27. Você o amava?

– Eu pensava que sim, mas não quero mais saber de homens.

– Veremos. – Katherine sorriu, depois se levantou. – Bem, acho que está na hora do almoço.

Elas comeram um delicioso peixe com especiarias, que Katherine informou ter sido pescado do rio naquela mesma manhã.

– Já visitou a Casa Mundui? – sondou Cecily ao se lembrar da frieza discreta de Aleeki em relação à sua nova amiga.

– Não, minha mãe e meu pai desaprovam fortemente todo o pessoal do Happy Valley. Com exceção de Alice, é claro, por causa dos animais. Ouvi dizer que é linda e, obviamente, Kiki é muito generosa.

– É, sim, embora... Bem, estou preocupada com ela – confidenciou Cecily. – Ela não sai do quarto há dias. Só sei que está viva porque me escreveu uma carta hoje de manhã, antes de eu sair. Você por acaso sabe se ela sofre de alguma doença?

– Puxa, eu... Não, acho que não, Cecily. Agora, que tal irmos até os estábulos para um passeio? Vou lhe mostrar alguns dos pontos mais lindos da região.

Afastando a sensação de que Katherine sabia mais do que estava dizendo e a ideia de ter que cavalgar de novo – ela sabia que teria que voltar a montar, já que ia passar algum tempo no Quênia –, Cecily assentiu.

– Obrigada, eu adoraria.

Felizmente, o terreno era desafiador e, em vez de pensar na última vez que cavalgara com Julius, Cecily concentrou-se em guiar a égua ao longo da margem do rio. Ela absorveu o ar ameno e fresco, os sons dos pássaros e a luz do sol brilhando sobre o pacífico rio ao seu lado. Quando os cavalos pararam para beber água, Cecily admirou a vasta extensão verdejante do vale que se espalhava a seus pés.

– Sabe, parece até que a Inglaterra já foi colada ao Quênia aqui, uma terra só – comentou ela.

– É verdade, parece mesmo. Bem, Bobby e Bill vão chegar em breve, então devemos voltar.

Depois de se lavar como pôde na tigela de água quente colocada sobre a cômoda, Cecily botou um vestido de algodão limpo, arrumou o cabelo e voltou para a varanda a fim de se juntar a Katherine e observar o pôr do sol no vale. Enquanto ele desaparecia no horizonte, Cecily estremeceu ao sentir a brisa fresca que castigava a varanda. Enrolou o xale ao redor dos ombros, saboreando a sensação de não sentir calor.

As duas ouviram o barulho de motores se aproximando.

– Os meninos chegaram – disse Katherine, e Cecily a seguiu até a entrada, onde duas picapes conversíveis, com aparência de velhas, estacionaram.

Bobby desceu de uma delas, seguido por outro homem, que Cecily imaginou ser Bill.

– Como eu falei, Cecily, tente não se ofender com Bill. Ele se acostumou com os nativos ao longo dos anos e se esqueceu de como se comportar na companhia de outras pessoas – sussurrou Katherine, enquanto os dois homens se aproximavam.

De longe, Cecily ficou surpresa ao constatar como Bill era jovem e esbelto, mas, quando ele se aproximou, apesar dos abundantes cabelos louro-escuros, ela percebeu que havia linhas profundas gravadas em seu rosto bronzeado. Aumentou sua estimativa, supondo que ele tinha cerca de 40 anos. Ele também lhe parecia vagamente familiar.

– Olá, querido – cumprimentou Katherine, se aproximando para receber um beijo de Bobby. – Bill, como está?

– Muito bem, obrigado.

A voz dele era grave e bastante rouca, com um sotaque britânico.

– Esta é Cecily Huntley-Morgan, que chegou recentemente de Nova York – informou Katherine, enquanto todos caminhavam em direção à varanda.

Cecily sentiu os olhos azuis de Bill a avaliando, e então ele desviou o olhar.

– Coitada de você – disse ele, depois de alguns segundos. – Morando lá.

– Eu gosto de morar em Manhattan. É um lugar maravilhoso, e é o meu lar – respondeu Cecily, subitamente na defensiva.

– Todos aqueles edifícios ridiculamente altos, sem mencionar a quantidade de pessoas amontoadas naquela ilhazinha.

– Não ligue, Cecily. Ele está na selva há muito tempo, não é, Bill? – repreendeu Katherine.

Todos se acomodaram à mesa e ela ofereceu champanhe ou cerveja para os homens.

– Graças ao bom Deus – concordou Bill, aceitando uma garrafa de cerveja. – Como você sabe, Katherine, não sou muito fã de seres humanos.

Mais uma vez, o olhar estranho e quase hipnótico de Bill se voltou para Cecily.

– Quanto tempo você vai ficar aqui, antes de voltar correndo para a claustrofobia que chama de civilização?

– Ela ainda não sabe, Bill. Não é, Cecily? – interveio Katherine.

– Não, não sei – respondeu Cecily, pegando sua taça de champanhe.

Os modos grosseiros daquele homem a estavam irritando.

– Você já esteve na selva africana?

– Não.

– Então ainda não conheceu verdadeiramente a África.

– E nós encontraremos uma oportunidade para levá-la, certo, Bill? – falou Bobby.

Cecily notou que Bill estava olhando para algo embaixo da mesa.

– Bem... – disse ele, depois de algum tempo, erguendo os olhos e o copo para ela. – Pelo menos você não está usando aqueles ridículos sapatos de salto alto que as outras americanas, como aquela horrível Preston, insiste em usar.

Cecily quase se engasgou com o champanhe. Ela olhou para Katherine, implorando em silêncio por alguma orientação.

– Kiki é a madrinha de Cecily, Bill – comentou Katherine, sem se exaltar. – Agora, pelo amor de Deus, pare de aterrorizar a pobre menina. Ela não é nada parecida com a madrinha. E não a julgue só por ser americana. Nunca julgue um livro pela capa, lembra? Então, como foi tudo hoje?

Cecily ouviu sem entusiasmo enquanto Bobby descrevia o leilão de gado do qual haviam participado e quantas cabeças ele conseguira comprar.

– Ele se saiu bem – disse Bill, a primeira frase positiva que Cecily ouviu sair da boca do sujeito desde que ele chegara. – Conseguiu o Boran por um bom preço.

– Com a sua ajuda, claro. Eles sabem que não podem enganá-lo. Bill é famoso na área por seu conhecimento de gado – explicou Bobby a Cecily.

– E qual é a sua área de conhecimento, Srta. Huntley-Morgan? – perguntou Bill.

– Nada de muito importante – respondeu Cecily, dando de ombros, ainda ofendida pela grosseria em relação a ela e sua madrinha.

– Ah, não diga isso, Cecily. Não deixe Bill desanimá-la. – Katherine lançou ao homem um olhar duro. – Ele faz isso com todo mundo no primeiro encontro.

– Como você sabe, eu não vivo em uma sociedade civilizada há muito tempo.

– Com prazer, tenho certeza. – Bobby revirou os olhos e piscou para o vizinho. – Bem, nós dois estamos morrendo de fome. O que tem para o jantar?

Durante o jantar, Cecily agradeceu que a atenção de Bill tivesse se desviado dela enquanto os outros conversavam sobre em quanto tempo Bobby poderia obter lucro na fazenda de gado *versus* em quanto tempo ele conseguiria adiar o pagamento do empréstimo do banco.

– O negócio se resume principalmente a quanto tempo você está disposta a deixar Bobby passar com os animais nas colinas ou nas planícies durante a estação das chuvas, Katherine. Eu só me ausentei por uma semana, em novembro passado, porque tinha negócios para resolver em Nairóbi, e devo ter perdido pelo menos umas cem cabeças.

– Para quem? – perguntou Cecily, interessada na conversa pela primeira vez.

– Para os maasais, é claro.

– Eu pensei que eles cuidavam do seu gado, trabalhavam para você...

– Alguns, sim, mas existem muitos clãs de maasais nessas redondezas. Os maasais consideram que todas as vacas no Quênia pertencem a eles. Elas são sagradas para a tribo, entende? E, mesmo que raramente matem o gado, eles podem trocá-lo por milho e vegetais com os outros clãs.

– Mas as vacas são suas?

– Tecnicamente, sim, mas os negócios dos *mzungus* pouco significam para eles.

– *Mzungu* é o termo local para uma pessoa branca – explicou Katherine.

– Você não pode demiti-los e encontrar outras pessoas para cuidar de seu gado? – perguntou Cecily.

Bill a encarou.

– Não, Srta. Huntley-Morgan, não posso. Tenho um excelente relacionamento com eles. Muitos se tornaram meus amigos. E, se o preço que devo pagar for de algumas dezenas de cabeças de gado por ano, que assim seja. Os maasais estavam aqui primeiro e, apesar de várias tentativas das autoridades de retirá-los e cercá-los, eles continuam com sua tradicional vida nômade. Eles têm uma relação simbiótica com as vacas; drenam o sangue delas e bebem, acreditando que isso lhes trará força e bem-estar.

– Isso me parece repugnante – retrucou Cecily.

– Bem, pelo menos as vacas não gostam de sangue humano, ao contrário dos leões – replicou Bill.

– Ainda não vi nenhum leão ou elefante.

Bill a observou em silêncio, como se estivesse pensando em algo, e depois de algum tempo disse:

– Estou indo para a selva amanhã, Srta. Huntley-Sei-Lá-Mais-o-Quê. Gostaria de ir junto? Ou vai se acovardar, agora que foi convidada?

– Ah, Cecily, você tem que ir! Vamos com você, é claro! – gritou Katherine rapidamente. – Bill me levou lá quando eu tinha 11 anos. Você se lembra do que me falou na época, que aquela era a idade em que as meninas maasais se tornavam mulheres?

– Aos 11?! – exclamou Cecily.

– Muitas delas estão casadas e grávidas aos 12 ou 13 anos, Srta. Huntley--Alguma-Coisa – disse Bill.

– Ah, por favor! Me chame de Cecily.

Ela suspirou, exasperada ao perceber que ele estava fazendo tudo para irritá-la.

– Será que devo? Detesto esse nome. Tinha uma tia-avó que morava em West Sussex. Mesmo ela sendo horrorosa, meus pais sempre mandavam meu irmão mais velho e eu passarmos as férias de verão com ela. Ela se chamava Cecily.

– Peço desculpas por trazer de volta lembranças tão ruins. Mas não posso ser responsabilizada por isso, posso?

– Francamente, Bill – advertiu Katherine –, deixe a pobre menina em paz.

Só que Bill ainda a estava encarando. E naquele olhar, depois de fazer menção a West Sussex, Cecily finalmente percebeu quem ele era.

– E seu nome é Bill? Bill Forsythe?

– Sim, também tenho um bom e forte nome britânico.

– Seu irmão é major, não é? E ele mora onde você disse que sua tia-avó morava, em West Sussex?

– Sim. Ele mora lá mesmo. Como você sabe?

– Eu o conheci recentemente na Inglaterra.

Cecily ficou satisfeita por talvez ter abalado Bill momentaneamente.

– É mesmo? Onde e quando?

– Em Woodhead Hall, em Sussex, cerca de três semanas atrás. Eu era convidada de lady Woodhead, e ele mora nas proximidades.

– Bem, estou abestalhado, como diria o major. Meu querido irmão mais velho veio visitar o Quênia quando me mudei para cá, e correu atrás de todo rabo de saia que encontrou no Muthaiga Club, mesmo tendo uma esposa muito agradável. Você é casada?

– Não.

– Como você, Bill, ela não está interessada no amor – anunciou Katherine, do outro lado da mesa, dando a Cecily um olhar tranquilizador.

– Esta é uma afirmação e tanto, se posso opinar. – Bill ergueu uma sobrancelha. – Principalmente na sua idade. Levei 38 anos para perceber que o amor é um mito. Enfim... – Bill levantou-se e virou-se para Bobby: – Como temos que acordar cedo amanhã, você e eu deveríamos ir embora.

– Claro. – Bobby assentiu, depois se levantou, e Cecily teve a nítida impressão de que ele tinha uma enorme admiração pelo amigo. – Então, você vai enfrentar seu primeiro safári, Cecily?

– Ah, diga que sim – pediu Katherine, enquanto todos seguiam até a entrada. – Os criados podem passar uma noite sozinhos e faz muito tempo que não entro na selva.

– É melhor avisar à sua amiga americana que não é tão glamoroso quanto os safáris que sua madrinha pode ter descrito. – Bill ignorou Cecily no caminho até os automóveis. – Não há canapés, champanhe e criados; apenas um cobertor, uma tenda improvisada e uma fogueira sob as estrelas.

– Nós vamos orientá-la, Bill. Então, Cecily, é um sim?

Três pares de olhos a encararam.

– Eu... Certo. Eu adoraria.

– Que bom – disse Bill. – Vejo todos vocês em minha casa amanhã de manhã às sete em ponto. Obrigado pelo jantar, Katherine. Não é sempre que como uma refeição caseira.

– Até logo, meu amor. – Katherine beijou Bobby quando ele entrou na picape estacionada ao lado da de Bill. – Até amanhã bem cedinho.

Cecily e Katherine acenaram e depois caminharam de volta para a casa.

– Precisamos prepará-la – comentou Katherine. – Alice tem muitas roupas de safári e vocês devem ser mais ou menos do mesmo tamanho.

– Obrigada. Tenho que admitir que estou um pouco nervosa, especialmente em relação a Bill. Ele deixou claro que não gosta de mim – afirmou Cecily, quando entraram no corredor.

– Nossa, acho que ele não desgosta nem um pouco de você. Essa foi a maior atenção que eu o vi dar a uma mulher em muito tempo.

– Bem, se essa é a ideia dele de atenção, não admira que nunca tenha se casado. Ele é tão rude!

– Curiosamente, pelo que ouvi, ele também fugiu para a África para superar um coração partido. Isso foi quase vinte anos atrás e eu nunca ouvi uma vírgula de fofoca sobre ele desde que chegou aqui. Ele é muito reservado, se você me entende. E é bastante atraente, você não acha?

– Não acho, não – respondeu Cecily. As duas taças de champanhe que bebera para enfrentar a noite a fizeram confessar sem rodeios. – Tudo o que ele fez foi me insultar.

– Bem, Bill é assim mesmo, mas você não poderia estar em mãos mais seguras na sua primeira viagem à selva africana. Ele conhece o território e os perigos melhor do que qualquer outro homem branco. Agora – Katherine abafou um bocejo –, tenho que colocar os cães no cercado e encontrar aquele mangusto irritante de que Alice gosta tanto. Eu o alimentei hoje de manhã e não o vi o dia todo. Também preciso procurar roupas adequadas para nós duas. Boa noite, Cecily. Vejo você amanhã bem cedo.

– Boa noite, e muito obrigada por hoje.

Quando Katherine saiu para a noite fria, a fim de reunir os onipresentes cães, Cecily fechou a porta do quarto, caminhou até a cama e se deitou. Imaginou qual teria sido o desgosto que transformara Bill em um homem que parecia ter pouca confiança na humanidade. E por certo menos ainda nas mulheres...

Tirando os sapatos e desabotoando o vestido, Cecily ficou contente ao ver o edredom, pois estava mesmo com frio. Aconchegando-se sob a coberta, estendeu a mão e sentiu algo quente e peludo. Dando um gritinho, olhou sob as cobertas e viu que era o bebê mangusto que conhecera em sua última visita ali. Ele obviamente estava se escondendo sob o edredom. Patas minúsculas rastejaram sobre o peito dela e depois descansaram na curva entre seu pescoço e seu ombro.

Cecily sorriu ao pensar na reação de sua mãe se pudesse vê-la naquele instante. Um animal selvagem – provavelmente cheio de pulgas e piolhos – enroscado nela, em sua cama. No entanto, a respiração do animal era reconfortante e Cecily ficou secretamente satisfeita por ele ter procurado o *seu* quarto como refúgio. Quanto a Bill e as complexidades da noite, Cecily estava cansada demais para pensar nisso.

Mas se eu decidisse ficar, definitivamente moraria aqui no Wanjohi Valley. E, com esse pensamento, ela adormeceu.

Electra

Nova York

Abril de 2008

16

Olhei para minha avó, cujas mãos estavam cruzadas elegantemente no colo. Seus olhos estavam fechados e imaginei que ela ainda estivesse em outro mundo. Um mundo tão diferente daquele em que estávamos de fato que era difícil compreendê-lo. Finalmente, ela abriu os olhos e eu a vi tremer enquanto trazia seu corpo e sua mente de volta ao presente.

– Uau. África – falei, levantando-me e indo me servir de outro copo de vodca. – Algum dia, eu gostaria de entender como me encaixo na história e por que meus pais me deixaram para adoção.

– Eu sei, mas há muito mais para contar antes de chegarmos a isso. Preciso explicar a você quem era Cecily e o que aconteceu com ela, para você entender tudo. Tenha paciência, Electra – acrescentou ela com um suspiro.

– É, essa não é uma das minhas maiores qualidades. Essa tal de Cecily parece mesmo ter passado por momentos difíceis. Aquele cara inglês era um filho da mãe.

– Electra, você precisa mesmo xingar? Há muitas palavras em nossa língua que descrevem o que o homem era de maneira muito mais adequada.

– Desculpe.

Vi que ela estava me observando com aqueles olhos penetrantes.

– Quer uma? – ofereci.

– Como falei, não bebo álcool. E você também não deveria. Essa é a quarta dose gigantesca de vodca que você toma desde que cheguei.

– E daí? – respondi, dando um gole. – E quem é você para vir aqui me dizer o que fazer ou dizer ou beber?! Aliás, como foi que você apareceu na minha vida do nada?! Onde você estava quando fui adotada?!

Stella se levantou.

– Está indo embora? – perguntei.

– Sim, Electra, porque você está completamente fora de si, como seu pai me contou. Não apenas está bebendo, como também, quando disse que precisava ir ao banheiro, pude ver nos seus olhos que voltou depois de cheirar uma ou duas carreiras de cocaína. E eu provavelmente desperdicei saliva contando tudo isso esta noite, porque você nem sequer vai lembrar amanhã. Estou aqui porque sou do seu sangue e porque seu pai me enviou a você. E, junto com ele, estou implorando para que consiga ajuda antes que seja tarde demais e destrua sua juventude. Duvido que você queira me ver novamente, pois vai ficar com raiva de mim por ter dito tudo isso. Você está em negação agora, mas um dia, em breve, chegará ao fundo do poço, e quando isso acontecer, me ligue e eu estarei do seu lado. Ok? Agora, adeus.

Dito isso, ela atravessou a sala, abriu a porta do apartamento e saiu, fechando-a com uma pancada.

– Uau! – Eu ri comigo mesma. – Não acredito!

Fui até o bar para pegar mais vodca e vi que a garrafa estava vazia. Tirando outra do armário logo abaixo, enchi um copo e engoli tudo. *Meu Deus! Ela é muito maluca! Como ela ousa vir aqui me acusar dessas coisas, sem nunca ter me visto antes?! Quem ela pensa que é?! Ninguém nunca falou comigo assim.*

Ela é sua avó, do seu sangue...

– E que merda foi aquela de Pa tê-la "enviado"? – perguntei para o cômodo vazio. – Pa está morto, não está?

Senti a raiva crescendo dentro de mim e fui cheirar outra carreira para tentar melhorar meu humor. A raiva era perigosa: me fazia dizer e fazer todo tipo de idiotice. Tipo ligar para Mitch e dizer tudo que pensava dele.

– Talvez eu devesse ligar para a noiva dele e contar a ela algumas boas verdades – falei, parando na frente das janelas e olhando a linha do horizonte de Nova York.

Meu coração estava acelerado e minha cabeça parecia que ia explodir.

– Deus do céu! Por que minhas irmãs têm parentes doces e fofos e eu descubro uma avó dos infernos?

Comecei a soluçar alto e caí de joelhos.

Por que ninguém me ama? E por que todos me abandonam...? Eu só preciso dormir. Realmente preciso dormir.

Sim, aquela era a resposta. Daria um jeito de dormir. Levantei-me do chão, levando o copo de vodca comigo, e cambaleei até o quarto. Abri minha gaveta de cabeceira e encontrei o frasco de comprimidos para dormir que um médico me receitara recentemente, quando tive dificuldades com jet lag. Abri a tampa e joguei o conteúdo no edredom. Engoli dois com vodca porque um não fazia mais efeito, então deitei a cabeça no travesseiro e fechei os olhos. Mas minha cabeça girou e tive que abri-los novamente. Desejei que Maia estivesse comigo para me contar histórias, como ela havia feito no Rio.

– Ela me ama, eu sei que ela ama – choraminguei.

Tentei fechar os olhos outra vez, mas lágrimas escorreram e o quarto ainda estava girando, então me sentei e peguei outros dois comprimidos.

– Quero falar com Maia – declarei, e saí da cama para procurar meu celular. – Onde você está? Preciso ligar para minha irmã! – falei, soluçando, enquanto procurava pelo aparelho.

Finalmente o encontrei em cima do bar, perto da garrafa de vodca. Peguei as duas coisas e escorreguei para o chão, pois estava me sentindo muito tonta. Consegui encontrar o número de Maia, embora minha visão estivesse embaçada, e pressionei o botão para ligar. Chamou algumas vezes e caiu na caixa postal.

– Maia, é Electra – falei, entre soluços. – Preciso que você me ligue de volta. Por favor, me ligue.

Observei meu celular, desejando que ele tocasse, e, como não tocou, joguei-o do outro lado da sala.

Então, ele *tocou* e eu tive que rastejar pelo chão para alcançá-lo.

– Alô?

– É Maia, Electra. O que aconteceu, *chérie*?

– Aconteceu tudo! – Eu chorei ainda mais ao ouvir o som da voz gentil da minha irmã. – Mitch mandou minhas coisas que estavam na casa dele porque vai se casar com outra pessoa, e eu acabei de conhecer minha avó, e ela é uma bruxa e... – Balancei a cabeça e limpei o nariz escorrendo com o braço. – Só quero dormir por muito tempo, sabe?

– Ah, Electra, eu queria estar aí. O que posso fazer?

– Não sei. – Dei de ombros. – Nada, ninguém pode fazer nada.

Ao falar, percebi que era verdade.

– Desculpe incomodar, eu vou ficar bem... Tomei alguns comprimidos e vou dormir logo. Tchau.

Encerrei a ligação e levei a garrafa de vodca de volta para a cama comigo, deixando o celular onde estava. Tomei mais dois comprimidos, porque eu *tinha* que dormir, e me enrolei como um feto desejando nunca ter nascido.

– Ninguém me quer mesmo.

Engoli em seco quando finalmente minhas pálpebras começaram a pesar e eu adormeci.

❁ ❁ ❁

– Electra? *Electra*, fale comigo! Você está bem?

A voz veio de longe, como se estivesse abafada por uma grande nuvem escura que pairava sobre mim.

– Hum – consegui responder, sentindo a escuridão descer; então alguém me deu um tapa no rosto.

– Sabe quantos ela tomou? – disse uma voz masculina familiar, mas não consegui identificar.

– Não faço ideia. Devo ligar para a emergência?

Senti alguém segurar meu pulso e pressionar os dedos contra ele.

– O pulso dela está lento, mas firme. Vá pegar um pouco de água na cozinha e traga um pouco de sal. Precisamos fazê-la vomitar.

– Está bem.

– Electra, quantos comprimidos você tomou? – A voz masculina bradou no meu ouvido. – Electra!

– Alguns... – consegui dizer.

– Quantos exatamente?

– Quatro... seis... – respondi, com a voz arrastada. – Não conseguia dormir, sabe...

– Ok, ok.

– Não é melhor chamar uma ambulância, Tommy?

– Ela está consciente e conversando. Se conseguirmos que vomite, ela vai ficar bem. Certo, esvazie esse sal na água e mexa. Isso, Electra, vamos sentar. A menos que queira ir para a sala de emergência de um hospital e deixar o mundo inteiro vê-la entrar em uma maca, você vai fazer exatamente o que eu digo. Certo, aqui vamos nós.

Senti um par de braços fortes me erguer, e o mundo começou a girar novamente.

– Eu vou vomitar! Merda!

E vomitei, em cima de mim mesma e no chão.

– Pegue uma tigela! – berrou a voz masculina, quando vomitei novamente. – Você está indo muito bem, querida. Nem tivemos que lhe dar água salgada – disse ele, enquanto eu vomitava um pouco mais. E depois mais um pouco.

– Preciso me deitar, por favor, me deixe deitar!

– Ainda não. Você vai se apoiar em mim e eu vou colocá-la de pé, depois vamos andar, ok?

– Não, por favor, me deixe deitar.

– Mariam, peça um café bem forte. Você está indo muito bem, Electra – afirmou a voz, enquanto me ajudava a ficar de pé.

Então me curvei e vomitei mais uma vez.

– Quem é você? – perguntei, minha cabeça pendendo para a frente e meu corpo tão mole quanto o de uma boneca de pano.

– Eu sou Tommy, o cara que fica do lado de fora do seu prédio, lembra? Sou seu amigo e sei o que estou fazendo, então confie em mim. Agora vamos andar, está bem? Um pé na frente do outro... Isso, muito bem, querida, continue. Você pediu o café, Mariam?

– Está chegando.

– Ótimo. Agora vamos sair para o terraço e respirar ar fresco, ok? Aqui vamos nós. Cuidado com a porta... Ótimo! Estamos do lado de fora.

– Posso me sentar agora? Estou tão tonta...

– Primeiro vamos andar um pouco mais e depois vamos nos sentar e você pode tomar uma boa bebida quente.

O ar fresco começou a fazer efeito enquanto Tommy me acompanhava de um lado para outro no terraço. Abri os olhos e cambaleei enquanto ele contava nossas respirações.

– Você está indo muito bem! Está se sentindo melhor?

– Um pouco.

– Ok, ótimo. Vamos nos sentar aqui.

Ele me colocou em uma cadeira e, segundos depois, senti um forte cheiro de café entrando pelas minhas narinas, o que me fez ter mais ânsias de vômito.

– Acho que você não tem mais nada para vomitar – concluiu ele. – Aqui está o café, meu bem.

Pela primeira vez, eu me concentrei no rosto dele e segurei a xícara que estendia para mim.

– Vou limpar o quarto – disse uma voz feminina, que reconheci como a de Mariam.

– Não! Por favor, não. É nojento!

– Não se preocupe, Electra. Tenho cinco irmãos mais novos. Estou acostumada – comentou ela alegremente, voltando para dentro.

– Tome, Electra. Vai ajudar.

Eu obedeci, mas derramei boa parte do café porque minhas mãos tremiam muito.

– Deixe que eu lhe dê na boca. Aqui.

Tommy levou a xícara aos meus lábios e tomei pequenos goles, enquanto minha cabeça começava a clarear.

– Como você chegou aqui? – perguntei a ele.

– Mariam veio ver você, porque sua irmã ligou para ela em pânico. Eu estava lá fora e ela me contou que sua irmã achava que você podia ter tido uma overdose. Ela queria ligar para a emergência, mas eu disse que daria uma olhada em você primeiro, porque tenho algum treinamento médico dos meus tempos no Exército e sei que você não ia querer ir para o hospital, ia?

– Não, e obrigada, Tommy. Estou tão envergonhada. Isso foi *tããããão* nojento.

– Deixa disso, sou veterano de guerra e já vi vários caras se drogando depois que voltaram à vida civil. Também fiquei nessa por um tempo.

– Certo, bem, obrigada de novo. – Meu estômago se revirava com os resquícios de tudo que eu havia ingerido e com a ideia que Tommy devia fazer de mim. – Hoje não estou nenhuma deusa, não é?

– Ah, Electra, você é feita de carne e osso, como todos nós. Um ser humano, certo?

Olhei para mim mesma, minha calça jeans coberta de vômito, e senti repulsa ao ver a que nível eu havia chegado.

– Vou tomar banho, se você me der licença.

– É claro. Precisa de ajuda para chegar lá?

– Não, obrigada, eu consigo sozinha.

Levantei-me, ainda vacilante, mas capaz de atravessar a sala de estar sem ajuda.

– Estou quase terminando aqui – avisou Mariam, saindo do quarto. – É melhor você dormir no quarto de hóspedes hoje; o cheiro de desinfetante é bem forte.

– Certo, obrigada.

No chuveiro, esfreguei minha pele até ficar quase vermelha, como se os produtos químicos que eu havia ingerido a tivessem infectado também. Saí, me enrolei em uma toalha e me sentei pesadamente no vaso. Só queria poder ficar ali e não enfrentar a bagunça que eu tinha feito nem as pessoas que tentavam me ajudar.

– Você é podre, Electra – sussurrei, esfregando as mãos nas coxas nervosamente. – Eles estão certos; você precisa de ajuda. Você. Precisa. De. Ajuda.

Ao dizer isso, tive uma repentina sensação de liberdade, ou de alívio, ou de *alguma coisa* melhor do que sentira nas últimas semanas.

– Seja honesta, Electra, nesse último *ano*...

Foram as palavras de Tommy que mexeram comigo, pensei.

Você é feita de carne e osso, como todos nós. Um ser humano... E ele estava totalmente certo, porque eu era.

Houve uma batida à porta do banheiro.

– Tudo bem aí? – perguntou Mariam.

– Sim, tudo bem.

– Maia está ao telefone, querendo falar com você. Pode atender?

– Sim. – Levantei, fui até a porta e a abri. Mariam me entregou o celular enquanto eu voltava para o quarto. – Obrigada, Mariam. Maia?

– Ah, Electra! – ecoou a voz suave de Maia. – Graças a Deus você está bem! Fiquei tão preocupada quando disse que queria apenas dormir. Eu...

– Eu não estava tentando me matar, Maia. Só queria dormir mesmo. Nada além disso, juro.

– Mariam disse que você está bem agora, mas que não estava quando ela chegou.

– Não, não estava. Tomei comprimidos demais por engano, só isso.

– Sua voz estava horrível, então liguei para ela logo que você desligou e pedi que fosse ver se você estava bem.

– Sim, eu sei. Obrigada por fazer isso.

– Electra, eu...

– Antes que você me diga que preciso de ajuda, eu sei que preciso. *E...* – Engoli com dificuldade, *muita* dificuldade – ... se você puder me dar os detalhes da clínica que mencionou para Mariam, ela pode pesquisar quando me internar.

Houve uma pausa na linha, ouvi alguns sons, e percebi que Maia estava chorando.

– Ai, meu Deus! Que ótimo! Eu estava tão preocupada, todo mundo estava. É uma coisa muito corajosa de se fazer, admitir que você precisa de ajuda. Estou orgulhosa de você, Electra, de verdade.

– Bem, não estou dizendo que vai funcionar, mas pelo menos posso tentar, certo?

– Sim, pode mesmo. – Ouvi Maia assoando o nariz. – Você se importa se eu contar para Ma e Ally? Elas também estão preocupadas.

– *Só* para Ma e Ally. Sim, pode contar. E me desculpe por ter deixado todas vocês preocupadas.

– Bem, nós nos preocupamos porque te amamos, irmãzinha. E te amamos muito, muito mesmo.

– Ok, eu vou deligar agora, antes que você me faça chorar também. Vou passar para Mariam. Tchau, Maia, e obrigada de novo. – Passei o celular para Mariam, dizendo casualmente: – Maia quer lhe dar os detalhes de uma clínica de reabilitação no Arizona. Quero ir o mais rápido possível.

Antes que ela pudesse reagir, vesti meu roupão e saí do quarto, que fedia a todas as razões pelas quais eu precisava voar para o Arizona no dia seguinte, e voltei ao terraço para ver Tommy.

– Olá, Electra – disse ele, virando-se para mim; estava debruçado sobre a balaustrada de vidro. – Que vista deslumbrante você tem daqui de cima.

– É verdade. Poderia pegar um pouco de água? Estou com sede.

– Claro, pode deixar.

Ele voltou com água para nós dois.

– Saúde. – Encostei meu copo no dele e nós dois bebemos. – Preciso agradecer novamente por sua ajuda esta noite.

– Ei, você é minha rainha! Fiquei feliz em ajudar, sempre ficarei.

– Na verdade, eu estava pensando em algo que você falou, sobre ser apenas humana. Isso colocou muitas coisas em perspectiva. Não tem problema em admitir fraqueza, não é?

– Claro que não.

– Acabei de dizer à minha irmã que vou para uma clínica de reabilitação que ela havia sugerido, o mais rápido possível. Estou cansada de estragar tudo.

– É uma ótima notícia, Electra, embora eu vá sentir sua falta enquanto estiver fora.

– Espero que não demore muito. De qualquer jeito, Tommy... – apressei-me em responder, sem querer pensar na realidade da minha decisão. – Você foi ótimo.

– Não vai ser fácil, falo por experiência própria, mas você acabou de fazer a parte mais difícil, admitindo que precisa de ajuda. Se eu pudesse voltar no tempo... – Ele deu de ombros. – Bem, eu voltaria. Você ainda não perdeu nada, e eu juro, a vida fica cada vez melhor quando você está limpo. Bem, acho que está na hora de eu ir.

– Tudo bem – disse, enquanto ele se levantava. – Vejo você quando voltar, Tommy.

– Boa sorte, Electra. Estarei com você em pensamento o tempo todo, prometo.

Ele me deu um último sorriso e voltou para dentro do apartamento.

– Oi – disse Mariam, aparecendo na varanda alguns minutos depois.

– Oi.

– Então... falei com Maia e liguei para a clínica. Eles mantêm alguém na recepção 24 horas por dia, sete dias por semana. E, sim, eles têm um quarto, portanto você pode ir para lá amanhã. Fiz outra ligação para a empresa de jato particular e há um disponível na pista do aeroporto de Teterboro às dez da manhã.

– Certo. A clínica mencionou quanto tempo eu tenho que ficar?

– A senhora com quem falei disse que a estadia média é de um mês, por isso fiz uma reserva por esse tempo.

– Um mês! Caramba, Mariam, o que vamos contar para as pessoas? Quer dizer, elas não podem saber a verdade.

– Susie sabe, porque eu liguei para ela também. Você não é a primeira modelo com quem ela trabalha que fica... doente. Ela mandou um beijo e disse que está muito feliz por você ter tomado essa decisão. Ela está acostumada a lidar com essas situações. Só vai dizer aos clientes que você está sofrendo de exaustão e precisa fazer uma pausa.

– E eles *não vão* acreditar nisso... – murmurei sombriamente.

– Quem se importa com o que eles acreditam? O mais importante é que sua agenda estará cheia como sempre quando você voltar. Você é uma das melhores modelos do mercado, senão a melhor. E é uma ótima profissional, Electra. Todo mundo comenta isso.

– Verdade? – perguntei, levantando uma sobrancelha.

– Sim! Você nunca se atrasa para uma sessão, sempre é educada com todos e trata todo mundo com respeito, ao contrário de outros modelos que eu poderia citar.

– Então por que *eu* acho que sou horrível?

– Será que é porque você está *se sentindo* horrível? – sugeriu Mariam, suavemente. – A boa notícia é que você nunca deixou isso transparecer em público. E é criativa. Lembra aquele trabalho para a *Marie Claire*, quando eles não conseguiam encontrar o visual certo e você simplesmente se levantou, pegou aquela toalha de mesa com motivos africanos da equipe de bufê e se enrolou nela? Ficou incrível e salvou o dia!

A campainha tocou e Mariam pulou para atender. Ela fez uma expressão estranha, quase como se se sentisse culpada.

Eu a ouvi conversando com alguém na sala e me levantei para ver quem era o novo visitante.

– Olá, Electra – disse minha avó. – Como está se sentindo?

– Eu... Bem. – Fiz uma careta, sentindo a raiva subitamente crescer dentro de mim outra vez. – Por que você está aqui?

– Liguei para a sua assistente depois de sair daqui – comentou Stella. – Lembra que você me deu o número dela?

– Sim, mas...

– Falei que estava preocupada e que minha visita poderia ter afetado você ainda mais. Perguntei a ela se você estava bem. E pedi que me ligasse, se não estivesse.

– E quando você não estava, quer dizer, quando a encontramos inconsciente, eu liguei para ela. – Vi um rubor subir pelo pescoço de Mariam quando ela interpretou a expressão no meu rosto. – Stella é sua avó, Electra, ela quer ajudar.

– Electra, por favor... – Stella caminhou em minha direção e tomou minhas mãos. – Só estou aqui para apoiá-la. Não para lhe dar um sermão. Mariam me contou que você decidiu ir atrás de ajuda. Estou muito orgulhosa de você.

Eu estava começando a sentir como se tivesse vencido algum tipo de competição na escola, em vez de apenas admitir que era viciada.

– Obrigada – respondi ao sentir a pressão de suas mãos frias e calmas nas minhas. – Mas é tarde e todos devemos ir dormir.

– Bem, que tal deixar Mariam ir para casa e eu ficar por um tempo, caso você precise de companhia?

Vi Mariam e minha avó se entreolharem e fiquei irritada.

– Vai ficar aqui para garantir que eu não mude de ideia e entre em um voo para Timbuktu antes de amanhã, não é?

– Talvez. – Stella me deu um sorriso que fez seus olhos, tão parecidos com os meus, brilharem. – Isso às vezes acontece. O mais importante é que eu desejo que você passe bem a noite.

– Você quer dizer, garantir que não vou beber ou me drogar?

– Isso também. Agora, Mariam, você já fez o suficiente e precisa ir para casa. Tenho certeza de que Electra está muito grata, não é?

– Claro que sim! Mariam sabe disso.

– Certo. – Mariam sorriu para mim. – Bem, vejo você aqui às oito da manhã. Já arrumei uma mala com a maior parte do que você precisa, o que não é muito. Boa noite.

Stella e eu ficamos em silêncio enquanto Mariam deixava o apartamento.

– Essa menina é uma joia, Electra.

– Eu sei, ela é muito eficiente.

– Ela é uma joia porque se importa de verdade com você. E é isso que realmente conta.

– Escute, você não precisa ficar. Prometo que vou me comportar. Vou direto para a cama, como uma boa garota, vou acordar cedo e bem-disposta e vou para o aeroporto.

– Eu sei que não preciso ficar, mas eu quero. Pelo menos um pouquinho.

– Bem, vou ao banheiro e depois vou dormir. – Eu a encarei seriamente. – E não, não vou cheirar enquanto estiver lá.

Alguns minutos depois, eu estava na cama do quarto de hóspedes, pensando em quanto estava exausta. Quando apaguei a luz, ouvi uma batida à porta.

– Entre.

– Eu só... Bem, eu queria dar boa-noite para minha neta pela primeira vez em 26 anos. Posso?

– Claro.

Ela se aproximou e deu um beijo suave em minha testa. Olhei para ela, sua silhueta contra a luz que vinha da porta entreaberta.

– Por que não me procurou antes?

– Porque eu não sabia que você existia até recentemente.

– Por quê?

– Essa, minha querida Electra, é uma longa história, e não dá para contar a esta hora da noite.

– Você disse... você disse que Pa a enviou para mim?

– Sim, isso mesmo.

– Mas ele está morto.

– Está, e que descanse em paz.

– Então, como?

– Você se lembra de quando o encontrou em Nova York... Mais ou menos um ano atrás?

– Sim, jantamos juntos e foi um desastre.

– Eu sei, ele me falou. Na verdade, ele tinha vindo me ver, além de visitar você. Ele havia conseguido me rastrear depois de todos esses anos e queria me conhecer pessoalmente. Acho que ele já sabia que estava muito doente. Ele me explicou quanto estava preocupado com você e me pediu que a contatasse se ele não estivesse mais aqui para fazer isso. Seu advogado, o Sr. Hoffman, entrou em contato comigo pelo correio, em julho, para me informar da morte dele, mas fiquei no exterior por vários meses e não recebi a carta até voltar, em março. Foi quando escrevi para a sua agente.

– Ah, entendi.

Meus olhos estavam pesados de cansaço.

– De qualquer forma, foi uma noite muito difícil para você, querida, e tem mais coisas por vir. Durma um pouco. Quer que eu vá embora?

O estranho era que, agora, eu sabia que Pa confiara nela, *não* queria que fosse embora. Aquela mulher, que eu não conseguia entender, tinha sido enviada por ele para cuidar de mim. Isso realmente me deu uma sensação de conforto.

– Talvez daqui a pouco?

– Tudo bem – concordou ela, sentando-se na poltrona no canto do quarto. – Que tal se eu cantar até você dormir, como minha *Yeyo* costumava fazer? Feche os olhos e imagine o céu cheio de estrelas nas planícies da África.

O Rei Leão, que sempre fora meu filme favorito da Disney, imediatamente surgiu em minha mente, em especial porque "vovó" (será que eu a chamaria assim um dia?) começou a cantarolar com palavras que eu não entendia. Mas a voz dela era tão profunda, melodiosa e agradável que fechei os olhos e *vi* aquele vasto céu estrelado. Sorri, experimentando uma calma que havia tempos não sentia. E, com a voz dela me embalando, peguei no sono.

❁ ❁ ❁

– Electra, é hora de levantar. Mariam já chegou.

Abri os olhos, frustrada porque não me lembrava de já ter dormido tão profundamente, e agora alguém estava tentando me fazer acordar. Virei de lado, balançando a cabeça.

– Electra, você precisa acordar, querida. O carro já está lá embaixo, esperando para levá-la ao aeroporto.

Quando me rendi e despertei, lembrei por que eu estava sendo acordada. *Nããão...*

– Eu não quero ir... Por favor, me deixe ficar. Já estou me sentindo melhor... – murmurei.

Minhas cobertas foram puxadas e braços fortes me colocaram sentada.

– Você *tem* que ir, Electra. Agora, vista isto.

Olhei para minha avó, que estava segurando minhas calças largas de cashmere, e bati com os punhos na cama.

– Quem é você para me dizer o que fazer?! – rosnei. – Eu nem sabia que você existia por 26 anos da minha vida, de repente você aparece e começa a me dar ordens!

– Bem, alguém tem que fazer isso. Olhe para a bagunça em que você se meteu sem ter ninguém para lhe dar ordens.

– Saia daqui! Saia! – gritei para ela.

– Está bem, está bem... Vou sair. Eu sei que não tenho o direito de lhe dizer nada, mas estou implorando, se você não enfrentar a situação agora, isso vai acontecer de novo, e de novo. E quer saber de uma coisa? Perdi minha amada filha por causa do vício. Por isso, não fique aí sentindo pena de si mesma, senhorita! Você não sabe o que é passar dificuldade, e eu prefiro ir para o inferno a perder você também! Levante o seu traseiro magrelo da cama e vá se lavar!

Com isso, minha avó saiu do quarto e bateu a porta, deixando-me abalada até o âmago. Ninguém – nem mesmo Pa Salt – jamais havia falado comigo com tanta raiva. Talvez tenha sido o choque, mas me vesti e abri a porta timidamente, encontrando Mariam sentada no sofá, esperando por mim.

– Pronta para ir? – indagou ela.

– Sim. Ela foi embora?

– Sua avó? Foi. Muito bem, sua mala está no carro. Precisamos sair agora.

Segui Mariam rumo ao corredor do prédio, sentindo-me exatamente como quando saí de Atlantis para um novo período escolar no internato. Eu podia facilmente me virar e entrar de novo, beber uma vodca, cheirar uma carreira...

Mas as palavras da minha avó ecoavam em meus ouvidos, e eu segui Mariam para o elevador como um cordeiro indo para o matadouro.

17

O Rancho, Arizona
Maio

— Electra, você está no 22º dia do seu programa aqui no Rancho. Como está se sentindo?

O olhar enganosamente gentil de Fi me avaliou. Quando começamos as sessões de terapia, tive a impressão de que podia jogar qualquer besteira para cima dela, porque sua voz suave (com traços de sotaque europeu) e seus olhos azuis caídos a faziam parecer semiadormecida. Mas eu estava muito enganada. A pergunta "Como está se sentindo?" tinha me assombrado desde a primeira sessão.

Então, *como* eu me sentia?

Primeira semana: nas minhas 48 horas iniciais no centro médico de desintoxicação, minha resposta fora: "Com vontade de tomar vodca, ecstasy e umas vinte carreiras de coca na veia. E depois roubar uma arma para fugir daqui."

Eu tinha sido colocada sob vigilância constante devido à minha "overdose" e à tentativa de suicídio, e me encheram de remédios para aliviar os efeitos da falta de bebidas e drogas. Acho que nunca senti mais raiva e desespero na vida do que naqueles dois dias; ninguém parecia acreditar que, não, eu não tentara me matar e que não o faria outra vez.

Passada a desintoxicação, já no "dormitório", fiquei horrorizada ao descobrir que estava basicamente de volta ao colégio interno, com duas colegas de quarto que roncavam, gritavam enquanto dormiam, soltavam gases ou choravam em seus travesseiros (e às vezes uma mistura de tudo isso na mesma noite). Por que um lugar que custava mais caro do que qualquer hotel exclusivo cinco estrelas não tinha quartos particulares?

Segunda semana: passei esse período sentindo muita raiva, porque os Doze Passos do programa dos Alcoólicos Anônimos me obrigavam a pedir ajuda a um Deus em que não acreditava. Pior ainda, diziam que para ficar limpa eu devia me subjugar a essa figura mítica e à Sua grande glória. E odiei Fi por ser tão intrometida e ficar me perguntando como eu me "sentia", quando não era da conta dela. Por outro lado, gostei muito de uma de minhas companheiras de quarto, Lizzie, e do fato de que havia pessoas na terapia de grupo que claramente eram muito mais ferradas do que eu.

Terceira semana: comecei a me sentir aliviada, porque os Doze Passos passaram a fazer mais sentido depois que um dos caras da terapia de grupo disse que também não acreditava em Deus, então, em vez disso, imaginava um poder superior – algo muito mais poderoso do que nós, seres humanos. E isso ajudou muito. Também descobri que amava equoterapia, mas não queria apenas cuidar dos cavalos, queria montá-los e correr pelo deserto de Sonora. E que eu e Lizzie havíamos nos "conectado", especialmente depois que a terceira companheira de quarto (que tinha sérios problemas de odor corporal e dormia com um coelho de pelúcia que chamava de Bobo) foi embora, e estávamos ficando cada vez mais próximas.

– Então, Electra? Como está se sentindo? – veio a onipresente pergunta de Fi.

Na verdade, agora que pensava a respeito, eu me sentia *orgulhosa*. Sim, orgulhosa por não ter consumido nenhuma bebida alcoólica, não ter cheirado nenhuma carreira nem engolido nenhuma pílula em 22 dias.

Então foi isso que eu respondi, porque sabia que Fi gostava de comentários positivos.

– Isso é fantástico, Electra. E deve ficar orgulhosa mesmo. Como todos aqui no Rancho, você enfrentou uma jornada muito difícil, mas se manteve no caminho. Você *deve* se orgulhar de si mesma. Eu me orgulho – acrescentou ela, com um sorriso.

– Obrigada – falei, dando de ombros.

– Eu sei que você teve dificuldades para lidar com os acontecimentos que a levaram a vir para cá – começou Fi.

Eu sabia exatamente aonde ela queria chegar com aquela conversa, e senti a facada habitual de raiva e irritação.

– Já refletiu mais sobre sua overdose naquela noite em Nova York? – perguntou ela.

– Não! – respondi com firmeza. – Venho tentando explicar para todo mundo que foi um acidente. Eu só queria dormir! Era só isso! Estava com muita dificuldade para fazer minha mente se calar, e eu só queria que ela me deixasse em paz...

– Electra, não é que eu não acredite em você, é só que, se existir qualquer indicação de que você possa tentar se machucar, é meu dever como sua terapeuta protegê-la. Embora eu fique feliz por você ter conquistado uma nova perspectiva, quero conversar sobre o fato de você ter afirmado que acha difícil se abrir sobre seus sentimentos. Como aprendeu durante seu tempo aqui, a maneira como nos sentimos afeta tudo o que fazemos, inclusive a sua capacidade de permanecer limpa depois de sair do Rancho.

– Já expliquei que sou uma pessoa reservada. Gosto de lidar com as coisas sozinha.

– Eu entendo, Electra, entendo mesmo, mas, ao se juntar a nós, você aceitou que precisa da ajuda de outras pessoas. E estou preocupada que, quando voltar para o mundo "real", você não peça ajuda quando precisar.

– Já conversamos sobre os meus problemas de confiança. Acho que sou assim mesmo.

– Sim, e aceito que, como com qualquer celebridade, essa seja uma preocupação natural. No entanto, você parece particularmente relutante em discutir sua infância.

– Já falei que fui adotada junto com minhas cinco irmãs. Que tivemos um estilo de vida privilegiado... Não há muito mais o que contar. Além disso, Pa sempre me ensinou a nunca olhar para o passado. Embora me pareça que terapia é exatamente isso.

– Terapia ajuda a *lidar* com o passado, para que você não precise mais olhar para trás, Electra. E sua infância é dois terços da vida que você viveu até agora.

Dei de ombros, como sempre, e inspecionei minhas unhas, pensando em como estavam crescendo bem agora que eu tinha parado de roê-las. Tivemos então o que eu chamava de "batalha do silêncio"; era uma guerra que eu sabia que poderia ganhar sempre. E, em geral, ganhava.

– Então você diria que seu pai foi a influência mais poderosa em sua vida? – perguntou Fi, por fim.

– Talvez. Não é o que costuma acontecer?

– Frequentemente, sim, embora às vezes outro parente ou irmão possa cumprir esse papel. Você me disse que seu pai viajava muito durante a sua infância.

– Sim, viajava. Mas todas as minhas irmãs o adoravam e, como eu era a mais nova, acho que imitei os sentimentos delas.

– Deve ter sido difícil ser a última de uma linha de seis meninas – comentou Fi. – Faço parte de uma linha de quatro, mas sou a mais velha.

– Sorte a sua.

– Por que você diz isso?

– Porque... Não sei. Minhas duas irmãs mais velhas sempre estiveram no comando, as outras sempre lhes obedeciam. Todas, menos eu.

– Você era a rebelde?

– Acho que sim. Mas não de propósito – respondi, cautelosa com o fato de que Fi estava me atraindo para um território no qual eu simplesmente *não* queria entrar.

– Isso foi na adolescência?

– Não, acho que já nasci rebelde; todos dizem que eu gritava demais quando era bebê. Elas me chamavam de Tricky. Ouvi Ally e Maia falando de mim um dia, quando eu tinha 4 ou 5 anos. Fui me esconder nos jardins e chorei até ficar desidratada.

– Posso imaginar.

– Mas já superei isso. Nada de mais. Todos os irmãos se dão apelidos, certo?

– Certo. Quais eram os apelidos de suas outras irmãs?

– Eu... não lembro. – Olhei para o relógio na parede. – Preciso ir agora. Tenho equoterapia às três.

– Ok, vamos encerrar por hoje – concordou Fi, embora eu ainda tivesse dez minutos de sessão. – Mas a sua tarefa para hoje à noite é continuar com seu diário de humor e se concentrar em quais são os gatilhos para os seus desejos. E que tal você também tentar se lembrar dos apelidos das suas outras irmãs?

– Combinado. Até amanhã.

Levantei-me e saí irritada da sala, porque nós duas sabíamos que eu não me lembraria dos apelidos de minhas irmãs, pois nunca houve nenhum. Enquanto atravessava o corredor da sala de terapia até a recepção e saía para a luz ofuscante do sol do Arizona, tive que admitir que Fi vencera aquela rodada. Ah, ela era boa, muito boa, me conduzindo para armadilhas que eu mesma criara. Como tinha alguns minutos de sobra, fui ao meu novo lugar favorito: o Labirinto das Preocupações – um caminho circular de tijolos que levava a diferentes direções a cada vez, dependendo de para onde você escolhia virar a cada passo. Parecia uma metáfora da vida;

conversamos na terapia de grupo sobre como cada decisão afetava o curso futuro de nossas vidas – algumas pequenas, outras grandes, mas cada uma provocava um efeito. Hoje, enquanto seguia pelo caminho de tijolos gastos, pensei na decisão que eu parecia ter tomado sem sequer me dar conta...

– Por que você não confia em ninguém? – sussurrei a mim mesma.

Era muito fácil culpar o meu status de celebridade. Abri um sorriso triste ao pensar em todos os bilhões de pessoas no mundo que queriam ser famosas e em como a fama chegara de forma inesperada para mim – literalmente da noite para o dia –, quando eu era tão jovem.

Mas eu sabia que não era isso. Nem era por minhas irmãs me acharem irritante, ou Pa, embora ele também fosse responsável porque me colocara naquela situação, para início de conversa...

Então por que você não conta e conversa com Fi sobre isso?, perguntei a mim mesma.

Porque você tem medo, Electra. Medo de reviver o que ficou no passado...

Além disso, era patético, pensei, basear toda a minha percepção de confiança em um pequeno evento da infância.

E a única coisa que eu não era, e *nunca* seria, era uma vítima. E, nossa, eu havia conhecido muitas vítimas ali no Rancho.

De qualquer maneira, eu não estava ali para fazer terapia, mas para ficar limpa, e tinha conseguido.

– Por enquanto – falei em voz alta, lembrando os Doze Passos.

Um dia de cada vez, esse era o mantra. As três semanas anteriores haviam sido tão difíceis... Tipo, a coisa mais difícil que eu já fizera na vida. E aquele dia também não fora muito bom, porque estar limpa significava ter seu cérebro de volta, portanto encarar a si mesma e quem você era e... bem, toda essa merda. Embora fosse ótimo acordar de manhã depois de uma noite de sono e ser capaz de *raciocinar*. Então, mesmo que eu não conseguisse vencer meus problemas de confiança, eu tinha vencido os meus vícios. Isso não era o mais importante?

Saí do Labirinto das Preocupações e fui para os estábulos e o campo onde os cavalos pastavam, prontos para todos os idiotas (inclusive eu) que iam fazer carinho neles.

– Tudo bem, Electra? – perguntou Marissa, a jovem que ajudava no estábulo.

– Estou bem, obrigada – respondi, como sempre. – E você?

– Tudo bem – disse ela, enquanto me conduzia ao estábulo e apontava para a pilha de palha suja. – Sua vez de limpar.

Ela sorriu para mim, entregando-me um par de luvas de borracha e um forcado.

– Obrigada.

Marissa deixou o estábulo e eu imaginei o que ela pensava de verdade de ter uma das maiores supermodelos do mundo mergulhada até o pescoço em cocô de cavalo. De qualquer forma, eu sabia que os funcionários (pelo menos tecnicamente) juravam manter sigilo e somente sob pena de morte revelariam quem estava e o que acontecia dentro dos limites do Rancho.

Quando comecei a tarefa nojenta, porém tranquilizante, de eliminar a palha suja, pensei sobre o que Fi e eu tínhamos discutido – ou seja, a minha infância –, e isso me fez recordar algo feliz. Quando eu tinha uns 6 ou 7 anos, estávamos de férias no Mediterrâneo, no *Titan*, como de costume, e Pa me levou de lancha para visitar uns estábulos de um amigo dele, perto de Nice.

– Pensei que você gostaria de visitar os cavalos – sugeriu ele. – Você pode até montar um, se quiser.

No começo, fiquei com medo, porque eles pareciam gigantescos e eu era ainda bem pequena, mas o cavalariço selou um dos menores pôneis e eu o montei, sentindo-me um milhão de vezes mais alta do que em toda a minha vida. Fui conduzida ao redor do cercado, primeiro me sacudindo na sela, depois deixando meu corpo se adaptar ao ritmo do animal e, no fim, conseguindo até estimular o pônei a um galope.

– Você tem um dom natural com cavalos – disse Pa, parando ao meu lado, montado em um belo garanhão marrom. – Gostaria de ter aulas de montaria?

– Gostaria muito, Pa.

Então ele arrumou aulas de equitação para mim em Genebra e depois no colégio interno. Era a melhor parte da minha semana, porque eu sabia que podia contar todos os meus segredos para o meu cavalo, amá-lo quanto quisesse, e ele nunca, jamais, me trairia.

– Pronto – falei para Marissa, tirando as luvas após limpar a palha do estábulo.

Ela indicou o cercado onde três dos outros viciados estavam debruçados sobre a cerca observando outro viciado acariciar Philomena, uma égua tranquila.

Fui até a cerca e me inclinei sobre ela, acenando para os outros, mas sem me juntar a eles.

– Oi, Electra! – Hank, que comandava os estábulos, acenou para mim. – Você é a próxima!

– Obrigada – respondi, fazendo um sinal de positivo.

Eu o observei a distância, pensando em como era atraente, com seus músculos definidos não em academia, mas em cavalgadas diárias pelo deserto. Eu apreciava a maneira como Hank lidava com os cavalos; embora o tivesse visto matar com uma pá uma cascavel que aparecera no cercado, ele tratava os cavalos uma gentileza cativante. Eu tinha que admitir: ia lá para vê-lo tanto quanto para ver os animais...

– Ok, querida, é a sua vez! – gritou ele para mim alguns minutos depois.

Eu já o estava imaginando em algum estábulo, completamente nu.

A vantagem de ter a pele negra era que não ficava tão óbvio quando eu corava.

– Ela é toda sua – disse ele, quando me aproximei de Philomena.

– Oi, Philly – sussurrei, acariciando e beijando o focinho da égua, sentindo seu cheiro fresco. – Nossa, você é uma garota de sorte. Em primeiro lugar, é um animal; em segundo, recebe um monte de amor e nenhuma das mágoas que o acompanham. Mas eu bem que gostaria de poder montá-la e sair para um passeio – acrescentei, virando-me para ver que Hank me observava, e sorri para ele.

Quando fizeram a minha avaliação psicológica inicial, havia um ponto de interrogação sobre se eu era viciada em sexo. Eu tinha respondido que era uma mulher de 26 que gostava de sexo, ainda mais quando estava chapada, mas de jeito nenhum – *nenhum* – achava que era uma ninfomaníaca. Pelo menos não mais do que qualquer outra mulher da minha idade.

– Esse é o problema de vir para cá – sussurrei para Philly. – Você sai com mais vícios em potencial do que quando chegou.

Depois que minha sessão de "abraçar cavalos" terminou – não havia muito a fazer com uma égua estática –, acenei para Hank, que me deu um petisco para oferecer ao animal.

– Você está bem? – indagou ele enquanto eu dava a Philly provavelmente sua vigésima cenoura do dia.

– Sim, estou bem. Esta égua vai engordar se ficar aqui comendo o dia todo.

– Não se preocupe, vou fazer com que ela dê uma boa corrida mais tarde.

– Queria poder sair para passear com ela – comentei, suspirando.

– Receio que seja contra as regras. Se não fosse...

Ele deu de ombros.

– Eu entendo.

– Talvez quando sair daqui você possa ir à minha fazenda e cavalgar.

– Obrigada. Quem sabe? – respondi, sentindo uma poça de suor se formar sob minhas axilas.

Talvez fosse só impressão, mas ao me afastar vi pelo canto do olho que ele estava me observando, e me perguntei se aquilo tinha sido uma cantada. De qualquer forma, fiquei um pouco mais animada, pensando que ainda era capaz de atrair um homem, mesmo na reabilitação.

Voltei ao meu quarto, com suas paredes pintadas em tom pastel e as três camas de casal que quase me deixavam com os pés para fora. Eu tinha um armário estreito para meus moletons de capuz e calças, e uma mesa que não tinha usado até o momento. A princípio, a ideia de dividir o banheiro e a quantidade de pelos e cabelos que ficavam para trás (eu tinha aflição ao ver fios presos no ralo) foram suficientes para me fazer preferir ficar suada e sem tomar banho, mas finalmente cedi quando percebi que estava fedendo, e acabou que não houve nenhum problema.

Felizmente, o chuveiro estava bem limpo naquele dia – a faxineira tinha acabado de passar por lá –, então tirei as roupas o mais depressa que pude e fiquei embaixo da água deliciosamente fria, olhando para cima, e não para o redemoinho em volta dos meus pés. Quando saí do banho e me vesti, peguei meu antigo caderno de desenho (eu o encontrara no bolso da frente da minha bolsa, ainda escondido depois da viagem a Atlantis) e um lápis e comecei a desenhar. Recentemente, eu havia percebido que tentar criar roupas incomuns, porém confortáveis, era relaxante – muitas vezes eu vestira roupas de alta-costura impossíveis de usar (e quase sempre hediondas), que criavam imagens que mulheres comuns não podiam nem pensar em copiar. Mas, como ouvira de inúmeros designers, a moda era uma forma de arte moderna. Pessoalmente, eu ficava irritada quando eles alegavam que isso era ideia deles, pois a moda *sempre* foi uma expressão de arte – os cortesãos de Versalhes, por exemplo, ou os antigos egípcios.

Comecei a rascunhar um vestido que tinha um colar brilhante destacável e que ondularia suavemente até os tornozelos. Lindamente simples e muito, muito usável. Alguns minutos depois, minha atenção foi capturada por um rosto aparecendo à porta do quarto. A menina foi até a cama vazia mais próxima da janela. Ela era – como muitos dos internados ali – anorexicamente magra, e tinha pouco mais de 1,50 metro de altura. Tinha um lindo tom de pele, que, como o de Maia, indicava uma mistura racial, e cachos escuros exuberantes.

– Oi – cumprimentei-a, largando o lápis. – Você é nova aqui?

Ela assentiu, sentando-se na cama, os joelhos unidos, as mãos fechadas sobre o colo. Não olhou para mim, o que achei bom – normalmente, era preciso apenas um olhar para me reconhecer e começar a fazer as perguntas de sempre.

Eu a observei abrir as mãos e vi que estavam tremendo quando ela afastou uma mecha de cabelo do rosto.

– Acabou de sair da desintoxicação? – perguntei.

Ela assentiu.

– É difícil, mas vai passar – afirmei, me sentindo experiente depois de três semanas ali.

Ela deu de ombros em resposta.

– Você está tomando calmantes? Isso me ajudou bastante – comentei. A menina parecia muito frágil e, agora que seus cabelos não estavam cobrindo os olhos, pude ver o medo neles. – Cocaína?

– Não, heroína.

Enquanto meus olhos procuravam as marcas reveladoras em seus braços finos, as mãos dela automaticamente as cobriram.

– Ouvi dizer que é o mais difícil – falei.

– É.

Observei a garota se abraçar e deitar na cama em posição fetal, de costas para mim. Pude ver que estava tremendo, então peguei o cobertor aos pés de sua cama e a cobri.

– Você vai conseguir – incentivei, apertando o ombro dela de leve. – Meu nome é Electra, aliás.

Não houve reação, o que me surpreendeu, porque em geral as pessoas *reagiam* quando eu dizia meu nome.

– Ok, estou indo almoçar. Até logo.

Deixei-a enrolada debaixo do cobertor, impressionada com meu impulso de cuidar dela. Vê-la no mesmo estado em que eu me encontrava quando saí da desintoxicação obviamente me provocara "empatia".

O refeitório estava cheio, com muitos pacientes conversando em voz baixa nas mesas circulares, a luz entrando pelas janelas altas, de onde se tinha uma bela vista do Jardim da Serenidade, mais adiante. O buffet ocupava todo o comprimento do salão, com chefs em seus chapéus servindo uma comida surpreendentemente deliciosa. Escolhi minha porção diária de carboidratos – uma *enchilada* de carne bem quente com queijo derretido por cima, acompanhada de batatas fritas. Sabia que teria que fazer uma dieta intensiva quando saísse, mas a comida parecia aliviar o desejo de beber vodca. Enquanto comia, pensei na palavra "empatia". Ela era muito usada no Rancho; aparentemente o abuso de álcool e drogas fazia você perder a empatia que costumava sentir, eliminando seu lado bom e entorpecendo o lado ruim que se desejava bloquear, o que era toda a razão para consumir álcool e drogas, para começo de conversa. Na próxima sessão, pensei, eu diria a Fi que talvez tivesse demonstrado alguma empatia pela nova garota do meu quarto. Ela ia gostar de ouvir isso.

– Oi.

Lizzie, minha colega de quarto, cuja cama ficava ao lado da minha, veio se sentar comigo, trazendo sua sopa e um prato de salada. Seu cabelo estava arrumado, como sempre; era louro, com luzes perfeitas, e preso em um coque baixo. Ela me fazia lembrar uma boneca de porcelana – exceto que usava tanta maquiagem que seu rosto parecia ter sido feito por um escultor psicopata que estudara com Picasso. Estava ali devido ao vício em comida, e eu ficava surpresa de vê-la no refeitório; para mim, seria como estar em um bar com carreiras de cocaína espalhadas pelo balcão.

– Como você está hoje? – perguntou ela, com seu sotaque britânico.

– Estou bem, obrigada, Lizzie – respondi, me perguntando se ela lembrava que eu a virara de lado na noite anterior, quando ela estava roncando alto o bastante para acordar todos os coiotes das redondezas.

– Parece muito melhor mesmo. Seus olhos estão mais brilhantes. Não que eles estivessem sem brilho – acrescentou ela rapidamente. – Você tem olhos lindos, Electra.

– Obrigada – falei, sentindo-me culpada enquanto mastigava minha *enchilada*, que ela encarava como quem seria capaz de matar por uma mordida. – E você?

– Estou indo bem – comentou ela. – Já perdi mais de 5 quilos desde que entrei. Mais três semanas e Christopher nem vai me reconhecer!

Christopher era o marido de Lizzie. Um produtor de Los Angeles que, como Lizzie me confidenciara em detalhes, era o clichê do homem casado infiel. Ela estava convencida de que, se perdesse 10 quilos, ele pararia com as travessuras. O fato era que ela nem sequer era gorda, e eu não sabia bem quanto do corpo dela era natural. Ela já fora tão cortada, ajeitada e levantada que parecia que um par de mãos invisíveis seguravam seu rosto esticado. Pessoalmente, eu não tinha muita esperança que Christopher fosse voltar a ser fiel. Na minha humilde opinião, Lizzie não era viciada em comida, mas em agradar ao marido.

– Quanto tempo falta para você? – indagou ela.

– Mais uma semana e vou embora.

– Você está indo tão bem, Electra. Já vi tanta gente que veio para cá e não conseguiu... E você é bonita e inteligente demais para precisar daquelas coisas – acrescentou ela, colocando na boca uma folha de salada de rúcula e a mastigando lentamente, como se fosse um pedaço bem grande de bife de costela. – Estou orgulhosa de você.

– Ah, obrigada. – Sorri, sentindo que aquele era o meu primeiro dia "bom" de verdade, e era ótimo receber elogios. – Tem uma garota nova em nosso quarto – avisei, pensando se seria ruim pegar uma fatia de cheesecake de chocolate para comer na frente dela.

– Ah, sim, Vanessa. – Lizzie arqueou as sobrancelhas. Ela era sempre a primeira a saber das novidades por ali e eu adorava ouvir suas fofocas. – Pobrezinha. Ela é tão jovem... só 18 anos, parece. Uma das enfermeiras da desintoxicação me contou que algum rico de Nova York a encontrou na sarjeta, e está pagando para que consiga se livrar do vício aqui. Existem programas para jovens financiados pelo Estado, mas a pessoa entra e, quando está desintoxicada e tecnicamente limpa, sai e volta à vida antiga. E volta a usar em poucas semanas. – Lizzie suspirou. – E se você é legalmente adulto, como Vanessa é agora, não há o que fazer.

Somente nos últimos dias, depois que meu cérebro começara a funcionar corretamente, me ocorrera que estávamos ali entre uns poucos privilegiados da sociedade. Eu nem tive que pensar em quanto custaria para me internar e ficar limpa, apenas se queria ou não. Havia milhares de jovens americanos dependentes como eu, que não tinham esperança de conseguir o tratamento adequado de que tanto precisavam.

– A enfermeira disse que Vanessa é um dos piores casos que ela já teve aqui. Ela ficou na clínica de desintoxicação por quatro dias. Pobrezinha. – Apesar de seu desespero para ficar bonita e da carnificina que provocara em seu rosto outrora bonito, Lizzie era uma pessoa bem maternal. – Vamos cuidar dela, não vamos, Electra?

– Vamos tentar, Lizzie.

❂ ❂ ❂

Naquela tarde, para gastar as calorias ingeridas no almoço, fui correr pela trilha natural que contornava o Rancho. Enquanto corria, lembrei-me de minha caminhada pelas montanhas de Atlantis, mais de um mês antes, e de quanto me sentira melhor depois do exercício. Mesmo com o ar quente e seco do Arizona queimando meus pulmões e pinicando meu nariz, continuei.

Parei perto do bebedouro e me servi de um copo d'água, que bebi com muita vontade, e depois de outro, que joguei em cima de mim. Sentei-me em um banco e apreciei a sensação de... bem, a *sensação*. Apesar de minha relutância em abraçar a abordagem espiritual do Rancho, o fato de estar sentada ali, com as montanhas atrás de mim, o céu azul em contraste com o vermelho da terra, me acalmava. A natureza *era* calmante. O ar carregava os aromas dos arbustos baixos e verdes que se desenvolviam ao sol. Flores e cactos incríveis se espalhavam por toda a beleza árida do deserto – alguns com mais de 3 metros de altura, seus troncos pontiagudos e verdes cheios de água para mantê-los saciados até as próximas chuvas.

Pela primeira vez, me imaginei de volta ao meu apartamento em Nova York e me senti presa, como um animal em uma gaiola. De alguma maneira, meus arredores ali pareciam um território mais natural para mim, como se fosse mais adequado a quem eu era. O calor não me incomodava, como acontecia a Lizzie, e ficar ao ar livre me fazia sentir viva.

Sentada ali, senti meus lábios formando um sorriso.

– Por quê? – perguntei a mim mesma.

Porque sim, Electra...

Quando me levantei para entrar, lembrando que a terapia de grupo estava prestes a começar e que eu teria que ir usando aquelas roupas de corrida, de repente percebi que não havia pensado em beber ou em cheirar nas últimas duas horas. E isso me fez sorrir de novo.

Mais tarde, de volta ao quarto, desesperada por outro banho, encontrei

Vanessa ainda enrolada na cama. Ela tremia violentamente e Lizzie – cuja cama ficava entre a minha e a de Vanessa – estava sentada olhando para ela.

– Ela não está bem, Electra. – Lizzie suspirou. – Chamei a enfermeira e ela lhe deu outra injeção de alguma coisa, mas...

– Ela não parece bem mesmo – concordei, pegando minha toalha e indo tomar um banho.

Ao sair, vesti calças de corrida limpas e um casaco de capuz.

– Você vem jantar? – perguntei a Lizzie.

– Não, vou ficar aqui de olho em Vanessa por um tempo. Estou preocupada com ela.

– Tudo bem, nos vemos mais tarde.

Sentindo-me mal por não querer ficar por perto e ver Vanessa passar pelo que eu tinha passado, entrei no refeitório. Evitei os "crentes", que assumiram o caráter espiritual do Rancho e só falavam citações, como se fossem um monte de livros de autoajuda ambulantes, e enchi meu prato com bife e acompanhamentos. Sem querer voltar para o quarto, assim que terminei de comer peguei papel e caneta em um aparador e pensei sobre o que havíamos discutido na reunião dos AA naquela manhã. Eu estava no passo número 9, em que tinha que escrever uma carta de desculpas para qualquer um que eu pudesse ter magoado durante o abuso de substâncias.

Ok, então a quem eu preciso pedir desculpas?, pensei comigo mesma. *Ma?*

Sim. Eu sabia que dera muito trabalho quando criança e ela sempre fora paciente comigo. Definitivamente escreveria uma mensagem para ela. Mas, pensei, comendo um pouco de cheesecake, essas desculpas seriam por eu ser má pessoa ou por ter agido mal devido ao abuso de substâncias? Eu quase não vira Ma nos últimos anos e raramente ligava para ela.

Então ela merece um pedido de desculpas por eu ignorá-la, refleti, e marquei-a em minha lista.

Maia? Sim, ela definitivamente merecia um pedido de desculpas pelo meu comportamento idiota depois que Pa morreu, em Atlantis, e no Rio de Janeiro. Se ela não tivesse ligado para Mariam, eu poderia ter morrido. Ela tinha sido maravilhosa e eu realmente a amava. Marquei o nome dela com certeza.

Ally: ela deveria receber uma também. Olhei pela janela, pensando em quando nos encontramos em Atlantis, no mês anterior, e em como eu fora rude com ela. Eu me perguntei por que Ally sempre me irritara, sendo tão boa pessoa. Talvez fosse isso: o fato de ela *ser* uma boa pessoa, tão organizada e coerente, mesmo depois de ter perdido o amor de sua vida e tido um filho. Isso sempre deixara mais óbvio o fato de eu não ter essas qualidades.

Estrela: minha irmãzinha, sempre tímida e calada. Eu não tinha ideia se gostava dela ou não, porque ela sempre falara tão pouco; ela era o silêncio oposto ao meu eterno barulho. Ally havia contado que ela conhecera um cara e estava morando com ele na Inglaterra. Talvez eu fizesse um esforço para ir vê-la, quando saísse dali. Sempre senti pena dela e de como era ofuscada em todos os níveis pela irmã que era minha nêmese, Ceci. Eu escreveria uma carta para Estrela de qualquer maneira, apenas para dizer olá, porque não conseguia pensar em nada de ruim que realmente tivesse feito para ela, especificamente.

Ceci. Enfiei a ponta da caneta com força no papel. Nunca nos demos bem; Ma sempre disse que éramos muito parecidas, mas eu não tinha tanta certeza. Não gostava do jeito como ela dominava Estrela, e às vezes, quando éramos mais novas, saíamos no tapa, e Ally tinha que apartar. Fiquei feliz de saber que ela havia se mudado para a Austrália.

– Basicamente porque Estrela a largou por um homem – murmurei maliciosamente, sabendo que Fi e o pessoal da terapia de grupo não aprovariam aquela negatividade.

Mas não era possível gostar de todas as pessoas do mundo, era? Embora, aparentemente, fosse possível lhes pedir perdão.

Por enquanto, coloquei um ponto de interrogação no nome de Ceci e passei para Tiggy.

Ela definitivamente crescera para se transformar no tipo de pessoa que poderia se candidatar a um emprego no Rancho. Então me repreendi por ser maldosa, porque ela não merecia. Tiggy era doce, gentil e justa, e queria fazer todo mundo feliz. Tínhamos personalidades opostas e, no entanto, eu queria ser como ela, porque Tiggy via o lado bom de tudo e de todos, enquanto eu fazia o contrário. Lembrei-me vagamente de Ally dizendo, em Atlantis, que Tiggy tivera um problema de saúde. Para minha vergonha, nem sequer mandei um e-mail para perguntar como ela estava. Tiggy com certeza entrava na minha lista de desculpas.

Então me recostei e me perguntei se, caso Pa estivesse vivo, eu teria que lhe escrever um pedido de desculpas. Não. Sentia que era ele quem me devia um, tendo morrido quando eu ainda era tão jovem, me deixando sozinha para lidar com tudo aquilo. Inclusive com Stella, minha avó. Enfim, eu não queria pensar nisso, então passei para a minha vida em Nova York.

Mariam: *MUITAS DESCULPAS*, escrevi. Ela era de longe a melhor assistente que eu já tivera, embora não tivesse certeza se ela continuava no cargo. Coloquei um aviso na lista para perguntar a Maia, quando respondesse ao e-mail que ela me enviara dois dias antes. Era permitido usar notebooks e celulares uma hora por dia, mas tudo o que mandávamos era monitorado, então eu não tinha escrito para ninguém até o momento.

Stella, também conhecida como "vovó". Fiz uma pausa e mordi a ponta da caneta, repassando as memórias confusas das últimas semanas antes de eu me internar. Sinceramente, não conseguia recordar muito bem nossas conversas, embora me lembrasse de acordar e vê-la sentada na poltrona ao lado da minha cama. Também acho que Stella cantou em algum momento, mas talvez tivesse sido apenas um sonho. Embora nossos encontros estivessem meio enevoados, eu sabia que ela era, sem dúvida, um dos seres humanos mais assustadores que já conheci.

Antes de decidir se deveria escrever para ela, minha atenção foi atraída por um homem negro bem alto que passou por mim com uma bandeja de comida. Ao contrário da maioria dos internos, que usava moletom e legging como eu, ele estava vestindo uma camisa muito branca e calças de algodão. Eu me debrucei sobre o papel, com a cabeça baixa, quando ele se sentou à mesa em frente. Eu costumava não dar a mínima para quem me via tão desarrumada, mas dei uma espiada e vi que ele era ridiculamente bonito e tinha certo ar elegante. Antes que pudesse me ver, coloquei o capuz, peguei minha bandeja, a caneta e o papel e saí do refeitório.

Quando cheguei ao quarto, a cama de Vanessa estava vazia e Lizzie estava no meio de seus rituais noturnos de beleza, sua mesa transformada em um balcão de cosméticos caros.

– Cadê Vanessa? – perguntei, vendo-a passar creme no rosto e usar uma pipeta para espalhar no pescoço gotas de algo que, segundo ela, continha flocos de ouro.

Então ela engoliu uma série de comprimidos que haviam sido aprovados pelo médico, portanto deviam conter um monte de nada.

– A pobrezinha começou a ter uma convulsão, então chamei a enfermeira e a levaram de volta à clínica de desintoxicação. – Lizzie suspirou. – Só espero que não seja tarde demais.

– Como assim?

– Electra, você deve saber o efeito que a heroína e todas as outras drogas que ela tomava podem ter nos órgãos vitais. Se usar por muito tempo, quando você tenta parar, tem convulsões. Parece que o namorado que dava drogas a ela também era seu cafetão, e só Deus sabe o que havia nelas.

– Ela era prostituta?

– Foi o que ouvi uma enfermeira dizer. Ela também é soropositiva – acrescentou Lizzie, guardando sua "loja" em uma maleta da Louis Vuitton. – É tão triste, porque ela é apenas a ponta do iceberg. Meu marido uma vez produziu um documentário sobre as gangues de tráfico do Harlem; esses são os verdadeiros criminosos.

– É verdade – concordei, enquanto vestia meu pijama e subia na cama. – É uma loucura pensar que o Harlem está apenas a alguns quarteirões de onde moro.

Peguei meu caderno e o lápis da mesa de cabeceira e virei a página. Agora que o impulso de desenhar havia retornado, todas as noites, antes de dormir, eu rapidamente traçava alguns esboços de roupas.

– É mesmo – disse Lizzie, deitando-se também. – Claro que também temos gangues em Los Angeles; infelizmente elas estão por toda parte. Temos muita sorte, não é? Vivemos protegidas.

– Sim, temos – concordei, sentindo que estava aprendendo mais sobre o mundo ao ficar enclausurada no Rancho, no meio do deserto, do que havia aprendido em Nova York e em todas as minhas viagens internacionais.

Pensei em como tinha sido ingênua imaginando que, de alguma maneira, eu estava acima de tudo aquilo. De onde eu pensava que vinha a cocaína dos meus revendedores, para começo de conversa? Não importava se a droga era usada em um hotel caro ou na esquina de uma rua qualquer. Tudo vinha do mesmo lugar, da brutalidade, da morte e da cobiça pelo dinheiro. Esse pensamento me fez tremer.

– Qual sua programação amanhã? – perguntou Lizzie.

– Ah, você sabe, o de sempre: uma corrida antes do café da manhã, uma reunião dos AA, terapia com Fi...

– Ela é a melhor terapeuta que já tive. E olha que foram vários – afirmou Lizzie.

– Também acho – respondi com sinceridade. – Mas não sei se sou muito boa com esse negócio de terapia.

– Como assim?

– É que não gosto de ficar sentada falando de mim mesma.

– Você quer dizer que não gosta de encarar quem você é – observou ela, com perspicácia. – Enquanto não fizermos isso, querida, não chegamos a lugar nenhum.

– As pessoas se viravam, antigamente. Nunca ouvi falar de ninguém que fizesse terapia nos filmes que vi sobre a Primeira e a Segunda Guerra Mundial.

– Não. – Lizzie fez uma careta torta, devido a todo o preenchimento que tinha nos lábios. – Bem, lembre que muitos daqueles homens voltaram da guerra traumatizados, ou com estresse pós-traumático, como chamamos hoje. E eles precisavam de ajuda, assim como os soldados que lutaram no Vietnã, mas suas necessidades foram ignoradas. Então é bom que a gente esteja vivendo em uma cultura em que não há problema admitir que se precisa de ajuda. Tenho certeza de que isso vai salvar muitas vidas que poderiam ser perdidas.

– É mesmo, você tem razão.

– Também é ruim que tenhamos perdido nossas comunidades. Cresci em uma pequena vila na Inglaterra, onde todos se conheciam. Quando meu pai morreu, lembro que todo mundo apoiou minha mãe. Estavam todos lá por ela e por mim, mas esse tipo de coisa não acontece mais. Somos tão excluídos de tudo. Não sentimos que "pertencemos" a lugar nenhum. Ou a ninguém. Uma das desvantagens da globalização, suponho. Quantos amigos de confiança você tem?

Pensei na pergunta por cerca de um segundo, então dei de ombros.

– Nenhum. Mas talvez seja só o meu jeito.

– Pode ser, mas todo mundo está em uma situação parecida. É triste, porque hoje em dia muitas pessoas sentem que precisam encarar seus problemas sozinhas.

Olhei para Lizzie, com seu rosto estranho e seu ridículo ritual de beleza, e pensei no verdadeiro monstro que seu marido parecia ser. Fiquei me perguntando quando tudo dera errado. Ela era tão atenciosa e articulada...

– O que você fazia antes de se casar com Christopher? – perguntei.

– Eu estava fazendo estágio em advocacia. Quando conheci Chris, eu tinha sido indicada para o escritório da empresa em Nova York. Queria me especializar em direito de família, mas me apaixonei perdidamente por ele e acabamos nos mudando para Los Angeles. Aí meus filhos nasceram, depois saíram de casa e... – Lizzie deu de ombros. – Essa é toda a história.

– Então você é formada em direito?

– Sim, mas nunca exerci a profissão.

– Talvez você devesse pensar nisso. Como você mesma disse, seus filhos já saíram de casa.

– Ah, Electra, eu tenho quase 50 anos! É tarde demais para mim.

– Mas você é tão inteligente, Lizzie. Não deve desperdiçar seu cérebro. Isso era o que meu pai sempre me dizia.

– Dizia?

– Sim. Eu sei que ele achou que eu estava desistindo dos estudos quando me tornei modelo.

– Electra, você só tinha 16 anos! Pelo que me contou, você não escolheu essa profissão, foi *a profissão* que escolheu *você*, e antes que percebesse estava em uma montanha-russa da qual não conseguia mais descer. Meu Deus, apenas 26 anos. Só um ano mais velha que o meu primeiro filho, e ele ainda está na faculdade de medicina.

– Pelo menos ele sabia o que queria fazer. Eu nunca soube.

– Seja o que for, você pode se dar ao luxo de escolher. E alguém com seu perfil pode realmente fazer a diferença.

– O que você quer dizer?

– Por exemplo, ser uma embaixadora para aqueles que não têm voz, como Vanessa. Você viu em primeira mão o que as drogas podem fazer. Você poderia ajudar.

– Talvez. – Dei de ombros. – Mas modelos não têm vozes ou cérebros, não é?

– Agora você está sendo dramática e, se fosse minha filha, eu lhe daria uma bela bronca. É óbvio para mim, assim como era para o seu pai, que você é muito inteligente. Tem todas as ferramentas nas mãos, então use-as. Quer dizer, olhe o que você acabou de desenhar durante a nossa conversa – comentou ela, apontando para o meu caderno, enquanto eu o abraçava com um ar protetor contra o peito. – Você é tão talentosa, Electra. Eu compraria essa jaqueta sem pestanejar.

Olhei para o meu desenho de uma modelo em uma jaqueta de couro e um vestido assimétrico.

– Ok, tudo bem – respondi. – Acho que preciso dormir um pouco agora, Lizzie. Boa noite.

Estendi a mão para desligar o abajur.

– Boa noite – disse Lizzie, abrindo o livro que estava lendo sobre como as dietas podiam engordar.

Eu me aconcheguei debaixo do edredom e me virei.

– Ah, só mais uma coisa – disse ela.

– Sim?

– É preciso ser uma pessoa muito forte para admitir que tem um problema, Electra. Isso não é um sinal de fraqueza. Muito pelo contrário. Boa noite.

18

No dia seguinte, acordei junto com o nascer do sol, o que foi uma sensação nova para mim – por anos tive que me arrastar para fora da cama e tomar um punhado de analgésicos e estimulantes para aliviar a dor de cabeça e me dar mais energia. Eu havia falado sobre isso na terapia de grupo (era algo inócuo, que me fazia parecer brevemente engajada, sem revelar nada importante) e depois várias pessoas me disseram que isso era o meu relógio biológico voltando ao ritmo, depois de anos pressionado por bebidas e drogas. E agora, pensando nisso, lembrei que eu sempre era mesmo a primeira a acordar, quando criança, em Atlantis. Eu já estava pulando, cheia de energia, enquanto minhas irmãs dormiam, então descia as escadas até a cozinha, onde Claudia era a única outra alma alerta na casa. Ela me dava uma fatia do pão recém-assado, ainda quente, pingando manteiga e mel, enquanto eu esperava impaciente que minhas irmãs acordassem.

Coloquei um short, amarrei meus tênis e parti para uma corrida. Não havia ninguém por perto, a não ser o grupo de budistas sentado no Jardim da Serenidade, com as pernas cruzadas e os olhos fechados, dando vivas ao novo dia. Alcancei a trilha, meus pés batendo no solo vermelho, e pensei em Lizzie e em nossa conversa na noite anterior. E no fato de não ser um sinal de fraqueza admitir que precisava de ajuda. Bem, eu tinha chegado tão longe – estava ali, recebendo a ajuda de que precisava, não estava? Ironicamente, a parte mais fácil (pelo menos comparativamente) tinha sido me livrar de toda aquela porcaria que eu estava tomando. Como meu médico e depois Fi haviam me explicado, eu despertara a tempo, quando muitos outros não. Se eu ficasse limpa a partir de agora, não teria causado nenhum dano à minha saúde no longo prazo, ao contrário de Vanessa.

A parte difícil era encarar a *mim* mesma, o que explicava o porquê do meu abuso de substâncias. Não era suficiente apenas dizer que eu pararia de consumir álcool e drogas – só três semanas haviam se passado, pelo amor de Deus. A euforia de ficar limpa e o ambiente seguro em que eu estava desapareceriam como névoa quando eu fosse forçada a voltar ao circuito interminável da minha vida "real". Eu começaria a beber de vez em quando, talvez socialmente, e, com o tempo, acabaria ali outra vez, mas em pior estado, e talvez terminasse como Vanessa. Mas, até eu reconhecer toda a minha angústia e colocá-la para fora, eu sabia que sempre estaria em perigo.

Enquanto pensava em tudo isso, tive uma sensação estranha de estar sendo seguida. Felizmente, eu estava em um ponto do circuito que me permitia olhar para trás, e vi que o cara bonitão do refeitório estava uns 100 metros atrás de mim, se aproximando rapidamente. Bem, ele não me alcançaria, porque, por algum motivo que eu não conseguia identificar, eu não queria que me alcançasse, então aumentei o ritmo e ampliei minha vantagem. Mas ele ainda estava se aproximando, apesar de agora eu estar correndo o mais rápido que podia. O fim da trilha ficava a apenas algumas centenas de metros, por isso acelerei ao máximo e fui direto para lá.

Quando alcancei a linha de chegada, corri para o bebedouro, desesperada por água, e ofegando pesadamente.

– Você tem um bocado de energia – soou uma voz forte e bem modulada atrás de mim. – Com licença – acrescentou ele, enquanto sua mão grande, de dedos longos e elegantes, com o mindinho adornado com um anel de ouro, pegava um copo de papel e eu saía do caminho. – Eu corria os 5 mil metros pela equipe da faculdade e nunca me venceram. Você corre pelo seu time?

– Eu não fiz faculdade – respondi, erguendo os olhos para encará-lo, o que era incomum para mim.

– Ei, esse sotaque não é americano, é? – perguntou ele enquanto eu pegava outro copo d'água e derramava sobre mim mesma, embora fosse cedo, o sol já estava quente.

– Não, é meio que francês. Fui criada na Suíça.

– Sério? – disse ele, me olhando mais de perto, e então: – Eu a conheço? Você me parece familiar.

– Não, a gente não se conhece.

– Vou acreditar em você. – Ele sorriu. – Mas com certeza você se parece com alguém que eu conheço. Eu sou o Miles, e você?

– Electra. – Suspirei, esperando o reconhecimento surgir em seu rosto, o que de fato aconteceu.

– Uau... Ok – comentou ele, jogando seu copo no lixo e enfiando as mãos nos bolsos do short. – Vi um cartaz de 6 metros de altura com uma foto sua a caminho do aeroporto, na semana passada.

– Ah. Bem, tenho que voltar agora.

– Claro, eu também.

Caminhamos em direção ao Rancho em silêncio. Alguma coisa naquele homem me fazia sentir tímida e infantil. Imaginei que ele tivesse pouco menos de 40 anos, pelo seu jeito autoconfiante e pelos pontos cinzentos que salpicavam seu cabelo enrolado e bem curto.

– Posso perguntar por que você está aqui? – indagou ele.

– Pode. Não há segredos aqui, certo? Álcool e abuso de substâncias.

– Idem.

– É mesmo? Eu o vi no refeitório ontem e você não me pareceu um cara que acabou de passar pela desintoxicação.

– Não passei, estou limpo há mais de cinco anos, mas volto aqui todo ano para descansar e me lembrar do que está em jogo. É fácil pensar que podemos lidar com tudo quando estamos aqui, com todo esse suporte à nossa volta, mas lá fora, no mundo imenso e cruel, o problema pode querer ressurgir.

– O que você faz?

– Sou advogado – disse ele. – As pressões aumentam e... Quero garantir que nunca vou explodir e acabar voltando àquele ponto. Mas você já deve saber de tudo isso.

– Sim – concordei quando chegamos à entrada do Rancho.

– Tudo o que posso dizer é: não se apresse, vá devagar. É uma doença sem cura; a resposta é aprender a controlá-la. Ouça o que as pessoas aqui dizem, Electra, porque elas sabem como salvar a sua vida. Até a próxima.

Ele me deu um pequeno aceno e marchou pelo corredor com suas pernas tonificadas que eram ainda mais longas que as minhas.

– Nossa – sussurrei para mim mesma, chocada.

Miles tinha um ar sério que me lembrava minha avó. *Em qualquer tribunal, eu ia querer aquele cara do meu lado,* pensei enquanto entrava para tomar o café da manhã, me sentindo quente e agitada. E não apenas por causa da corrida.

❁ ❁ ❁

– Deus, conceda-me serenidade para aceitar as coisas que não posso mudar, coragem para mudar as coisas que posso e sabedoria para reconhecer a diferença.

Entoei a Oração da Serenidade, que assinalava o fim da reunião, juntamente com os cinco outros membros do pequeno círculo dos AA. Estava de mãos dadas com Ben, baixista de uma banda da qual eu nunca tinha ouvido falar, e com uma nova participante chamada Sabrina. Percebi que Sabrina ainda estava chorosa – tinha acabado de compartilhar sua história conosco.

– Eu tinha tudo, mas joguei fora por causa da bebida – disse ela, as mãos apertadas no colo. Ela era uma mulher asiática pequenina, com cabelos pretos que pendiam em uma cortina brilhante em torno do rosto magro. – Perdi meu emprego, meu marido, minha família... Roubei de todos que conhecia... até dos cofrinhos dos meus filhos... só para comprar mais bebida. Só quando acabei no pronto-socorro porque desmaiei no banheiro do trabalho foi que decidi vir para cá. – Ela mordeu o lábio. – Não posso continuar estragando nem arriscando minha vida.

Ao sair da reunião, percebi que eu também havia arriscado a minha vida. Estava tão desesperada por uma fuga que quase tinha jogado tudo fora...

❁ ❁ ❁

– Então, Electra, como foram as últimas 24 horas? – perguntou Fi, naquela mesma manhã.

– Interessantes – respondi, esfregando o nariz.

– Que bom. – Fi sorriu. – Posso saber por quê?

– Eu... bem, não sei exatamente, mas muitas coisas parecem estar entrando em foco. Parece que passei o último ano sonhando.

– De certa forma, passou. É isso que o abuso de substâncias faz. Só que, é claro, tudo acaba em um pesadelo, como você bem sabe. Como se sente sobre essa percepção mais clara da realidade?

Aqui vamos nós de novo...

– Bem, hum, estou animada por estar limpa, mas envergonhada de me lembrar de todas as coisas ruins que fiz às pessoas e da maneira como as tratei, e com medo de voltar aos hábitos antigos quando sair.

– Ótimo, isso é ótimo, Electra! – Fi me deu um sorriso. – Você está progredindo, e todas essas emoções são completamente naturais nesta fase. Assumir a responsabilidade pelo seu comportamento é um grande passo. Você não é mais uma vítima.

– Uma vítima? De jeito nenhum, nunca fui vítima.

– Foi, sim, Electra. Vítima do abuso ao qual estava se submetendo – respondeu Fi. – Mas agora está lidando com isso, lutando contra isso, e não sendo vitimada por isso, entendeu?

– Entendi, mas eu bebia e me drogava para *tentar* lidar com a minha vida, para que ninguém me visse como uma vítima.

– A ideia de ser vista como vítima, como uma pessoa fraca, a assusta?

– Sim, com certeza – assenti com veemência. – Mas me senti melhor com uma coisa que minha companheira de quarto falou.

– E o que foi?

– Que eu fui forte ao pedir ajuda.

– Você acha que ela está certa?

– Sim, mas não quero ficar carente nem nada. Eu posso cuidar de mim mesma.

– Talvez a questão tenha sido que você não podia, e não cuidou. Concorda?

– Bem, sim, acho que sim – respondi.

– Como diz o ditado, nenhum homem, ou mulher no caso, é uma ilha. Mas você não está sozinha. O mundo em que vivemos está cheio de pessoas que têm muito medo ou vergonha de pedir ajuda.

– Ou muito orgulho – acrescentei. – Eu sou muito orgulhosa.

– Estou vendo – concordou Fi. – Você acha que é uma boa qualidade?

– Não sei, mas faz parte de mim. Talvez seja um pouco dos dois.

Fi assentiu e rabiscou algo em seu bloco.

– Sabe de uma coisa, Electra? Acho que você pode estar pronta para receber uma visita. O que você acha?

– Eu... não sei.

– Gostaria que um membro da sua família ou um amigo viesse vê-la?

– Posso pensar um pouco?

– É claro. Mostrar a nova Electra e ter contato com o mundo exterior através de alguém próximo pode ser assustador. A ideia a assusta?

– Sim. Quer dizer, você sabe que eu não queria vir para cá, mas conheci pessoas ótimas e meio que me sinto segura aqui, sabe?

– Nunca conversamos sobre a duração da sua estada, porque sabíamos que você ainda não estava pronta para sair. Você tem sete dias até o fim do programa de tratamento de um mês. Teve uma grande melhora nos últimos dias, mas acho que concorda que ainda tem problemas que precisam ser resolvidos antes de ir embora.

– Provavelmente – respondi.

– Como estão os desejos no momento?

– Melhora quando faço exercícios, como correr, então não penso neles.

– Uma das ferramentas que você pode levar daqui é a prática de atividade física. Como estão suas mudanças de humor? Você mencionou, na semana passada, que estava tendo surtos de raiva e "negatividade". Ainda sente isso?

– Não... – Engoli em seco. – Os pensamentos negativos diminuíram... sim, diminuíram.

– Então como você se sente em relação a uma visita? – indagou Fi outra vez.

– Talvez na semana que vem?

– Ok. E quem você gostaria que fosse?

Eis a questão, pensei; era uma das citações de Shakespeare prediletas de Pa. Infelizmente, a lista de visitantes em potencial refletia o ponto baixo que minha vida atingira: havia apenas Ma, que era uma figura materna, ou Maia ou Stella, uma avó que eu só encontrara algumas vezes quando estava completamente drogada...

– Posso pensar? – perguntei.

– Claro. A lista é pequena?

– Muito – admiti.

– Quantos?

– Três.

– Bem, você pode achar que não é muito, Electra, mas garanto que, quando a maioria das pessoas chega aqui, senta nesta sala comigo e ouve a mesma pergunta, elas têm dificuldade para achar sequer um nome. Elas se isolaram, afastaram as pessoas que amavam e que as amavam. O álcool e as drogas se tornaram seus únicos amigos. Você concorda com isso?

– Sim – respondi, ouvindo o medo em minha própria voz. – Concordo. Na verdade, talvez haja uma quarta pessoa.

– Melhor ainda. – Fi sorriu. – E quem seria?

– Mariam. Ela é minha assistente pessoal, e eu... bem, eu realmente a admiro.

– Você acha que ela também gosta de você?

– Eu... Eu me comportei muito mal com ela, mas acho que sim.

– Pode ser bom ter como primeiro contato alguém que não seja tão diretamente ligado a você, em termos emocionais. De qualquer forma, pense nisso, Electra, e me diga amanhã.

– Está bem.

– Ótimo, continue assim – comentou ela, enquanto eu me levantava.

– Obrigada. Até logo, Fi.

Saí do consultório dela sentindo-me quase animada, como uma criança que acabara de receber uma estrela dourada de sua professora.

❂ ❂ ❂

– Alguma novidade sobre Vanessa? – perguntei a Lizzie mais tarde, no quarto.

– Não, nem eu consegui extrair informações da enfermeira, então acho que as notícias não devem ser boas. Você está com um brilho diferente hoje, Electra – comentou Lizzie enquanto eu pegava minha toalha do gancho e me preparava para tomar banho. – O que aconteceu?

– Nada – respondi, tirando a roupa e me enrolando na toalha.

– Caramba, de todas as companheiras de quarto que eu podia ter arrumado na reabilitação... – Lizzie suspirou. – Acabei com uma das mulheres mais bonitas do mundo. Você realmente tem um corpão. Além disso, come igual a um cavalo e não ganha um grama. Eu deveria odiá-la – disse ela, rindo, quando entrei no banheiro e fechei a porta.

Enquanto estava debaixo d'água, pensei no que Lizzie acabara de falar; não era nenhuma novidade, pois todo mundo me dizia que eu tinha um corpo fantástico. Então por que eu gostava tanto de abusar dele?

Talvez fosse porque *eu* odiasse meu corpo, porque ele tinha feito os outros *me* odiarem. A maioria das mulheres não confiava em mim e, se estivessem com um homem, eu quase sentia suas unhas esmaltadas enterrando-se em seus machos quando eu me aproximava. Além disso, eu mesma nem achava que tinha um rosto ou um corpo bonitos – apenas caía bem nas roupas que estavam na moda. Eu crescera com uma irmã que sempre fora considerada a beleza da família e, se me pedissem para descrever a imagem da mulher perfeita, quase certamente seria Maia, com suas curvas, seios grandes, cabelos escuros brilhantes e traços impressionantes.

Enquanto escovava os dentes, olhei-me no espelho e pensei que tinha mesmo olhos bonitos, belas maçãs do rosto e lábios que nunca precisariam de preenchimento. A cor de minha pele nunca mudava. E essa era uma das coisas que me marcavam como uma modelo de sucesso. Eu só esperava que não demorasse a chegar um tempo em que houvesse mais modelos de pele escura. Quando eu era menina, nunca havia pensado muito no fato de ser negra enquanto minhas irmãs tinham tons variados de cor de pele. Éramos todas diferentes, então aquele era apenas o meu "normal". Somente quando fui para o internato, onde eu era a única menina negra e uma cabeça e meia mais alta que as outras, que me tornei consciente de minha aparência.

– Electra, você já terminou? Preciso muito fazer xixi.

– Já estou saindo – falei, abrindo a porta para deixar Lizzie entrar.

Era óbvio que ela estava fazendo um daqueles regimes de sucos que a enchiam de líquidos, mas a faziam passar o resto do dia urinando.

Quando ela voltou, olhou para mim, sentada na cama, usando uma calça legging e um casaco com capuz.

– Você sabe que hoje é noite de terça, não sabe? – indagou ela, os braços cruzados. – Vamos todos ao boliche na cidade.

– Eu sei, mas não é muito a minha praia.

– Eu também achava que não era a minha quando cheguei, mas até que é bem divertido. Depois vamos comer uma pizza. Quer dizer, o pessoal vai, eu não. Acho que você ia gostar. É uma chance de conhecer os outros, conversar com gente de fora da escola, se é que você me entende.

– Obrigada, mas eu passo. – Dei de ombros. – Tenho algumas cartas para escrever.

– Tudo bem... A propósito – disse ela, pegando o estojo de cosméticos para montar sua estação de maquiagem preparando-se para o passeio da noite –, você viu aquele pedaço de homem que acabou de chegar?

– Hum... não sei.

– Não tem como não ter visto. Ele é no mínimo tão alto quanto você, todo musculoso, e tem os olhos castanhos mais sedutores do mundo.

– Ah, você está falando do Miles.

Lizzie me encarou, seu pincel de rímel no ar.

– Você conversou com ele?

– Sim, ele estava na trilha hoje de manhã, quando saí para correr.

– Nossa, até eu consigo me imaginar sendo bem malvada com um homem daqueles. – Lizzie riu. – Ele parece um astro de cinema. Ele é?

– Não, é advogado.

– Uau, estou vendo que vocês ficaram bem íntimos. Ele estava sentado sozinho na hora do almoço. Então, como sou muito amigável, fui me sentar com ele. Dois minutos depois, ele pegou sua bandeja e saiu. – Lizzie franziu a testa. – Minhas táticas não funcionaram muito.

– Pensei que você só tivesse olhos para o seu marido...

– Você sabe que é verdade, mas não fiz nada de errado com o homem! Ele parece bem demais para estar aqui. Por que ele veio?

– Ele contou que volta todos os anos para garantir que não terá uma recaída.

– Esta é a minha sexta vez, então entendo perfeitamente. Gosto daqui porque todo mundo é muito amistoso e sempre tem alguém com quem conversar. Não é como em casa.

– Seu marido não sente a sua falta?

– Ah, ele quase não para em casa. E agora que as crianças se foram, bem... Enfim, se você tem certeza de que não vai ao boliche, é melhor eu ir. Esse jeans ficou bom em mim? – quis saber ela, levantando-se e dando uma voltinha. – Ele não estava cabendo quando cheguei. E por favor não minta.

Olhei para sua figura elegante, com uma cintura estreita e uma bundinha empinada que deixaria qualquer moça de 25 anos orgulhosa, ainda mais uma mulher de 48.

– Sério, Lizzie, você está ótima.

– Tem certeza? Meu marido odeia quando eu uso jeans. Diz que eu tenho "barriga mole".

– Não tem, eu juro. Agora vá se divertir, ok?

– Obrigada, Electra. Até mais tarde.

Quando Lizzie saiu, deixando atrás de si uma nuvem de seu perfume caro, percebi de repente que ela estava ali não apenas para perder peso; ela estava ali porque se sentia sozinha.

Eu me sentei à escrivaninha, peguei na gaveta papéis de carta, envelopes e canetas e comecei minhas "cartas de desculpas".

Querida Maia,

Estou indo bem aqui. Estou limpa há três semanas e frequentando as reuniões dos AA todos os dias. Estar aqui me deu tempo para pensar em como me comportei mal com você no último...

Mês? Ano?, refleti comigo mesma.

... ano, principalmente no Rio. Percebo agora que você estava apenas tentando me ajudar. Se você não tivesse ligado para Mariam naquela noite, eu literalmente não estaria mais aqui. Espero que possa me perdoar, e estou ansiosa para reencontrá-la em junho.

Obrigada novamente.

Com amor,

Electra

Ao dobrar a carta e colocá-la em um envelope, desejei poder simplesmente enviar um e-mail para ela, porque só Deus sabia quanto tempo minha carta demoraria para chegar ao Rio. Mas Margot, a líder dos AA, tinha dito que era melhor escrever, porque cartas eram mais significativas. Talvez eu mandasse um e-mail para Maia, de qualquer maneira, avisando que a carta estava a caminho. Ou, se ela viesse me visitar na próxima semana, eu poderia entregá-la pessoalmente.

Escrevi o endereço no envelope e o enfiei na gaveta.

Então escrevi para Ma, usando mais ou menos as mesmas palavras, mas alterando um pouco para ficar mais adequado. Tive uma súbita vontade de escrever "eu te amo" no fim. Não conseguia nem lembrar se eu já tinha dito isso a ela algum dia. Bem, eu *realmente* a amava, percebi, e muito. Ela era a pessoa mais gentil que eu já conhecera e tinha tolerado meu comportamento por muito tempo, então terminei a carta expressando isso.

Subitamente chorosa, pensei em Atlantis, em como me sentia segura lá, e em quanto eu sempre queria voltar quando estava fora, na escola, porque era o meu lar...

– Agora preciso encontrar meu próprio lar... – murmurei, uma lágrima caindo no envelope enquanto escrevia o nome e o endereço de Ma na frente.

Estava me sentindo triste, o que não era bom, então afastei o papel e a caneta, me alonguei e decidi sair para tomar um pouco de ar fresco. No fim do corredor, havia uma cozinha compacta, com café, chá e biscoitos, e resolvi preparar um chá de gengibre – o leve ardor que causava na garganta era o mais próximo que eu podia chegar de uma dose, atualmente. Depois saí do prédio. A noite estava bem mais fria, e eu sentia o cheiro dos saguaros, as grandes flores de cactos que cresciam no jardim. O céu estava simplesmente incrível – preto como tinta e bem aberto acima de mim. Como sempre fazia quando olhava para as estrelas, procurei as Sete Irmãs. E lá estavam elas, brilhando. Como sempre, contei seis – raramente via a sétima. Certa vez, Pa havia me dito que algumas culturas diziam que Electra – ou seja, eu – era a irmã perdida das Plêiades. Ele até me deu uma antiga impressão em preto e branco da cena de um balé chamado *Electra, ou a Plêiade Perdida* que já estivera em cartaz em Londres uma vez. Andei em direção ao banco que ficava no meio do belo Jardim da Serenidade, cheio de ervas aninhadas entre as flores coloridas, que exalavam um perfume delicado. Uma pequena fonte farfalhava suavemente ao fundo. Fechei os olhos e pensei em como eu sempre me sentia como a irmã "perdida" das seis. Embora Pa nunca tivesse encontrado a sétima.

– Olá – disse uma voz vinda do banco do outro lado do Jardim.

Abri os olhos e, quando eles se reajustaram à luz fraca, percebi que era Miles, fumando um cigarro.

– Oi. Estou incomodando? – perguntei, do outro lado da fonte.

– Não. Para ser sincero, eu bem que queria companhia. – Ele se levantou de seu banco e caminhou até o meu. – Posso?

Como eu estava sentada, ele assomava sobre mim e tive que levantar a cabeça para fazer contato visual.

– Claro – respondi.

Ele se acomodou ao meu lado.

– Quer um? – disse ele, oferecendo-me o maço do bolso da camisa.

– Não, obrigada. É um vício que eu nunca comecei e não quero sair daqui com um novo.

– Para mim foi o primeiro de muitos, e voltei para ele, já que não tenho mais o resto – contou Miles, tragando o cigarro e, em seguida, apagando-o com o pé. – Alguns anos atrás, a essa hora da noite, eu estaria em algum bar de Nova York ouvindo o tilintar de gelo em um copo e a vodca sendo derramada como um córrego descendo a montanha.

– Que poético. – Eu ri. – Eu e a vodca éramos grandes amigas também. Agora é chá de gengibre.

– Não vou ao bar há cinco anos – confessou ele, acendendo outro cigarro. – O cara que me vendia drogas provavelmente ainda está por lá.

– Por quanto tempo você usou?

– Cheirei a minha primeira carreira dezenove anos atrás, em Harvard.

– Uau! Você estudou em Harvard? Deve ser muito inteligente.

– Acho que já fui. – Ele deu de ombros. – Eu era muito nerd. Fazia parte dos grupos de debate e tudo. Ganhei uma bolsa de estudos acadêmica; mesmo sendo alto e negro, eu era péssimo em basquete, algo que eu acho que os brancos naquele lugar não conseguiam entender. Eu me sentia um alienígena, sabe? Mesmo assim, eu me formei em direito e comecei a trabalhar em um dos maiores escritórios de Nova York. E foi aí que eu realmente me tornei dependente de bebida e drogas.

– É interessante você ter sentido que era diferente na faculdade. Fui criada em uma família multicultural. Eu e minhas irmãs fomos adotadas de vários países do mundo, então, como éramos todas "diferentes", eu nunca pensei muito nisso. Até que fui para um colégio interno, e aí as coisas mudaram. Ando pensando muito sobre aquele tempo. Você sabe que aqui eles gostam de remexer o passado.

– É verdade. Limpar os detritos da nossa mente é tão importante quanto limpar o corpo. Mas, desculpe, eu a interrompi.

– Bem, o que eu tenho pensado é que, como eu não me sentia diferente das minhas irmãs, acabei sofrendo muito quando fui para o colégio interno, mas nunca associei isso à minha cor de pele. Como você, eu estava em uma escola predominantemente branca e, sim, foi complicado, mas não sei se por causa disso ou só porque eu era uma pessoa muito difícil.

– Talvez tenha sido difícil porque você era diferente. Crianças podem ser muito cruéis.

– Podem mesmo, e foram, mas qual é o objetivo de falar sobre isso agora? Já passou.

– Está falando sério?! – Miles deu uma risada profunda. – Você deve estar aqui há pouco tempo, para me fazer essa pergunta. Parece que eu sou o contrário de você; sempre tive problemas com a parte física da abstinência, enquanto você parece achar mais difícil a parte mental, tentar identificar o porquê se tornou dependente, para começo de conversa.

Ficamos em silêncio enquanto Miles terminava o cigarro.

– Você tem alguém? – perguntou ele, depois de um tempo. – Alguém especial?

– Não. Nem alguém não especial – brinquei, enquanto bebia meu chá. – Pensei que tinha, um tempo atrás, mas ele me abandonou.

– É, acho que li sobre isso. Sinto muito. – Miles pareceu um pouco sem graça. – Isso afetou você?

– Bastante! Sabe como é humilhante o mundo inteiro saber que você levou um fora e que o amor da sua vida está noivo de outra pessoa?

– O amor da sua vida até agora, Electra – corrigiu Miles. – Você ainda deve ter a idade de uma universitária. Mas não, em resposta à sua pergunta, não sei como é. Já tive que lidar com a mídia em alguns casos de clientes famosos, mas isso foi o máximo de interesse que provoquei nos paparazzi.

– Você ganhou?

– Não – respondeu ele, com um sorriso.

– Você ia chapado para o tribunal?

– Provavelmente. Você ia chapada para as passarelas?

– Provavelmente.

Olhei para ele e trocamos um sorriso amargo.

– Bem, conheço muitos advogados que precisam de uma carreira de cocaína antes de entrar no tribunal para seus argumentos finais. Mas não conte a ninguém que eu lhe disse isso – revelou ele, sorrindo.

– Ah, é a mesma coisa na minha área. Nós dois desempenhamos papéis, como atores.

– O problema é que, quando você se sente o rei do mundo, não sabe quando parar. Devo ter perdido alguns casos por causa disso. E como trabalho em um mundo predominantemente branco, não posso me dar ao luxo de perder.

– Nunca se sabe, podemos estar perto de ter o primeiro presidente negro – comentei, depois de ter visto as notícias da TV no refeitório, mais cedo naquele dia. – Obama está indo bem nas primárias.

– Isso vai ser bem impressionante. – Miles sorriu. – Ainda temos um longo caminho pela frente, mas pelo menos o mundo está finalmente mudando.

– Eu me sinto sortuda por ter sido criada por um pai que não fazia distinção entre nós. Éramos apenas suas meninas. E, se brigava conosco, era por causa de nosso comportamento, não pela nossa cor. E ele brigava bastante comigo.

– Sim, posso imaginar, você parece bem agitada. De onde veio, originalmente?

– Bem... não sei ao certo – respondi, pensando no que Stella me contara.

– Pena que você não tenha pais, avós e bisavós para lhe falar sobre o passado. Os meus falam disso o tempo todo.

– Como disse, fui adotada.

– E você nunca pediu ao seu pai que lhe contasse sobre a sua família biológica?

– Não.

Miles estava começando a me irritar, fazendo perguntas com as quais eu não conseguia lidar. Era como ter uma sessão-relâmpago de terapia, e minha cabeça estava girando. Eu me levantei.

– Sabe de uma coisa? Estou muito cansada. Até a próxima.

De volta à segurança do meu quarto, subi na cama, desejando nunca ter saído para me sentar naquele banco. Minha cabeça estava confusa e, de repente, compreendi por que as pessoas faziam terapia: era um espaço seguro, com alguém que não dava as próprias opiniões, apenas lhe perguntava gentil e lentamente qual era a sua.

Pela primeira vez desde que chegara ao Rancho, senti-me verdadeiramente grata por ter Fi para conversar no dia seguinte.

19

Na manhã seguinte, eu estava na trilha novamente, depois de acordar ainda mais cedo, precisando da sensação dos meus pés contra a terra para me estabilizar. Estava no meu segundo circuito quando vislumbrei Miles começar seu primeiro. A boa notícia era que havia uma grande distância entre nós, e era impossível ele me alcançar. Mesmo assim, aumentei a velocidade, por precaução, e me concentrei em limpar a mente e em absorver a natureza ao redor. Alguns minutos depois, eu o vi na minha frente – não atrás – e percebi que *eu* estava me aproximando *dele*. Diminuí a marcha, mas, ao contrário da manhã anterior, ele estava correndo na velocidade dos idosos que eu sempre ultrapassava quando corria no Central Park.

– Que saco! – murmurei, usando uma das expressões favoritas de Lizzie.

Diminuí a velocidade para uma caminhada, mas percebi que, a menos que saíssemos da trilha, estávamos prestes a ficar lado a lado.

– Ok, você venceu – sussurrei, enquanto passava por cima dos tijolos que demarcavam a trilha e seguia para a entrada principal do Rancho.

– Ei!

Meus passos se transformaram em uma corrida quando olhei para trás e vi que Miles agora estava vindo em minha direção.

– Espere!

Xingando baixinho, corri para a entrada e estava prestes a passar pela porta quando uma mão forte pousou em meu ombro.

– Me solte!

– Electra, nossa!

Eu me virei e vi Miles com as mãos erguidas como se tivesse acabado de ser pego pela polícia.

– Não queria assustá-la, só queria me desculpar pela noite passada. A última coisa que quero é confundir você com coisas que não são um problema.

Sinto muito; percebi que estava espelhando minhas próprias questões em você.

Nós dois estávamos ofegantes após a corrida. Eu me inclinei e apoiei as mãos nos joelhos.

– Sem problemas, está tudo bem – consegui dizer.

– Não, não está.

– Bem, tenho que ir tomar café da manhã e depois a...

– Oração da Serenidade, eu sei.

Abri a porta e entrei, sem virar para ver se ele estava me seguindo. Eu só precisava ver Fi e conversar sobre tudo aquilo.

❂ ❂ ❂

– Deixe-me ver se entendi. – Fi olhou para suas anotações. – Você quer falar sobre algo que aconteceu no colégio interno?

– Sim.

Quer dizer, eu *não* queria, na verdade, mas sabia que precisava.

– E o que aconteceu, Electra?

Engoli em seco e respirei fundo algumas vezes, me preparando para contar a ela. Porque eu nunca, *jamais,* revelara aquilo a ninguém.

– Então... eu tinha acabado de chegar a uma nova escola, e havia umas garotas que eu sabia que eram, tipo, as populares. Elas eram todas muito bonitas e conversavam sobre como seus pais eram ricos. Eu queria ser amiga delas, me encaixar... – expliquei, descobrindo que estava ofegando quase tanto quanto no fim da corrida.

– Vá com calma, Electra, não há pressa. Podemos parar quando você quiser.

– Não. – Eu estava na pista agora, e aquele avião cheio de merda precisava decolar antes que explodisse em cima de mim. – Então eu contei a elas sobre a nossa casa, Atlantis, e como ficava em um lago e parecia um castelo, e como Pa nos chamava de suas princesas, e que tínhamos tudo que queríamos, o que não era verdade, porque só ganhávamos presentes no Natal e nos aniversários ou às vezes quando ele voltava de alguma viagem. E como viajávamos em nosso superiate todos os anos para o sul da França e... – Engoli em seco novamente e respirei fundo. – Fiz tudo o que pude para ser como elas, com suas mansões e roupas de grife e...

– Aqui, tome um pouco de água. – Fi me entregou um copo de plástico que ficava na minha frente em toda sessão e que eu nunca precisara beber.

Tomei um gole.

– Enfim, andei com elas por algumas semanas, e minhas outras irmãs que estudavam lá, Tiggy, Estrela e Ceci, que eram de turmas mais avançadas, me viram com meu grupo, e ficaram felizes por eu estar me adaptando tão bem. Então... – Tomei outro gole de água. – Bem, contei para Sylvie, a líder das garotas, que, quando eu era criança, tinha ficado presa no pequeno banheiro da cabine onde eu dormia, a bordo do *Titan*, o barco do meu pai. Todas as minhas irmãs ou estavam no convés ou nadando, e eu fiquei naquele espaço minúsculo por um tempo que me pareceram horas, e eu gritei e gritei, mas ninguém me ouvia. – Engoli em seco. – Até que uma empregada foi à minha cabine, ouviu meus gritos e abriu a porta. Depois disso fiquei com medo de espaços apertados.

– É compreensível, Electra. Então, o que aconteceu quando você contou esse fato à sua amiga da escola?

– Bem, foi pouco antes de uma partida de hóquei, e eu jogava muito bem – falei, as lágrimas começando a arder nos meus olhos. – Havia um armário no vestiário, onde guardavam todo o equipamento esportivo. Sylvie disse que não conseguia encontrar seu taco, que alguém o havia roubado, e me pediu que a ajudasse a procurar. Então fui até o armário e, quando vi, ela tinha me empurrado para dentro e trancado a porta. Fiquei lá por horas. Todo mundo estava na quadra de hóquei, depois houve um lanche para as equipes e... Por fim, Sylvie voltou para me deixar sair.

– Aqui, Electra...

Fi me passou a caixa de lenços, que eu jurara que nunca usaria. Lágrimas escorriam pelo meu rosto e eu peguei um monte deles. Depois que me recompus, olhei para o rosto gentil de Fi.

– Como você se sentiu, trancada naquele armário?

– Como se fosse enlouquecer... Eu quis morrer, de tanto medo... Não consigo relembrar isso, não consigo.

– Você *está* relembrando, Electra, e depois vai se libertar disso. Sabe por quê? Porque você saiu. E ninguém jamais vai colocar você lá de volta.

– Pode acreditar que não – falei. – Nunca mais.

– E o que essa garota, Sylvie, disse quando você saiu?

– Que eu não fazia parte da turma delas, que eu era uma mentirosa e que ninguém queria ser minha amiga. E que, se eu contasse o que ela tinha feito, elas me puniriam de novo. Então eu não disse nada. Nunca contei a ninguém.

– Nem mesmo às suas irmãs?

– Elas tinham me visto toda feliz, andando com aquelas garotas por várias semanas. Teriam pensado que era outra história que eu tinha inventado porque briguei com elas.

– Não conheço suas irmãs, mas, pelo que você falou... sobre Tiggy, em particular, não sei se seria esse o caso.

– Eu já tinha mentido antes, Fi. Muitas vezes, para me livrar de problemas em casa.

– Então o que você fez?

– Eu fugi. Com o dinheiro da minha mesada, consegui chegar à cidade. Lá liguei para Christian, nosso motorista, e pedi que ele fosse me buscar.

– E o que Ma e seu pai disseram quando você chegou em casa?

– Eles ficaram confusos, é claro, porque até então eu tinha dito que gostava da escola. Por isso me obrigaram a voltar.

– Entendo. E o que aconteceu?

– Ah, você sabe como é. Mais coisas. Encontrei todas as minhas camisas do uniforme manchadas de tinta, e os professores eram muito exigentes com nossa aparência. Os cadarços dos meus tênis sumiam, aranhas e outros insetos assustadores apareciam na minha mesa... Coisas de criança, eu acho, mas que me arrumavam problemas ou me assustavam.

– Em outras palavras, o bullying clássico.

– Sim. Fugi novamente, e, quando me mandaram de volta, decidi que a única maneira de sair daquele lugar era sendo expulsa. Depois disso fui para outra escola e, sim, é claro que comecei a praticar bullying, para que não fizessem comigo. Não ia deixar ninguém me intimidar, sabe? Fui expulsa outra vez pelas coisas ruins que fiz, além de ser reprovada nos exames. Então fui para Paris, consegui um emprego como garçonete e, em poucas semanas, um agente de modelos me notou. O resto é história – encerrei, dando de ombros.

Observei Fi ocupada, fazendo anotações – havia mais para escrever hoje do que nas últimas três semanas somadas. Ela olhou para mim e sorriu.

– Obrigada por confiar em mim o suficiente para me contar, Electra. Eu sabia que havia algo que você precisava desabafar, e é corajoso da sua parte fazer isso. Como está se sentindo?

– Perdoe o palavrão, mas, no momento, não sei mais de porra nenhuma.

– Não, é claro que não. Mas você é uma mulher esperta e sabe, sem que eu precise dizer, que foi aí que muitos dos seus problemas de confiança surgiram. Ofereceram-lhe amizade e, logo depois, usaram isso cruelmente contra você... Enfim, isso é mais do que o suficiente por hoje. Você já fez muito – disse ela, e eu me levantei. – Só por curiosidade, o que foi que finalmente a encorajou a me contar?

– Conversei com uma pessoa daqui. Até amanhã.

Depois de caminhar pelo Labirinto das Preocupações algumas vezes para me acalmar, entrei para usar o banheiro. Vi que Vanessa estava de volta ao nosso quarto, parecendo mais saudável.

– Oi, como está se sentindo? – perguntei a ela.

– Uma merda – respondeu Vanessa. – Eles me tiraram de lá muito cedo. Aquelas putas não sabem o que estão fazendo. Não confie nelas, entendeu?

Dada a conversa que eu tinha acabado de ter, concluí que provavelmente era melhor eu não ficar ao lado de Vanessa naquele momento.

– Estou indo para a equoterapia. Até logo.

Era bom sentir o cheiro limpo e natural dos cavalos após o fedor das memórias venenosas que expeli. Parando para pensar, uma de minhas "grandes escapadas", como Ally chamava, fora a cavalo. Peguei um dos animais dos estábulos da escola e cavalguei até a fazenda mais próxima, então expliquei ao fazendeiro onde o cavalo devia ser devolvido. Depois, andei – na verdade, corri – os 8 quilômetros até Zurique antes de embarcar no trem para Genebra.

Hank se aproximou com uma cenoura para sinalizar que meu tempo estava no fim.

– É mesmo impossível dar uma volta? – indaguei. – Eu bem que precisava de um bom galope.

– Não enquanto eu estiver aqui. Como eu falei, é contra as regras. Mas um vizinho meu tem um rancho aqui perto. Fale na recepção, diga que você tem experiência e que seria bom para sua saúde mental – sugeriu ele, piscando para mim.

– Obrigada, vou fazer isso.

Afastei-me dos estábulos, agora com uma missão.

Depois de muita discussão, descobri que o problema tinha mais a ver com o seguro do que com qualquer outra coisa; eu teria que deixar oficialmente a clínica enquanto estivesse nos estábulos, para o caso de eu cair e quebrar o pescoço, e depois me internar novamente quando voltasse. As possibilidades de processo nos Estados Unidos realmente eram inacreditáveis, pensei. Fui almoçar, sentindo-me exausta pelo estresse da manhã, e me sentei com Lizzie, procurando nervosamente por Miles no refeitório, pois não estava disposta a conversar com ele.

– Oi, Electra – disse Lizzie. – Você parece inquieta. O que aconteceu?

– Ah, nada. Está tudo bem, na verdade. E você?

– Acho que não estou tão bem.

Lizzie suspirou enquanto brincava com um tomate-cereja.

– Por quê?

– Acabei de ver Fi e... – Lizzie engoliu em seco, lágrimas surgindo em seus olhos. – Ela falou que é hora de eu ir embora. Discutimos sobre como meu hábito de comer em excesso vem de tentar compensar as faltas que sinto em minha vida, mas ela acha que preciso voltar ao mundo real.

– Certo. Mas isso não é bom?

– Não, não é. Quer dizer, assim como você e todos os outros aqui, eu vou ficar bem por algumas semanas, então algo vai acontecer e eu vou voltar correndo para a padaria mais próxima e me encher de donuts e muffins de chocolate.

– Ai, Lizzie, esse pessimismo não combina com você – repreendi, tentando acalmá-la. – Você não está ansiosa para mostrar ao Chris como está linda?

– Electra – começou ela, baixinho –, nós duas sabemos que não. Eu estraguei meu rosto com todas as cirurgias que fiz. Pareço um circo de horrores! Por que fiz isso? Tudo por ele! E onde ele está agora? Provavelmente na cama com uma daquelas vagabundas!

Lizzie tinha passado a gritar e a sala ficou silenciosa ao nosso redor. Largando o garfo no prato, ela se levantou e correu para fora do refeitório.

Fiquei sentada, em um dilema, sem saber se deveria ir atrás dela ou se Lizzie queria ficar sozinha. Após alguns segundos, decidi ir; seria uma demonstração de afeto, ainda que ela me mandasse embora. Tentei nosso quarto primeiro, mas só vi Vanessa deitada na cama com os fones de ouvido, então saí pelos jardins, sabendo que o hábito de Lizzie de usar saltos altos significava que ela não teria ido longe.

Finalmente a encontrei em um canto escondido do Jardim da Serenidade, chorando atrás de um enorme cacto.

– Lizzie, sou eu, Electra. Posso me sentar?

Ela deu de ombros e decidi tomar isso como um sim. Eu não tinha nenhuma ideia do que dizer – estava apenas começando a aprender a reconfortar os outros (que era algo que eu precisava colocar na minha lista crescente de temas para conversar com Fi). Então simplesmente segurei a mão dela até que o choro se transformou em soluços. Seu rosto parecia ter derretido, pois toda a maquiagem cuidadosamente aplicada escorrera com suas lágrimas. Tirei meu casaco e lhe ofereci a manga para que ela se limpasse.

– Obrigada, Electra. – Ela fungou. – Você é uma querida.

– Não sou, mas obrigada por dizer isso.

– Ah, você é, sim – retrucou ela, assoando o nariz e olhando para mim com um pequeno sorriso triste. – Aposto que estou horrorosa, não é?

– Um pouco – respondi sinceramente –, mas quem não fica horroroso quando chora?

– A verdade é que estou com medo de voltar para aquela casa enorme e vazia, que parece um mausoléu. Cozinhando o jantar para Chris e depois recebendo um telefonema dele às dez avisando que vai se atrasar e que não preciso esperar. Então, quando acordo de manhã, ele já se foi. Nós dormimos em quartos separados, sabe? Aprendi que dá para viver sob o mesmo teto com uma pessoa e passar uma semana inteira sem esbarrar com ela.

Nada do que ela estava dizendo me surpreendia.

– Lizzie...

– Sim?

– Você já pensou em... bem, em se divorciar?

– Sim, claro que sim. E ele também já, mas, pela lei da Califórnia, vou ficar com metade de tudo o que ele tem, e Chris é ganancioso demais para fazer isso. Então estou presa em um casamento falso e... embora eu saiba que ele me trai, o que mais dói é ele ter vergonha de mim, Electra. Vergonha da própria esposa! E eu ainda amo esse sujeito!

– Tem certeza? Quer dizer, não sou nenhuma especialista, mas fiz terapia em Nova York depois que terminei um relacionamento. A terapeuta me perguntou se eu realmente gostava do cara e eu disse que não, que eu o odiava, mas também o amava. E ela determinou que eu estava em um relacionamento codependente.

– Ah, querida, já passei por toda essa ladainha com os terapeutas ao longo dos anos. – Ela suspirou. – Milhares de dólares e caixas e caixas de lenços de papel. Mas ainda não parei de amá-lo, mesmo que eles deem outro nome. Além do mais, as crianças ficariam com o coração partido.

– Seu filho mais novo tem 23 anos, Lizzie. E eles nem moram mais na sua casa. Além disso, acho que nenhum filho deseja ver os pais infelizes.

– Nós fingimos sempre que eles estão por perto. Fazemos interpretações dignas de um Oscar, fingindo ser uma família feliz e perfeita. Eles ficariam chocados se soubessem a verdade...

– Aposto que seus filhos sabem. Quer dizer, onde eles acham que você está durante todo esse tempo aqui?

– Eles acham que estou com minha melhor amiga, Billie, que mora perto de Tucson. Ligo para eles toda semana e minto sobre quanto estamos nos divertindo. Patético, não é?

Eu achava mesmo patético – os filhos dela eram adultos, pelo amor de Deus –, mas obviamente não dava para dizer isso.

– Acho que os pais sempre querem proteger seus filhos, por mais velhos que sejam – respondi, pensando que talvez eu estivesse criando alguma sensibilidade, o que certa vez Pa dissera ser uma importante qualidade que eu não possuía.

Lembrei-me de ter respondido que ser "diplomático" era o mesmo que ser mentiroso.

– Eu quero, Electra. Eles são a única coisa de que tenho orgulho. – Lizzie soltou um grande suspiro. – Bom, eu não devia ficar incomodando você com essas coisas. Você já tem seus problemas.

– Você é minha amiga, Lizzie. Amigos se ajudam, não é?

– É verdade. E eu não tenho muitos, para ser sincera. Com certeza nenhum confiável.

– Nem eu – respondi.

– Eu ficaria orgulhosa de ter você como amiga – disse Lizzie, estendendo a mão para mim, e eu a segurei.

– Eu também.

Pela segunda vez naquele dia, senti um nó na garganta. Eu não era muito do tipo que chorava – nunca tinha sido –, mas me senti realmente comovida. Nós nos levantamos e voltamos juntas para o Rancho. Quando nos aproximamos, vi Hank a distância, seguindo na direção dos estábulos.

– Lizzie, você sabe cavalgar? – perguntei, de repente.

– Muito bem! Fique sabendo que fui campeã do Pony Club do meu condado, quando tinha 13 anos.

– Então quando você sai daqui?

– No sábado.

– Que tal eu agendar uma cavalgada para nós antes de você voltar para a Califórnia?

– Sabe de uma coisa? – O rosto de Lizzie se iluminou. – Eu adoraria.

✽ ✽ ✽

Tendo dormido o sono dos justos, exausta de todas as emoções do dia anterior, acordei ao amanhecer para encontrar Lizzie sentada em sua cama, de roupão, bebendo uma xícara de café.

– Bom dia – falei, sonolenta. – Você acordou cedo.

– Sim, nem sei como você conseguiu dormir com essa nossa companheira de quarto tendo pesadelos – disse ela, indicando Vanessa, que roncava suavemente. – Toda vez que eu pegava no sono, ela me acordava com gritos. Então desisti e me levantei. Agora ela está dormindo tranquila. Coitadinha. Dá para ver que é muito traumatizada.

– Não ouvi nada – comentei, enquanto me despia e vestia meu colete, bermuda e tênis. – Vou sair para minha corrida. Vejo você nas orações.

Saí correndo do Rancho, ansiosa para chegar à pista antes de Miles e percorrer meus três circuitos. Ao começar, estava irritada por ele afetar a serenidade de minha corrida matinal. Eu estava no bebedouro, tomando um copo d'água, quando ele apareceu no início da trilha.

– Bom dia, Electra – cumprimentou ele, quando comecei a voltar em direção ao Rancho.

– Bom dia.

– Escute – disse ele, mudando de direção e caminhando ao meu lado. – Você está me evitando?

– Talvez.

– Eu pedi desculpas ontem. Preciso me desculpar novamente?

– Não, não... – Eu parei e me virei para encará-lo. – Para falar a verdade, eu devia lhe agradecer.

– Agradecer?

– Sim, foi em parte por sua causa que eu consegui desabafar algumas coisas.

– Ah, que bom. Estamos de bem?

– Sim, tudo bem.

– Então por que você está me evitando?

– Eu... ainda estou processando algumas coisas.

– Certo. E você não quer que eu diga nada que possa complicar isso?

– É, mais ou menos.

– Vou respeitar sua vontade.

Eu o vi se afastar em direção à trilha e xinguei baixinho. Aquela devia ter sido uma das conversas mais desconfortáveis da minha vida, e eu não tinha ideia do que fazia me sentir tão estranha perto dele...

Depois do café da manhã e das orações, fui ver Fi.

– Bom dia, Electra. Como está se sentindo hoje?

– Mais leve – respondi. Porque era verdade.

– Que ótimo. Quer conversar mais sobre isso?

– Eu... estou confusa.

– Sobre o quê?

– Conheci uma pessoa aqui na clínica, e ele é negro e conversou comigo outra noite sobre preconceito. E pensei que aquelas garotas podem ter sido más comigo porque eu também era. Negra, quer dizer.

– Você nunca pensou nisso antes?

– Para falar a verdade, não. Pode me chamar de ingênua, mas sou apenas eu: Electra, a supermodelo.

– Exatamente. Você acha que sua personalidade, de alguma forma, é definida por suas origens raciais?

– Não, mas, quando eu estava correndo hoje de manhã, pensei que alguns seres humanos definem os *outros* pela cor da pele. – Eu a encarei. – Você não acha?

– Pessoalmente, eu acho, sim. Somos animais tribais, culturalmente. Os mais iluminados podem superar isso, mas...

– Muitos não superam. – Suspirei. – Só que eu quase não sofri, não foi? Meu rosto e meu corpo têm sido minha sorte, não meu problema.

– Mas, Electra, você percebe o que você *já sofreu*, certo?

– Como assim?

– O que aconteceu com você na escola, por exemplo. Qualquer que tenha sido a razão, e foi quase certamente uma mistura de coisas, esse evento moldou o curso de sua vida. Você percebe isso?

– Sim, acho que sim. Isso me fez parar de confiar nas pessoas e...

– Continue – encorajou-me Fi.

– Acho que, ao perder a confiança em todo mundo, você se sente sozinho. Eu me senti sozinha desde então. Sim – assenti enquanto pensava um pouco mais sobre o assunto. – Me senti mesmo.

– Já conversamos sobre nenhum homem ou mulher ser uma ilha, não foi? E era ali que você estava, na sua ilha. Como se sente agora?

– Melhor. – Dei de ombros – Menos sozinha. Eu fiz... Bem, acho que fiz amizade com uma das mulheres aqui. Uma amiga de verdade.

– Ótima notícia, Electra. E está confortável em deixá-la entrar na sua ilha? – perguntou Fi, com um sorriso.

– Colocando nesses termos, acho que sim – respondi, pensando em Lizzie estendendo a mão para mim no dia anterior. – Sabe de uma coisa? Também sinto raiva por ter permitido que aquelas garotas me impedissem de me formar na escola. Eu podia ter deixado Pa orgulhoso.

– Não acha que ele tinha orgulho da sua carreira de modelo?

– Ele dizia que sim, mas eu só dei sorte: nasci com este rosto e este corpo. Não é preciso ser muito inteligente para aparecer em fotos e comerciais, né?

– Já tive vários modelos famosos neste consultório, e muitos deles disseram exatamente a mesma coisa que você. No entanto, pelo pouco que sei, modelar parece um trabalho difícil, e tem a complicação adicional da fama e do dinheiro com tão pouca idade. Você mencionou que sente que decepcionou seu pai em várias ocasiões. Será que é porque você sente, em algum nível, vergonha do que faz?

– Talvez. Odeio a ideia de alguém, especialmente Pa, pensar que sou burra. Eu estava indo bem nos estudos antes de ir para o internato e... aquilo acontecer. E agora não tenho como dizer a Pa por que tudo mudou, pois ele está morto.

– E isso a deixa com raiva?

– Quer saber se estou com raiva por ele estar morto? Sim, acho que sim. Não tivemos um bom relacionamento nos últimos anos, para ser sincera. Eu não ia muito em casa.

– Você o estava evitando?

– Estava. A última vez que o vi foi em Nova York. Eu estava... bem, estava fora de mim. Não me lembro de muita coisa, além do olhar no rosto dele quando nos despedimos. Parecia... – engoli em seco – pura decepção. E, algumas semanas depois, ele morreu.

– Você me contou que ele morreu no verão passado. Na época em que o abuso de substâncias e o alcoolismo pioraram. Você acha que esses dois fatos estão interligados?

– Com certeza. Eu não queria ficar triste com a morte dele. Raiva era melhor. Mas... – Engasguei de repente, sentindo outra vez o nó na garganta. – Sinto falta dele, sinto muita falta dele. Ah, que merda! – Voltei aos lenços de papel. – Ele era tudo para mim, sabe? Tipo, o único ser humano que eu sabia que me amava, e mesmo quando a gente brigava ele estava sempre lá e... agora ele não está, só tem um buraco imenso, e eu nunca mais poderei dizer a ele que o amo ou que estou aqui, recebendo tratamento, e...

– Ah, Electra, eu sinto muito – disse Fi, e percebi que havia lágrimas nos olhos dela também, o que fez minha própria cachoeira recomeçar.

– E todas as irmãs... elas estavam sofrendo por ele – falei –, e acho que pensei que todas se sentiam mais filhas dele do que eu, porque elas sabiam que tínhamos brigado e que eu não tinha estado por perto, e eu me senti excluída mais uma vez.

– Seu relacionamento com suas irmãs é outro assunto que nós podemos trabalhar, se você quiser.

Eu assenti, assoando o nariz com força.

– Sim, por que não? Estamos abordando todas as questões, não estamos?

– Eu também gostaria que você refletisse se existe alguma conexão entre o relacionamento que você tinha com as suas irmãs e o fato de ter se aproximado de um grupo já estabelecido de meninas, quando foi para o colégio interno. Você podia ter virado a melhor amiga de uma única menina, mas talvez estivesse acostumada a fazer parte de um bando...

– Bom, nunca pensei desse jeito, mas você pode estar certa.

– E talvez o relacionamento natural que você teve com as suas irmãs durante a infância tenha feito com que suas expectativas para o novo grupo de amigas não fossem muito realistas.

– Quer dizer que eu esperava que elas me amassem e me aceitassem porque minhas irmãs eram assim? Que eu não enxerguei quem elas eram de verdade?

– Talvez. Bem, pense nisso, e é o suficiente por hoje – disse Fi, olhando para o relógio. Reparei que, surpreendentemente, tínhamos passado três minutos da hora. – Vejo você amanhã. Mas, Electra, você está fazendo um progresso incrível. – Fi levantou-se comigo e estendeu os braços para me dar um abraço. – De verdade. Estou muito orgulhosa de você.

– Obrigada – respondi, saindo rápido, antes de cair em lágrimas outra vez.

20

— Vou sentir tanto a sua falta, Electra... – disse Lizzie enquanto deixávamos o Rancho no sábado pela primeira vez desde que chegara, havia quase quatro semanas.

– Ei, acabamos de passar pelo portão e temos um dia inteiro juntas, lembra? – falei, atordoada ao alcançar a estrada aberta e deserta.

– Sim, e vamos aproveitar – concordou Lizzie. – Parece até que somos as mulheres daquele filme... como era o nome? *Thelma e Louise*. Isso mesmo! Já assistiu?

– Acho que sim. Não era sobre duas mulheres que roubavam coisas e depois pegavam o carro e se jogavam de um penhasco?

– Esse mesmo. – Lizzie riu. – Não se preocupe, espero que nossa pequena aventura não chegue a tanto, apesar de parecer que estamos em uma grande fuga.

– É loucura ter que desfazer o contrato de internação por um dia para que eles não sejam processados se eu cair do cavalo! – comentei, rindo.

– Mas você vai voltar, não vai?

– Sim, claro que vou, ainda não terminei meu tempo aqui, mas estou chegando bem perto.

– Espero que você sinta quando estiver pronta, ao contrário de mim, que precisei ser expulsa. Esses lugares podem se tornar um vício, sabia? Ainda mais para dependentes.

– Para mim, não é só estar no Rancho; é *isso*! – comentei, abrindo os braços para indicar os arredores. – Eu me sinto tão livre!

– Eu também! Uhul! Vamos lá!

Lizzie acelerou e o poderoso Mercedes conversível nos levou depressa por aquela incrível paisagem do Arizona. O ar brilhava com o calor e a terra alaranjada era pontilhada por cactos altos que pareciam levantar os braços na direção do céu azul. Flores douradas lutavam através dos arbustos verdes e ásperos que abraçavam a areia do deserto, e pude ver um estranho coelho correndo para a segurança enquanto nosso carro se aproximava. Eu havia imaginado desertos como cenários vazios, mas aquele era repleto de cores e vida.

– Isso sempre me lembra a África: a poeira vermelha e os espaços abertos – comentou Lizzie. – Você já esteve lá?

– Não.

Enquanto Lizzie dirigia, pensei novamente em Stella e na história que ela começara a me contar sobre Cecily, que fugira para o Quênia quando o noivo a abandonou. Eu não tinha ideia de como a história dela se relacionava com a minha, mas presumi que houvesse uma ligação. Isso provavelmente significava que a África era meu lugar de origem. Talvez fosse por isso que eu gostava do Arizona, se Lizzie dizia que lembrava a África.

– Electra? Para que lado?

– Desculpe, me distraí – falei, e baixei os olhos para o mapinha que Hank desenhara para mim. – Acabamos de passar por Tucson, agora é só virarmos à direita, na placa que indica o parque montanhês.

Alguns minutos depois, a placa apareceu à nossa frente, saímos da estrada principal e seguimos para as montanhas. Por fim, vimos o pequeno letreiro da Hacienda Orchídea e seguimos por uma trilha empoeirada, estreita e esburacada, que parecia não levar a lugar nenhum.

– Meu Deus, esse realmente não é o veículo certo para esta estrada – brincou Lizzie enquanto o carro rebaixado raspava nos buracos. – Tem certeza de que é esse o caminho?

– Sim, olhe. – Apontei para um espaço entre dois cactos enormes, onde um cavalo pastava em um campo cercado.

Um pouco mais adiante, uma casa de teto baixo surgiu. Lizzie parou na frente dela e nós duas saímos do automóvel.

– Espero que os cavalos estejam em forma porque não tenho certeza se esses pneus vão me levar de volta para Los Angeles e talvez eu tenha que cavalgar até lá – brincou ela.

Não havia placas indicando aonde ir, então subimos uma escada que dava para uma ampla varanda protegida do sol por um telhado comprido e cheia de enormes vasos turquesa com espirradeiras. Havia uma longa mesa e cadeiras de madeira rústica no deque e, ao olhar para a planície do deserto que levava às montanhas, eu me vi imaginando noites agradáveis sentada ali, comendo em perfeita solidão.

– Olá! – Um homem abriu a porta antes que Lizzie tivesse levantado a mão para bater. – Vocês são as amigas do Hank?

Olhei para ele, me perguntando se todos os homens no Arizona eram altos e bonitos – aquele parecia latino, com pele escura, olhos castanhos e cabelos brilhantes preto-azulados.

– Sim, somos.

– Bem-vindas à Hacienda Orchídea – disse ele, estendendo a mão. – Sou Manuel. Querem alguma bebida para refrescar antes de ir aos estábulos? – ofereceu ele, enquanto nos conduzia para dentro.

A temperatura caiu vários graus por causa do ar-condicionado.

– Obrigada – respondeu Lizzie, olhando em volta.

Se eu estava esperando uma cabana de fazendeiro cheirando a cavalos e cães, não podia estar mais enganada. Estava parada em uma enorme sala quadrada, cujas paredes eram feitas inteiramente de vidro, o que dava uma visão gloriosa das montanhas ao fundo. Flores e plantas nativas coloridas cercavam a casa e pude ver mais cavalos pastando em um cercado ao longe.

O chão era de madeira vermelha brilhante e, no centro do cômodo, havia uma enorme chaminé de pedra, com grandes sofás confortáveis em ambos os lados. Havia uma área para a cozinha também, cheia de armários elegantes e brilhantes, que me fizeram lembrar meu apartamento em Nova York.

– Uau! Que lugar incrível você tem aqui – comentei enquanto ele servia água com gelo em dois copos.

– Que bom que gostaram. – Manuel sorriu. – Minha esposa projetou tudo isso. Talentosa, *sí*?

– Muito – concordou Lizzie, juntando-se a nós enquanto olhávamos para as montanhas pelas janelas dos fundos.

Havia outra grande varanda para além da cozinha, e Manuel abriu a porta de vidro, indicando que devíamos segui-lo. Mais uma vez, o espaço era coberto por um telhado comprido, e pude ouvir o som de água corrente ao fundo quando nos sentamos a uma mesa de madeira curva, que parecia ter sido esculpida inteira de um velho tronco de árvore.

– Tem um riacho por aqui? – perguntei.

– Não, mas minha esposa diz que ouvir a água correndo faz com que as pessoas se sintam mais refrescadas, então construímos aquilo ali, e a água é bombeada da casa – disse ele.

Manuel apontou para um pequeno reservatório retangular revestido de pedras onde grandes carpas nadavam; era rodeado de flores de hibisco e espirradeiras, e era uma das coisas mais bonitas que eu já tinha visto.

Quando levei o copo d'água aos lábios, o tilintar do gelo fez cada centímetro de mim ansiar pelo álcool. Mas eu disse a mim mesma que estava vivendo meu primeiro evento social fora do Rancho, e que não seria fácil.

Respirei fundo e peguei um punhado de batata chips que Manuel havia colocado sobre a mesa. Pelo menos elas tinham um sabor um pouco picante – por alguma razão, comida picante ajudava a acalmar meus anseios – e engoli bem depressa, esperando não ter que voltar ao Rancho alguns meses depois viciada em comida, como Lizzie.

– Manuel, acho que este é o lugar mais agradável que eu já vi – elogiou Lizzie. – Como você o encontrou?

– Foi o rancho do meu pai, e do pai do meu pai. Ele morreu há dois anos e eu o herdei. Ele já tinha vendido muita terra quando morreu, e o que restava não era suficiente para se criar um negócio. Minha esposa, Sammi, e eu decidimos usar todas as nossas economias para reformá-lo em uma casa particular para alguém que quisesse manter alguns cavalos. Mas até agora não tivemos sorte.

– Está à venda? – indaguei.

– *Sí, señorita.* Sammi e eu moramos na cidade. Ela tem um negócio de design de interiores e eu trabalho com construções – explicou ele. – Ok, vocês estão prontas para uma boa cavalgada?

– Estamos – respondi, me levantando, ansiosa, e esperando não decidir galopar de volta até a loja de bebidas pela qual passamos em Tucson, pois o desejo pelo álcool havia aumentado.

– Meu Deus! – exclamou Lizzie, enquanto seguíamos Manuel para fora da varanda, em direção a um estábulo recém-construído. – Este lugar é mágico, não é? Eu moraria aqui com toda a certeza. O que você acha, Electra?

A resposta era um enorme sim, mas só consegui assentir, pois uma garrafa de vodca surgiu em minha mente.

– Você está bem? – perguntou Lizzie, me olhando.

– Sim, vou ficar.

Ela pegou minha mão e a apertou.

– Um dia de cada vez. A primeira saída é a mais difícil. Você está indo muito bem – sussurrou ela enquanto chegávamos ao estábulo e Manuel nos entregava botas e chapéus de montaria.

– Você não administra isso aqui como um haras de verdade? – perguntei.

– Não, mas nos fins de semana gosto de deixar a cidade e vir aqui para cavalgar.

– Você não vai mais ter essa opção quando o lugar for vendido, não é? – disse Lizzie, pragmaticamente.

– Ah, ainda teremos terreno suficiente nos fundos para um pequeno cercado e reformaremos a cabana logo ali atrás. – Manuel apontou para uma planície vermelha, onde se via uma construção de madeira a algumas centenas de metros dos estábulos. – Esperamos que a venda da casa grande nos dê dinheiro para fazer isso. – Ele deu de ombros enquanto colocava o próprio chapéu. – Agora, quando Hank me ligou para perguntar se eu poderia levar vocês para cavalgar, ele afirmou que eram boas amazonas.

– Isso pode ser um exagero, no meu caso – disse Lizzie, revirando os olhos. – Não ando a cavalo há quase trinta anos.

– Então vou lhe dar a Jenny. Ela é muito gentil. E você, Electra?

– Também faz tempo que não monto, mas não tanto assim.

– Engraçadinha – brincou Lizzie, mostrando a língua para mim, enquanto Manuel guiava Jenny para fora dos estábulos e lhe entregava as rédeas.

– Que tal o Hector? – sugeriu Manuel, indicando um enorme cavalo preto que se movia inquieto em sua baia.

– Vou tentar – respondi.

– Ele se comporta depois que entende quem está no comando. E você me parece uma garota no comando.

– Pareço?

– *Sí*, como minha Sammi – disse Manuel, pegando as rédeas e puxando Hector para fora do estábulo. – Pode subir.

Quando saímos do pátio atrás dele, Hector relinchou e se agitou, balançando a cabeça enquanto eu tentava me acomodar em cima dele.

– Ok, então vamos devagar no começo e depois veremos – falou Manuel ao parar do nosso lado.

Observei Lizzie se mover à nossa frente e pensei em como ela ficava elegante sobre o cavalo.

– Ela é inglesa, a sua amiga?

– Sim.

– Ah! Percebi pela maneira como ela se senta no cavalo.

– Enquanto eu monto toda errada – comentei, vendo Hector jogar a cabeça para trás com impaciência.

– Ele vai se acalmar quando estivermos em movimento. É que ele gosta de ir rápido.

Levei quinze minutos até pegar o jeito de Hector e, quando consegui, Manuel sinalizou para mim.

– Agora podemos ir.

❁ ❁ ❁

Manuel e eu voltamos algumas horas depois, imundos de poeira vermelha, que eu podia sentir até nos lábios. Mas, uau, eu estava eufórica. Depois de partir em um trote leve, comecei a sentir o corpo de Hector acelerar embaixo de mim. Olhei para Manuel, que assentiu, obviamente confiando em minhas habilidades, e deixei Hector assumir a liderança. Voamos através daquela magnífica planície e não me lembrava de ter me sentido tão feliz há muito tempo. Eu estava livre, porém no controle, e foi incrível.

– Está se divertindo? – perguntou Lizzie quando voltei ao pátio, seguida por Manuel.

Ela voltara vinte minutos antes de nós.

– Uau, Lizzie, eu amei muito – respondi, desmontando. – Desculpe se fomos rápido demais.

– Imagina, foi fantástico ver vocês. Um trote com obstáculos era o que eu costumava praticar na Inglaterra. Você cavalga com naturalidade, Electra. Não acha, Manuel?

– *Sí*. – Manuel sorriu. – Agora, hora de uma cerveja gelada.

Depois que Lizzie e eu entramos no grande e moderno banheiro para lavar a poeira do rosto (e demos uma espiada no incrível quarto principal, que tinha vista para as montanhas e uma piscina embutida em um pequeno terraço cercado, logo além da parede de vidro), nos juntamos a Manuel na varanda e nos sentamos.

Ele já estava no meio de uma cerveja, e havia mais duas sobre a mesa, junto com um jarro de água.

– Vocês aceitam? – ofereceu ele, indicando as cervejas.

– Obrigada – disse Lizzie, pegando uma.

– Bem... – Engoli em seco. – Não, obrigada. Vou ficar só na água.

Lizzie me lançou um olhar de aprovação enquanto eu me servia da água. Eu tinha que me acostumar com o fato de que as pessoas beberiam ao meu redor constantemente quando eu voltasse à minha antiga vida. A parte boa era que eu estava enfrentando uma introdução suave, uma vez que não gostava de cerveja. Deixei de prestar atenção na conversa de Lizzie e Manuel enquanto respirava fundo, admirava a vista e apreciava a brisa do deserto.

– Senhoras, me desculpem, mas preciso ir – avisou Manuel, algum tempo depois. – Sammi e eu vamos jantar na cidade hoje à noite.

– Claro, e muito obrigada por hoje – agradeceu Lizzie, terminando sua cerveja. – Sua casa é absolutamente linda. Espero que consiga vendê-la em breve – acrescentou ela, enquanto atravessávamos a casa em direção à porta da frente.

– Também esperamos que sim. Pegamos dinheiro emprestado para fazer as obras quando as coisas estavam boas e agora... – disse ele, abrindo a porta da frente e apertando nossas mãos. – Bem, foi um prazer conhecer vocês.

– Para nós também – retrucou Lizzie, descendo os degraus.

– Será que eu posso vir de novo? – perguntei enquanto Manuel trancava a casa e caminhávamos até o seu jipe, estacionado ao lado do carro de Lizzie.

– Claro, estou sempre aqui nos fins de semana.

– Certo. Você tem celular?

– Peça ao Hank, ele vai lhe passar. *Hasta luego*, Electra, Lizzie.

Seguimos o jipe de Manuel de volta à cidade e vi o céu do deserto ao meu redor começar a adquirir diferentes tons de magenta e roxo, enquanto o sol se preparava para se recolher para a noite.

– Acho que vou precisar de um carro daqueles – comentei, enquanto Manuel colocava uma das mãos para fora de sua janela e acenava, virando à direita enquanto nós continuávamos em frente.

– Para quê? – perguntou Lizzie.

– Para ir e voltar da cidade, é claro. Quando eu chegar ao Rancho, preciso ligar para o meu empresário.

– Por quê?

Eu me virei para ela e sorri.

– Porque vou comprar aquela casa.

❁ ❁ ❁

Como era sábado, não havia terapeutas de plantão, e outro grupo partira para o cinema local, então o Rancho estava maravilhosamente silencioso. Até então, eu gostara mais dos fins de semana porque não havia sessões de terapia, mas naquele momento me vi desejando contar a Fi, ou pelo menos a alguém, sobre meu dia surpreendente. Depois de jantar no refeitório quase deserto, voltei para o quarto, pensando que precisava terminar minhas cartas de desculpas e enviá-las pelo correio. Decidi que deveria escrever uma também para Susie, minha agente, e outra para a querida e doce Mariam.

Vanessa estava deitada em sua cama, como sempre, com os fones de ouvido, olhando para o teto. Eu a tinha visto sentada com Miles no Jardim da Serenidade, depois de me despedir de Lizzie entre lágrimas e voltar para dentro. Sentei-me na cadeira e puxei papel, caneta e envelopes da gaveta da mesa.

– Aonde você foi hoje? – indagou Vanessa, me assustando, pois ela raramente falava.

– Fui cavalgar.

– Eles deixaram você sair daqui? Sozinha?

– Sim, mas eu estava com Lizzie. Não somos prisioneiras, sabia? Podemos sair quando quisermos.

– Eu sairia, mas não tenho para onde ir.

– Você não tem casa?

– Tenho, mas não posso mais voltar para lá. Ele me mataria.

– Ele quem?

– Meu namorado, Tyler. Ele não é gente boa. Algum cara já te bateu?

– Não, nunca.

– Você tem sorte, garota.

– O que você vai fazer?

Vanessa deu de ombros.

– Miles disse que me ajudaria a encontrar um lugar na cidade e um emprego. Mas nunca terminei o ensino médio e nunca vou receber meu diploma.

– Miles?

– É, foi ele quem me viu na rua e me trouxe para cá. Ele está pagando por tudo, mas isso não faz dele Jesus Cristo, meu Salvador – murmurou ela.

– Certo – respondi de forma neutra. Não fazia ideia de como era a vida daquela garota, e sabia disso. – Você está bem agora, com a desintoxicação?

– Sim, eles enchem você de drogas para te livrar das drogas! – A sombra de um sorriso apareceu nos lábios de Vanessa. – Só que assim que estiver de volta à cidade, vou voltar a usar.

– Se Miles diz que pode conseguir um emprego e um lugar para você morar, confie nele.

Vanessa resmungou e revirou os olhos, recolocando os fones de ouvido. Olhei para a caneta e o papel, coloquei tudo de volta na gaveta e saí do quarto para pegar um pouco de ar fresco. *Nunca me senti tanto uma princesa privilegiada quanto agora*, pensei, saindo para o Jardim da Serenidade e me sentando em um banco. E, para piorar, eu estava ciente das drogas e da prostituição que rolavam no pano de fundo da minha vida em Nova York. No entanto, até aquele instante, havia sido apenas pano de fundo.

– Oi – disse uma voz familiar, no banco atrás da fonte. – Precisamos parar de nos esbarrar assim. As pessoas vão começar a comentar.

– Oi, Miles – cumprimentei, e quando ele veio se sentar ao meu lado, fiquei feliz por sua presença.

– Um passarinho me contou que você escapou por um dia.

– É verdade. Andei a cavalo e foi fantástico.

– Que bom. Todo mundo precisa encontrar coisas que façam a vida valer a pena.

– Eu não sabia que era você quem estava cuidando de Vanessa.

– Sim, bem, podia ter sido eu na sarjeta, mas eu tinha pessoas me apoiando, uma família. Ela não tem ninguém.

– Ela contou que não pode voltar para onde estava morando e que você vai encontrar um lar e um emprego para ela.

– Posso alugar algum lugar para ela, claro. Uma casa de reabilitação ou um albergue. Talvez eu também consiga algum trabalho mal remunerado. Mas isso não garante que ela não volte aos velhos hábitos. – Miles suspirou. – Ela tem que querer fazer isso por si mesma.

– Talvez quando o corpo dela tiver se livrado de toda a droga, a terapia consiga surtir efeito...

– Pode ser, mas o que percebi desde que a trouxe para cá é que ouvir um monte de profissionais eruditos e riquinhos que não têm a mínima ideia de como é a vida dela não vai adiantar. Sou voluntário em um centro de atendimento em Manhattan que fornece aconselhamento jurídico para jovens, caso tenham problemas, e tenta mantê-los fora da cadeia, se possível. Há uma epidemia de drogas crescendo, acredite, e ela está afetando todas as cores e credos.

– Eu poderia ajudar, não poderia? – As palavras saíram antes que eu pudesse impedi-las. – Quero fazer alguma coisa. Estava pensando... Vi essas coisas na TV, mas...

– Você não deu a mínima até que a afetasse diretamente – completou Miles.

– Isso. Eu estava sentada aqui, me sentindo muito mal, egoísta, mimada e...

– Não se culpe, Electra, você não é muito mais velha do que Vanessa e vive em um mundo diferente. Não é culpa sua.

– Mas agora que sei, quero ajudar. – Esfreguei a testa com força, me lembrando do rosto de Vanessa e da falta de brilho em seus olhos. – Sabe, quando olhei para ela, a garota parecia morta por dentro, como se não houvesse...

– Esperança. É essa a palavra. Sim, bem, estou tentando devolver isso aos jovens com quem trabalho, essa crença de que vale a pena continuar lutando porque pode acontecer algo melhor à frente, em vez de mergulhar no abismo, sentindo que viver ou morrer não faz diferença. E isso é a coisa mais difícil, mas é preciso continuar tentando.

– Eu estava pensando nos Doze Passos mais cedo e em como é focado em Deus e em como Ele nos ajudará e salvará nossas almas, e coisas assim. Mas por que Ele dá a alguns uma vida tão horrorosa, enquanto outros têm tudo?

– Porque sofremos por nossos pecados aqui na terra antes de entrarmos em Seu glorioso reino.

– Está dizendo que é melhor lá em cima do que aqui embaixo?

– Sim, senhora, estou – disse ele.

– Então por que você não se mata agora e vai para lá?

– Ah, Electra. – Miles riu. – Porque nós temos uma missão para cumprir aqui embaixo, seja o que for que Ele nos peça. E, se você olhar dentro de seu coração e orar por orientação, vai descobrir exatamente o que é. Foi o que eu fiz.

Eu me virei para observá-lo.

– Você é uma pessoa de fé?

– Sem dúvida. Jesus me salvou há muitos anos, e agora estou aqui fazendo o Seu trabalho. Ou pelo menos tentando.

– Ah. – Encarei a escuridão por um tempo, tão chocada que não sabia o que dizer.

Eu nunca havia conhecido um cristão devoto. Para mim, aquela coisa toda da Bíblia estava no mesmo nível dos contos de fadas e dos mitos gregos.

– Bem... – Limpei a garganta. – Eu realmente gostaria de ajudar, se puder. Preciso ligar para meu empresário, de qualquer maneira. Ele cuida dessas coisas para mim. Vou falar com ele e ver o que posso oferecer. Acho que sou bem rica.

Foi a vez de Miles me encarar, em choque.

– Você quer dizer que não sabe quanto possui?

– Não. Moro em um apartamento bem legal e compro o que eu quiser, embora receba a maioria das roupas de graça dos estilistas. Não tem muito mais coisa que eu queira... além de drogas e álcool. Embora exista uma coisa que eu quero muito agora.

A ideia me fez sorrir.

– Desculpe falar isso, Electra, mas você não deveria tomar conta do seu dinheiro? Pessoalmente, não confio em ninguém quando se trata do meu.

– Ah, eles me mostram as contas uma vez por ano e me falam sobre meus investimentos, mas são apenas colunas de números e... não tenho ideia do que significam – confessei.

De repente, Miles estendeu a mão para acariciar meu rosto suavemente. Ele deu um suspiro quando seus olhos focaram nos meus.

– Você age como uma tigresa, mas no fundo é apenas um filhotinho inocente, não é? Perto de você me sinto um velho. – Ele sorriu. – E eu já deveria estar indo dormir, como as pessoas da minha idade.

Enquanto eu o observava se levantar, meu corpo e minha mente queriam pedir que ficasse e acariciasse meu rosto outra vez. Mas não pedi, porque me sentia muito tímida – pela primeira vez na vida.

– Boa noite, querida – disse ele, se afastando na escuridão.

Naquela noite, não dormi bem, mesmo fisicamente exausta da cavalgada. Isso se devia em parte a Vanessa, que estava tendo outra noite inquieta, mas também porque eu não conseguia parar de pensar em Miles. Sempre achei que lidasse muito bem com os homens, mas não conseguia decifrá-lo. Um advogado formado em Harvard, ex-dependente, salvador de drogados e cristão...

Então me perguntei se era casado, porque Miles nunca mencionara uma esposa, embora não tivéssemos conversado com tanta frequência. Além disso, o que importava? Ele era muito mais velho e vivíamos em mundos diferentes.

Acordei meio tonta, como se tivesse usado alguma coisa. Quando olhei para o relógio ao lado da cama, vi que eram dez horas. Normalmente, o sinal da manhã tocava às sete, dando-nos meia hora antes de nos reunirmos no refeitório para a Oração da Serenidade, mas era domingo, então não havia sinal e as orações eram às dez.

– Você perdeu o café da manhã e as orações – avisou Vanessa quando me sentei. – Trouxe uma tigela de mingau de aveia e um pouco de suco para você – disse ela, indicando a minha mesa.

– Ah – falei, emocionada por sua consideração. – Obrigada.

– Sem problema. Miles queria me levar à igreja na cidade, mas falei que precisava cuidar de você.

– Eu só estava dormindo. Você podia ter ido com ele.

– E você acha que eu quero ir à igreja? Eles são iguais aos traficantes, tentando enfiar toda essa coisa de Jesus na sua cabeça. Procurei seu nome no Google ontem à noite – continuou Vanessa. – Você deve ser a supermodelo mais famosa do mundo, e está dividindo quarto comigo. O mundo é mesmo louco!

– Com certeza – concordei enquanto pegava o mingau, que eu detestava, para não chatear Vanessa.

– Como você virou modelo?

– Um agente me viu em Paris quando eu tinha 16 anos. – Dei de ombros. – Foi apenas sorte.

– É porque você é alta como uma girafa. – Ela riu e, embora a piada fosse sobre mim, fiquei feliz ao vê-la sorrir. – Você deixa as roupas bonitas. E você é bonita também. De onde é a sua família?

– Não sei. Fui adotada. E a sua?

– Mamãe era porto-riquenha e meu pai... foi só um esperma, sabe? – Vanessa me analisou. – Seu cabelo é de verdade?

– Não. Pelo menos a maior parte, não. Eu queria ter um cabelo como o seu, comprido e bonito.

– Você não queria ter nada igual a mim – comentou ela, mas sua expressão revelou que ela ficou satisfeita com o elogio. – Você gosta de ser modelo?

– É legal. Quer dizer, sou bem paga, mas às vezes é chato ficar vestida como uma boneca viva todos os dias, e todo o cabelo e a maquiagem...

– Como se o seu corpo não fosse seu?

– Acho que sim.

– Bem, vendo o meu todos os dias, para quem quiser. Então acho que somos parecidas, não é?

Com isso, Vanessa se levantou e saiu do quarto.

– Uau. Uau...

Respirei fundo, sentindo o coração acelerado. Lágrimas surgiram nos meus olhos porque, de alguma forma, uma jovem drogada, saída das ruas de Nova York, me fizera sentir como se tivesse 5 centímetros de altura.

Em pânico, porque tinham sido esses sentimentos de raiva que me levaram para a Avenida Vodca e inevitavelmente me guiaram para a Calçada da Cocaína, vesti minha roupa de corrida e fui para a porta. Havia mais gente na trilha àquela hora do que ao nascer do sol, e fui passando pelos outros, tentando me livrar, através dos pés, da indignação que sentia.

– Que cara de pau! Me comparando com ela... Deus do céu!

Quando saí da pista e parei no bebedouro, estava pingando, em parte por causa do sol que fritava tudo e também porque acabara de completar cinco circuitos. Engoli a água, sentindo-me tonta e desorientada, desejando que Fi estivesse por perto para conversar sobre como eu estava me sentindo.

– Oi – disse Miles, caminhando em minha direção, saindo do estacionamento enquanto eu me arrastava para a entrada do Rancho.

Ele estava ainda mais elegante do que o habitual, usando paletó, camisa social e gravata.

– Você veio correr tarde hoje – comentou ele, diante da porta.

– Pois é. Escute, podemos conversar um pouco?

– Claro. Que tal no refeitório? Tem ar-condicionado e o sol hoje está fervendo.

Nós entramos, eu peguei uma garrafa de água e Miles se serviu de um café.

– E aí? – perguntou ele quando nos sentamos, afrouxando a gravata.

– Vanessa. Ela falou que sou igual a ela; que eu também vendo o meu corpo.

– Dá para ver que isso a incomodou. – Miles tomou um gole de café, depois me encarou com firmeza. – E então?

– Como assim, "e então"? Meu Deus, Miles, dá para parar de soar como um terapeuta?

– Sinceramente, não estou tentando fazer isso, mas quando uma coisa mexe com a gente, é porque parte de nós acredita que é verdade.

– Caramba, valeu! Você acha que modelar é o mesmo que se prostituir?

– Eu não estou dizendo isso, Electra. Estou perguntando o que você acha.

– Acho que ganho uma grana para me promover – respondi, citando a fala de outra modelo famosa quando questionada sobre o assunto. – E sabe de uma coisa? Estou cansada de todo mundo pensar que, só porque esse é o meu trabalho, ele é fácil. – Levantei-me de repente. – É um trabalho duro, o horário é uma loucura, raramente durmo na mesma cama por mais de alguns dias e, antes de vir para cá, não tive mais do que alguns dias de folga em uns dois anos. E... vou lhe dizer mais uma coisa.

– Pode falar!

– Ser famosa não é nada tranquilo. Tipo, todo mundo quer fama, mas as pessoas não dão valor à liberdade de simplesmente sair de casa em um domingo de manhã e correr sem ser reconhecido, sem um jornal receber uma dica e tirar uma foto de você toda suada e nojenta. Toda semana tem fofocas sobre mim com um cara novo ou sobre eu ter largado alguém ou estar traindo alguém... Meu Deus! Desculpe – acrescentei apressadamente.

– Sem problemas. Obrigado pelo pedido de desculpas.

– E quer saber de mais uma coisa? Eu *já* ganhei muito dinheiro, não sei exatamente quanto, mas vou descobrir, e depois vou comprar uma casa de verdade e começar a fazer coisas importantes. Como ajudar moças como Vanessa.

– Aleluia! – disse Miles, aplaudindo.

– Por favor, não zombe de mim. Estou falando sério. Totalmente sério.

– Eu sei que está. E estou amando. Parece que você teve uma epifania.

– Talvez – respondi, sentindo-me subitamente exausta e desabando na cadeira. – Não estou no controle da minha vida desde... talvez desde sempre. Bem, tive alguns dias em Paris, antes de ser descoberta, eu acho. Toda a bebida e as drogas, e o fato de não saber das minhas finanças, deixando todo mundo tomar decisões por mim, tudo isso está errado e eu vou mudar, Miles, eu vou mesmo. Saúde – brindei com ele, e engoli o resto da minha água.

– Isso aí, garota! – exclamou ele. – Sabe de uma coisa?

– O quê?

– Tudo isso que você acabou de dizer sobre o trabalho duro e a fama...

– O que tem?

– Você pode mudar as coisas e usar sua influência para o bem. Por exemplo, atrair essas malditas câmeras ao meu centro de atendimento e começar a aumentar a conscientização sobre o que acontece nas ruas.

– Quer saber? Você tem razão. E sabe de outra coisa?

– O quê?

– Acho que estou pronta para voltar para casa.

– Tem certeza?

– Sim. Quer dizer, vou falar com Fi, ver o que ela acha, mas me sinto animada, sabe?

– Entendo, mas você precisa tomar cuidado, Electra... Os momentos ruins... eles voltam e...

– Eu sei – eu o interrompi. – Eu sei.

– Você está indo muito bem, Electra, e estou orgulhoso.

– Obrigada, Miles. – Fiquei de pé. – Preciso terminar de escrever aquelas cartas de desculpas.

– Ok. Electra?

– Sim?

– Você só tem 26 anos. Teve que crescer depressa demais, como Vanessa. Tem tempo de sobra para fazer coisas boas, então dê uma folga a si mesma, está bem?

– Certo. Obrigada. – Comecei a me afastar da mesa, então parei e me virei. – Quantos anos você tem? Você fala como se fosse realmente um homem velho.

– Tenho 37, quase 38. Como você, eu já vi muita coisa. Acho que isso faz a gente envelhecer antes do tempo.

– Talvez a gente precise se divertir um pouco – comentei, e então me virei para ir embora.

– Talvez – ouvi Miles murmurar atrás de mim.

21

– Então, você acha que estou pronta para sair? – perguntei a Fi na manhã seguinte, depois de lhe informar sobre minhas atividades do fim de semana e minha "epifania", como Miles havia chamado.

– Você é a única que pode julgar isso. Na semana passada, eu teria dito não, mas, de alguma forma, a rolha saiu e tudo que você engarrafou por anos explodiu.

– Sim, é uma boa comparação – murmurei.

– Acho que você pode ver como se sente nos próximos dois dias, porque muitas vezes há uma euforia depois de uma revelação, seguida de uma queda. Você precisa recuperar um pouco de equilíbrio, não acha?

– Pode ser. Que tal eu planejar sair na quinta-feira? Assim eu chego em casa no fim de semana e vou ter algumas horas para me ajustar antes de a vida real começar outra vez. E, em vez de chamar alguma amiga para vir me visitar, ela pode me levar para casa.

– Parece um bom plano. Em que amiga você está pensando?

– Mariam – respondi com firmeza. – Maia está muito longe, no Rio, e eu não acho justo pedir que ela venha até aqui. Ela tem uma família para cuidar.

– Bem, a decisão é sua. Sempre que ela liga para saber notícias, deixa claro que ficaria feliz em vir. Não se esqueça de que você andou doente, Electra, e, quando alguém fica doente, as pessoas que a amam se aproximam.

– Não, eu gostaria que fosse Mariam.

– Certo, vou informar ao seu médico que acho você está pronta para sair na quinta-feira, ok?

– Ok. Sabe, este lugar tem sido incrível. Pelo menos na última semana. E conversar com os outros internos realmente me ajudou. Eu odiava a ideia de compartilhar quarto, quando cheguei, mas agora estou feliz por ter feito isso. E eu até contribuí para a terapia de grupo hoje de manhã.

– Isso é ótimo. – Fi sabia quanto eu havia relutado com a terapia de grupo. – Você quer me contar o que aconteceu?

– Ah, tinha uma garota... Miranda... falando sobre ter sofrido muito bullying na escola. Então compartilhei minha experiência e depois ela falou que me ouvir tinha ajudado.

– Excelente – disse Fi, sorrindo.

– E tenho pensado em compartilhar minha história com... bem, com todo mundo.

– Você quer dizer na mídia?

– É, porque com certeza já devem estar especulando sobre por que eu não estou trabalhado e por onde eu ando.

– Sua agente fez alguma declaração?

– Deve ter dito algo sobre eu estar de férias, sofrendo de exaustão. Talvez já tenha algumas notícias nos jornais, mas eu estava pensando que, se vou me envolver com o centro de atendimento que mencionei, compartilhar minha história pode ser útil.

– Essa decisão é sua, Electra, e o poder está em suas mãos. Tente não pensar nisso agora; é suficiente ter que enfrentar sua vida de novo no fim da semana. Devemos viver um dia de cada vez, lembra?

– Sim, claro.

– Ok, vejo você amanhã. Cuide-se – disse Fi, enquanto eu saía da sala.

❂ ❂ ❂

Naquela noite, quando peguei meu celular e meu notebook, fui até o Jardim da Serenidade e fiz minha primeira ligação para o mundo exterior em um mês.

– Electra! Como você está? – perguntou Casey, meu empresário e contador, que atendeu após o segundo toque.

– Estou bem, Casey, muito bem.

– Ótimo, fico muito feliz em ouvir isso.

Senti que ele parecia aliviado, o que me deixou desconfiada de que Casey sabia onde eu estava.

– O que posso fazer por você? – indagou ele.

– Queria marcar uma reunião com você quando voltar à cidade, na semana que vem. Estou pensando em comprar um imóvel.

– Certo. É definitivamente um bom momento para comprar; o mercado está meio parado. Você poderia fazer um excelente negócio comprando um apartamento em algum novo edifício, ainda na planta. A má notícia é que o Dow Jones não tem estado muito favorável.

– Certo – respondi, concluindo que precisava descobrir o que expressões como "Dow Jones" realmente significavam. – Mas não estou pensando em comprar nada em Nova York no momento. Vi um rancho aqui no Arizona.

– Certo. Você pode me dar alguns números?

– Não neste momento, mas vou descobrir assim que voltar.

– Bem, a maior parte de seu dinheiro está investida em títulos, que sofreram um pouco de desvalorização devido ao mercado, mas claro que podemos liquidar o que for necessário para comprar o imóvel.

– Até quanto?

– Eu teria que verificar os números, mas você sabe que é uma moça muito rica.

Eu queria perguntar a ele quão "rica" eu era, mas fiquei envergonhada, pois Casey perceberia que eu não tinha lido nada do que ele me enviava.

– Escute, você está livre na próxima segunda-feira de manhã? Vou ao seu escritório e poderemos resolver algumas coisas, porque tem outra coisa que eu queria discutir.

– Claro, Electra, seria um prazer. Podemos combinar às onze horas?

– Ótimo, nos vemos segunda. Tchau.

Não doeu tanto assim, pensei ao encerrar a ligação e ver que o celular estava coberto do suor das minhas mãos. Fiquei um tempo sentada, sonhando com a Hacienda Orchídea e com o fato de que eu poderia passar todo o meu tempo livre – um tempo que estava determinada a arrumar, em qualquer agenda que Susie me apresentasse – naquele lugar. Eu faria minha própria trilha de corrida, conseguiria uma empregada para cuidar da casa e alguém para me ajudar com os cavalos que pretendia comprar. Talvez Manuel pudesse até me vender Hector...

Voltei para o meu quarto e me sentei na cama, pensando que era hora de dormir, mas ainda me sentindo muito agitada. Olhei para o outro canto do quarto e vi que a cama de Vanessa estava vazia. Senti um estranho cheiro metálico encher minhas narinas quando me virei e percebi que havia um líquido vermelho escorrendo por baixo da porta do banheiro.

– *Merda!* – gritei, e pressionei a campainha de emergência enquanto reunia coragem para abrir a porta.

Vanessa estava deitada no chão em uma poça de sangue. Seus olhos estavam fechados e vi que havia cortes profundos ao longo de seus braços.

– Socorro! – Corri para o corredor deserto. – Alguém, socorro!

Como ninguém respondeu, lembrei que ainda estava com meu celular e voltei para buscá-lo na minha cama, a fim de ligar para a emergência.

Quando um operador atendeu, dei o endereço do Rancho e tentei responder às perguntas que me fizeram. Mercy, a enfermeira do plantão da noite, entrou no quarto, os olhos se arregalando de horror quando apontei para o banheiro.

– É Vanessa – consegui dizer. – Ela se machucou... Não sei se está bem... Não sei...

Mercy correu para o banheiro e pude vê-la começar o processo de ressuscitação; o corpo pequeno de Vanessa parecia completamente mole.

– Senhora? – veio uma voz do meu celular. – Senhora, uma ambulância chegará logo. Por favor, garanta que haja alguém na entrada para receber os paramédicos e levá-los até a paciente.

Larguei o celular na cama e corri para o banheiro, ofegando, em choque.

– A ambulância está a caminho. Ela vai ficar bem? – perguntei a Mercy.

– Pegue algumas toalhas, querida – pediu ela, rapidamente. – Temos que estancar o sangramento. Uma enfermeira da clínica deve chegar a qualquer momento para ajudar.

Engolindo em seco – nunca lidei muito bem com sangue –, pegamos um braço cada uma e fiz como ela ordenou, envolvendo as toalhas o mais firmemente possível em torno das feridas abertas. Sentei-me no chão, a toalha nas minhas mãos cada vez mais molhada. Vi uma pequena faca de cozinha no piso e a peguei.

– Como foi que ela conseguiu disso? – indaguei.

– Quem quer dá um jeito. – Mercy suspirou. – Ela provavelmente se esgueirou até a cozinha, pediu uma coisa ou outra e roubou a faca enquanto ninguém estava olhando.

Outra enfermeira apareceu no banheiro e eu soltei um enorme suspiro de alívio.

– Obrigada, Electra, Vicky pode tomar seu lugar agora. Você pode correr até a recepção e pedir que a segurança abra os portões para a ambulância?

– Claro.

Corri para a recepção e passei a mensagem, depois fui ao banheiro mais próximo para lavar as mãos ensopadas de sangue. Quando saí, dois paramédicos já estavam empurrando uma maca através das portas de vidro. Eu os levei ao nosso quarto e observei, entorpecida, enquanto cuidavam de Vanessa. Eles a colocaram na maca e eu os segui pelo prédio e pelo estacionamento, onde as luzes azuis da ambulância piscavam, iluminando a noite.

– Ela vai ficar bem? – perguntei a um dos paramédicos enquanto eles levantavam a maca para dentro da ambulância e Mercy os seguia.

– Faremos o possível, senhora – disse ele. – Mas precisamos sair imediatamente.

Quando ele fez menção de fechar a porta da ambulância, estendi instintivamente um braço para detê-lo.

– Eu vou junto. Vanessa precisa de mim – expliquei a Mercy.

– Electra, é melhor você ficar. Vanessa está em boas mãos agora.

– *Não!* Eu vou.

– Tudo bem, então – concordou Mercy. – Vamos as duas com Vanessa, querida.

Ela me ofereceu a mão para me ajudar a entrar na ambulância.

– Certo, senhora – concordou um dos paramédicos. – Sente-se ali e coloque o cinto enquanto cuidamos da sua amiga. Segure-se bem.

Eu nunca tinha entrado em uma ambulância e sempre imaginei que tivessem o máximo de conforto em termos de suspensão. Mas não; quando a sirene tocou e partimos em alta velocidade, agarrei-me à alça ao lado enquanto avançávamos aos sacolejos a caminho da cidade. Assisti, com uma mistura de aflição e pavor, enquanto os paramédicos trabalhavam para inserir tubos nos braços terrivelmente finos e feridos de Vanessa.

– A veia está prejudicada neste braço, vou tentar mais perto da mão – ouvi um deles dizer.

Estremeci e me afastei ao ver o dano que as agulhadas constantes haviam causado na parte interna do cotovelo de Vanessa.

– A pressão arterial está caindo – disse o outro, enquanto uma máquina apitava com urgência. – Frequência cardíaca diminuindo.

– Fique conosco, Vanessa – murmurava o homem, tentando enfiar a agulha na mão dela.

– Ainda falta muito? – perguntei.

– Não muito, senhora.

– Ainda está caindo! Enfie essa agulha!

– Estou tentando!

Cinco minutos depois, a ambulância parou, as portas traseiras foram abertas e a maca de Vanessa foi levada às pressas para dentro do hospital.

Eu me soltei do cinto de segurança, meu coração batendo acelerado enquanto Mercy me ajudava a descer, e juntas entramos na movimentada sala de emergência. Tinha vergonha de admitir que a única coisa em que estava pensando era onde ficava a loja de bebidas mais próxima, porque eu duvidava que já tivesse precisado tanto de umas boas doses de vodca.

Enquanto Mercy ia conversar com uma enfermeira em uma sala afastada, fui encurralada pela enfermeira na recepção, que passou a me pedir detalhes do seguro de saúde de Vanessa, sobre o qual eu não fazia ideia. No fim, assinei algo para dizer que pagaria a conta se ela não tivesse seguro (e com certeza ela não tinha), e a mulher pediu meu cartão de crédito.

– Escute, só pulei na ambulância, não parei para pegar minha bolsa... Minha amiga estava sangrando até a morte, pelo amor de Deus!

– Sim, senhora, mas precisamos do número do cartão. Tem alguém para quem possa ligar?

Eu estava prestes a dizer que não, mas percebi que ainda estava com meu celular.

– Sim, me dê alguns minutos.

Afastei-me do balcão, peguei o celular do bolso e liguei para Mariam.

– Electra? Que ótimo ouvir você! Como você está?

A voz calorosa e melodiosa de Mariam me acalmou um pouco.

– Estou bem, estou bem, mas uma amiga minha não está. É uma longa história, estamos na sala de emergência de algum hospital em Tucson, e eles estão exigindo detalhes do meu cartão de crédito. Você pode falar com eles?

– Claro que posso. Electra! Você disse que é para uma amiga sua?

– Sim, só preciso garantir o pagamento do tratamento dela – expliquei, voltando para o balcão e entregando o celular para a recepcionista.

Fiquei entreouvindo enquanto elas conversavam, então a recepcionista me devolveu o celular.

– Ela quer dar uma palavra com a senhora.

– Ok. Oi, Mariam, foi tudo resolvido?

– Sim, nenhum problema. Embora eu precise dos detalhes do seguro da sua amiga, porque o tratamento dela pode ser muito caro.

– Não tem problema. – Suspirei. – Vou pagar e pronto.

– Compreendo. Agora, tem certeza de que *você* está bem?

– Estou, sim, de verdade. Tenho que ir agora, mas eu ligo mais tarde. Obrigada, Mariam. Até logo.

Vendo o banheiro em frente, corri para ele e me tranquei em um cubículo, respirando com dificuldade enquanto me sentava no vaso. Colocando a cabeça entre as pernas, pois estava tonta, olhei para minha calça e vi que estava salpicada de sangue. Soltei um gemido, pensando em todas as pessoas sentadas na recepção que podiam ou não ter me reconhecido. Peguei meu celular, considerando mandar uma mensagem para Miles e explicar o que tinha acontecido, mas me lembrando de que o horário de uso do celular já havia terminado e que ele não receberia a mensagem. Em vez disso, liguei para o Rancho e deixei uma mensagem urgente para ele na recepção. Então fiquei ali sentada, olhando para o anúncio sobre DSTs colado na parte de trás da porta.

– Isso podia ter acontecido comigo – sussurrei para mim mesma. – Você não pode voltar a essa vida, Electra – acrescentei, enquanto quebrava mentalmente a garrafa de vodca que estava enchendo a tela da minha cabeça.

Ouvi a porta do banheiro se abrir.

– Electra? Você está aí?

– Sim – respondi, abrindo a porta do cubículo e encontrando Mercy. – Como ela está?

– Por que não vamos conversar lá fora?

Ao sair com ela, olhei em volta da área da recepção e reparei em uns dez rostos me encarando com espanto. Suspirei enquanto Mercy me guiava rapidamente pela lateral do hospital, onde havia um beco cheio de latas de lixo fedorentas.

– E então?

– Ela está viva, querida. Eles a estão estabilizando agora. Chegaram a tempo e ela vai ficar bem.

Soltei um suspiro enorme e senti o braço de Mercy me segurar.

– Você ajudou a salvar a vida dela, Electra. Se não a tivesse encontrado... Você agiu bem, querida. Agora precisa descansar um pouco. Vou chamar um táxi para levá-la de volta para o Rancho. Eles podem arrumar outro quarto para você ficar esta noite, se quiser.

– Não! Preciso ficar aqui com Vanessa. Ela não tem ninguém no mundo, está sozinha – insisti.

– Electra, você ainda está em tratamento e isso tudo é muita coisa para absorver. Você deveria voltar...

– De jeito nenhum! Vou ficar aqui, e vou estar ao lado dela assim que eles deixarem. Se você precisar que eu assine algo dizendo que não vou processar o Rancho, eu assino, mas não vai me convencer a ir embora, ok?!

– Tudo bem, Electra, tudo bem – disse Mercy, gentilmente. – Vou avisar à recepção que você vai ficar aqui e ver se há algum lugar onde possa esperar com mais privacidade. É melhor ficar fora de vista até conseguirmos.

– Está bem – concordei, com um suspiro.

– Quer beber alguma coisa?

Vodca... pensei, mas respondi:

– Um café, obrigada.

– Espere aqui, eu já volto.

Eu a observei se afastar, odiando a minha fama mais do que nunca e sem me importar de ser fotografada por todos os jornais de Tucson. Eu só queria ficar lá dentro com Vanessa.

Vinte minutos depois, fui levada às escondidas pelos fundos e colocada em uma sala lateral, que continha um par de poltronas e uma televisão. Um médico de olhos azuis gentis estava esperando.

– Como vai, Srta. D'Aplièse? Eu sou o Dr. Cole.

– Como ela está?

– Os sinais vitais se estabilizaram, então nós a tiramos do pronto-socorro e a acomodamos em um quarto para passar a noite. Ela é dura na queda. – Ele sorriu. – Gostaria de vê-la?

– Sim, por favor – respondi, já me levantando.

– Electra – disse Mercy –, vou voltar para o Rancho agora, mas alguém virá de manhã para ver como está Vanessa e buscar você. E lembre-se: você salvou a vida dela hoje.

Ela se aproximou, me deu um abraço caloroso e sorriu antes de nos seguir para fora da sala.

– Vanessa está acordada, mas não está falando muito. Demos a ela alguns remédios fortes para a dor, então ela vai estar sonolenta – disse o Dr. Cole enquanto me levava a um quarto de hospital mal iluminado. – Vou deixá-las a sós – disse ele, e então saiu.

Dei a volta na cama e me sentei na cadeira ao lado de Vanessa. Ela parecia tão frágil e jovem deitada ali. Pude ver que seus olhos estavam abertos e seus braços sobre os lençóis, enfaixados dos pulsos até a parte interna dos cotovelos. Ela estava ligada a um soro e a um monitor, que apitava com frequência.

– Oi, Vanessa. Sou eu, Electra – sussurrei, me inclinando para ela. – Como você está se sentindo?

Não houve resposta e ela continuou olhando para o teto.

– O médico disse que você está indo muito bem, que você é forte – prossegui, procurando desesperadamente por coisas positivas para dizer. Estiquei a mão, sem saber onde pousá-la naqueles antebraços ocupados, então toquei a cabeça dela e acariciei seus belos cabelos. – Só queria dizer que estou aqui.

Nada ainda.

– Vim com você na ambulância; nunca tinha entrado em uma antes. Pareceu um episódio de *Grey's Anatomy*, mas o médico falou que você vai ficar bem.

Houve uma longa pausa, e então Vanessa fez um sonzinho.

– Minha...

Pelo menos soou como "minha", pensei enquanto a observava lamber os lábios rachados.

– Minha mãe fazia isso – sussurrou ela.

– O quê?

– Cafuné. É bom.

– Então vou continuar. Você quer ver a sua mãe?

– Sim, mas ela morreu.

Vi duas lágrimas escorrerem dos olhos de Vanessa.

– Sinto muito, querida – murmurei, sentindo as lágrimas arderem nos meus próprios olhos. – Vou ficar aqui e fazer cafuné até você dormir, ok?

Ela assentiu levemente e, aos poucos, seus olhos começaram a se fechar.

– Você está em segurança – acrescentei quando a respiração dela relaxou, e me acomodei para passar aquela longa noite.

Alguns minutos depois a porta se abriu e, para minha surpresa, Miles apareceu.

– Como ela está? – perguntou ele.

– Dormindo – sussurrei, levando um dedo aos lábios.

– Podemos conversar lá fora um momento?

Eu balancei a cabeça.

– Não. Eu disse que ficaria aqui até ela acordar.

– Ok.

Miles entrou no quarto na ponta dos pés, pegou uma cadeira e carregou-a até o meu lado.

– Como você veio? – perguntei.

– Quando recebi sua mensagem, entrei logo no meu carro alugado, mas como não havia nenhuma nota das "autoridades" para a minha saída, o maldito guarda se recusou a abrir os portões! Então pulei a cerca, chamei um táxi e esperei por ele do lado de fora.

Nós dois abafamos uma risadinha.

– Isso constitui uma fuga em massa de detentos do Rancho?

– Com certeza – concordou ele. – Como você está?

– Ah, estou bem, fora um braço dolorido. – Indiquei a mão que ainda estava acariciando os cabelos de Vanessa. – Ela contou que sua mãe fazia isso, e que ela morreu.

– É verdade.

– O que aconteceu?

– Não sei – disse Miles. – Vanessa é HIV positivo, então pode ter sido aids.

Vanessa se remexeu e eu gesticulei para Miles se calar.

– É melhor você ir. A gente se fala depois.

– Não, eu fico em silêncio. Vou só ficar sentado aqui e lhe fazer companhia.

E assim ele fez, e tive a estranha sensação de que éramos pais cuidando de nossa filha. Apesar das circunstâncias, foi reconfortante. Enquanto o relógio na parede marcava as horas até o amanhecer, minha cabeça ficou pesada e comecei a cochilar. Senti um braço em volta dos meus ombros me puxando para mais perto e descansei a cabeça contra o peito quente de Miles.

22

— Estou com sede – soou uma voz ao longe.

Acordei com um susto, com meu travesseiro sendo retirado de baixo da minha cabeça, e abri os olhos. Miles estava servindo um pouco de água em um copo e pressionando o botão que fazia a cama subir, para que Vanessa pudesse beber.

– Tome só um gole, querida, vá devagar – disse ele, segurando o canudinho para ela.

Quando Vanessa terminou, ele voltou para a cadeira e ela se virou para nos olhar.

– O que vocês estão fazendo aqui? Estão bancando minha mãe e meu pai, por acaso?

Eu sorri quando Vanessa expressou meus sentimentos da noite anterior.

– Dá para ver que você já está melhor, mocinha – comentou Miles, com um sorriso. – Você assustou a gente.

Vanessa deu de ombros.

– Eu estava esperando nunca mais ter que acordar, mas aqui estou eu.

Talvez fosse impressão minha, mas achei que Vanessa parecia mais animada.

– Electra se recusou a sair do seu lado a noite toda, caso você acordasse – disse Miles, se virando para mim. – Que tal você ir tomar um ar e pedir que alguém traga um café?

De fato, eu estava morrendo de vontade de ir ao banheiro, portanto concordei.

– Qual tipo? – perguntei.

– Está falando sobre o café, senhora? – perguntou ele, sorrindo para mim.

– Aff! Você vai beber o que eu trouxer.

– Ei, tem alguma coisa rolando entre vocês? – ouvi Vanessa quando saí.

Um calor subiu pelo meu pescoço quando fui ao banheiro e me olhei no espelho. Meu cabelo havia se desamarrado da trança e estava todo oleoso e esticado, caindo feito cortinas nas laterais do rosto, e meus olhos tinham grandes olheiras. Me arrumei da melhor forma possível, mas sem nada à mão não tinha muito jeito, então andei pelo corredor em busca de café.

– O serviço de quarto vai chegar logo – falei ao entrar novamente no cômodo.

Vanessa olhou para mim.

– O sotaque dela é bem estranho, você não acha, Miles?

– Fui criada na Suíça, é por isso. Minha mãe fala francês – expliquei, me sentando, então Miles se levantou.

– Me deem licença, meninas. Vou me lavar também.

– Nunca saí de Manhattan, só para vir para cá, e essa sala de emergência é bem diferente das que eu conheço. – Vanessa revirou os olhos quando Miles saiu. – Vou ter que transar com alguém para pagar por isso?

– Não, está tudo pago, Vanessa – eu a tranquilizei.

Ela assentiu e seus olhos começaram a pesar como os de um filhotinho de cachorro que acordou para brincar e de repente perdeu a energia. Era difícil acreditar que a jovem amuada que dividia o quarto comigo na reabilitação havia tentado tirar a própria vida na noite anterior e então acordado aparentemente tão feliz naquela manhã...

Talvez fosse o fato de Miles e eu estarmos ali com ela. Ou – meu coração afundou com o pensamento – teria mais a ver com o fato de ela provavelmente estar sob efeito de algum opioide e seu cérebro apenas estar reagindo aos estímulos?

– Ela dormiu de novo – comentei quando Miles reapareceu com uma enfermeira trazendo o café. Engoli o líquido quente depois de colocar açúcar para substituir meus carboidratos matinais. – O que você acha que vai acontecer agora?

– Quando conversei com o médico ontem à noite, ele disse que a equipe de psicologia viria aqui avaliá-la. Nós dois sabemos que o que aconteceu ontem à noite não foi nenhum acidente.

– E depois disso?

– Não tenho certeza, mas, como eu falei na outra noite, ela precisa de mais do que Orações da Serenidade e acariciar cavalos para voltar ao bom caminho. O médico comentou que, talvez, quando ela se recuperar e sair daqui, um longo período em alguma instituição de reabilitação seja o melhor jeito. Uma assistente social em Manhattan tomava conta dela, embora tecnicamente Vanessa tenha deixado de ser menor de idade quando completou 18 anos, alguns meses atrás. Mas vou entrar em contato de qualquer maneira. Em circunstâncias especiais, a equipe de atendimento pode solicitar uma extensão para manter a supervisão até os 21. Em termos básicos, significa que o Estado pagaria por qualquer ajuda de que ela necessitasse.

– Não entendo nada dessas coisas, mas acho que ela precisa muito se sentir amada.

– Tem razão, Electra, ela precisa mesmo, e isso não dá para comprar.

– Eu... E se ela fosse morar comigo em Nova York? Eu posso cuidar dela.

Houve uma pausa quando Miles se virou para me encarar, com uma expressão de choque e descrença.

– Está maluca?! Você é uma top model que passa a vida viajando ao redor do mundo em jatos particulares! Você não tem tempo para cuidar dela. Além disso – ele baixou a voz quando Vanessa se remexeu –, você não pode colocar uma pessoa nesse padrão de vida quando ela não tem esperança de mantê-lo.

– Você não tem ideia do que quero fazer da minha vida quando eu sair daqui – retruquei.

– Eu... Olhe, vamos falar sobre isso mais tarde, ok? Isso não é um conto de fadas, Electra, e Vanessa não é a Cinderela. Você não pode mexer com a vida dela como se fosse um projeto que pode ser esquecido quando você perder o interesse.

Minha xícara bateu no pires enquanto a raiva crescia dentro mim.

– Meu Deus, Miles! Só estou tentando ajudar! Além disso – acrescentei, tentando me controlar –, quero informar-lhes que estou deixando o Rancho hoje.

– Ah, é?

– Sim. Estou tão bem quanto dá para ficar, por enquanto, e tenho coisas para resolver. Uma vida para viver – falei, agarrando a xícara de café como se procurasse algum tipo de apoio moral. Levantei-me e passei por ele. – Vou procurar o médico.

– Ok. – Miles suspirou. – Faça o que precisa fazer.

– Eu vou – respondi, marchando para a porta.

– Só uma coisa antes de você sair, Electra.

– O quê?

– É melhor não sair do hospital agora. Um monte de paparazzi está esperando para ter um vislumbre seu.

Como eu estava tentando fazer silêncio, por causa de Vanessa, não tive nem o prazer de bater a porta ao sair em direção ao posto de enfermagem e perguntar se podia falar com o médico responsável.

A mulher fez algumas ligações e depois assentiu.

– Ele está visitando os pacientes agora, querida. Não deve demorar muito.

Sem ter para onde ir, eu me retirei para o banheiro e me sentei no chão de azulejos, fervendo de raiva. Não conseguia entender Miles. Na noite anterior, me senti tão próxima dele; descansar a cabeça em seu ombro e com o braço dele ao meu redor pareceu natural. E naquela manhã... Soltei um uivo de frustração.

Respirei fundo algumas vezes para me acalmar e tentei colocar meu cérebro em marcha, sem a névoa da raiva inicial. Acabei percebendo que ele estava tentando dizer que, se eu assumisse a responsabilidade por Vanessa, ela precisaria de tudo o que eu tivesse para dar, talvez por toda a vida. Ela não era um brinquedo novo que eu poderia pegar e largar quando não o quisesse mais. Vanessa era de carne e osso, e estava seriamente arrasada... E eu *também* era de carne e osso, e estava arrasada...

– Srta. D'Aplièse? – chamou uma voz do outro lado da porta.

– Sim?

– A senhorita se importaria de sair para uma conversa rápida?

Reconheci a voz gentil do Dr. Cole.

– Claro – respondi, abrindo a porta.

– Olá. – Ele sorriu para mim. – Você está bem?

– Sim, estou bem. Como ela está?

– Vanessa está indo muito bem. Pelo menos fisicamente. Deve receber alta em poucos dias, e o ideal, dependendo do que a equipe psiquiátrica daqui e a assistente social dela disserem, seria que ela passasse algum tempo em uma instituição especializada que possa realmente ajudá-la.

– O senhor acha que Vanessa pode... pode se salvar?

O Dr. Cole suspirou.

– Onde há vida, sempre há esperança. Com certeza você sabe que todo viciado está em algum ponto de um espectro. Alguns têm sorte e são pegos no início, outros, como Vanessa, estão nos estágios finais, e têm menos chances de dar a volta por cima. A boa notícia é que o Rancho já deu início a esse processo, mas agora ela precisa continuar em algum programa de médio a longo prazo, que possa integrar sua vida quando sair. Ela vai ter que fazer isso em Manhattan, ou perto dali, porque é onde seu financiamento está baseado, caso a assistente social consiga prolongar os cuidados através do Estado.

– Posso ajudar, se necessário, Dr. Cole.

– E isso é mais do que generoso de sua parte, mas o Estado tem o dinheiro para financiar a ajuda de que ela precisa. É um caso de trabalhar junto à burocracia, com um braço forte ao seu lado. Há muita apropriação indébita e corrupção nos vários departamentos do governo, mas seu amigo Miles parece saber o que fazer. – Ele sorriu. – De qualquer forma, é bom que você tenha se interessado por Vanessa e esteja disposta a ajudá-la.

– Eu mesma recebi ajuda há pouco tempo. Por favor, mantenha Vanessa aqui pelo tempo que ela precisar. Vocês têm o número do meu celular, não têm?

– Está nos registros, sim. Agora, se me der licença, tenho que continuar a visita aos outros pacientes.

Ele acenou e se afastou, e eu voltei para meu "escritório" no banheiro e liguei para Mariam.

– Oi, Electra. Como está sua amiga? – perguntou Mariam antes que eu dissesse uma única palavra.

– Está fora de perigo agora, obrigada. Na verdade, eu só queria saber se você pode dar uma olhada nos voos de volta para Nova York.

– Para quando?

– Amanhã, se possível. Eu ia sair na quinta-feira, você sabe, então é apenas um dia antes.

Houve uma pequena pausa na linha.

– Ok. Estamos falando de um jato particular?

– Se possível.

Pensei na multidão de paparazzi que aparentemente estava estacionada do lado de fora do hospital.

– Qual seria o melhor horário?

– Não sei, lá pelas duas horas? Assim eu posso chegar em casa mais ou menos às dez da noite.

– Sem problemas. Eu... Tem certeza de que não quer que eu vá para te fazer companhia na volta, Electra?

– Já viajei sozinha antes, Mariam, e não estou doente nem nada. Além disso, é muito longe para você.

– Eu vou com o maior prazer, se você precisar.

– Obrigada, de verdade, mas vai ficar tudo bem.

– Está bem, vou verificar tudo e ligo de volta entre sete e oito, quando você tem licença para usar o seu celular.

– Ah, não se preocupe com isso. Vou voltar para o Rancho para falar com a minha terapeuta e tenho certeza de que ela vai me deixar ficar com o celular. Até logo, Mariam.

Enquanto voltava para o quarto de Vanessa, me perguntei se a ânsia de Mariam em me acompanhar era porque ela gostava de mim ou porque tinha medo de que eu bebesse o bar inteiro do avião até desembarcar em Nova York.

Eu tinha esse medo também, mas seria preciso enfrentar as tentações sozinha em algum momento.

Vanessa estava sentada na cama, comendo quase nada de seu café da manhã, constituído de suco e um pão doce. Fiquei feliz em ver que o soro havia sido retirado de seu braço e apenas o monitor de pressão arterial permanecia em seu dedo. Ela não parecia tão alegre quanto antes, então talvez a sombria realidade estivesse começando a emergir.

– Oi – falei. – Como você está?

– Bem, obrigada.

– Ela está preocupada com a equipe de psicólogos que vem avaliá-la – comentou Miles, do outro lado da cama.

– Não vou para nenhum hospício. Posso ser viciada, mas não sou maluca. – Vanessa estremeceu. – Você não vai deixar que eles me enfiem em um lugar assim, vai, Electra?

– Todo mundo só está querendo ajudar, Vanessa. E você vai ter que confiar neles, ok?

– Tá, mas eles não vão me enfiar em um hospício ou coisa parecida, vão? – repetiu ela.

– Escute... – Percebi que Vanessa estava ficando agitada. – Acabei de conversar com aquele médico gentil que cuidou de você ontem à noite. Falamos sobre tentar encontrar uma organização mais próxima de Manhattan que possa oferecer a ajuda de que você precisa. Seria como o Rancho, mas sem os cavalos – brinquei. – Miles e eu levamos um susto ontem à noite e não queremos que isso aconteça outra vez.

Vanessa me encarou intensamente.

– E por que você se importa com o que acontece comigo? Você, com todos os seus dólares no banco?

– Porque sim. Miles também se importa. E você tem que confiar em nós e nos médicos, que só querem ajudar.

– Por que eu deveria confiar em você mais do que em Tyler? Ele falou que cuidaria de mim, mas só me deixou viciada.

– Porque eu disse que não sairia do seu lado ontem à noite e não saí. No fim das contas, você tem duas opções: ou confia em nós e nos profissionais que querem ajudar ou volta à sua vida antiga.

– Ou acabo com ela e deixo todos vocês em paz – murmurou Vanessa.

– Lembre que você está indo bem – afirmou Miles. – Está longe daquelas coisas horríveis há quase duas semanas agora.

– É, e funcionou tão bem que tentei me matar.

Vanessa revirou os olhos, afastou a bandeja do café da manhã e olhou para o teto.

Encarei Miles em busca de orientação.

– Eu e Electra vamos sair para conversar – disse ele, levantando-se.

– Viu só, vocês já se cansaram de mim.

Abri a boca para responder, mas Miles balançou a cabeça e eu o segui para fora do quarto.

– Que coisa! Ela é tão pessimista!

– O médico disse que ela tem depressão pós-abstinência e que precisa de um psiquiatra para lhe receitar alguns remédios.

– Mas o médico também disse que Vanessa *está* livre das drogas agora e só precisa da ajuda e do suporte certos para continuar assim. Pelo menos isso é bom.

– É verdade. Olhe, me desculpe por ter me irritado mais cedo, Electra. Eu sei que você só quer ajudar.

– Quero mesmo, mas entendo que ela precisa de mais do que posso oferecer.

Eu estava tão física e mentalmente cansada que chegava a cambalear.

– Por que você não volta e dorme um pouco? Eu fico com ela. Uma das enfermeiras do Rancho veio levar você de volta no jipe deles. Não tem mais nada que você possa fazer aqui.

– Eu vou, então. Estou exausta, para ser honesta. Vou me despedir de Vanessa primeiro.

– Ok, então vou ao banheiro enquanto isso.

Ele sorriu para mim e seguiu pelo corredor.

– Vanessa? Está acordada? – perguntei, observando-a. Ela deu de ombros em resposta. – Escute, eu só queria dizer que o médico falou que você vai sair daqui assim que se sentir melhor.

– E aí eles vão me mandar para uma casa de malucos, certo?

– Não, Vanessa, juro pela minha vida que não vou deixar. Vou voltar para Nova York amanhã e...

– Então você está me abandonando mesmo?

– Não! Vou voltar para poder resolver as coisas e *ajudar* você. E outras meninas como você, que se metem em encrencas. Vanessa, por favor, confie em mim. Miles e eu vamos garantir que você tenha o melhor atendimento possível. Não vou abandoná-la, juro.

– Então me leve com você. Quero sair daqui agora – choramingou ela.

– Ouça bem o que vou dizer – falei, as palavras de minha avó me voltando de repente. – Você teve uma merda de vida, mas, quando mais precisava, a ajuda apareceu. E agora você a tem, quando muitas meninas como você não têm. Não estou dizendo que sou sua fada madrinha ou que Miles seja...

Observei um mínimo sorriso aparecer nos lábios de Vanessa.

– Mas nós *estamos* aqui, você está segura e vamos deixá-la bem, entendeu? E um dia você vai ajudar outras pessoas também.

Eu não sabia como eu sabia disso, mas de alguma forma *sabia*. ("Tiggy" estava se tornando o meu nome do meio.)

– Então, senhorita, faça o que os médicos mandarem e se considere sortuda, ok? A gente vai se ver em Nova York e, quando você estiver curada, vamos jantar em algum lugar chique. E todo mundo, incluindo Tyler, vai ver você comigo em alguma revista e saber que você é uma vencedora, não uma perdedora.

– Isso seria legal – disse Vanessa, por fim. – Promete?

– Já prometi. E sabe de uma coisa?

– O quê?

– Seu cabelo sempre vai ser mais bonito do que o meu. Amo você, Vanessa. A gente se vê em breve.

Beijei-a no topo da cabeça e saí do quarto. Miles estava me esperando no corredor.

– Tudo certo?

– Sim. Estou saindo agora. Me dê notícias, por favor.

– Pode deixar.

– Obrigada.

– Ah, o jipe está estacionado discretamente nos fundos do hospital – avisou ele, antes de voltar para o quarto de Vanessa.

Quando entrei no jipe do Rancho, pela primeira vez na vida apreciei minha fama e o que isso poderia fazer pelos outros. Eu tinha poder. E agora era hora de canalizá-lo para algo positivo.

❁ ❁ ❁

– Tem certeza de que quer sair amanhã de manhã? – perguntou Fi naquela mesma tarde, depois que dormi um pouco e discutimos os acontecimentos da noite anterior. – Por que não fica mais um pouco? A noite passada foi uma experiência traumática, Electra.

– Porque preciso ir – respondi simplesmente. – Quero voltar para a minha vida e começar a fazer algumas mudanças, em vez de apenas ficar sentada aqui pensando nelas.

– Gostaria de compartilhar comigo que mudanças serão essas?

– Bem, primeiro vou tirar toda a bebida do meu apartamento e apagar o número do meu fornecedor – brinquei.

– É um começo. O que mais?

– Vou me encontrar com minha agente para descobrir uma maneira de arrumar algum tempo livre. Já marquei uma reunião com meu empresário para discutir minhas finanças, porque tem outras coisas que quero fazer.

– Que coisas?

– Ajudar meninas como Vanessa – expliquei. – E não apenas dando dinheiro, mas talvez me tornando uma espécie de porta-voz e me envolvendo na luta contra as drogas.

– Isso parece fantástico, Electra. – Fi me deu um sorriso genuíno. – Caramba, essas crianças precisam de alguém para lutar por elas. Mas tome cuidado, principalmente nas primeiras semanas, para não se desgastar demais implementando todas as suas novas ideias. Você precisa ter tempo para si mesma, como fez aqui: sua corrida matinal, reuniões *diárias* dos AA pelo menos nos primeiros seis meses, boa alimentação, dormir cedo... Você também está em recuperação, Electra, e não pode se dar ao luxo de esquecer isso. Não vai ajudar ninguém se tiver uma recaída. Você tem férias marcadas?

– Sim, na verdade, tenho.

Expliquei a Fi sobre a reunião planejada com todas as irmãs para navegar no *Titan* até as ilhas gregas para deixar uma coroa de flores para Pa.

– Passar um tempo com sua família é crucial – aprovou Fi. – E em casa, em Nova York? Você tem pessoas lá para apoiá-la?

– Mariam, minha assistente, e minha avó, Stella. Não cheguei a falar muito dela, mas sei que ela vai me apoiar.

– Ok, bem, não tenha medo de procurá-las, e Maia, é claro, que tem se preocupado tanto com você. Vou enviar um e-mail a ela e a sua assistente com uma lista de reuniões locais dos AA, além dos nomes de alguns bons terapeutas que conheço em Nova York. Você não pode esquecer que precisa de outras pessoas, Electra, e de confiar nelas.

– Não vou esquecer, mas também quero ajudar Vanessa – repliquei.

– Isso é bom, mas, quanto mais forte *você* estiver, mais poderá ajudá-la.

– Ela precisa de mim. Além disso, a noite passada foi, tipo, o maior choque de realidade que eu poderia ter tido.

– Verdade – concordou Fi. – É boa a sensação de achar que ela precisa de você?

– Sim, acho que sim. – Vi que Fi olhou para o relógio e percebi que meu tempo acabara. – Antes de ir, eu queria pedir desculpas se fui muito difícil, e agradecer por tudo. Você... isso aqui... foi incrível. Mudou minha vida.

– Não me agradeça – disse ela quando nos levantamos. – Você fez tudo sozinha. Boa sorte, Electra. – Fi se aproximou e me deu um abraço. – Mantenha contato, está bem? Quero saber como você está indo.

– Pode deixar. – Fui em direção à porta, então me virei e sorri para ela. – Nunca pensei que diria isso, Fi, mas tenho certeza de que vou sentir sua falta. Até logo.

❁ ❁ ❁

Naquela noite, vi Miles no refeitório.

– Como ela está? – perguntei, colocando minha bandeja em frente à dele.

– Assustada, pessimista... igual a quando você partiu, de manhã.

– O que a equipe psiquiátrica disse?

– O psiquiatra conhece um bom lugar em Long Island, especializado em lidar com jovens como Vanessa. Já entrei em contato com a assistente social e vou falar com o agente de condicional também.

– Ela tem um agente de condicional?

– Sim. A assistente social já tinha me dito que ela passou por vários lares adotivos desde que a mãe morreu, e sumiu do radar quando fez 16 anos, até ser presa por prostituição no Harlem. Ela só recebeu uma advertência, mas foi classificada como delinquente, o que significa que até alguns meses atrás, quando completou 18 anos, havia uma "equipe" que a monitorava. Ida, a assistente social, vai tentar acelerar o processo, e se o tribunal conceder uma prorrogação até Vanessa completar 21 anos, ela vai poder fazer os arranjos no programa que o psiquiatra recomendou. Então Vanessa vai receber o auxílio que lhe é devido e, depois, um lugar para ficar. Só espero que não seja em um dos "Projetos".

– O que é um "Projeto"? – indaguei.

– Nossa, Electra. – Miles revirou os olhos. – Em que mundo você vive? Pensei que todos os americanos soubessem disso.

– Tecnicamente, eu sou suíça. – Corei, mas sabia que não era desculpa. – O que é, afinal?

– É uma habitação social paga pelo Estado. O problema é que alguns deles são complicados. Enfim, vamos ver como tudo se desenrola.

– Por favor, Miles, lembre que eu disse que ajudaria o máximo que pudesse. Se ela precisar de um lugar para ficar, posso pagar por isso. Eu me sinto mal por deixá-la, mas tenho que ir.

– Você deve se cuidar, Electra. Vanessa sabe do seu apoio e que já pagou pelo tratamento no hospital.

– Se eu lhe der o dinheiro, você compra um celular para Vanessa? Assim posso conversar com ela diretamente.

– Claro, mas lembre que ela não está bem e talvez não queira conversar muito. E você, mocinha, precisa se colocar em primeiro lugar. – Ele apontou um dedo para mim. – Não vai servir de nada para Vanessa se voltar à bebida.

– Eu sei, Miles. E o que você vai fazer?

– Vou ficar por aqui mais um tempo, até que a situação de Vanessa se resolva, e depois voltamos juntos para Nova York, se tudo der certo.

– Ok, bom, agora é melhor eu ir fazer as malas. – Entreguei a ele um envelope. – Aqui tem o meu número de celular e o da minha assistente, caso você precise falar comigo. Me avise assim que houver novidades sobre Vanessa, está bem? Até logo, Miles.

– Pode deixar. Ei! – chamou ele, e eu me virei.

– O quê?

– Você é uma boa pessoa, Electra. Foi um prazer conhecê-la.

– Obrigada – respondi, e me afastei antes que ele pudesse ver as lágrimas surgindo em meus olhos.

23

Uma semana depois, acordei com prazer no colchão deliciosamente macio de minha cobertura em Nova York. Estiquei o corpo e rolei para olhar o relógio, vendo que eram seis da manhã. Eu precisava me levantar e correr, antes que o parque ficasse muito lotado. Vesti minha roupa de corrida e um casaco de capuz, adicionando uma peruca, óculos escuros e um boné que até o momento tinham me protegido dos paparazzi. Então saí do apartamento, peguei o elevador e corri do saguão para o parque. As magnólias estavam em plena florescência, e as flores do verão adicionavam mil cores aos canteiros ao longo do caminho. Nova York estava em sua melhor forma – o céu tão azul quanto qualquer paisagem no sul da França –, e sorri simplesmente porque me sentia feliz.

Quando Mariam foi me encontrar no aeroporto, pude ver a apreensão em seu olhar. A primeira coisa que fiz depois de descer do jato foi lhe dar um grande abraço. Ela retribuiu com o mesmo carinho.

– Você está maravilhosa, Electra! – exclamou ela enquanto caminhávamos para a limusine estacionada na pista.

– Não estou nada. Meu cabelo e minhas unhas estão horríveis e eu tenho pelos crescendo em todos os lugares. – Eu ri. – Eles não permitiam giletes no Rancho.

Na limusine a caminho da cidade, conversamos sobre minha internação e Mariam me agradeceu pela carta, dizendo que a guardaria para sempre.

– Não agradeça. Fui um monstro com você e peço desculpas. Você ainda quer continuar trabalhando para mim, não quer?

Olhei para ela com preocupação.

– É claro que sim, eu amo meu trabalho e amo você, Electra – respondeu ela, e, mesmo que pudesse ter sido apenas uma frase de efeito, senti que era verdadeira.

De volta ao apartamento, notei que Mariam o havia decorado com muitas flores de cheiro doce e enchido a geladeira de Coca-Cola e sucos de infinitos sabores.

– Eu não sabia o que você ia querer beber.

– Coca-Cola e chá de gengibre já resolvem – falei, abrindo uma lata do refrigerante e tomando um gole.

Em seguida, conversamos sobre o que Susie havia dito aos contratantes sobre meu sumiço repentino.

– Ela falou que você teve uma crise em família e precisou tirar uma folga. Sério, não acho que houve muita fofoca. Eu, pelo menos, não vi nada de ruim na imprensa – explicou Mariam.

– Bem, dei sorte que ninguém conseguiu tirar uma foto minha coberta de sangue no pronto-socorro de Tucson. – Suspirei. – Parecia que eu tinha matado alguém.

Como já era tarde, mandei Mariam ir para casa, mas ela balançou a cabeça.

– Não, me desculpe. Vou ficar no quarto de hóspedes esta noite.

– Eu juro, não estou usando mais nada, Mariam – falei, momentaneamente ofendida.

– Eu sei, Electra, não é que eu não confie em você. Só quero ouvir tudo o que aconteceu durante esse tempo. Pensei que poderíamos pedir comida e você me conta da sua amiga que foi parar no hospital.

Então tomamos banho, vestimos nossos robes, comemos comida chinesa e contei tudo sobre Vanessa.

– Nossa, Electra, você é uma boa samaritana – disse Mariam, fazendo-me corar. – Essa menina tem sorte de ter se aproximado de você.

Comecei a explicar meus planos de fazer mais, até sentir meus olhos se fechando. Fui me deitar em minha nuvem de penas e dormi até as seis da manhã seguinte.

Desde então, não parei um segundo. Tive uma reunião com Susie para dizer que queria reduzir meus compromissos e, embora ela não tenha parecido satisfeita, acabou concordando, e nós decidimos que eu só faria as campanhas que já estavam contratadas.

– E os desfiles de outono? – ela quis saber.

– Não – respondi com firmeza, sabendo que, se alguma coisa podia me arrastar de volta aos velhos hábitos, era o mundo louco das passarelas.

– Ah, recebi algumas propostas de estilistas querendo conversar sobre colaborações, na mesma linha que você fez com Xavier no ano passado.

Ouvindo Susie, por alguns breves segundos pensei em meu caderno de desenhos e em quanto eu amava criar. Mas eu tinha prometido a mim mesma não assumir tarefas demais.

– Talvez no próximo ano – respondi.

O resultado foi que eu tinha trabalho suficiente para me manter ocupada até meados de junho e, depois disso, iria para Atlantis, para a viagem de barco com as irmãs. Depois, meu plano era ir até a Hacienda Orchídea organizar as obras que queria fazer.

Eu borbulhava de animação toda vez que pensava em meu novo lar. Casey, meu empresário, havia confirmado que eu podia comprar a propriedade sem problemas, então liguei para Manuel com uma oferta e ele aceitou. Ele também concordou em me vender Hector e disse que encontraria alguém para ajudar a cuidar dele e dos outros cavalos que eu desejava acrescentar ao meu estábulo.

– Mas você deve vir escolher, *señorita.* Cavalos são uma escolha da alma – aconselhou Manuel.

Comprei a casa totalmente mobiliada, e até Casey concordou que tinha sido um bom preço. Também estava pensando em adicionar uma piscina e uma ala extra para fornecer mais acomodações; sonhava em convidar todas as minhas irmãs para passarem o Natal comigo...

Quanto a Miles, ele tinha saído do Rancho e estava hospedado em um hotel perto do hospital, esperando que Vanessa fosse liberada para voltar a Nova York e colocá-la no programa que o médico tinha sugerido. Não havia muitas novidades sobre Vanessa; Miles contou que, desde que fui embora, ela entrou em um tratamento pesado com antidepressivos, e dormia muito. Liguei para o celular dela, mas Vanessa nunca atendia, então passei a lhe enviar uma mensagem toda noite e, de vez em quando, recebia um "ok" ou "obrigada" em resposta.

Conversar com Miles por telefone era diferente de conversar com ele cara a cara; talvez por causa de sua voz profunda e calorosa ou por seu senso de humor inteligente, mas comecei a encarar nossas ligações como a melhor parte do dia. Isso também se devia ao fato de ele saber exatamente o que eu tinha enfrentado e como a transição de volta à realidade era um dos momentos mais difíceis para se manter limpo. Eu podia falar com ele livremente sobre como me sentia; e, na maior parte do tempo, eu me sentia bem. Sim, ainda era difícil abrir a geladeira e pegar uma lata de Coca-Cola ou de suco quando, um mês antes, havia sempre uma garrafa de vodca ali. À noite, quando estava vendo TV ou desenhando em meu caderno (eu não tinha me aventurado em nenhuma festa – ainda não estava forte o suficiente), eu sabia que só precisava fazer uma ligação e teria meu fornecedor à porta. A vida sóbria era difícil; eu sentia muita falta dos momentos de euforia, mas pelo menos não havia momentos de depressão.

Mariam recebeu a lista de terapeutas e as datas das reuniões dos AA mais próximos que Fi lhe enviara. Ela teve que me forçar a ir à reunião, na primeira vez; me levou de carro até lá, apertou minha mão e disse que esperaria do lado de fora. Chegou a me acompanhar até a porta.

– E se as pessoas me reconhecerem? – perguntei a ela, ainda do lado de fora, cada vez mais apavorada.

– É anônimo, lembra? Ninguém tem permissão para contar. Agora vá, vai ficar tudo bem.

Eu fui, e ficou tudo bem. Para minha total surpresa, vi outros rostos conhecidos na reunião e, quando me levantei e anunciei que meu nome era Electra e que eu era alcoólatra, todos aplaudiram, e eu chorei.

Então o líder da reunião me deu as boas-vindas e me perguntou se havia algo que eu queria dizer. Quando passei por aquilo pela primeira vez, no Rancho, eu só balancei a cabeça e me sentei apressadamente, mas, para meu choque, dessa vez eu assenti.

– Sim. Eu só queria dizer que acabei de sair da reabilitação e que, no começo, eu odiava e não entendia os Doze Passos ou como eles podiam me ajudar. Mas... não desisti e acabei entendendo, e quero dizer obrigada a... bem, a esse poder superior e a todo mundo que me apoiou, porque pessoas como vocês salvaram a minha vida.

Houve outra salva de palmas (e alguns vivas), e me senti tão calorosamente acolhida que comecei a aguardar ansiosamente pelas reuniões diárias.

Será que tudo isso é bom demais para ser verdade?, pensei. Tinha feito exatamente a mesma pergunta a Miles na noite anterior.

– É tudo menos isso – respondeu ele. – Você está passando pela fase da lua de mel, pensando que consegue lidar com tudo, mas o perigo vem quando você volta à realidade e está longe dessas coisas por algum tempo.

Sempre que sentia o desejo – que era como uma névoa vermelha me envolvendo e uma voz diabólica ao meu ouvido dizendo que só um pouquinho não faria mal, faria? Porque, honestamente, eu merecia, depois de ter passado um dia inteiro sem usar e ido aos AA ou ido correr –, eu visualizava o sangue vermelho jorrando dos braços de Vanessa enquanto ela jazia no chão daquele banheiro. E isso me fazia querer vomitar de tanto medo e me ajudava a afastar aquela ânsia.

Mariam era a companheira perfeita, pensei, ao terminar a corrida pelo parque e percorrer o Central Park West para chegar em casa. Ela insistira em ficar desde a minha volta, e parecia saber instintivamente quando eu precisava de companhia e quando não. Também me inspirava no fato de ela nunca ter bebido e de ser uma das pessoas mais calmas que eu conhecia. Ela se provou uma excelente cozinheira, especialmente com temperos fortes como o curry, o que era ótimo porque comidas picantes ainda me ajudavam a não ceder às tentações. Embora eu tivesse dito que podíamos só pedir comida, ela se recusou.

– Eu amo cozinhar, Electra, então é um prazer. Além disso, sei o que estou colocando na comida e fico feliz de garantir que nós duas estamos comendo direito.

– Bom dia, Tommy – cumprimentei, sorrindo e parando perto dele.

Havia um pequeno ramo de flores me esperando quando voltei do Rancho. Mariam disse que eram de Tommy – colhidas ilegalmente no Central Park, acrescentou ela.

– Bom dia, Electra – cumprimentou ele. – Como você está hoje?

– Bem, e você?

– Estou bem – respondeu ele, dando de ombros.

– Tem certeza, Tommy? Você parece um pouco abatido.

– Ah, deve ser porque tenho que acordar muito mais cedo para ver você agora – brincou ele, sem muito ânimo.

– Por que você não corre comigo um dia desses? – perguntei de repente. – Eu bem que gostaria de companhia.

– Pode ser. Obrigado, Electra.

Ele tocou no boné e eu corri para dentro.

– O café da manhã sai em dez minutos – avisou Mariam, da cozinha.

– Ok, só vou tomar um banho – respondi, acenando para ela ao passar. Mariam se levantava ainda mais cedo do que eu para fazer suas orações matinais.

– Estava bom demais – comentei ao terminar de comer as panquecas com mirtilo cobertas de calda. – Céus, minha barriga está parecendo a de uma grávida – acrescentei, passando as mãos por ela.

"Céus" era a minha nova interjeição favorita. Ma e minhas irmãs sempre diziam que eu tinha uma "boca suja" e Miles estremecia toda vez que eu dizia o nome de Deus em vão, assim como Mariam. Então decidi que era hora de resolver isso também. Às vezes deixava escapar um "foda-se" ou um "merda", mas estava orgulhosa de ser educada o bastante para visitar até a rainha da Inglaterra. O próximo passo, pensei ironicamente, seria comprar uma Bíblia e frequentar a igreja.

– Obrigada. – Mariam começou a lavar a louça. – Um dia vou preparar um banquete iraniano para você – prometeu ela.

Meu celular tocou e meu coração deu um pulo quando vi que era Miles.

– Oi.

– Olá, Electra. Boas notícias: Ida acabou de ligar e contar que a extensão de cuidados de Vanessa foi concedida, e eles conseguiram colocá-la no centro que o Dr. Cole recomendou. Fica em Long Island, cerca de trinta minutos do aeroporto JFK. Vou fazer os arranjos da viagem agora e espero pegar um voo de volta hoje mais tarde ou amanhã de manhã.

– Que incrível! Isso é ótimo!

– É mesmo. Liguei para uma amiga do centro de acolhimento e ela conhece o lugar. É uma unidade de reabilitação séria, o que significa residência de médio a longo prazo. Ou seja, ela não vai ser chutada depois de algumas semanas. Enfim, vou lhe contar mais quando a gente se encontrar.

– Ótimo. Que tal eu buscar você no aeroporto? Assim posso ver Vanessa.

E você, pensei.

– Se você tiver tempo, seria ótimo.

– Eu tenho. Olhe, preciso sair para a minha reunião dos AA, mas ligue para Mariam quando souber os detalhes do voo, ok?

– Certo. Até logo, Electra.

– Miles vai ligar para você – avisei a Mariam, enquanto me dirigia até a porta.

– Está bem. Aliás, sua avó ligou novamente hoje. Sua agenda está livre para o fim de semana, então...

– Eu te aviso depois, ok?

– Certo. Até mais.

No caminho para o centro da cidade, me perguntei por que, apesar de Stella ter ligado várias vezes para o meu celular (eu não atendi) e o de Mariam (que atendeu), eu ainda relutava em vê-la. Enquanto saía do sedã – limusines eram chamativas demais, e eu queria usar minhas finanças de maneira mais construtiva –, concluí que não sabia a resposta.

A reunião dos AA acontecia em uma igreja perto do Edifício Flatiron, em uma intercessão da Broadway com a Quinta Avenida. Eu adorava que o local ficasse em um cruzamento; um caldeirão metafórico da humanidade. Ninguém ligava para as origens de ninguém, porque todos tínhamos o mesmo diagnóstico: estávamos no espectro do vício.

O local cheirava a suor e a cachorro, com um leve aroma de álcool, provavelmente devido a anos de reuniões aonde bêbados chegavam das ruas para contar que haviam tido uma recaída. Aquela reunião estava bem cheia, mais de vinte pessoas, então me sentei em uma cadeira ao fundo.

Todos nos levantamos, fizemos a Oração da Serenidade e depois o líder da reunião perguntou se alguém era novo no grupo.

Observei uma pessoa na primeira fila ajustar o boné e se levantar. Ele me parecia muito familiar...

– Oi. Meu nome é Tommy e eu sou alcoólatra.

Automaticamente, todos nós batemos palmas.

– Bem-vindo, Tommy. Você gostaria de dizer algumas palavras para o grupo? – perguntou o líder.

Meu cérebro tinha finalmente assimilado a situação e eu respirei fundo.

– Sim... Achei que não precisava mais dessas reuniões, então parei de vir. Só que, dois dias atrás, tomei uma bebida.

Tommy fez uma pausa e limpou a garganta, enquanto esperávamos (eu, prendendo a respiração) que ele prosseguisse.

– Conheci uma garota, sabe? Acho que a amo, mas não podemos ficar juntos. Ela ficou fora por um tempo e senti muita falta dela... Preciso de vocês... disso... para me ajudar.

Todos aplaudiram de novo, mas ele não se sentou, o que significava que não tinha acabado.

– Alguns de vocês aqui devem se lembrar de que, quando voltei do Afeganistão, descobri que minha esposa tinha me deixado e levado nosso filho. Eu me voltei para a bebida e jurei que nunca mais ia amar ninguém. Mas amo e... ela passou um tempo fora, mas... É, é só isso.

– Merda! – murmurei baixinho.

– Vamos orar por você, Tommy, e saiba que estamos ao seu lado – disse o líder.

Vi várias pessoas ao redor de Tommy darem tapinhas em suas costas.

– Agora, mais alguém quer falar?

Um ator que reconheci se levantou, mas eu me desliguei. Tommy, o *meu* Tommy, que eu vira no Facebook que tinha esposa e um filho o esperando em casa, não tinha nada disso. E aparentemente estava apaixonado por alguém que não o amava – alguém que estivera "fora por um tempo" – e sentira muita falta dela.

O resto da reunião passou sem que eu prestasse atenção e, quando o líder começou a fazer os avisos de encerramento, escapei antes que Tommy pudesse me ver. Não queria que ele sofresse o embaraço, ou o espanto, de saber que eu tinha ouvido seus pensamentos mais íntimos. Entrei correndo no carro e verifiquei meu celular. Mariam deixara uma mensagem de voz, então liguei de volta, ainda respirando com dificuldade.

– Oi, sou eu. Você me ligou?

– Sim. O que foi, Electra? Está tudo bem?

Uau, pensei, *Mariam me conhece bem*. Era a primeira vez que eu era confrontada com a questão da confidencialidade, porque estava explodindo, simplesmente *explodindo,* de vontade de desabafar com Mariam. Eu sabia que ela também gostava de Tommy – foi para ele que ela pediu ajuda na noite em que me encontraram apagada –, mas engoli em seco, lembrando o código dos AA.

– Ah, não foi nada, só uma história perturbadora de um dos caras na reunião. O que você queria?

– Era só para avisar que estou fazendo sopa de tomate com pimenta para o almoço. Tudo bem?

– Perfeito.

– E Miles conseguiu um voo de Tucson para hoje. Eles pousam às dez da noite no JFK.

Quando paramos em frente ao meu prédio, saí e olhei ao redor para ter certeza de que Tommy não ia surgir do nada para dizer oi. Ele definitivamente não estava lá e, a menos que tivesse um irmão gêmeo, eu sabia que era *ele* naquela reunião. No entanto, *havia* uma surpresa esperando por mim no lobby. Ali, sentada em uma das cadeiras de couro, estava Stella, minha avó.

– Olá, Electra – disse ela, levantando-se para me cumprimentar. – Perdoe-me por aparecer assim, mas se a montanha não vai a Maomé... Eu queria ver por mim mesma como você estava.

– Claro, por favor, vamos subir.

Eu a conduzi até o elevador, maravilhada com sua postura tão ereta e elegante naquela jaqueta e a saia antiga de *bouclé*.

– Não vou ocupar muito do seu tempo se você estiver ocupada – disse ela, ao entrarmos no apartamento.

– Não tem nenhum problema – respondi, sentindo um afeto repentino por ela e me perguntando por que eu tivera tanto medo de vê-la. – Entre e sente-se. Mariam está preparando o almoço.

– Estou mesmo – disse Mariam, aparecendo no corredor. – Ficará pronto em cinco minutos. Oi, Stella – acrescentou ela com um sorriso, voltando para a cozinha.

– Ela é uma pessoa tão verdadeira, Electra – comentou Stella, se acomodando em uma poltrona. Era impossível imaginá-la largada em algum sofá usando moletom, como eu. – Ela sempre me ligava para dar notícias enquanto você estava... longe. Como está se sentindo?

– Estou bem. Muito bem – respondi logo, para o caso de ela pensar que era mentira.

– E continua longe das bebidas e das drogas?

– Completamente. Como a senhora sabe, é um dia de cada vez, então não posso ser muito pretensiosa e achar que estou fora de perigo, ou coisa assim.

– Não mesmo. Esse é o maior dos riscos. Então me diga, como era o lugar onde você esteve?

Fiz o possível para resumir a experiência.

– Sabe, eu estava com medo, mas na verdade foi ótimo.

– Você tem sorte por ter condições de ir para um lugar assim. Parece um resort de férias. Mas eu sei, é claro, que não é – acrescentou ela às pressas.

– O almoço está servido – chamou Mariam da cozinha, e minha avó e eu nos sentamos à mesa, que Mariam enfeitara com algumas das flores que havia em torno do apartamento, usando-as para fazer um centro de mesa.

– Eu estava dizendo para Mariam hoje de manhã que preciso começar a contar minhas calorias – comentei, enquanto comíamos. – Daqui a pouco vou ficar gorda demais para ser chamada de supermodelo.

– Duvido. Olhe para mim, estou com quase 70 anos e nunca engordei 1 quilo em toda a minha vida. Você tem bons genes.

– Suas maçãs do rosto são idênticas – observou Mariam. – As minhas ficam quase no queixo!

– Que bobagem! Você é uma jovem muito atraente, por dentro e por fora – comentou Stella.

Os olhos de Mariam brilharam com o elogio.

– A propósito, eu queria uma opinião – falei, depois de tomar toda a sopa e de termos começado a salada de frutas frescas que Mariam havia mergulhado em um maravilhoso purê de frutas. – Estava pensando em mudar meu cabelo.

– Ok... – disse Mariam. – Você conversou com Susie sobre isso?

– Não. O cabelo é meu, não é? Posso fazer o que quiser com ele.

– Falou bem, Electra. Seu corpo é sua propriedade, e *você* deve tomar as decisões – concordou Stella. – Pessoalmente, acho que está precisando de um bom corte. Está comprido demais. E a manutenção deve dar muito trabalho. Como é que vocês, jovens negras, conseguem mantê-los sob controle? Simplesmente não entendo.

– Está vendo estes pedaços? – Peguei um mecha do meu rabo de cavalo. – Não é meu cabelo de verdade, é extensão.

Minha avó tocou o cacho e deu de ombros.

– Para mim, parece de verdade.

– Sim, só que não é meu. Estava pensando em como isso é de mau gosto, porque talvez a moça que vendeu esse cabelo estivesse precisando alimentar sua família. Então decidi que vou retirar os apliques e depois vou cortar para ficar como o seu – apontei para o corte afro de Stella, que tinha pouco mais de 1 centímetro de comprimento.

– Uau! – exclamou Mariam, e tive vontade de rir.

– Bem, eu uso o meu assim porque é o melhor jeito, mas os estilistas e os fotógrafos vão querer o seu desse jeito?

– Não sei. E sabe de uma coisa? Que se fodam. – Reparei na expressão de Stella quando usei o palavrão. – Desculpe, mas, como você acabou de dizer, o cabelo é meu e talvez eu queira literalmente voltar às minhas raízes! Podem enfiar perucas na minha cabeça para alguma sessão, se quiserem. E...

– Sim? – indagou Stella, durante minha longa pausa.

– Bem, também quero ser eu mesma, ainda que não tenha certeza de quem sou ainda. Quer dizer, a família de Mariam é toda muçulmana e conhece a sua história de centenas de anos atrás. Cresci em uma família mista, uma criança negra com pai branco e irmãs de todos os tipos.

– E está confusa em relação à sua identidade – concluiu Stella. – Acredite, também cresci entre dois mundos, Electra, assim como você. Alguns diriam que somos privilegiadas e, de muitas maneiras, somos mesmo, mas... você acaba sentindo que não pertence a nenhum dos dois.

– Isso mesmo. – Assenti e de repente fiquei emocionada de novo, como se finalmente tivesse encontrado uma pessoa capaz de compreender toda a minha ambiguidade. – Stella, você lembra que começou a me contar a história daquela garota que foi para a África, antes de eu ir para a reabilitação?

– Claro que sim. A questão é: você lembra?

Vi o brilho nos olhos dela e soube que estava me provocando. Pelo menos em parte.

– De alguns trechos, sim, outros, não, mas acho... acho que preciso ouvir mais.

– Tudo bem, então vamos tirar um dia, quando você tiver tempo, e eu continuo a história. A *sua* história.

– Tenho tempo agora, na verdade. O avião de Miles e Vanessa só pousa às dez da noite, não é, Mariam?

– Isso mesmo. Stella, se você ficar um pouco mais, posso sair para fazer algumas tarefas. Querem que eu sirva um café para vocês na sala de estar? – perguntou Mariam.

– Seria ótimo – aprovou Stella, levantando-se. – Podemos ajudá-la a tirar da mesa?

– Não precisa, mas obrigada. Vão conversar.

Envergonhada por nunca ter me passado pela cabeça oferecer ajuda a Mariam na cozinha, segui minha avó até a sala de estar e a observei enquanto se acomodava em uma poltrona.

– Enquanto estava fora, percebi que ainda não sei nada sobre a minha mãe ou o restante da minha família. Ou a senhora me disse, e eu estava tão fora de mim que não lembro. Quem era ela? – perguntei enquanto me encolhia no sofá.

– Não, ainda não falei sobre ela. Tudo a seu tempo, Electra, tudo a seu tempo; há muito que explicar. Você se lembra de eu lhe contar como Cecily, a americana, tinha sido abandonada pelo noivo e então decidiu ir para a África para superar seu coração partido?

– Sim, e depois ela se apaixonou por um completo filho da... um *enganador* – consertei depressa.

– Exatamente. Bem, acho que tínhamos chegado ao ponto da história em que Cecily estava hospedada na Fazenda Wanjohi, com Katherine...

Cecily

Quênia

Fevereiro de 1939

24

– Hora de levantar.

Katherine acordou Cecily às cinco horas da manhã seguinte.

– Coloquei suas roupas de safári ao pé da sua cama. Vamos no carro de Alice até a casa de Bill, então vejo você lá fora. Estou embalando alguns cestos com suprimentos e preciso falar com Aleeki e avisar que você só voltará para casa amanhã – disse ela, saindo do quarto.

Sonolenta, Cecily vestiu um conjunto de calças e paletó cáqui que lhe serviram quase perfeitamente, depois calçou as pesadas botas de amarrar, que não se encaixaram muito bem. Eram um tanto grandes – seus pés sempre foram minúsculos –, mas teriam que servir.

– Entre – disse Katherine, enquanto Cecily colocava alguns cobertores no banco de trás do carro.

Ela ligou o motor e acendeu os faróis, pois ainda estava um breu.

Cecily obedeceu e, com uma última olhada para a Fazenda Wanjohi e o relativo conforto e segurança que o lugar oferecia, as duas partiram.

Ela cochilou durante a jornada de uma hora, até que o forte brilho do sol a acordou. Abriu os olhos e viu que pareciam ter saído da estrada principal e que o carro sacolejava violentamente ao longo de uma trilha estreita e sinuosa, que parecia não ter fim, atravessando grandes planícies quentes, com gramíneas e árvores agarradas à terra alaranjada. Cecily abriu a janela em busca de uma brisa e foi tomada pelo cheiro de gado, terra e fezes. Viu gado sendo pastoreado pelas pradarias por homens muito altos, em roupas laranja-escuro, que combinavam com a cor da terra sob seus pés descalços. Ficou maravilhada ao ver as vacas, que tinham apenas uma vaga semelhança com suas primas americanas. Elas tinham grandes corcundas e dobras de pele ao redor do pescoço magro que iam quase até o chão.

– Estamos quase chegando, querida – avisou Katherine. – Bem-vinda à fazenda de Bill.

Cecily viu que elas estavam se aproximando de uma edificação baixa, com molduras de madeira, no meio da planície, e o sol brilhava em seu telhado de zinco.

– Oi! Vocês conseguiram – saudou-as Bobby, emergindo da cabana e caminhando em direção a elas quando Katherine parou o carro.

Cecily saiu.

– Nossa! – exclamou ela, olhando ao redor. – A selva africana é aqui? – perguntou.

– Fica à beira das Planícies de Loita – respondeu Bobby, o que não significou nada para Cecily. – Entrem, meninas, tomem alguma coisa gelada. Bill e eu estamos carregando os veículos com suprimentos.

– Os cestos e cobertores estão no banco de trás – avisou Katherine, enquanto as duas caminhavam para a cabana.

Lá dentro, Katherine serviu a ambas um copo d'água, enquanto Cecily observava aquelas acomodações básicas.

– Bill mora aqui?

– Sim. Como você pode ver, não há nenhum toque feminino. – Ela sorriu. – Ele passa tanto tempo na selva, deve pensar que não vale a pena fazer qualquer melhora. Devo dizer que estou bastante empolgada. Espero que você consiga ver alguns elefantes; de todas as criaturas que habitam aqui, eu os considero os mais magníficos.

– Eles são perigosos?

– Podem ser, como qualquer animal selvagem, mas você não poderia estar em mãos mais seguras do que as de Bill. Por falar nele... – disse Katherine, vendo Bill entrar na casa.

– Bom dia, Cecily. Que bom que veio. Pronta para irmos?

– Sim, pronta.

Cecily percebeu que ele estava de novo olhando para os pés dela.

– Katherine, você pode arrumar as caneleiras dela? – Bill ofereceu a Katherine dois rolos de ataduras. – Não podemos permitir que seus preciosos tornozelos sejam picados por uma surucucu enquanto ela dorme, não é? Vejo vocês lá fora.

– Sente-se, Cecily – pediu Katherine.

Cecily obedeceu e a mulher enrolou as ataduras em seus tornozelos, enfiando a bainha da calça para dentro da caneleira improvisada e prendendo as ataduras com dois nós apertados.

– Ótimo. Não é muito atraente, mas funciona.

– Meu Deus, estou suando como um porco com todas essas roupas – murmurou Cecily.

O calor era insuportável e ela se sentia tonta e enjoada.

– Você vai se acostumar, não se preocupe. Certo, vamos embora.

Elas deixaram a cabana e contornaram a lateral da casa, onde Bill estava sentado ao volante de sua antiga picape, com Bobby ao lado. Os olhos de Cecily se arregalaram quando viu o que só podia ser descrito como uma versão real de um dos desenhos de um guerreiro maasai que vira nos livros da biblioteca em Manhattan. O homem, que estava sentado na caçamba carregada de suprimentos, meneou a cabeça para ela majestosamente. Ele segurava uma lança bem longa e estava vestido com um robe vermelho-escuro, amarrado ao redor dos ombros. Seu pescoço comprido estava adornado com colares de miçangas e suas orelhas eram perfuradas por vários anéis grandes. Seu rosto era angular, a pele escura, sem rugas, e os cabelos, cortados rente ao couro cabeludo, estavam polvilhados com uma substância vermelha. Cecily não conseguia estimar sua idade – ele podia ter entre 20 e 40 anos.

– Este é Nygasi, um amigo meu – apresentou Bill. – Subam a bordo, senhoritas.

Bill indicou que Cecily se sentasse ao lado dele na frente, enquanto Katherine se acomodava no banco traseiro, com Nygasi empoleirado logo atrás dela. Ela protegeu os olhos contra o brilho do sol refletido na lança de Nygasi e se perguntou se ele já tivera motivos para usá-la.

– Tudo pronto? – perguntou Bobby da picape ao lado da deles.

Mais dois homens maasais estavam sentados na parte traseira do veículo, também segurando lanças.

– Tudo! – disse Katherine com alegria, passando para Cecily uma garrafa de água.

– Beba apenas o necessário. A água é preciosa na selva nesta época do ano – aconselhou ela, o que não ajudou a acalmar os nervos à flor da pele de Cecily.

O motor da picape roncou e Cecily se segurou no banco, rezando para não ficar nauseada enquanto Bill enfiava o pé no acelerador e eles partiam com uma guinada.

Dirigiram pelo que pareceram horas através da pradaria empoeirada e por fim o terreno começou a se alterar sutilmente e a ficar mais exuberante. Era uma paisagem aberta, o vasto céu azul surgindo rapidamente por entre o topo das árvores cujas folhas as girafas mordiscavam, esticando a língua ao puxar os galhos. A picape desviou de repente, e Cecily pôde ver que tinham se esquivado de duas hienas que passaram correndo na frente do veículo.

– Pragas do inferno! – blasfemou Bill.

– Olhe, Cecily, aqueles são gnus, os que têm crinas nas costas. E ali é o *enkang* de Nygasi, o lugar onde suas esposas e filhos moram – indicou Katherine, apontando para a esquerda.

Cecily observou uma cerca circular cinza, feita de galhos. Mulheres com túnicas vermelho-escuras caminhavam em direção ao cercado, carregando feixes de madeira debaixo dos braços, seguidas de perto por cabras. Algumas tinham cestos improvisados contendo bebês pendurados nos ombros. Ao ouvir o som das picapes, as mulheres pararam para acenar e sorrir.

– Ela disse "esposas", no plural? Você quer dizer que Nygasi tem mais de uma?

– É a cultura maasai – respondeu Bill. – Quanto mais gado, mulheres e crianças você tem, mais respeito recebe da tribo. E Nygasi é muito respeitado.

– Olhe lá! – gritou Katherine, meia hora depois, apontando para longe, onde Cecily viu animais reunidos em torno de um brilho prateado e nebuloso. – Está vendo aquelas gazelas ali, as pequeninas com chifres retos? Elas são muito corajosas por beber aquela água; nunca se sabe quando um crocodilo vai sair e devorá-las! Mas assim é a vida aqui nas planícies.

Cecily ficou bem feliz quando Bill finalmente parou a picape em um bosque, e Bobby estacionou ao lado deles. O sol castigava a picape sem teto e ela se sentira terrivelmente enjoada durante toda a jornada.

– Vamos parar aqui? – perguntou Bobby.

– Sim, Nygasi diz que é o melhor lugar para hoje – comentou Bill, descendo do veículo.

– Hora de montar acampamento – disse Katherine, animada, e começou a ajudar Bobby a descarregar o equipamento e os suprimentos.

Cecily fez menção de ajudá-la, mas Bill colocou a mão em seu ombro e a impediu.

– Eu quero ajudar – protestou ela.

– Vai ajudar mais se ficar fora do caminho enquanto nos ajeitamos – aconselhou ele, com firmeza. – Você parece corada, Cecily. Vá se sentar à sombra e beber um pouco de água.

Cecily sentou-se em uma pedra convenientemente situada sob um grupo de árvores, bebeu água e observou os outros prepararem o acampamento. Grandes rolos de lona, caixas de gelo e cestos foram tirados da parte de trás das picapes e colocados ao lado dela, à sombra das árvores. Os três homens maasais trabalhavam juntos, forrando o chão e armando uma lona, com telas contra mosquitos, sobre varas de bambu flexíveis, criando tendas. Em seguida espalharam braçadas de grama por cima da lona, até as tendas se fundirem aos arredores. Katherine desempacotou as provisões das caixas de gelo e depois se sentou ao lado de Cecily, entregando-lhe um sanduíche embrulhado em papel-manteiga.

– É melhor você comer tudo, vamos caminhar muito hoje. Bill não gosta de dirigir para ver os animais e depois atirar neles do conforto da picape.

– Ele está pensando em caçar? – perguntou Cecily.

Ela tinha visto os grandes rifles sendo descarregados, mas pensara que fossem para proteção.

– O que mais comeríamos no jantar? – Katherine riu. – Aqui, tome um chá, vai refrescá-la.

Cecily aceitou o frasco de chá preto quente e forte com açúcar, e sentiu seu estômago agitado começar a se acalmar.

– Ah, e se estiver preocupada com as... instalações sanitárias – sussurrou Katherine –, simplesmente se alivie atrás de um arbusto. Ninguém vai olhar. Apenas não remexa nenhuma pedra; nunca se sabe se tem uma cobra ou um escorpião tirando uma soneca embaixo dela.

Katherine deu um tapinha no joelho da amiga e se levantou para ajudar Bobby, enquanto Cecily ficava ali, congelada de apreensão.

Depois que o acampamento foi montado e todos comeram, Bill e Nygasi lideraram a marcha para a selva, com os outros dois maasais levando o equipamento. Cecily caminhava ao lado de Katherine e Bobby, ouvindo histórias de safáris anteriores.

– Ouvi dizer que uma vez lorde Delamere rastreou um elefante por sete dias inteiros – comentou Bobby. – Ele estava determinado a pegar aquele bicho. As presas ainda estão penduradas em Soysambu; nunca vi tão grandes...

Atrás deles, os outros dois maasais conversavam em voz baixa em sua própria língua, e Cecily achou a presença deles tranquilizadora. Já passava do meio-dia e o sol estava alto no céu. Quando olhou para cima, viu as sombras dos abutres circulando. Uma brisa suave soprava através da grama, trazendo consigo o zumbido de insetos e os ocasionais grunhidos dos gnus. Katherine apontou para a direita, onde algumas zebras estavam reunidas à sombra das acácias. Cecily pegou sua câmera e tirou um monte de fotos, torcendo para que o resultado fizesse justiça àquele lugar incrível.

Por fim, quando Cecily já se perguntava se conseguiria dar mais um passo naquelas botas pesadas, Bill gesticulou para que as mulheres se agachassem na grama alta, enquanto indicava um lago a menos de 100 metros de distância. Ele, Bobby e Nygasi avançaram com cuidado; Nygasi segurando sua lança delicadamente, enquanto Bill e Bobby carregavam seus rifles pesados sobre os ombros.

O lago estava cheio de vida selvagem, mas Cecily observou Bill apontar para um rebanho de grandes animais, alguns ostentando majestosos chifres retorcidos.

– Cudos – sussurrou Katherine.

Cecily observou Bill apontar a arma e olhar através da mira. Um segundo depois, um tiro alto soou. Pássaros assustados voaram e os animais ao redor do lago correram em busca de segurança. Cecily viu o cudo atingido cair de lado.

Os cinco homens caminharam em direção à caça, Nygasi batendo no chão com sua lança para assustar os chacais que já estavam circulando, cheirando a carcaça. Cecily percebeu que não conseguia desviar o olhar enquanto eles esfolavam metodicamente o animal, que era do tamanho de um cavalo, estripavam-no e o esquartejavam. Por fim, os três maasais levantaram grandes pedaços de carne sobre os ombros, enquanto Bobby e Bill carregavam a cabeça, com chifres do comprimento da perna de um adulto.

– Tiro certeiro – comentou Bobby com admiração ao se aproximar de Cecily e Katherine. – Bill é o melhor caçador que conheço. Um cudo adulto; olhem só que chifres poderosos!

Agora confrontada com os homens sujos de sangue e com o cheiro da matança, Cecily se virou e tentou não vomitar. Katherine a ajudou a se levantar e todos começaram a longa caminhada de volta ao acampamento, com Cecily tentando tomar discretas golfadas de ar fresco.

– Você está bem? – perguntou Katherine.

– Vou ficar – ela conseguiu dizer. – Nunca vi um animal sendo morto.

Katherine assentiu, compreensiva.

– É chocante, eu sei. Por mais abominável que eu considere o ato de matar por troféus, acredito na honestidade de caçar para sustento. Todas as partes desse cudo serão usadas, Cecily. E olhe para trás. – Ela gesticulou para onde haviam ficado os restos, à beira da água. Abutres, chacais e hienas já estavam brigando pelo que sobrara. – O ciclo da vida continua; estamos simplesmente assumindo o nosso papel na cadeia alimentar.

Cecily estava prestes a discordar, mas lembrou que cada pedaço de carne que já comera começara com o processo que acabara de testemunhar. Então fechou a boca, humilhada por sua ingenuidade.

A caminhada de volta ao acampamento foi muito mais lenta e o sol já estava se pondo quando eles se depararam com uma manada de elefantes a cerca de 1 quilômetro de distância.

– Não acredito! – Cecily engoliu em seco enquanto olhava pelos binóculos, sentindo um nó repentino na garganta. – Eles são... majestosos!

– Devemos ter cuidado, eles estão com filhotes – aconselhou Katherine. – São animais muito protetores e não vão hesitar em nos atacar.

– Muitas fêmeas com filhotes. – Cecily ouviu Bill dizer a Bobby. – Não vamos atirar. Ainda vamos conseguir um troféu de marfim algum dia.

Cecily sentiu uma onda de fúria ao pensar em Bill – ou em qualquer pessoa – querendo atirar naquelas belas criaturas. Ela assistiu à manada se mover lentamente, todos juntos, os filhotes andando entre as pernas das mães, e quase sentiu o chão vibrar com o peso e a força daqueles animais.

Sentiu um toque repentino em seu ombro e desviou os olhos dos elefantes. Nygasi acenou para ela, agachado, apontando para algo no chão. Cecily olhou e ofegou. Na terra macia e alaranjada, havia o contorno perfeito de uma grande pata.

– *Olgatuny* – disse ele. – Leão – acrescentou, para Cecily entender.

– Sim, um leão. – A voz de Bill soou acima dela. – E esteve aqui há pouco tempo, a julgar pelos contornos da pegada. Nygasi sabe reconhecer um animal sozinho e uma vez rastreou e matou um leopardo que estava espreitando seu *enkang*, ou seja, sua "vila" – explicou ele, batendo nas costas do homem mais alto. – Está muito perto do nosso acampamento para o meu gosto. Precisamos ter cuidado.

Enquanto os dois homens avançavam alguns metros, conversando seriamente, Cecily ficou onde estava, olhando para a pegada à sua frente. Ela estendeu a mão para tocá-la com cuidado, o coração batendo forte ao pensar em quão grande o leão devia ser, já que sua pata deixara uma marca daquele tamanho.

Dez minutos depois, de volta ao acampamento, Cecily se sentou, aliviada. Bebendo um pouco de chá, viu o sol deslizar suavemente sob o horizonte, as árvores virando sombras nítidas na paisagem. Uma grande fogueira foi acesa e Katherine apareceu ao lado de Cecily para colocar um cobertor em volta de seus ombros quando a temperatura começou a cair. Ela assistiu, fascinada, aos maasais prepararem o cudo nos espetos, e logo o ar se encheu do aroma sedutor de carne assada. Como havia testemunhado a terrível morte do animal, Cecily ficou envergonhada ao sentir o estômago roncar.

O pôr do sol virou noite, e ela ergueu os olhou para encontrar o céu mais estrelado que já tinha visto. Bobby e Bill estavam bebendo cerveja ao lado da fogueira, enquanto discutiam a caça do dia e comiam o resultado.

– Tome, querida.

Katherine entregou-lhe um pedaço de carne fumegante, recheando um pão achatado que havia sido aquecido sobre o fogo.

– Obrigada.

Cecily sorriu agradecida e deu uma mordida para experimentar. Era uma delícia.

Depois do jantar, ela se sentou e ouviu os murmúrios suaves das conversas ao redor da fogueira. Sentiu-se feliz; as chamas tremeluzentes e a fumaça de lenha subindo no aveludado céu noturno faziam o acampamento parecer um paraíso seguro. Entretanto, quando uivos e latidos ocasionais de animais não identificados ecoavam da escuridão, Cecily ficava aliviada ao ver a espingarda pesada encostada casualmente aos pés de Bill.

Depois de comerem, Bill acendeu um cachimbo, e o reconfortante cheiro de tabaco flutuou na direção de Cecily.

– Estou indo dormir – disse Katherine, dando um grande bocejo. – Você vem, Cecily?

Embora também se sentisse exausta, o incrível céu estrelado e o fato de estar em plena selva africana fizeram Cecily querer estender o momento um pouco mais.

– Vou me juntar a você em um minuto.

– Ok. Boa noite a todos – disse Katherine, levantando-se, seguida por Bobby.

– Foi um longo dia – concordou Bobby. – Até amanhã.

Bobby e Katherine se retiraram, cada um para a sua tenda, e Nygasi e os outros dois maasais se afastaram da fogueira e saíram para a escuridão. Cecily os viu parados ao redor do perímetro do acampamento e, de repente, percebeu que estava sozinha com Bill.

– O que você achou do dia? – perguntou ele, mexendo no fogo com um pedaço de pau.

– Eu... Bem... foi incrível. Eu me sinto privilegiada, embora algumas partes tenham sido assustadoras. Meu nível de adrenalina ficou altíssimo o dia inteiro.

– Gosta de aventuras, Cecily? – Bill a encarou com um olhar profundo. – Ou prefere estar sempre em segurança?

– Na verdade eu não sei. Quer dizer, vir para a África já me transformou. Talvez eu ainda esteja descobrindo quem sou.

– Talvez nenhum de nós saiba quem é de verdade.

– Você definitivamente é um aventureiro, certo?

– Talvez eu não fosse, se a vida não tivesse me transformado em um. Eu estava estudando direito na Inglaterra, e então, bem, veio a guerra... e o amor... Essas coisas me mudaram para sempre. Então, Srta. Huntley-Morgan, por que veio para a África?

– Vim visitar minha madrinha. – Cecily deu de ombros, incapaz de sustentar o olhar dele.

– É óbvio que você está fugindo de alguma coisa. Dá para perceber.

– Como você sabe?

– Porque eu tinha a mesma cara quando cheguei aqui. A questão é: você vai voltar correndo?

– Não faço a menor ideia. Agora preciso dormir um pouco. – Cecily se levantou. – Obrigada por me incluir nisso, Bill. Eu juro, nunca vou esquecer. Boa noite.

Ela assentiu, cruzou os poucos metros até a tenda que dividiria com Katherine e engatinhou para dentro. Katherine já estava roncando suavemente em seu palete, então Cecily tirou as botas, mexeu os dedos dos pés aliviada e se deitou completamente vestida, puxando o cobertor áspero para afastar o frio da noite. Ela ficou pensando que, apesar de seus modos bruscos e seu desejo constante de constrangê-la, havia algo em Bill Forsythe que a fascinava. Incapaz de ficar acordada por mais um segundo sequer, ela se assegurou de que o cobertor estava enrolado firmemente em volta de seus pés, caso algo tentasse deslizar para dentro dele durante a noite, fechou os olhos e dormiu.

❁ ❁ ❁

Cecily acordou ao amanhecer, com a boca seca de tanta sede. Tomou um gole de água da vasilha ao seu lado e calçou as botas, tentando não acordar Katherine, que ainda estava dormindo.

Ela se arrastou para fora da tenda, se espreguiçou e ergueu os olhos. O céu era uma massa de tons suaves de azul, rosa e roxo, e ela se sentiu em meio a uma pintura impressionista. Desviando o olhar daquele belo espetáculo, ela foi silenciosamente procurar um lugar privado para se aliviar.

Tendo feito isso na grama, que chegava quase na altura de sua cintura, ela caminhou de volta lentamente, sentindo o cheiro fresco da natureza. Então ouviu um rosnado suave, como um motor ligado. Mas não havia outros carros por quilômetros...

Cecily parou de repente ao ver um enorme leão agachado na grama apenas alguns metros à sua frente, seus olhos dourados fixos nela. Ele se levantou e começou a rondá-la.

Ela ficou congelada, o coração batendo forte no peito. O leão saltou.

– CECILY! ABAIXE-SE!

Por instinto, ela se jogou no chão e um tiro soou no amanhecer. O leão tropeçou, mas não se deteve. Outro tiro foi disparado, depois outro, e o animal parou e desabou de lado.

– Meu bom Deus, essa foi por pouco! Cecily! Você está bem?

Ela tentou responder, mas sua boca parecia não funcionar corretamente, suas pernas se recusavam a se mover e o mundo girava...

– *Cecily*, você está me ouvindo?!

– Ai!

Ela sentiu um forte tapa no rosto, abriu os olhos e viu Bill olhando para ela.

– Desculpe, é a maneira mais rápida de trazer alguém de volta depois de um desmaio. Venha, me deixe ajudá-la a se levantar e lhe dar um gole de conhaque.

Cecily sentiu braços fortes colocando-a de pé, e em seguida um pouco de líquido foi virado em sua boca. Apesar de quase se engasgar com a bebida forte, isso a ajudou a recuperar os sentidos. Vendo Bill ao seu lado, Cecily quase desejou que não os tivesse recuperado e imediatamente corou de vergonha.

– Sinto muito. Não sei o que me deu.

– Talvez tenha sido a visão de um leão partindo direto para cima de você – disse Bill. – Já vi homens adultos vomitarem nos próprios pés. Você vai ficar bem. Vamos voltar ao acampamento.

Ele a apoiou no caminho de volta às tendas. Cecily viu Nygasi logo atrás deles e ainda podia sentir o cheiro da pólvora no ar.

– Como... como você soube? – indagou ela, suas pernas moles como gelatina.

– Que você daria uma de boba e se afastaria do acampamento? – retrucou ele, levantando uma sobrancelha. – Eu não sabia. Nygasi tinha visto as pegadas do leão e nós estávamos seguindo o rastro. Tínhamos acabado de vê-lo quando você apareceu. Foi muita sorte eu estar lá.

Cecily corou até a raiz dos cabelos, rezando para que ele não a tivesse visto agachada na grama alta pouco antes de o leão atacar.

Quando se aproximaram do acampamento, Katherine veio correndo na direção deles e apoiou Cecily do outro lado.

– O que foram aqueles tiros? O que aconteceu? – perguntou ela.

– Apenas um leão faminto – respondeu Bill. – Já cuidamos dele. De vez.

Bill entregou Cecily aos cuidados de Katherine e foi falar com Nygasi, que assentiu e voltou na direção do leão.

– Tem certeza de que ele está morto? – balbuciou Cecily.

– Tenho. – Bill assentiu. – Pode acreditar, já matei muitos leões na vida. Agora, venha tomar um chá.

Cecily permitiu que Katherine cuidasse dela, envolvendo-a em um cobertor e sentando-a junto ao fogo, com uma xícara de latão cheia de chá fresco, que ela insistiu que a amiga bebesse em pequenos goles.

– Sinceramente, já estou bem – disse Cecily, se recompondo e ficando de pé, o orgulho vencendo a sua fraqueza física. – O que vão fazer com o leão?

– Vão colocá-lo na caçamba de Bill e levá-lo para casa. Algum americano rico certamente comprará a cabeça e a pele como troféus.

– Esse americano com certeza não serei eu – murmurou ela. – Isso foi tudo culpa minha. Eu me afastei demais.

– Bem, aposto que no fundo Bill está animado. Agora ele tem uma desculpa para ganhar outro troféu. Você consegue andar até a picape? Acho que já passou por bastante emoção hoje. Vou falar com Bobby para nos levar de volta. Ele estava apenas enchendo nossas garrafas de água.

Katherine se afastou e Cecily caminhou até a beira do acampamento, a caneca ainda nas mãos, e viu Bill e Nygasi carregando o leão em uma maca de lona. Ela os seguiu até a picape, onde eles e os outros dois maasais enfiaram o animal na caçamba sem cerimônia, e começaram a amarrá-lo com cordas.

De perto, o leão era simplesmente enorme e, mesmo morto, não perdera a dignidade. Sua juba brilhava ao sol, com um rico tom de ouro, e a boca estava aberta, mostrando suas presas amarelas. Ela viu o que pareciam cicatrizes em seu rosto.

– Ele já é velho – comentou Bill. – Parece que enfrentou algumas batalhas, e andava passando fome também. Está vendo suas costelas? Provavelmente já estava ferido e não vinha conseguindo caçar direito. Ainda bem que ele não devorou você, Cecily.

Ela assentiu em silêncio e voltou para o acampamento, onde Bobby estava desmontando as tendas, e Katherine, arrumando os cestos.

– Você já atirou em algum animal selvagem, Katherine? – quis saber Cecily.

– Sim. Que Deus me perdoe, mas já. Quem é criado aqui aprende a atirar desde jovem. Como você acabou de ver, é uma habilidade que pode salvar uma vida. Nunca fiz isso por esporte, apenas para me proteger, mas é preciso lembrar que a vida aqui é muito diferente, Cecily. O perigo é real.

– Estou começando a perceber.

– Todos prontos? – perguntou Bobby, entrando no banco do motorista.

– Sim – respondeu Katherine enquanto ajudava Cecily a se acomodar no banco de trás e depois ia se sentar ao lado de Bobby.

– Adeus, Cecily. Sinto muito que seu primeiro safári tenha sido tão... agitado – disse Bill, encarando-a, parado ao lado da picape.

– Não, Bill. Eu é que peço desculpas por ter dado tanto trabalho. Obrigada por salvar minha vida – agradeceu Cecily.

– Sempre procuro agradar. Boa viagem de volta.

– Você não vem conosco?

– Não. Nygasi, eu e os outros temos trabalho a fazer aqui. Até logo.

Cecily olhou para trás quando Bobby acelerou e eles partiram do acampamento. Enquanto observava Bill, agora parado junto a Nygasi observando seu troféu, ela percebeu que ele estava em outro mundo e já havia se esquecido dela.

❂ ❂ ❂

Cecily e Katherine seguiram com Bobby até a fazenda de Bill, onde trocaram a picape pelo conforto do carro de Alice, e voltaram para a Fazenda Wanjohi, onde Cecily viu o brilho do Bugatti branco de Kiki estacionado na entrada.

– Tem certeza de que aguenta fazer a viagem de volta a Naivasha hoje? – perguntou Katherine, desligando o motor. Elas saíram do carro. – Você é bem-vinda para passar outra noite aqui comigo.

– Obrigada, mas o carro já está aqui e sinto que devo voltar. Estou preocupada com minha madrinha.

– Eu sei... – Katherine passou o braço pelo ombro de Cecily em um gesto reconfortante. – Mas você tem que lembrar que ela não é responsabilidade sua.

– Eu sei, mas... – Cecily deu de ombros. – Obrigada por tudo – disse ela, enquanto se abraçavam. – Com certeza foi uma aventura.

– Você se saiu muito bem, Cecily, e, se precisar de mim, estarei aqui, na casa de Alice, até o casamento. Mal posso acreditar que falta pouco mais de um mês – disse Katherine, enquanto o silencioso Makena guardava a bolsa de Cecily no porta-malas do Bugatti.

– Bem, se tiver alguma coisa que eu possa fazer para ajudar, é só pedir – comentou Cecily, sentando-se no banco traseiro.

– Obrigada. Até logo, então.

– Até logo, Katherine, e muito obrigada! – gritou ela enquanto o Bugatti se afastava pela estrada sulcada.

Acenando para a amiga, Cecily se perguntou se ter a vida ameaçada por um leão faminto não era melhor do que retornar à estranha atmosfera que pairava como uma nuvem cinzenta sobre a Casa Mundui...

25

— Querida! É mesmo você?

– Sim, mamãe. Eu...

O som da voz de sua mãe do outro lado da linha ruidosa trouxe lágrimas aos olhos de Cecily.

– Como a senhora está? Como está o papai? E Mamie, é claro. Ela já teve o bebê?

– Uma pergunta de cada vez, Cecily. – A mãe riu. – Estou tentando entrar em contato com você há dias para dizer que sim, Mamie teve uma linda garotinha, que batizou de Christabel. Papai não ficou muito satisfeito, pois esperava que fosse um menino para "lutar ao seu lado", como ele disse, mas, ah, Cecily, ela é a coisinha mais linda.

– E as duas estão bem?

– Claro que sim. O parto foi tranquilo, segundo Mamie. Ela fica perguntando por que as mulheres reclamam tanto.

– Deve ter sido por causa de todas as aulas de ginástica que ela fez – disse Cecily. – Por favor, diga a ela que mandei lembranças e que mal posso esperar para ver minha sobrinha. Pode me enviar uma foto dela, mamãe?

– Claro. E como está o Quênia?

– Eu... Está tudo bem, mamãe.

E tão quente que às vezes não consigo respirar, e é muito estranho e solitário aqui na Casa Mundui, eu quase fui comida por um leão faminto e sinto tanto a sua falta...

– Então, quando você volta para casa? Seu pai disse que todos por aqui estão ficando preocupados com a guerra. Alguns estão comentando que agora é inevitável.

– Eu sei, também ouvi isso, mas...

– Bem, eu estava pensando se não seria uma boa ideia que você voasse para a Inglaterra o mais rápido possível, querida. Se acontecer alguma coisa, pelo menos você estará a apenas uma viagem a vapor de casa. Audrey disse que ficaria feliz em recebê-la de novo em Woodhead Hall até...

– Até depois do casamento de Jack e Patricia – completou Cecily.

Ela estremeceu, não apenas pelo fato de sua mãe colocar o constrangimento do casamento de seu ex-noivo acima da segurança da própria filha, mas também porque não queria nem pensar em colocar os pés em Woodhead Hall outra vez.

– Na verdade, embora eu esteja louca para voltar para casa assim que puder, estou feliz aqui. Se a guerra começar, meu amigo Tarquin jura que isso não afetará o Quênia tão cedo. Que tal se a senhora me reservar uma passagem para meados de abril?

Em outras palavras, logo após as núpcias acontecerem...

– Tem certeza de que não quer ficar com Audrey na Inglaterra?

– Absoluta – respondeu Cecily, com firmeza.

– Ok, vou pedir que seu pai faça a reserva. Ah, sinto tanto a sua falta, querida, e todos nós...

A voz de Dorothea desapareceu quando o chiado ficou mais alto. Cecily colocou a antiquado receptor no gancho e, com os braços cruzados, saiu para o terraço e observou a paisagem.

Talvez devesse voltar para casa na próxima semana e mandar o casamento de Jack para o inferno.

– Quem se importa? – sussurrou ela para um babuíno que a encarava, considerando se arriscava um salto em cima da mesa da varanda para roubar o café da manhã que acabara de ser servido por Chege, o camareiro júnior que estava ajudando Aleeki. – Bu! – Ela bateu palmas enquanto caminhava em direção ao babuíno, que continuou sentado, olhando-a maliciosamente. – Vá embora! – gritou ela e, por fim, ele se retirou.

Sentada à mesa, bebendo um café forte e quente, Cecily ouviu os grasnidos, cacarejos e chamados, agora familiares, que anunciavam o começo do dia na Casa Mundui. Ela vinha tomando o café da manhã sozinha ali, todos os dias, havia quase três semanas. Quando voltara do safári, Chege lhe entregara uma carta.

– De *memsahib* para *memsahib* – dissera ele.

A carta de Kiki informava que ela tinha ido a Nairóbi para dar apoio a Alice, que estava doente, e que levara Aleeki com ela. Acrescentou que "voltaria depressa", mas, alguns dias depois, Aleeki apareceu para pegar um baú com roupas da patroa. Ele explicou que Kiki ia ficar em Nairóbi por mais tempo e voltou para lá logo depois.

Cecily sabia muito bem que Aleeki mentira; havia encontrado Katherine na semana anterior, quando se juntara a Makena e Chege para uma viagem a Gilgil.

– Sinto muito por não ter mantido contato – comentara Katherine –, mas o casamento está me ocupando muito, entre outros problemas.

Quando Cecily perguntou como Alice estava e quando ela sairia do hospital, Katherine pareceu surpresa.

– Ora, ela já está em casa há duas semanas. Cansou de ficar no hospital, então estou cuidando dela na Fazenda Wanjohi. Ela está bem melhor agora, já falando em fazer um safári no Congo, embora, é claro, esteja preocupada, como todos nós, com a situação na Europa e como isso pode afetar as coisas na África... Puxa, estou surpresa que Kiki não tenha contado que Alice estava de volta.

– Não vejo Kiki há semanas – explicou Cecily. – Aleeki me falou que ela estava em Nairóbi.

– Talvez esteja. Provavelmente hospedada no Muthaiga Club, embora na minha opinião não seja nada educado abandonar a própria afilhada. Bom, assim que esse casamento acabar e eu finalmente me mudar para nossa nova casa, você será muito bem-vinda para ficar comigo e com Bobby. Deve se sentir muito sozinha em Mundui, pobrezinha.

– Ah, estou bem, Katherine. Tenho certeza de que Kiki voltará em breve.

– Bom, minha querida, agora preciso ir. Tenho que levar os cartões de serviço para imprimir e eles fecham ao meio-dia. Vejo você no casamento, semana que vem.

– Sim, e boa sorte! – desejou Cecily.

Dois dias depois de encontrar Katherine em Gilgil, Cecily ainda não havia tido notícias de Kiki. Nenhum dos funcionários da casa falava bem inglês; além disso, não seria certo perguntar a eles aonde sua própria madrinha teria ido...

Para piorar, ela obviamente contraíra algum tipo de vírus, pois todas as manhãs, após o café, sentia náuseas e, às duas da tarde, mal conseguia subir as escadas para tirar uma soneca. Torcia para que passasse logo, mas só piorava, como ela constatou com um suspiro ao pegar um pedaço de pão e sentir a bile subir pela garganta.

Percebendo que provavelmente vomitaria seu café, Cecily levantou-se e atravessou rapidamente a varanda. Ciente de que não chegaria ao banheiro a tempo, ela se lançou atrás de alguns arbustos e vomitou no canteiro de flores.

– Ai, meu Deus – murmurou, secando os olhos marejados. – Com certeza estou doente.

Ela abriu caminho lentamente para o interior da casa, onde era mais fresco, e subiu as escadas cambaleando, para beber um pouco de água e deitar-se por um tempo até que a náusea diminuísse.

– E agora, Cecily – murmurou ela –, o que você vai fazer?

Muratha chegou alguns minutos depois para arrumar o quarto e parou, surpresa, ao ver Cecily deitada sobre cama desfeita.

– Você doente, *bwana*?

– Acho que sim – admitiu ela, sentindo-se enjoada demais para continuar mentindo.

– Talvez malária – comentou Muratha.

Ela largou a pilha de lençóis e foi até Cecily, estendendo a mão fria para conferir se a moça tinha febre e retirando-a rapidamente.

– Não quente, *bwana*, então bem. Ligamos para o médico, sim?

– Não, ainda não. Talvez amanhã, se eu não melhorar.

– Certo, você descansa.

Muratha assentiu e saiu do quarto.

Cecily cochilou e, na hora do almoço, sentia-se bem o suficiente para tomar uma sopa e comer um pouco de pão. Escolhendo outro livro da biblioteca e satisfeita por não ter vomitado o almoço, Cecily ocupou o lugar de sempre na espreguiçadeira sob a sombra de um sicômoro. Poucos minutos depois, ouviu o riso tilintante de sua madrinha, e ela apareceu na varanda junto com o capitão Tarquin Price e Aleeki.

– Cheguei, minha querida! – gritou ela do outro lado do gramado, espiando Cecily. – Perdoe-me por deixá-la sozinha por tanto tempo, mas agora estamos de volta, não estamos, Tarquin?

– Estamos, sim, meu amor – disse Tarquin, sorrindo com carinho para ela.

– Venha me dar um abraço, Cecily. – Kiki abriu bem os braços e Cecily se acomodou entre eles. – Meu Deus, você está parecendo um pouco doente. Está bem?

– Acho que peguei algum tipo de vírus, mas estou melhor agora.

– Você devia ter dito a um dos criados e eu voltaria correndo para chamar o Dr. Boyle. Aleeki, vamos tomar champanhe para comemorar! Tarquin tem alguns dias de folga, então resolvemos sair da cidade para tomar um ar fresco.

Foi só então que a ficha caiu. Kiki estava olhando com adoração para Tarquin, que devia ser, *tinha* que ser, uns bons dez ou quinze anos mais jovem que ela.

Dez minutos depois, estavam todos sentados ao redor da mesa da varanda, Kiki fumando e bebendo champanhe com Tarquin, Cecily se mantendo firme só no chá. Kiki contou histórias de travessuras no infame Muthaiga Club – que era como Cecily pensava no local – e de divertidas partidas de polo.

E aqui estava eu, preocupada com a sua saúde, enquanto você devia estar em lua de mel com seu jovem oficial britânico, curtindo a vida em Nairóbi, pensou Cecily, de repente sentindo náuseas outra vez. Se era por causa da pequena fatia de bolo que mordiscara ou pelo comportamento egoísta da madrinha, ela não tinha certeza.

– Com licença, Kiki, Tarquin, ainda não estou me sentindo muito bem. Vou descansar no meu quarto.

– Claro – respondeu Tarquin. – Avise se precisar chamar o Dr. Boyle, está bem?

No andar de cima, ela se deitou, ouvindo o zumbido da conversa lá embaixo. Embora não houvesse razão para Kiki não se confortar nos braços de outro homem – afinal, ela era uma viúva sem compromissos –, Cecily não pôde deixar de pensar em como a madrinha a apresentara a Tarquin na véspera do ano-novo. Naqueles preciosos minutos em seus braços, na pista de dança, Cecily se perguntara se aquele belo e encantador inglês poderia tê-la desejado. Mas não; quase certamente, Tarquin já era amante de Kiki, despachado como um favor naquela noite para evitar que sua afilhada sofresse um constrangimento social.

Jack, Julius e Tarquin... No espaço de algumas semanas, todos eles tiveram seu papel em reduzir a autoconfiança de Cecily até quase apagá-la. Nova York, Inglaterra, Quênia... Santo Deus! Ela era um fracasso no mundo todo. E se odiava ainda mais por ter deixado seu endereço no Quênia com Doris, antes de sair de Woodhead Hall, para que ela entregasse a Julius...

– Você é tão patética, Cecily – murmurou ela, infeliz.

Ainda mais por ter perguntado todo dia aos criados se alguma carta havia chegado da Inglaterra para mim.

Cecily rolou inquieta e saiu da cama, caminhando até a janela bem a tempo de ver Kiki, agora vestida com um elegante maiô listrado, andar de mãos dadas em direção ao lago com Tarquin, que exibia seu físico bronzeado e flexível em um par de shorts.

Ela os viu mergulhar na água, rindo juntos. Em seguida, Tarquin segurou Kiki nos braços e a beijou de um jeito que Cecily só poderia descrever como bem profundo. Ela pensou em Bill Forsythe e em como ele afirmara não gostar de seres humanos.

E se perguntou se concordava com ele.

Felizmente, nos dias que se seguiram, o enjoo de Cecily diminuiu. Ao cortar sua habitual xícara de café forte pela manhã, ela descobriu que conseguia comer um pouco de pão e cereais. Qualquer tipo de álcool estava fora de questão, fato que parecia irritar Kiki imensamente.

– Que coisa! Parece que perdeu o gosto pela vida desde que eu viajei. Não quer tomar nem um gole? – insistiu Kiki pela milésima vez, quando Aleeki surgiu com um martíni.

– Kiki, querida, deixe a pobre garota em paz – disse Tarquin, lançando a Cecily um olhar de desculpas. – Ela ainda está se recuperando.

Mesmo agradecida a Tarquin por amansar Kiki, Cecily se mantinha fora do caminho do casal o máximo possível, o que era muito fácil, já que os dois raramente se levantavam antes da hora do almoço, quando ela os encontrava na varanda, antes de subir para o cochilo da tarde. O assento perto da janela em seu quarto se tornou seu lugar favorito da casa. Encolhida ali, a brisa fresca do ventilador aliviando o calor que fazia lá fora, ela usava os binóculos para estudar as idas e vindas da vida selvagem dentro e ao redor do lago.

Naquele dia, o grupo de hipopótamos, que ela havia batizado um a um, estava tirando seu cochilo habitual da tarde, todos eles esparramados de lado. Ao redor, antílopes com pequenos chifres mordiscavam os densos nenúfares à beira do lago, sem se incomodar com as enormes criaturas roncando por ali. Mais adiante na água, troncos secos se elevavam no lago e forneciam poleiros convenientes para todos os tipos de pássaro, desde pequenos martins-pescadores até pesados pelicanos.

– Como posso ficar sentada aqui, vendo tudo isso, e me sentir tão triste? – Cecily repreendeu a si mesma. – Se Mamie estivesse aqui, estaria lá fora, nadando no lago, remando um barco, *vivendo*! "Você está deprimida", ela diria, e...

A ideia de sua irmã e seu bebê recém-nascido tão distantes a fez buscar desesperadamente alguns pensamentos positivos, mas eles sumiam tão rápido quanto chegavam.

Houve uma batida forte à porta e Muratha apareceu, embalando o vestido de seda verde que ela usaria na festa de casamento de Katherine e Bobby, dali a alguns dias.

– É lindo, *bwana* – disse Muratha, pendurando-o com cuidado no armário. – Amanhã fazemos malas, sim?

– Sim, obrigada, Muratha.

– Nunca vi Nairóbi, cidade grande – comentou Muratha. – Você sortuda. Preparar banho, sim?

Antes que Cecily pudesse responder, Muratha desapareceu, deixando-a sozinha para se repreender um pouco mais por não conseguir parar de chafurdar na própria infelicidade, como um dos hipopótamos. Ela sabia que Muratha trocaria de vida com ela sem hesitar.

Cecily foi até o espelho e olhou para o próprio reflexo.

– Você *vai* a esse casamento e vai se divertir bastante, está me ouvindo?

Após tomar essa decisão, Cecily se virou e seguiu para o banheiro.

✿ ✿ ✿

– Certifique-se de que eles lhe deem meu quarto habitual no clube, está bem? Ele fica de frente para o jardim, não para a estrada – avisou Kiki, enquanto Cecily entrava no Bugatti. – Você ligou antes para avisá-los, certo? – perguntou Kiki a Aleeki, que estava ao lado dela.

– Sim, *memsahib*.

– Diga a Alice que mandei lembranças, e a qualquer outra pessoa lá que não me odeie – disse Kiki a Cecily, forçando uma risada áspera. Estava claro que ela se ressentia por não ter sido convidada para o casamento. – E divirta-se, ok?

– Prometo – concordou Cecily.

– Enquanto isso, faremos nossa própria festa aqui, não é, Tarquin?

– Faremos, querida – confirmou ele, beijando o topo da cabeça de Kiki. – Até logo, Cecily, e diga a qualquer camarada que encontrar usando cáqui que voltarei em breve para lhes dar ordens.

– Pode deixar. Até logo.

Cecily acenou alegremente e soltou um suspiro de alívio quando o Bugatti começou a se afastar da casa.

Embora estivesse um pouco nervosa por ir a uma festa de casamento sozinha e ter que enfrentar um mar de estranhos, enquanto seguiam ao longo do lago em direção a Nairóbi, ela ficou animada. Após passar semanas confinada na Casa Mundui, podia ser divertido visitar uma cidade movimentada. Ela também estava curiosa para conhecer o Muthaiga Club, tendo ouvido tanto sobre o lugar. Dera uma última olhada em seu reflexo no espelho antes de sair e, em um vestido de seda verde-esmeralda, com um chapéu combinando e uma faixa branca de cetim formando um laço engomado, achou que parecia pelo menos apresentável. Removeu as longas luvas de cetim branco e as colocou no assento de couro ao seu lado e, à medida que a jornada avançava, desejou poder tirar o vestido, que parecia ter ficado muito apertado desde a última vez que o usara para jantar em Woodhead Hall.

– O que você esperava, Cecily? Tirando o safári, você mal saiu de seu quarto – murmurou, prometendo si mesma que, quando voltasse à Casa Mundui, daria um mergulho no lago todas as manhãs.

Quando se aproximaram da cidade, Cecily olhou ansiosamente pela janela, mas só conseguiu vislumbrar os edifícios do centro de Nairóbi à sua esquerda, intercalados por infinitos barracos construídos aleatoriamente ao longo da estrada.

– É óbvio que não é Manhattan – disse para si mesma, achando graça.

Makena dirigiu o Bugatti para fora da empoeirada estrada principal e parou diante de um portão, onde estendeu a cabeça para falar com o segurança de serviço. O portão foi aberto e eles passaram por belos gramados verdes, cheios de carvalhos, castanheiras e outras árvores, que lembravam a Cecily um parque inglês. Pararam em frente a um prédio rosa-salmão de dois andares, com telhas vermelhas e janelas cercadas por persianas brancas. Palmeiras e sebes aparadas alinhavam-se ao longo das paredes, e pequenas colunas dóricas adornavam a entrada. Cecily não tinha visto no Quênia qualquer outro edifício mais empenhado em afirmar a própria civilidade. Ela saiu do carro e foi recebida à porta de entrada por um homem que parecia uma versão mais jovem de Aleeki.

– Boa tarde, *memsahib*. Posso lhe perguntar o seu nome?

– Cecily Huntley-Morgan, senhor.

– Está aqui para o casamento dos Sinclairs?

– Sim – confirmou Cecily, e o homem percorreu uma caneta-tinteiro por uma longa lista de nomes.

– A Sra. Sinclair já assinou sua entrada. Ali! – chamou ele, virando-se para o interior sombrio e estalando os dedos. Um criado apareceu imediatamente ao seu lado. – Por favor, leve a Srta. Huntley-Morgan a seu quarto.

Ali pegou as malas das mãos de Makena, que lhe fez uma saudação e voltou para o Bugatti. Enquanto seguia o homem pela recepção de piso de madeira, atravessando dois corredores estreitos, Cecily já ouvia o zumbido de vozes vindo de algum lugar do prédio.

– Aqui, *memsahib*. Quarto número dez – disse Ali.

Cecily entrou em um cômodo espartano, com apenas uma cama, uma cômoda com um lavatório em cima e um armário, que lembrava um caixão virado, colocado em um canto.

– Certo, *memsahib*?

– Perfeito, obrigada.

Quando Ali saiu, fechando a porta suavemente, ela balançou a cabeça em descrença; tinha imaginado que o Muthaiga Club fosse a versão queniana do Waldorf Astoria. Não que isso importasse – era apenas um lugar para deitar a cabeça durante a noite –, mas ela mal podia imaginar Kiki dormindo em um quarto como aquele.

Recolocando o chapéu diante do espelho e aplicando um pouco de batom, Cecily examinou a porta por onde sair para a festa. Respirando fundo, ela a abriu e, sem ter a menor ideia de qual caminho tomar no corredor, decidiu seguir o zumbido da multidão. Por fim, chegou a uma sala de jantar deserta, as várias mesas enfeitadas com rosas e guirlandas cor de creme, os talheres de prata polidos e brilhantes. As mesas fluíam para uma varanda, onde havia uma multidão de convidados bebendo champanhe. Ela teve a sensação de estar andando por um belo jardim cheio de exóticas aves-do-paraíso. Pelo menos no que dizia respeito às mulheres, pensou, pois todas pareciam vestir sedas coloridas e suas joias brilhavam ao sol do fim de tarde. Quanto aos homens, pareciam um bando de pinguins de gravata branca e caudas. Ela emergiu do outro lado da multidão e viu Bobby e Katherine, que estava usando um vestido de renda simples, mas bonito, que envolvia suas curvas generosas e deixava seus bonitos ombros nus. Rosas cor de marfim adornavam seus lindos cabelos ruivos, e Cecily sorriu, observando como ela parecia ser a felicidade em pessoa.

– Champanhe, senhora? – perguntou um garçom.

– Você tem água?

Cecily não queria se arriscar; não ia vomitar nos arbustos no meio do *crème de la crème* da sociedade local.

– Cecily, querida! – Katherine acenou para ela enquanto um flash estourava à sua frente. – Só mais algumas fotografias e vou apresentá-la a todos.

– Sem problema! – gritou Cecily de volta, contente em dar uma olhada na multidão enquanto esperava.

Lá estava Alice, em um longo vestido com pedras cor de safira, que escorria por seu corpo muito magro. E Idina (que ela vira pela última vez correndo nua para o lago, na Casa Mundui), totalmente vestida em seda roxa e turbante combinando. Parado entre as mulheres estava um homem alto e afável, com cabelos louros e olhos azuis. De longe, ele lembrava – ou pelo menos sua coloração lembrava – Jack. Para um homem mais velho, ele era extremamente bonito, e as duas mulheres pareciam ouvir embevecidas cada palavra que dizia.

– Cecily, querida! Muito obrigada por ter vindo! – exclamou Katherine, aproximando-se dela com Bobby ao seu lado.

– Você está linda, Katherine.

– Está mesmo, não está? – concordou Bobby, colocando um braço em volta do ombro da esposa e a beijando no topo da cabeça.

Katherine estendeu a mão esquerda e indicou o anel de casamento no dedo.

– Olhe, Cecily, aconteceu de verdade. Depois de todos esses anos amando-o de longe, meu sonho se realizou.

– Estou muito feliz por vocês – disse Cecily, de coração. Se aquilo não era amor genuíno, então ela não sabia o que era. – Como foi a cerimônia ontem?

– Muito diferente disso aqui – respondeu Katherine. – Usei um vestido de algodão e todos os kikuyus do papai vestiram roupas cerimoniais. Eles usam os ornamentos mais extravagantes! Foi perfeito, na verdade, e no fim da cerimônia eles cantaram sua tradicional música de casamento para nós.

– Que foi muito melhor que "Amazing Grace" – opinou Bobby, com um sorriso.

– Seu pai está aqui?

– Não, ele falou que era muito longe e, como você sabe, esse tipo de evento não é a cara dele. Agora venha comigo porque quero apresentá-la ao resto do Valley – disse Katherine, sorrindo.

Depois de apertar pelo menos vinte mãos, Cecily já tinha se perdido com todos aqueles nomes. Havia o lorde Isso e o conde Aquilo, e mulheres com nomes como Bubbles, Flossy e Tattie.

– E, claro, você conhece a querida Alice, que, mesmo doente, veio nos prestigiar – comentou Katherine, levando-a para outro círculo. – Você se lembra de Cecily, não lembra, Alice?

– Claro que sim. Você está linda, Cecily. Não está, Joss?

Cecily viu Alice lançar um olhar de adoração para o belo homem louro em que reparara antes. Seus olhos de falcão focaram primeiro em seu rosto, depois varreram seu corpo como se estivessem avaliando o seu valor.

– De fato – disse ele em um faustoso inglês britânico. – E quem é a senhorita?

– A afilhada de Kiki Preston, é claro! – exclamou Idina, do outro lado de Joss. – Estou surpresa que os tambores da selva ainda não o tenham informado sobre os detalhes da mais recente e mais jovem aparição em nossas fileiras – disse Idina, sua fala arrastada. – Cecily, querida, este é Josslyn Hay, o conde de Erroll, meu ex-marido.

Então esse é o homem de quem Katherine falou..., pensou Cecily enquanto Joss levava a mão dela aos lábios.

– Encantado, Cecily. Então você está na Casa Mundui?

– Estou, sim – gaguejou Cecily, pois, apesar da diferença de idade, ele realmente era um "verdadeiro príncipe", como diria Priscilla.

– É uma pena que eu não esteja mais morando no Palácio Djinn, à beira do lago, ou a convidaria, e à sua madrinha, é claro, para almoçar ou jantar. Infelizmente, minha esposa, Molly, está muito doente e precisamos ficar perto do hospital.

– Ah, sinto muito por isso – comentou Cecily, incapaz de desviar os olhos dele, embora tentasse.

– Vai ficar muito tempo no Quênia? – indagou ele.

– Bem, eu...

– Venha, Cecily, você tem muito outros amigos para conhecer, e não posso deixar Joss monopolizá-la a noite toda – interveio Katherine, praticamente arrastando-a para longe.

Cecily não pôde deixar de olhar para trás uma última vez e perceber que o homem ainda a encarava.

– Francamente, Cecily, eu estava contando que você seria imune aos encantos de Joss. Olhe para você, completamente deslumbrada! – Katherine revirou os olhos. – Não sei o que ele faz com as mulheres, mas todas ficam abobalhadas perto dele. E Joss é um pouco velho demais para você. – Katherine pegou o copo d'água que o garçom havia trazido para Cecily. – Beba isso e recupere o bom senso. Ele tem 37 anos, pelo amor de Deus!

– A mesma idade de Bobby! – Cecily conseguiu dizer. – Bom, entendo o que as mulheres sentem por ele. O sujeito é incrivelmente bonito e charmoso.

– Querida. – Alice interrompeu a conversa. – Posso roubá-la por um momento? A cozinha precisa saber quanto tempo de intervalo você gostaria entre cada prato.

– Desculpe, Cecily, volto já. Comporte-se – brincou Katherine, seguindo Alice através da multidão.

Cecily tomou um gole de água e, sentindo o calor do sol no chapéu de seda, foi para a sombra de um grande arbusto coberto de gloriosas flores cor-de-rosa.

– Maravilhosas, não? – soou uma voz das profundezas dos arbustos. – São hibiscos, sabe? Sempre penso que, se tivesse tempo para cuidar de um jardim, plantaria hibiscos por toda parte.

Bill apareceu ao lado dela, muito diferente em suas roupas formais.

– Desculpe por assustá-la. Estava apenas me aliviando discretamente, para ser honesto.

– Ah, entendo – disse Cecily, sentindo um rubor se espalhar pelo rosto e imaginando por que ele gostava tanto de provocá-la.

– Se me permite dizer, você fica bem toda arrumada – comentou Bill, indicando o vestido de Cecily.

– Você também – respondeu ela.

– Já superou o choque de quase virar o café da manhã de um leão?

– Já, sim. E obrigada novamente por me salvar.

– O prazer foi meu, senhorita.

Houve uma pausa na conversa, enquanto os dois olhavam a multidão.

– Eles me lembram os flamingos do lago Nakuru, reunindo-se para fofocar, depois migrando novamente para seus ninhos nas colinas, empanturrados de bebida e comida – disse Bill. – Não é para mim, como você já deve ter percebido, mas gosto muito de Katherine e de Bobby, então senti que devia dar uma variada, sufocar meu desdém e aparecer. Pelo menos por uma ou duas horas.

– Não trouxe Nygasi?

– Na verdade, sim. Ele está na picape, pronto para uma fuga rápida.

– Você não o convidou para entrar?

– Convidaria se pudesse, Srta. Huntley-Morgan. Há uma política estrita de não aceitar negros aqui. O que é bem ridículo, não acha? Dado que eles trabalham aqui e que há cem mil vezes mais deles neste país do que de nós. O tal colonialismo... De onde será que vem toda essa arrogância?

– Sua rainha Victoria pode ter tido algo a ver com isso.

– De fato. – Bill olhou para ela. – Não achei que você gostasse de história.

– Eu me formei nessa área em Vassar – disse Cecily, pela primeira vez agradecendo mentalmente ao pai por ter sugerido que seria um assunto muito mais útil para estudar do que economia.

– É mesmo? Bem, fiquei surpreso. – Bill estendeu a mão para pegar uma taça de champanhe de um garçom. – O que pretende fazer com sua formação, posso saber?

– Nada de mais. – Cecily deu de ombros. – O que as mulheres podem "fazer" com o conhecimento que possuem?

– Você mesma apontou que tudo isso, o Império Britânico, foi criado por uma mulher.

– Infelizmente, não sou uma imperatriz. E nem quero ser.

– Bem, deixe-me dizer, existem muitas "imperatrizes" diante de você. Pelo menos, na opinião delas. E alguns imperadores também. Mas é fácil ser um peixe grande em um lago pequeno, contanto que haja peixes pequenos nadando ao redor, dispostos a ficar em segundo lugar. Olhe ali, por exemplo. – Bill apontou para Joss Erroll, com Idina e Alice, uma de cada lado. – Todas elas tiveram que aprender a compartilhar, se é que me entende.

– Sim, acho que sim.

– Bem, não quero ocupá-la no maior evento social do ano. Embora eu duvide que haverá muitos outros. Acabei de ouvir que a Alemanha invadiu Praga. Estamos à beira de outra guerra mundial. Se eu fosse você, fugiria de volta para a América antes que seja tarde demais.

– Meu Deus! – Cecily olhou para Bill, horrorizada. – Quando você ouviu isso?

– Joss Erroll é meu amigo. Na verdade, foi ele quem me convenceu a vir me estabelecer na África. Ele me revelou isso em segredo mais cedo. É o vice-diretor do Comitê Central de Recursos Humanos e é responsável pelo planejamento da distribuição militar e civil. Jurei sigilo, é claro. Ele não quer que nenhuma palavra sobre isso chegue ao feliz casal neste dia tão importante, mas... temo que a situação seja imprevisível. A declaração de "paz para o nosso tempo" de Chamberlain acaba de ser completamente derrotada. Então, agora que já mostrei a cara aqui, vou me despedir, voltar à minha fazenda e contar quantas cabeças de gado o Exército britânico provavelmente exigirá para o próximo esforço de guerra, porque tenho mais do que certeza de que a guerra está a caminho. Boa noite, Cecily.

Bill fez uma pequena mesura e saiu como havia chegado – através da cerca viva de hibiscos.

Uma hora depois, durante o jantar, Cecily percebeu que mal conseguia comer. Foi colocada em uma mesa ao lado de um homem chamado Percy, que administrava a Shell Oil Company na África Oriental. Do outro lado, Sir Joseph Alguma Coisa, que aparentemente fora o governador-geral do Quênia até alguns anos antes. Era óbvio que, de alguma forma, as notícias que Bill lhe contara em segredo haviam se espalhado, pois, após alguns minutos de formalidades, os dois homens começaram a conversar em voz baixa por cima da cabeça de Cecily. Pelo menos Joss Erroll estava sentado à sua frente, então havia algo agradável para olhar enquanto era ignorada, mas ele parecia encantado por sua vizinha, Phyllis, que fora apresentada como a esposa de Percy. Cecily não costumava ser maldosa sobre a aparência de outras mulheres, mas não pôde deixar de se perguntar por que o magnífico Joss achava aquela mulher tão fascinante. As mãos dele vagavam constantemente pelo corpo dela; entretanto, a mulher era realmente comum e sem graça.

– Está se adaptando bem por aqui, querida?

Uma mulher mais jovem – ou pelo menos mais jovem do que a maioria dos convidados – virou-se para ela quando a banda começou a tocar e metade da mesa saiu para a pista de dança.

– Ah, estou sim, obrigada – mentiu Cecily.

– Meu nome é Ethnie Boyle, sou casada com William. Talvez você tenha ouvido falar dele; é o médico local.

– Ah, sim, claro. Ele está cuidando de Alice, não está?

– Tentando, sim, mas você deve saber como ela é teimosa. Posso? – perguntou Ethnie, indicando o lugar liberado pelo empresário da Shell.

– Sim, é claro.

– Katherine pediu que eu ficasse de olho em você. Às vezes é difícil enfrentar essa multidão, principalmente sozinha.

– Realmente. Estou tentando lembrar quem são todos, mas...

– É muito confuso, até porque muitos se casaram com o ex de outra pessoa. – Ela riu. – Como está sua madrinha? Eu a vi aqui há alguns dias, e como sempre ela parecia muito animada. Ela passou por tempos difíceis.

– É verdade.

Talvez fosse o calor enjoativo da noite ou a pequena taça de champanhe que Cecily bebeu para brindar o feliz casal, para não mencionar as terríveis notícias sobre a Checoslováquia, mas ela estava se sentindo extremamente mal. Sua cabeça girou, e ela pegou a bolsa e buscou seu leque.

– Você está bem, querida?

– Sim, é que está quente demais...

– Vamos lá para dentro? William – Ethnie chamou o marido do outro lado da mesa –, esta é a afilhada de Kiki, Cecily. Ela está incomodada com o calor. Me dê uma ajuda, meu bem.

Para humilhação de Cecily, marido e esposa a ajudaram a se levantar e a apoiaram a caminho do salão relativamente fresco. Um ventilador de teto soprava uma brisa acima de sua cabeça quando a sentaram em uma poltrona de couro e o Dr. Boyle foi buscar um copo d'água.

Eles provavelmente acham que bebi demais, pensou Cecily, envergonhada, enquanto Ethnie a abanava e o Dr. Boyle lhe dava de beber.

– Está se sentindo um pouco melhor, minha cara? – indagou ele.

– Sim, um pouco. Sinto muito pelo trabalho.

– Não seja tola, é perfeitamente compreensível. A senhorita vai ficar aqui esta noite ou devemos chamar o motorista para levá-la para casa?

– Vou ficar aqui.

– Sua pulsação se acalmou um pouco agora – disse o Dr. Boyle, afastando os dedos do pulso de Cecily. – E tenho certeza de que uma boa noite de sono vai resolver o problema, se for possível dormir bem com todo esse barulho. – Ele sorriu quando a banda começou a tocar "Ain't She Sweet". – Vou pedir que minha esposa a leve ao seu quarto e entro em contato amanhã de manhã.

– Tenho certeza de que não será preciso – comentou ela quando Ethnie apareceu ao seu lado com a chave do quarto.

Ela ajudou Cecily a ficar de pé e as duas saíram lentamente da sala de jantar, os ecos de música e risos diminuindo à medida que avançavam pelo corredor.

– Você teve outros casos de tontura recentemente? – perguntou Ethnie.

Cecily estava se sentindo muito doente e infeliz para mentir.

– Alguns, sim, mas deve ser apenas o calor.

– Bem, meu marido virá de manhã, apenas para garantir. É melhor prevenir do que remediar, não é? Agora, boa noite, Cecily – disse ela ao pararem na frente da porta do quarto, que Ethnie abriu.

– Boa noite, e muito obrigada pela gentileza.

Sentada na cama, Cecily puxou o zíper lateral do vestido e suspirou aliviada, sentindo que podia finalmente respirar. Depois de vestir a camisola, deitou-se sob a colcha e fechou os olhos. Apesar de a banda ter tocado a noite toda, Cecily nem se mexeu.

❁ ❁ ❁

Ela foi acordada por uma batida à porta. Com muito esforço, recobrou a consciência.

– Quem é?

– É o Dr. Boyle. Posso entrar?

Antes mesmo de Cecily responder, a porta se abriu e o Dr. Boyle apareceu, com sua maleta de médico.

– Bom dia. Está se sentindo melhor?

– Dormi muito bem, obrigada.

– Que bom. O sono é o melhor dos remédios. Pensei em dar uma passadinha só para ver como está, antes de ir embora.

– Para ser sincera, doutor, estou bem e...

– Vi o capitão Tarquin Price há alguns minutos. Depois das notícias de ontem sobre Hitler, há uma agitação acontecendo no bar dos cavalheiros. Ele perguntou se eu a tinha visto no baile ontem e falei que sim, e que a senhorita passou mal. O capitão Price disse que está assim há algum tempo. Então, me deixe examiná-la, está bem?

Com um suspiro de vergonha, Cecily se submeteu a ser cutucada, apertada e a responder a perguntas sem fim. O Dr. Boyle tirou o estetoscópio dos ouvidos e a encarou.

– Minha querida, a senhorita é casada?

– Não. Eu estava noiva, mas terminamos perto do Natal.

– Antes do Natal, quer dizer?

– Sim.

– E quando veio sua última regra?

– Ora, eu... – Cecily sentiu-se corar. Nunca havia falado sobre *aquilo* com um homem. – Não tenho certeza.

– Tente se lembrar.

Cecily, que nunca tivera uma menstruação muito "regular", se concentrou.

– Acho que foi pouco antes de eu começar a viagem para cá.

– E há quanto tempo foi isso?

– Foi na última semana de janeiro. Minha... regra deve ter vindo cerca de duas semanas antes disso.

– E agora estamos no dia 16 de março. Querida – o Dr. Boyle pegou a mão dela –, devido aos seus sintomas e apertando a sua barriga, eu tenho bastante certeza de que está esperando um filho.

– Esperando o quê? – Cecily o encarou.

– Um filho. – O Dr. Boyle deu um sorriso amargo. – Contudo, como seu noivado foi interrompido antes do Natal, estou um pouco confuso. Vou dizer isso da maneira mais delicada possível... Há *alguma* possibilidade de que esteja grávida?

– Ah, meu Deus...

Cecily levou as mãos ao rosto quando um choque transpassou seu corpo, e ela se perguntou se alguém podia desmaiar estando deitado.

– Minha querida, não é da minha conta os motivos ou situações, mas eu apostaria minha carreira que a senhorita está grávida de alguns meses. Posso ver que essa notícia lhe causou uma surpresa enorme.

– Sim – sussurrou Cecily, as mãos ainda no rosto, horrorizada demais e com vergonha demais para encarar o médico.

– A boa notícia é que não está doente. O capitão Price estava preocupado que a senhorita estivesse com malária.

– Eu preferia estar com malária, doutor – murmurou Cecily. – Eu imploro – disse ela, finalmente tirando as mãos do rosto e olhando para ele. – Por favor, jure que nunca vai contar a ninguém sobre isso.

– A confidencialidade médico-paciente é garantida, minha querida. Entretanto, acho importante que a senhorita conte a alguém sobre seu... atual estado de saúde.

– Eu prefiro morrer!

– Eu entendo, mas vou lhe dizer uma coisa: vivendo aqui e tratando meus muitos pacientes, sei bem que nada deixa as pessoas daqui muito chocadas. Aconselho que conte para sua madrinha. A Sra. Preston pode ter suas questões, mas é uma mulher experiente e tem um coração bondoso.

Cecily ficou em silêncio. Nenhuma palavra poderia expressar seu horror e sua vergonha.

– E quanto ao pai? Devo presumir que é daqui?

– Eu... Não, não é. Eu o conheci na Inglaterra. E não, ele não estaria... disposto a assumir a responsabilidade. Ele está noivo de outra pessoa. Só descobri depois...

Cecily mal podia suportar encarar os olhos compreensivos do Dr. Boyle.

– Compreendo como está chocada – disse ele, depois de alguns segundos. – Mas não é a primeira, e certamente não será a última jovem a se ver nessa situação. Tenho certeza de que encontrará uma solução; a maioria encontra.

– Existe... alguma maneira de, bem... evitar a vinda do bebê?

– Se está me perguntando sobre um aborto, eu diria que não é apenas ilegal, como também muito perigoso. Acho que a senhorita deve aceitar que seu bebê vai chegar daqui a cerca de sete meses e fazer seus planos de acordo com isso. Tem família?

– Sim, em Nova York.

– Então talvez deva pensar em voltar para a América mais cedo, especialmente considerando o que está acontecendo na Europa.

Cecily permaneceu calada; seu cérebro estava paralisado de choque e era impossível pensar em qualquer coisa, muito menos em planejar o futuro.

– Vou deixá-la em paz, querida, mas, como falei, acho que deve se aconselhar com sua madrinha. Afinal, ela é a sua família aqui. E, para ser honesto, ela vai acabar percebendo nas próximas semanas. Aqui está o meu cartão. Por favor, ligue se precisar de ajuda médica ou pessoal.

Cecily observou-o colocar o cartão na mesa de cabeceira.

– Obrigada. Certamente eu lhe devo alguma quantia por essa... consulta?

– Considere-a uma gentileza. E, claro, se decidir ficar aqui, terei o maior prazer em cuidar da senhorita durante a sua gravidez. Bom dia, minha cara.

Cecily observou-o sair do quarto e olhou para a parede à sua frente, na qual pendia uma horrorosa pintura de um guerreiro maasai de pé sobre o corpo de um leão morto, sua lança perfurando o animal.

Suas mãos estavam geladas, apesar do calor. Puxando o lençol e a camisola, Cecily timidamente colocou as mãos na barriga. O que deveria estar sentindo? Simplesmente não sabia. Talvez pudesse perguntar a Mamie...

Não! Não, não...

– Ai, meu bom Deus... – Ela balançou a cabeça, se encolhendo e dando as costas para a porta, como se quisesse evitar mais notícias ruins. – O que foi que eu fiz?

Houve outra batida e Cecily, com a visão turva pelas lágrimas, permaneceu em silêncio.

– Cecily, é Kiki. Posso entrar?

– Não – sussurrou Cecily, balançando a cabeça ao ouvir a porta atrás dela se abrir e em seguida se fechar suavemente.

– Ah, minha pobrezinha, meu anjo... O que você tem?

– Por favor, Kiki, estou implorando, apenas me deixe sozinha...

– O que o Dr. Boyle disse? É terminal? Acabei de vê-lo no corredor quando cheguei para o café da manhã... Vou buscá-lo agora e perguntar eu mesma.

– *Não!* – Cecily se sentou, secando os olhos. – Por favor, Kiki, não precisa fazer isso. O que eu tenho não é... – Cecily engoliu em seco – terminal nem representa risco de morte.

– Certo. – Kiki deu outro passo em sua direção. – Então você não tem malária?

– Não.

– Nem cólera?

– Não.

– Nem câncer?

– Não, Kiki. Juro, o Dr. Boyle confirmou que não estou doente. Por favor, não se preocupe comigo, eu vou ficar bem.

– É claro que me preocupo com você, meu bem, você é minha afilhada querida. E sou responsável por você enquanto estiver aqui. E não tenho cuidado muito bem de você nos últimos tempos, não é?

Cecily, que ainda estava com os olhos firmemente fechados, podia ouvir a respiração de Kiki acima dela e sentir seu perfume, o que a deixou imediatamente nauseada.

– O que o Dr. Boyle disse que a perturbou tanto?

Mais uma vez, Cecily balançou a cabeça e permaneceu calada. Isso fez Kiki ficar em silêncio.

– Então os sintomas que você tem são tontura e náuseas – disse Kiki, depois de uma pausa. – Além de exaustão, certo?

– Sério, Kiki, já estou muito melhor. Eu...

Kiki tocou gentilmente o braço de Cecily, que sentiu a madrinha se sentar na cama atrás dela.

– Ele falou que você está grávida, não foi?

Cecily fechou os olhos com ainda mais força para que as lágrimas não pudessem escapar. Talvez, se ela se fingisse de morta, Kiki fosse embora e a deixasse em paz.

– Querida, eu sei que você deve estar em choque, mas sabe de uma coisa? Já estive no seu lugar. É assustador, mas vamos encontrar uma maneira de resolver isso juntas. Você está me ouvindo? Cecily?

Ela sentiu Kiki sacudi-la suavemente e então assentiu, infeliz.

– Vamos embora daqui. Aleeki está lá fora, com o carro. Tarquin foi chamado de volta a Nairóbi ontem à noite, após as terríveis notícias sobre Hitler, e terá que ficar para fazer o que um capitão do Exército faz nessas situações. Então você e eu vamos voltar para a Casa Mundui juntas. Ok?

Cecily deu de ombros, sentindo-se uma criança mimada, quando na verdade não era. Ela ouviu Kiki se movendo pelo quarto.

– Vamos, meu bem, já separei suas roupas. Você precisa vesti-las e depois iremos para casa.

– Estou tão envergonhada, Kiki. – Cecily choramingou. – E se o Dr. Boyle tiver contado a todas aquelas pessoas lá fora? Todo mundo importante por aqui já pode estar sabendo.

– Eu juro que o Dr. Boyle é muito discreto. As coisas que ele já poderia ter contado a todos sobre mim... E jamais contou. Agora venha. Levante-se e vista-se.

O bom senso prevaleceu e, com a ajuda de Kiki, Cecily vestiu a blusa e a saia, arrumou a mala e, enquanto a madrinha conversava com Ali, Aleeki a encontrou à porta e a acompanhou até o Bugatti. Cecily se acomodou no banco de trás, para o caso de alguém decidir ficar espiando pelas janelas.

– Estamos prontas, podemos ir – ordenou Kiki, entrando na frente com Aleeki.

Cecily cochilou durante a jornada até a Casa Mundui, o choque entorpecendo seus sentidos como uma droga. Quando chegaram, Aleeki a entregou aos cuidados de Muratha, que a ajudou a subir as escadas e se deitar.

Depois de fechar as persianas, Muratha saiu. Cecily fechou os olhos mais uma vez e adormeceu.

26

Cecily acordou assustada e, por alguns abençoados segundos, não se lembrou do que acontecera mais cedo naquele dia. Então, quando a realidade se abateu, ela saiu da cama, caminhou até a janela e abriu a persiana para ver o que agora reconhecia como um suave sol da tarde iluminando o gramado bem cuidado entre as árvores frondosas. Deu as costas para a vista e foi se sentar na beirada da cama.

– O que é que eu vou fazer? – sussurrou, as mãos pousando instintivamente na barriga mais uma vez.

Seria mesmo possível que uma única vez com Julius pudesse ter produzido uma vida minúscula e incipiente dentro dela? Talvez o médico estivesse enganado – ele não podia ver dentro dela, não podia provar que estava grávida, pensou de repente. Talvez *fosse* alguma forma de malária (que seria infinitamente preferível, naquele momento) ou intoxicação alimentar ou *qualquer* coisa além do que ele afirmara ser.

Mas, lembrando-se de suas conversas com Mamie, Cecily percebeu que tinha todos os sintomas; na última semana, havia notado seus seios mais pesados e estranhamente sensíveis. Notara também que sua cintura estava mais grossa, razão pela qual seu vestido da noite anterior estava tão desconfortável. Depois, suas regras não desciam desde que deixara Nova York, além dos enjoos...

Houve um toque suave na porta do quarto.

– *Bwana?* Você acordada?

Os olhos brilhantes de Muratha apareceram à entrada.

– Sim, entre.

– Eu ajudo a vestir, depois você desce para tomar chá com patroa, certo?

– Posso me vestir sozinha, obrigada. Diga a Kiki que vou descer em quinze minutos.

Cecily agora estava paranoica, temendo que alguém visse seu corpo mudando.

Kiki esperava por ela na sala de estar, um cômodo com piso de madeira polida repleto de objetos de arte e poltronas confortáveis posicionadas em frente a uma lareira, que Cecily imaginava nunca ser necessária.

– Entre, querida, e feche a porta – disse Kiki de uma das poltronas. – Tenho certeza de que podemos servir nosso chá, não podemos? Acho que você vai preferir completa privacidade enquanto conversamos.

– Sim, obrigada – concordou Cecily, olhando para o carrinho prateado onde havia bolo, delicados sanduíches e broinhas. Ficou enjoada ao vê-los.

– Mandei fazer um chá de gengibre para você. É muito bom para o enjoo matinal. Venha se sentar. – Kiki indicou a cadeira na frente dela, depois começou a servir um pouco de líquido laranja-claro em uma xícara de porcelana branca. – Experimente; salvou minha vida quando eu estava grávida.

Apesar da aflição e da vergonha, Cecily achou interessante ouvir Kiki falar sobre aquele momento de sua vida. Sabia que a madrinha tinha filhos, que eram mais ou menos da mesma idade que ela, mas Kiki quase nunca os mencionava. Ela tomou um gole do líquido, que queimou sua garganta ao passar, mas o sabor era bom.

– Agora, minha querida, vamos falar sobre o melhor curso de ação. – Kiki largou a xícara e acendeu um cigarro. – Posso perguntar quem é o pai? O ex-noivo, talvez?

– Não, ele... – Cecily engoliu em seco. – Eu...

– Ouça, Cecily, e ouça bem. Já passei por muitas coisas nessa vida, e qualquer coisa que você me contar não apenas ficará em completo sigilo, como não me deixará chocada. Já andei por estradas mais tortuosas do que a maioria das pessoas percorre em toda a vida. Está entendendo?

– Sim.

– Então, quem é o pai?

– O nome dele é Julius Woodhead. Ele é sobrinho de Audrey, lady Woodhead, amiga de mamãe.

– Ora, eu conheço Audrey, dos velhos tempos. Ela estava disposta a tudo para conseguir uma coroa... – disse Kiki, com malícia. – É claro que ela me odiava porque... Bem, vou guardar essa história para outra hora. Então, você conheceu esse Julius enquanto estava na casa de Audrey, na Inglaterra?

– Sim, ele... Pensei que ele estava apaixonado por mim. Eu tinha certeza de que estava apaixonada por ele. Ele me disse que ficaríamos noivos e...

– Então ele a seduziu?

– Sim. Por favor, Kiki, não me diga que eu não devia ter acreditado nele, que fui ingênua... Já sei de tudo isso. É que na época ele foi tão amoroso, e talvez porque meu noivo tinha me deixado por outra mulher, eu estava...

– Vulnerável. – Kiki terminou por ela. – Todas já passamos por isso, Cecily. São esses ingleses, tão charmosos e engraçados, que conseguem nos atrair para a cama com apenas um sussurro daquele sotaque maravilhoso. – Kiki suspirou. – De muitas formas, eu me sinto responsável. Se eu estivesse com você em Woodhead Hall, poderia ter percebido e garantido que isso não aconteceria. Mas aconteceu. Agora que conheço os fatos, que são muito parecidos com meu... dilema do passado, podemos pensar no melhor a fazer. Imagino que não haja chance de que esse tal Julius fique ao seu lado...

– Rá! – Cecily deu uma risada amarga. – Pouco antes de partir, descobri que ele estava noivo de outra mulher.

– Querida, você está enfrentando esta situação sozinha, mas pelo menos tem a mim. E conheço os caminhos, por assim dizer. – Kiki deu um sorriso irônico, depois se levantou. – Acho que isso exige algo um pouco mais forte que chá. – Kiki foi até um armário no canto e se serviu de uma boa dose de conhaque. – Presumo que você não queira...

– Não, obrigada.

– Imagino que sua mãe não saiba nada dessa relação com Julius.

– Não, nada! Se tivesse sido sério, é claro, ela teria ficado feliz. Julius vai herdar o título e Woodhead Hall de seu tio.

– Ah, ela teria adorado isso! – Kiki gargalhou, então bebeu o conhaque. – Você poderia, é claro, escrever para ele e contar o que aconteceu. Ou, melhor ainda, eu poderia escrever para Audrey e contar a ela.

– Não! Por favor, prefiro morrer a me humilhar para ele. Além disso, não há como provar quem é o pai de uma criança, certo?

– Não, caso contrário metade dos casamentos no mundo já teriam terminado em divórcio. – Kiki deu uma risada rouca, encheu o copo novamente e se sentou. – Você tem razão, é claro; ele apenas negaria e você acabaria se sentindo uma tola. O que você definitivamente não é, devo acrescentar. Cecily, querida, vou lhe contar um segredo que pode fazer você se sentir um pouco melhor. Era uma vez uma jovem da sua idade que conheceu um príncipe. Um príncipe de verdade; um príncipe da Inglaterra, que era o quarto na fila de sucessão ao trono. Ela se apaixonou por ele, mas, infelizmente, encontrou-se na mesma situação em que você está agora. Ela achou que ele a apoiaria, que cuidaria dela e a ajudaria; talvez eles se casassem e ela se tornasse sua princesa. Então ela telefonou para ele e avisou que precisavam conversar porque ela estava esperando um filho seu. Ele disse que a ajudaria, mas aquela ligação foi a última vez em que se falaram. Pouco depois um criado da família real apareceu em sua casa. A jovem foi informada de que devia ir a uma clínica na Suíça, onde passaria sua gravidez e daria à luz. E foi isso que ela fez. E então, sem que ela sequer tivesse tempo de segurar o bebê nos braços, eles levaram a criança embora. E ela nunca mais a viu.

Cecily observou os olhos de Kiki se encherem de lágrimas, enquanto bebia um bom gole de conhaque.

– Acho que nós duas sabemos quem era essa jovem, não é, querida?

Cecily assentiu.

– Então, quando digo que já estive na sua situação, eu falo sério. A boa notícia é que ninguém no planeta conhece sua condição, além do Dr. Boyle, você e eu. E, se formos espertas, podemos manter assim. Ninguém precisa saber de nada.

– Mas como, Kiki? Para onde eu poderia ir?

– Para a Suíça, como eu. Independentemente das hostilidades na Europa, a Suíça é neutra, então estará perfeitamente segura lá. Vamos escrever para sua mãe e dizer que você quer ficar no Quênia por mais algum tempo, enquanto todos aqui vão pensar que você voltou para a América. Está entendendo? É perfeito!

Kiki bateu palmas, claramente satisfeita com a própria esperteza.

– E quando eu der à luz?

– Você deixa a criança para adoção. A clínica encontrará uma boa família, provavelmente americana, que dará ao seu bebê uma casa maravilhosa e uma nova vida. E então você estará livre para seguir com a sua. É isso que você quer, não é?

– Eu... acho que sim, Kiki. Não sei. Ainda estou em choque.

– Eu sei que está, minha querida, mas é muito importante fazer planos rapidamente. Não queremos fofocas se espalhando por Manhattan, certo?

– Não, claro que não.

– Quer dizer, não vejo alternativa. Você vê?

– Não. – Cecily balançou a cabeça, o desespero dominando-a mais uma vez. – Não vejo.

– E, é claro, vou com você para a clínica, vou ajudá-la a se estabelecer lá. Um pouco de ar fresco das montanhas me fará bem. Mas teremos que partir em breve. As fronteiras da Europa estão mudando muito agora, e não queremos que o Sr. Hitler estrague os nossos planos, não é?

– Tem certeza de que a Suíça estará segura? Quer dizer, é tão perto da Alemanha...

– Ah, sim, querida, estará segura, pois guarda a maior parte da fortuna de seu vizinho, e os nazistas nunca colocarão isso em risco – murmurou Kiki. – Agora, posso telefonar para sua mãe e dizer que você vai ficar aqui por mais algum tempo? Ela me ligou mais cedo, enquanto você estava descansando. Seus pais ouviram as notícias e estão obviamente preocupados com a situação na Europa. Estavam falando sobre reservar uma passagem de volta para casa imediatamente, então precisamos detê-los.

– Que desculpa eu vou dar?

Cecily mordeu o lábio, desesperada com a ideia de ficar separada da família por meses a fio.

Bem quando eu mais preciso deles...

– Vou pensar em alguma coisa, querida, não se preocupe – disse Kiki. – Sou muito boa nisso.

Cecily observou sua madrinha, pensando que, embora Kiki tivesse sido muito gentil, tudo aquilo parecia não passar de um jogo para ela.

– Podemos deixar a decisão para daqui a alguns dias? Só preciso... de um tempo para pensar – pediu Cecily.

– Tudo bem, minha querida, mas o tempo não está a seu favor agora. Quer dizer, que opção existe? A não ser que você encontre um homem com quem se casar amanhã – brincou Kiki, com uma risadinha.

– Bem, muito obrigada por se dispor a me ajudar. É muita gentileza sua, mas, como eu disse, só quero um pouco de tempo para pensar. – Cecily se levantou. – Vou dar uma caminhada, tudo bem?

– Claro. Eu sei que é muita coisa para assimilar, mas vai dar tudo certo. Confie em mim, você é mais forte do que pensa.

– Espero que sim. Até logo.

Cecily saiu da sala e seguiu para a porta da frente.

– Seu chapéu, *memsahib*! – Aleeki veio correndo atrás dela. – Muito quente para senhorita lá fora.

Aleeki olhou para a barriga de Cecily por apenas uma fração de segundo ao falar, mas foi o suficiente para ela perceber que ele sabia.

– Obrigada, Aleeki.

Ela assentiu e se afastou, atravessando os gramados para se sentar em seu banco favorito à beira do lago e tentar entender tudo o que acontecera em tão poucas horas.

Claro que não conseguiu, então simplesmente ficou sentada, assistindo aos hipopótamos despertarem lentamente de seus banhos de sol e deslizarem para a água para um mergulho ao pôr do sol. O fato de eles fazerem a mesma coisa todos os dias, e em um ritmo tão lento, era hipnótico e acalmava os nervos em frangalhos de Cecily. Ela nunca pensara que um dia estaria sentada em um banco desejando ser um hipopótamo – talvez o mais feio dos animais na grande terra de Deus –, mas desejou.

Depois de algum tempo, desistiu de tentar entender as coisas e vagou de volta para dentro de casa. No andar de cima, Muratha preparou um banho e ela se deitou na banheira imaginando se o pequeno inchaço que via na barriga era real ou imaginário...

– Madame pergunta se você janta com ela – disse Muratha, aparecendo no quarto.

– Hoje, não. Por favor, peça desculpas, mas prefiro comer aqui em cima – respondeu Cecily com firmeza.

Sentia-se culpada por evitar Kiki depois da gentileza da madrinha, mas era incapaz de enfrentar a maneira quase divertida com que ela tratava a situação. Como Hitler anexando a Checoslováquia, ela também estava sendo anexada por um pequeno ser humano, e a situação era séria, muito séria mesmo.

Tendo conseguido tomar a sopa que Muratha lhe levara, Cecily pegou a Bíblia que sua mãe lhe dera em sua partida.

Jamais questionara a fé na qual fora educada – até o momento, ela significara apenas idas à igreja, em suas melhores roupas, aos domingos. Mas, ao passar os dedos pelas páginas, ela começou a se questionar.

Cristãos podiam descartar seus bebês como se fossem um mero inconveniente? Cecily pensou em Mamie: a própria irmã dizia não ser nada maternal, mas, segundo todos os relatos, estava feliz com a maternidade, como um pinto no lixo.

– Como vou me sentir depois de carregá-lo pelos próximos sete meses? – sussurrou Cecily para a própria barriga. – Quer dizer, Maria ficou grávida de Deus antes que ela e José se casassem... Santo Deus! Isso significa que todo o Novo Testamento é baseado em uma mulher que foi infiel ao seu futuro marido!

Era um pensamento tão complexo que Cecily teve que se deitar, desejando ter prestado mais atenção nos sermões em sua igreja local.

Mais tarde, quando finalmente apagou a luz e se deitou para dormir, esperando pelo menos algumas horas de descanso para seu cérebro embaralhado, percebeu que não tinha nenhuma resposta, mas também que precisava encontrar o caminho certo para si mesma.

❂ ❂ ❂

Embora tivesse dormido, Cecily acordou se sentindo mais cansada do que antes de se deitar. Quando uma onda de náusea a dominou, ela correu para o banheiro e vomitou bile.

– *Bwana* doente de novo? – indagou Muratha, levando Cecily de volta para a cama e ajudando-a a se deitar.

Mais uma vez, notou o olhar em sua barriga e, quando Muratha se retirou, ela rolou de lado e gemeu. Era óbvio que todos os empregados da casa estavam cientes de sua condição.

Kiki está certa, só preciso fazer o que ela diz antes que os outros por aqui também descubram, pensou.

Com esforço, Cecily se vestiu e desceu para o café da manhã. Serviram-lhe chá de gengibre, em vez de café, e ela tentou comer um pouco da comida abundante espalhada sobre a mesa.

– Bom dia, querida. Dormiu bem?

– Sim, obrigada.

Cecily ficou surpresa ao ver Kiki de pé tão cedo, vestindo um roupão magenta.

– Que bom. Vou nadar. Está quente demais para dormir – disse ela, partindo em direção ao lago. – Você devia vir comigo, a lama na água é maravilhosa para a pele.

Por falta de coisa melhor para fazer, Cecily seguiu a madrinha até a beira do lago e viu Kiki tirar o roupão e revelar um maiô listrado. Para uma mulher mais velha, que já tivera filhos, Kiki tinha um corpo fabuloso. Quando Cecily se sentou no banco, torceu para que o seu também sobrevivesse às dificuldades do parto...

Kiki nadou por um tempo e depois pegou a toalha que Aleeki lhe entregou quando ela saiu da água.

– Vou ficar aqui com Cecily e secar ao sol – avisou ela a Aleeki, que assentiu, entregou a Kiki a piteira e deixou as duas mulheres a sós. – Você pensou mais sobre o assunto? – perguntou ela, tragando e expelindo nuvens de fumaça que deixaram Cecily enjoada novamente.

– Só pensei que você tem razão. Não vejo alternativa, embora eu mal possa suportar a ideia de deixar meu bebê para adoção. Vou ter que mentir para todos pelo resto da vida.

– Eu sei, querida. Mas lembre-se de que está fazendo isso pelo bebê também; como mãe solteira, vocês dois seriam párias sociais. Sem mencionar a vergonha para sua família. Você terá outros filhos, garanto. Quando encontrar o homem certo, isso será apenas um pesadelo que ficou no passado. Agora, preciso de um café, depois de todo esse esforço. Você vem comigo?

– Não, vou ficar aqui mais um pouco, obrigada.

Kiki vestiu seu roupão e se afastou em direção à casa. Então Cecily se levantou e caminhou ao longo da margem do lago até a Casa Mundui sumir de vista. Olhando para a água à sua frente, parte dela ficou tentada a pegar uma das garrafas de conhaque de Kiki, beber tudo e entrar naquelas águas tranquilas, avançando até que ela e a terrível confusão em que se transformara sua vida deixassem de existir.

– Ah, mamãe, se eu pudesse falar com você... Mas não posso, não posso.

Cecily cobriu o rosto com as mãos quando seus ombros começaram a tremer e seu corpo deslizou contra o tronco de uma acácia. Ficou tão distraída chorando que só percebeu que alguém se aproximava quando estava quase em cima dela.

– Cecily, querida! Sua madrinha contou que você estava aqui perto do lago. O que aconteceu?

Katherine estava ao seu lado, seu rosto bondoso expressando preocupação.

– Ah, não é nada. Estou bem. – Cecily secou as lágrimas rapidamente. – O que está fazendo aqui?

– Ontem Bill deu um pulo no Muthaiga Club e ouviu do Dr. Boyle que você não estava muito bem. Ele me contou isso hoje, e fiquei tão preocupada que Bill insistiu em me trazer aqui para vê-la.

– Bill também está aqui? – Cecily ficou horrorizada com a rapidez com que a notícia de sua indisposição havia se espalhado. – É muita gentileza de vocês, mas estou bem.

– Cecily. – Katherine se agachou ao lado dela e tomou suas mãos. – Nunca vi ninguém parecer menos "bem". O que aconteceu? E, por favor, não minta para mim; depois de uma jornada de duas horas e meia para chegar aqui, eu mereço no mínimo a verdade.

Cem respostas diferentes vieram à mente de Cecily, mas ela estava exausta e assustada demais para continuar mentindo.

– Estou grávida! É esse o meu problema, Katherine. O Dr. Boyle disse que terei um bebê em pouco mais de sete meses. Pronto!

Cecily levantou-se e começou a marchar ao longo do lago, desesperada para se afastar o máximo possível da casa e de Katherine. Talvez pudessem publicar logo uma manchete no jornal local, pensou ela, com amargura. Provavelmente venderia mais cópias do que a invasão de Hitler à Checoslováquia.

– Cecily, espere! Por favor!

Katherine correu para alcançá-la, mas ela continuou acelerando ao longo da margem.

– Não! E não ficarei ofendida se você nunca mais quiser me ver ou falar comigo. Eu sou uma vergonha! E parece que todo mundo aqui já sabe!

– Por favor, acalme-se. Ninguém sabe de nada. E é claro que ainda quero falar com você... Cecily, por favor, pare um pouco para conversar comigo.

– Não há nada para dizer, nada... – Ela estava soluçando de novo. – Kiki está fazendo arranjos para eu ir a uma clínica na Suíça, onde posso ficar até ter o bebê, então terei que dá-lo para adoção assim que nascer, e depois seguir a vida como se nada tivesse acontecido. Está vendo? Já está tudo decidido.

– Cecily, eu sei que você está arrasada, mas...

Ela havia chegado ao fim do caminho, onde o lago se curvava e a folhagem se tornava impenetrável, então se virou para Katherine e balançou a cabeça.

– Por favor, só preciso ficar sozinha, está bem?

– Pela sua cara, ficar sozinha é a última coisa de que você precisa. Não podemos nos sentar e conversar com calma?

– Como eu falei, não há nada que discutir, nada!

– Cecily, você está se comportando como uma criança histérica e petulante, não como a futura mãe que você é. Se não se acalmar, serei forçada a lhe dar um tapa para que recupere seus sentidos.

Cecily estava ofegando agora, sentindo-se tonta e prestes a desmaiar. Ela cambaleou um pouco e Katherine a segurou.

– Meu Deus, olhe o seu estado. Vamos, segure-se em mim e vamos voltar para a casa e para a cama.

– Não quero voltar para a casa, não quero ir a lugar nenhum, Katherine. Só quero morrer!

– Entendo que você esteja nervosa, querida, mas sempre há soluções – respondeu Katherine calmamente, passando um braço em volta da cintura de Cecily e praticamente a carregando de volta para casa.

– Não há! Quer dizer, eu não poderia ficar com o bebê, mesmo se quisesse, poderia? Talvez eu *queira*, mas, ah... Acho que vou...

Katherine sentiu Cecily desabar completamente contra ela. Estava prestes a gritar por ajuda quando viu Bill logo adiante, a alguns metros.

– Bill, graças a Deus! Cecily desmaiou! – disse ela. O homem correu para amparar Cecily e a ergueu em seus braços fortes. – O que você está fazendo aqui?

– Eu segui você até o lago. Não consegui suportar mais a companhia daquela mulher. – Ele ofegava ao atravessarem os jardins da casa. – Corra na frente e pegue um pouco de água. Ela apagou.

– Está bem – respondeu Katherine.

Bill deitou Cecily gentilmente no banco, à sombra de uma acácia.

– Antes de você ir... Eu entendi que Cecily está... grávida? Ouvi o fim da conversa quando estava indo encontrar vocês.

– Então prometa nunca contar a ninguém – pediu Katherine, muito séria. – A reputação de Cecily depende da sua discrição.

Bill viu Katherine correr até a casa, depois olhou para a jovem mulher deitada no banco. Tirou seu chapéu e começou a abaná-la com ele.

❁ ❁ ❁

– Está se sentindo melhor? – perguntou Katherine, meia hora depois, quando Cecily já estava deitada em seu quarto.

– Sim, bem melhor. E sinto muito por ter sido tão rude quando você teve todo esse trabalho de vir até aqui com Bill só para me ver.

– Ah, não se preocupe com isso, Cecily. É uma reação bastante natural, nessas circunstâncias. Pessoas em choque agem de maneiras estranhas.

– Mas fui muito grosseira, e você não merecia. Por favor, Katherine, me perdoe.

– Eu a perdoo, juro.

– E eu vou ficar bem, de verdade. Kiki tem razão, só tenho que resolver o problema. Afinal, a culpa é minha e da minha idiotice – afirmou Cecily, tomando um gole de chá de gengibre.

– Então, esse tal rapaz... não a forçou a nada?

– Não, mas de certa forma eu gostaria que ele tivesse, pois assim eu não estaria me sentindo tão culpada.

– Por favor, nunca mais diga isso. – Katherine estremeceu. – Meu pai já teve que cuidar de muitas jovens de 11 ou 12 anos que foram tomadas à força pelos "maridos". Nada é pior que isso.

– Você tem razão, é claro – concordou Cecily. – Vou parar de me vitimizar e fazer o que tenho que fazer. Mesmo que a ideia de abrir mão do meu bebê seja tão terrível.

– Por enquanto, só posso lhe pedir que *não* pense nisso – aconselhou Katherine. – Primeiro você deve cuidar de si mesma e do bebê. Agora, sei que Bill está louco para partir; você sabe que ele não se dá bem com a sua madrinha.

– Sim, é claro. Por favor, agradeça muito a ele por trazer você aqui para me ver.

– Bill disse que queria vir se despedir pessoalmente, então agradeça a ele. – Katherine levantou-se da cama. – Por favor, Cecily, prometa que vai se despedir antes de partir para a Suíça.

– Claro que vou. Você acha que... é a coisa certa a fazer?

– Não, não posso afirmar que seja a coisa "certa", mas, na prática, até este mundo se livrar do ridículo estigma que cerca as mães solteiras sem culpar ou responsabilizar os pais, não vejo nenhuma escolha. Sinto muito mesmo por isso. Mantenha contato, está bem? – pediu Katherine, apertando a mão da amiga.

– Pode deixar. Mande um abraço para Bobby.

Katherine deixou o quarto e Cecily pensou que ela seria a pessoa de quem sentiria mais saudades quando partisse.

Alguns minutos depois, houve outra batida à porta.

– Entre.

Bill apareceu, tirando o chapéu, e parou constrangido perto da porta.

– Oi, Bill. Por favor, sente-se.

Cecily indicou a cadeira junto à sua cama.

Bill a ignorou, caminhou até a ponta da cama e olhou para ela.

– Fico feliz em vê-la um pouco mais corada.

– Sim, obrigada por me salvar. Pela segunda vez.

– Hoje foi apenas uma feliz coincidência. Ou não, depende.

Bill começou a andar de um lado para outro.

– Você está bem? – perguntou Cecily.

– Sim, estou ótimo. Na verdade, Cecily, eu queria lhe pedir uma coisa.

– Então peça. Eu faria qualquer coisa para recompensá-lo por toda a sua gentileza desde que cheguei ao Quênia.

– Bem, a questão é que... – Bill brincou com algumas moedas perdidas em seu bolso. – Acontece que comecei a gostar muito de você.

– Sério? – retrucou Cecily, esperando que um insulto seguisse o elogio, como costumava acontecer com Bill.

– Sim, sério. Então eu queria saber se... bem, se você aceitaria se casar comigo.

– Eu... – Cecily o encarou, atordoada. – Por favor, Bill, não brinque comigo. Não estou com humor para isso agora. O que é que você realmente quer dizer?

– Exatamente isso. Está mais do que na hora de eu ter uma esposa para administrar a propriedade, por assim dizer, e acho que nos damos muito bem, não é?

– Eu... Bem, sim, acho que sim.

– E ouvi um pouco sobre a sua atual... situação, quando estava procurando por vocês perto do lago. Então, enquanto você estava apagada lá no banco, pensei que talvez fosse possível chegar a algum tipo de acordo benéfico para ambos. Se é que você me entende.

Cecily apenas o encarava em silêncio, completamente chocada. O fato de Bill confessar que sabia que ela estava grávida e ainda se oferecer para se casar com ela estava além de sua compreensão. Além disso, ele era Bill, o eterno solteirão.

– Eu sei que sou bem mais velho do que você. Tenho 38 anos. E sei que minha casa é... básica, para dizer o mínimo. Se você aceitasse, eu construiria uma casa adequada para você e a criança. Seria *nosso* filho, é claro. Aos olhos de todos, quer dizer.

– Ah. Entendi. Eu acho.

– E podemos até ter outros, se você quiser, imagino. As pessoas têm, não é?

– Sim, mas...

– Com certeza existem muitos "mas", e sei que esse não é o pedido de casamento dos sonhos para uma moça como você. Mas... – Bill suspirou. – A situação é essa, e acho que sentiria sua falta se você fosse para a Suíça e depois voltasse para a América. Não é uma declaração de amor, mas com certeza é o mais perto disso a que cheguei em muitos anos. Nós dois temos nossas cicatrizes e devemos fazer esse... arranjo... com bastante consciência. Se você aceitar, é claro. Agora vou deixá-la pensar em paz, mas se achar que isso resolve seu problema, devíamos anunciar o noivado o mais rápido possível, o que vai segurar as más línguas e salvar a sua reputação. Volto aqui amanhã para ver você, e espero que tenha a chance de analisar a minha proposta até lá. Por enquanto – Bill caminhou até a cama, pegou a mão de Cecily e a beijou –, vou me despedir.

Então ele deu meia-volta e saiu do quarto.

Cecily manteve as palavras de Bill em segredo – já aprendera que Kiki era uma pessoa impulsiva; planejava festas no calor do momento e tomava decisões em um piscar de olhos. E Cecily sabia que precisava de tempo sozinha para pensar. Qualquer decisão que tomasse alteraria o curso de sua vida irrevogavelmente.

Mas pelo menos agora *tinha* uma escolha, o que tornava tudo melhor, e ao mesmo tempo mais complicado.

Quando ouviu Kiki passando em frente à sua porta a caminho da sesta da tarde, Cecily desceu as escadas e foi se sentar no banco à beira do lago para comungar com seus hipopótamos.

– Será que eu conseguiria morar aqui para sempre? – perguntou-se ao olhar para a água calma. – Até que é bem bonito. Mas, o mais importante – ela suspirou –, será que eu conseguiria viver com Bill...?

Ela pensou na casa simples em que ele morava e tentou se imaginar lá. Pelo menos ele prometera construir uma casa nova para ela, e poderia ser divertido criar um belo jardim como aquele ao redor dela... A ideia de comandar a própria casa era muito tentadora. E Katherine e Bobby seriam seus vizinhos...

Seus pais ficariam emocionados ao saber que ela ia se casar com um inglês de boa descendência – afinal, o irmão de Bill, o major, era amigo de Audrey. E o mais importante de tudo: ela não teria que abrir mão de seu bebê, porque Bill criaria a criança como seu filho. Sim, ela tinha certeza de que haveria fofocas sobre seu casamento apressado e o subsequente nascimento precoce do bebê, mas não seria nada comparado a ter que dar seu filho para adoção.

– Mas e Bill...? – perguntou ela aos hipopótamos. – Ele deixou claro que seria um casamento de conveniência...

Por outro lado, todos os casamentos não eram "convenientes" de alguma maneira? Um simples contrato?

Além disso, Cecily, você disse que tinha desistido do amor e que nunca mais confiaria em um homem, lembrou a si mesma com firmeza. *Então só precisa parar de esperar por ele de uma vez por todas.*

No mínimo, ela confiava que Bill cuidaria dela – afinal, ele salvara sua vida – e, para sua surpresa, depois do primeiro encontro embaraçoso, ela começara a gostar de sua companhia.

Cecily fechou os olhos com força e tentou imaginar como seria se ele a beijasse. A ideia não era tão ruim. Ele por certo era atraente, mesmo sendo quinze anos mais velho.

Ou ela podia ir para a Suíça e ter o bebê, voltar para a América e retomar sua vida lá... Na verdade, Cecily sabia que seria impossível olhar nos olhos de seus pais e esconder deles aquele terrível segredo pelo resto da vida.

Levantou-se e caminhou até a beira d'água.

– Querem saber de uma coisa, hipopótamos? Acho que não é realmente uma escolha.

❂ ❂ ❂

Naquela noite, Cecily sentou-se com Kiki na varanda, a madrinha bebendo um martíni, e Cecily, uma xícara de chá de gengibre.

– Você parece muito melhor, querida.

– Eu me sinto melhor mesmo – respondeu Cecily.

– Que bom, você é uma garota corajosa, o que eu aprecio. Agora precisamos ligar para sua mãe e avisá-la de que você não vai voltar para casa. Então faremos os planos para partir para a Suíça o mais rápido possível. Tarquin diz que a guerra agora é inevitável; é apenas uma questão de quando vai se tornar oficial. Mas, por favor, não se preocupe, querida, você estará sã e salva na Suíça, que é um lugar muito bonito.

– Na verdade, Kiki, não vou precisar viajar para a Suíça.

– Como não? Concordamos que é a única solução.

– Sim, mas outra solução apareceu depois que conversamos ontem.

– Apareceu? Como assim?

– Bill Forsythe me pediu em casamento.

Cecily não pôde deixar de apreciar a total incredulidade no rosto de sua madrinha.

– Eu... Bill Forsythe quer se casar com você? – repetiu Kiki, como um papagaio.

– Isso mesmo. Vou dar a minha resposta amanhã de manhã.

– Não posso acreditar! – Kiki jogou a cabeça para trás e riu. – Sua danadinha. Há quanto tempo vocês estão de caso?

– Eu...

Cecily percebeu de repente que teria que entrar no jogo dali em diante e esconder a verdadeira natureza do plano. Embora Kiki soubesse a verdade sobre a gravidez, pelo menos ainda era possível fingir que ela e Bill gostavam um do outro. Kiki fazia parte daquela comunidade, e Cecily não podia se arriscar a ouvi-la fofocar depois de alguns coquetéis.

– Ah, desde que fomos ao safári, algumas semanas atrás.

– Por que você não me contou, querida?

– Porque pensei que Bill não fosse querer mais nada comigo quando descobrisse o bebê. Que homem ia querer, sabendo que sua... namorada... está grávida de outro homem?

– Um homem muito especial, obviamente. Bill deve amá-la muito para fazer isso. Bem que ontem achei estranho ele ter dirigido até aqui para vê-la. Imagino que dirão a todo mundo que a criança é dele, não?

– Sim.

– E Bill está confortável com isso? – indagou Kiki, observando-a.

– Sim. Quero dizer, se ele não estivesse, tenho certeza de que não teria me pedido em casamento.

– Não. Bem, não posso dizer que sou grande fã dele, nem que ele é meu fã. Mas tiro o chapéu por ele ter a mente tão... aberta. Espero que você perceba a sorte que tem, Cecily. Um príncipe encantado apareceu para salvá-la.

– Eu sei. Então você acha que eu deveria aceitar? Falei que iria discutir a questão com você primeiro.

– Se eu fosse você, já estaria grudada nele. É sério, querida, estou muito feliz por você! E mais: isso significa que vai ficar aqui, no Quênia. Vamos telefonar para sua mãe agora? Ela vai ficar nas nuvens por você ter ficado noiva de um inglês, e ainda por cima da aristocracia. A mãe de Bill é uma "hon", sabia?

– O que é uma "hon"?

– Significa que ela era uma lady antes do casamento. Agora, vamos ligar?

– Se não se importa, Kiki, prefiro falar com Bill amanhã e aceitar a proposta primeiro.

– Claro, e vamos torcer para que ele não tenha mudado de ideia até lá. Agora, isso pede champanhe!

Uma hora depois, quando conseguiu se livrar da madrinha fingindo exaustão, Cecily subiu as escadas, parando no meio do caminho para admirar, pela enorme janela, o crepúsculo em curso.

– Olá, África – sussurrou Cecily. – Parece que estou aqui para ficar.

27

— Então, Cecily?

Ela e Bill estavam à beira do lago. Ela ficou emocionada ao ver que ele fez um esforço para parecer elegante, em uma camisa branca bem passada e calças cáqui imaculadas. Cecily pensou em quanto ele parecia atraente – e nervoso – diante dela.

– Você pensou na minha proposta?

– Pensei. E... a resposta é sim. Eu aceito a sua gentil proposta.

– Bom Deus. Está bem. – Ele sorriu. – Talvez eu deva beijá-la ou algo assim? Tenho certeza de que estamos sendo observados por olhos bisbilhoteiros das janelas atrás de nós.

– Claro – concordou Cecily.

Bill se inclinou e a beijou timidamente nos lábios. Para sua surpresa, Cecily não se importou; de fato, quando ele se afastou, ela quase desejou que tivesse durado mais tempo.

– Obrigada – disse ela, timidamente.

– Não há nada para agradecer, minha querida. Esse é um arranjo benéfico para nós dois, e tenho certeza de que funcionará muito bem.

– Olá, vocês dois!

Ambos se viraram e viram Kiki acenando para eles da varanda com uma garrafa de champanhe.

– Podemos dar os parabéns?

– Acho que sim, Kiki, podem.

Bill revirou os olhos e fez uma careta para Cecily.

– Então – comentou ele, oferecendo a ela o braço –, a farsa começa.

– Você vai... o *quê*?

– Vou me casar, mamãe! – gritou Cecily ao telefone. O chiado na linha estava pior do que nunca e elas mal conseguiam se ouvir. – Vou me casar.

– Meu Deus! Eu ouvi direito? Você vai se casar? – repetiu Dorothea.

– Sim! – Cecily riu do absurdo da situação. – Vou.

– Com quem?

– Vou lhe escrever com todos os detalhes, mas ele se chama Bill e é inglês! A família dele conhece Audrey muito bem. Conheci o irmão, que é major, em um jantar em Woodhead Hall. – O chiado na linha ficou insuportável. – Está me ouvindo, mamãe?

Não houve resposta, então, com um suspiro, Cecily desligou. Decidiu que a melhor coisa a fazer era ir até Gilgil e enviar um telegrama aos pais com os detalhes. Mais cedo, quando Kiki estourou o champanhe, os três haviam conversado sobre quando e onde o casamento seria realizado.

– Claro que deve acontecer aqui. E o mais rápido possível, você não acha? –insistira Kiki.

– Como Cecily desejar – respondera Bill, olhando de soslaio para a noiva.

Cecily mal acreditou em quão paciente ele se mostrou com Kiki. Sentira uma repentina onda de ternura por ele estar tentando facilitar as coisas, apesar das restrições que tinha à sua madrinha.

– Eu... Na verdade, não tive tempo para pensar. O que você achar melhor.

– Para ser franco, acho que nenhum dos dois deseja uma festa grande, não é, Cecily?

– Não mesmo, Bill. Algo discreto seria ótimo.

– Não sei se "discreto" faz parte do dicionário do Vale – dissera Kiki, sorrindo. – Todo mundo por aqui gosta de comemorar, não é, Bill?

– Alguns de nós, sim – respondera ele, antes de se levantar. – Bem, preciso voltar para o meu gado. Vou deixar que vocês decidam os detalhes das núpcias, mas certamente seria melhor realizá-las antes que as chuvas cheguem.

– Espere um momento! – exclamara Kiki, olhando para a mão de Cecily. – Ora, Bill, Cecily não vai ter um anel de noivado no dedo?

– Ah, sim, é claro. – Bill assentira. – Passei os últimos dias no Muthaiga Club e não tive chance de resolver isso, mas com certeza ela terá.

Bill então beijara a mão de Cecily, acenara para Kiki e saíra.

Ela não o via fazia alguns dias, pois ele estava ocupado com seu gado. Os dois se comunicaram pelo ruidoso telefone, Cecily relatando em taquigrafia verbal que Kiki havia sugerido a terceira sexta-feira de abril (que, por acaso, era no mesmo dia do casamento do ex-noivo de Cecily, uma coincidência que deu a ela uma saudável sensação de regozijo). Isso daria a todos algum tempo para organizar o que quer que precisasse ser organizado para um casamento. Sua madrinha estava ansiosa para fazer a recepção em casa, mas Cecily sabia muito bem dos sentimentos de Bill em relação a Kiki.

Ela subiu as escadas para se arrumar. Bill chegaria para o jantar em uma hora. Pelo menos Kiki estava em Nairóbi, visitando Tarquin naquela noite, então ela e seu futuro marido poderiam discutir a situação abertamente. Era triste que sua família não pudesse estar presente no casamento, pensou Cecily, enquanto examinava o guarda-roupa, imaginando que vestido ainda fecharia ao redor de sua barriga já crescente. Mas pelo menos ela providenciaria um fotógrafo para registrar o evento. Talvez fosse o entusiasmo contagioso de sua madrinha pelo casamento, mas até Cecily sentia uma pontada de excitação diante da ideia de seu noivo estar chegando para jantar naquela noite para discutir os planos.

– Meu noivo.

Ela riu alto do absurdo de tudo aquilo, mas todas as noções românticas da união foram destruídas quando ela tentou fechar seu vestido azul favorito e falhou miseravelmente.

Você precisa lembrar, Cecily, disse a si mesma, *que isso é apenas um arranjo. Bill não a ama. Como ele poderia, quando você está esperando um filho de outro homem?*

Por fim, usando uma blusa de musselina creme e uma saia com elástico na cintura, Cecily desceu as escadas e foi à biblioteca para coletar as anotações que havia feito com Kiki.

– *Sahib* acabou de chegar. Chá de gengibre, *memsahib*? – indagou Aleeki.

– Vou beber apenas água hoje, obrigada – disse ela, enquanto saía para a varanda.

– Boa noite, Cecily. Peço desculpas se me atrasei um pouco.

– Não, você não se atrasou.

Cecily sorriu quando Bill se aproximou.

– E provavelmente estou cheirando a gado. Houve um problema; seis animais pegaram a doença do sono, então passei os últimos dias verificando os outros.

– Entendo.

– Com certeza não entende, e talvez nunca entenda. – Bill suspirou, caminhando até a mesa para dois posta na varanda e pegando o champanhe antes que Aleeki pudesse servi-lo. – Aqueles malditos animais governam a minha vida. Vão descer das montanhas quando as chuvas chegarem e queremos que estejam com boa saúde para a jornada. Então, como foi a sua semana?

– Ótima, obrigada. É óbvio que tenho algumas perguntas para você – respondeu Cecily, sentando-se de frente para ele.

– Claro que sim. – Bill tomou um gole de champanhe. – Também tenho algumas para você. – Ele colocou um tubo de papelão na mesa e desenrolou uma folha de papel. – Estes são os projetos originais para a fazenda que eu pretendia construir quando cheguei ao Quênia. Até agora não coloquei em prática, pois a cabana era suficiente. Gostaria que você desse uma olhada neles e visse se há algo que queira mudar. Depois vou montar uma equipe para a construção.

– Eu adoraria vê-los.

– Você vai passar muito mais tempo lá do que eu, então também deve opinar – avisou Bill, servindo-se de outra taça de champanhe. – Deus, eu odeio isso aqui! Você tem alguma cerveja, Aleeki?

– Sim, *sahib*.

Enquanto Aleeki se afastava para pegar a bebida, Cecily pôde ver a tensão no rosto de Bill.

– Então – disse ele, quando Aleeki reapareceu com a garrafa de cerveja –, já decidiu quando vamos fazer o anúncio?

– Bem, assim que tivermos uma data para o casamento, suponho. Kiki sugeriu a terceira sexta-feira de abril, lembra?

– Me parece bom. – Bill assentiu. – Um pouco antes da chegada das chuvas. E a cerimônia em si?

– Kiki quer que seja aqui.

– O que *você* decidir, Cecily, está bom para mim. Pode decidir tudo isso. Vou apenas aparecer onde e quando você mandar.

– A única coisa que eu gostaria é que um pastor nos casasse. Aos olhos de Deus e tudo o mais – pediu Cecily, hesitante. – Não será a mesma coisa se for só uma cerimônia civil. Kiki diz que conhece um pastor em Nairóbi que conduziria o serviço.

– Tudo bem, tudo bem. Se é importante para você, vá em frente – respondeu Bill, abruptamente.

– Então você não acredita em Deus? – indagou Cecily.

– Não, não em um sentido tradicional. Você não percebeu como qualquer deus é feito à imagem de sua cultura? Jesus era um judeu de Israel: moreno e de pele escura, mas em todas as pinturas sua pele é tão branca quanto a neve. No entanto, acredito em um criador magnífico, como costumo dizer. Em outras palavras, algo que criou tudo o que vemos na nossa frente. – Bill indicou com os braços o que os rodeava. – Porque é um milagre que possamos viver em meio a tanta beleza, você não acha?

– Um criador magnífico – repetiu Cecily, agradavelmente surpresa com sua eloquência incomum. – Gostei.

– Bem, obrigado. Apesar de ser um humilde agricultor, tenho meus momentos – respondeu Bill.

– Eu... estava me perguntando onde você estudou.

– Imagino que seus pais estejam pedindo minhas credenciais.

Ele lançou a Cecily um olhar irônico enquanto Aleeki chegava com a ceia.

– Não, é só que há muitas coisas que não sei sobre você e que deveria saber.

– Bem, estudei em Eton, que, como você deve saber, é a escola onde a aristocracia britânica é preparada para governar um império. Um lugar horrível. – Bill estremeceu. – Chorei como um bebê à noite por meses a fio. Por mais estranho que pareça, foi Joss Erroll quem me salvou. Ele estava no mesmo ano e no mesmo dormitório que eu. Por fora, não combinamos muito, mas por algum motivo nos demos bem e permanecemos bons amigos desde então. Infelizmente, Joss foi expulso de Eton. Você pode imaginar que ele nunca seguiu as regras. Fui para Oxford estudar direito, mas então me convocaram para o Exército aos 18 anos, no fim da Grande Guerra. Tive sorte, porque na época já estava tudo acabado, embora não oficialmente. Fiquei no Exército por dois anos, sem ter ideia do que exatamente queria fazer da minha vida. Então minha noiva me deixou e... – Bill tomou um gole de cerveja – eu perdi o foco.

– Sinto muito, Bill.

– Por favor, não sinta, Cecily. Você sofreu do mesmo mal recentemente e, de fato, acabou sendo uma bênção. Eu tinha desistido de voltar ao direito, então Joss me deu a informação de que o governo britânico estava procurando jovens para vir ao Quênia e estabelecer uma comunidade, além de impor algum tipo de ordem aos habitantes locais, é claro. Eles estavam oferecendo terras como atrativo. Eu me inscrevi, recebi meus 400 hectares e vim para cá. Isso já faz quase vinte anos. Não posso acreditar que estou aqui há tanto tempo. – Ele suspirou. – Então, já falei um pouco de mim. Agora, vai me contar de você? Talvez devesse pelo menos me revelar quem é o pai – acrescentou ele, baixando a voz. – Para que eu fique preparado. Imagino que seja alguém daqui.

– Não, não é.

– Seu ex-noivo, então?

Ele arqueou as sobrancelhas enquanto comia uma garfada de carne de cabra com curry e arroz.

– Não, não é ele.

– Bem, quem é, então? Se for inglês ou americano, não vai fazer diferença para mim.

– Na verdade, receio que faça. Foi quando estive em Woodhead Hall e conheci seu irmão em um jantar. Lorde e lady Woodhead têm um sobrinho chamado Julius...

– Meu bom Deus. – Bill pareceu chocado. – É alguém mais próximo do que pensei. Meu irmão não teria conhecimento disso, teria?

– Ah, não, Julius vai se casar com outra pessoa. Foi apenas um... – Cecily engoliu em seco, corando até a raiz dos cabelos – ... caso rápido.

– E ele partiu seu coração? – perguntou Bill, o tom de voz ligeiramente suavizado.

– Sim, partiu. Eu... acreditei que suas intenções eram sinceras.

– Não se pode confiar em um inglês, não é? Bem, não posso lhe prometer muito mais do que alguns milhares de cabeças de gado, mas posso garantir que sou um homem honrado. Formamos um casal e tanto, não é?

– Suponho que sim.

– Bom, então... – Bill tateou no bolso e tirou uma pequena caixa de veludo. – Aqui está o anel. Experimente para ver como fica. Eu mandei fazer, mas temo que possa estar um pouco largo.

Cecily abriu a caixa e encontrou um belo anel de diamantes com uma pedra rosa-avermelhado no centro.

– Ah, que lindo!

– É um rubi-estrela. Meu avô trouxe da Birmânia para minha avó. E agora aqui está ele, no Quênia, prestes a entrar no seu dedo americano. Você gostou? Quando a luz brilha diretamente nele, dá para ver uma estrela perfeita no topo.

– Achei... mágico – respondeu Cecily, colocando-o sob a luz da lanterna na mesa e enxergando a forma de uma estrela cintilante. – Obrigada, Bill.

Como ele não fez nenhuma menção de colocá-lo em seu dedo, Cecily o tirou de seu ninho de veludo e o pôs no anelar da mão esquerda.

– Como imaginei, um pouco largo, mas o joalheiro em Gilgil pode consertar isso em um instante. Então, agora que estamos oficialmente noivos, vou enviar um telegrama ao meu irmão e pedir a ele que coloque um anúncio de nosso noivado no *Times*.

– E aqui?

– Ah, os tambores da selva anunciarão a novidade por nós – respondeu Bill. – Embora talvez fosse melhor se você mantivesse segredo por enquanto sobre a sua... condição. Quando ela se tornar de conhecimento público, como inevitavelmente acontecerá, assumirei, é claro, total responsabilidade.

– Obrigada.

– Não é nada. E você não precisa se preocupar, Cecily. Quando estivermos casados, ficarei longe a maior parte do tempo. O maldito gado exige minha atenção constante.

– Você não tem um administrador?

– Tenho, sim, além dos maasais que me ajudam, mas eu preciso me envolver para o trabalho ser feito da maneira correta. Na verdade, gosto de ser nômade. Nunca tive muitos motivos para voltar para casa, até agora. Enfim – concluiu Bill, enquanto Aleeki e os criados retiravam os pratos da ceia –, por que não analisamos essas plantas para podermos começar a construção?

Uma hora depois, quando já haviam feito algumas alterações no projeto, e Cecily adicionara quartos extras, imaginando que um dia sua família fosse visitá-los, ela acompanhou Bill até a picape. Nygasi, o homem maasai, esperava pacientemente por ele. Bill lhe deu um beijo casto no rosto e lhe deu boa-noite.

– Ficarei nas planícies pelos próximos dez dias, mas, por favor, sinta-se livre para modificar a planta da casa e organizar o casamento como você quiser – avisou ele enquanto subia na picape. – Até logo, Cecily.

– Até logo, Bill.

Enquanto voltava para casa, Cecily concluiu que gostava de Bill cada vez mais. Apesar de ele ser desconfortavelmente honesto, sua completa falta de vaidade era cativante. No andar de cima, ela se despiu, pensando que só tinha três semanas antes de passar a compartilhar a cama com o marido...

ou pelo menos presumia que esse fosse o desejo de Bill. Para sua surpresa, o pensamento a excitou, em vez de amedrontá-la.

Pare com isso, Cecily, ela se repreendeu firmemente enquanto subia na cama. *Você precisa lembrar que esse é um casamento de conveniência e que não há amor envolvido*.

Mesmo assim, ela foi dormir mais calma e feliz do que se sentia havia muitas, muitas semanas.

28

Cecily ia se tornar a Sra. William Forsythe no dia 17 de abril, ao meio-dia. Como prometido, Kiki tomou as providências para que o pastor da igreja em Nairóbi oficializasse a união. Na verdade, sua madrinha havia se superado em todos os preparativos para o casamento: cadeiras cobertas de seda branca foram colocadas no gramado e um dossel adornado com rosas brancas fora erguido à beira do lago, sob o qual Cecily e Bill fariam seus votos.

Ela estava na janela do quarto, olhando para o gramado onde Kiki cumprimentava os convidados que iam chegando – muitos dos quais Cecily nem conhecia. Ela viu Bill sentado no que agora considerava o "seu" banco, na beira da água, com Joss Erroll, que era seu padrinho.

– Está nervosa? – perguntou Katherine enquanto prendia o véu de Cecily e lhe entregava o buquê feito de rosas cor-de-rosa. – É perfeitamente natural. Eu mal conseguia comer na semana anterior ao meu casamento com Bobby.

– Acho que estou. – Cecily engoliu em seco. – Tudo aconteceu tão rápido.

– Quando é para ser, o tempo não importa – comentou Katherine, gentilmente. – Você está linda! Venha ver.

Ela guiou Cecily para um espelho de corpo inteiro.

Uma costureira fora chamada para fazer um lindo vestido em corte imperial, de maneira que as dobras cor de creme que pendiam abaixo da linha dos seios escondessem qualquer sinal de sua barriga. O sol havia clareado seus cabelos, dando-lhe um tom suave de louro, e Katherine prendera rosas de um lado, logo acima da orelha. Ela aplicou um pouco de maquiagem, mas, mesmo sem nada, Cecily achou que sua pele nunca estivera melhor. Ela brilhava, e seus olhos cintilavam.

– Agora, vá se casar – disse Katherine.

Por toda a vida, Cecily fantasiara bastante com o dia de seu casamento.

Nunca imaginara que sua família não estaria presente e que seria no calor úmido do Quênia, na companhia de um grupo de hipopótamos.

Bobby estava esperando por ela ao pé da escada. Ele a entregaria ao noivo, no lugar de seu pai.

– Você está linda – disse ele, oferecendo-lhe o braço.

Cecily segurou-o e ouviu a banda começar a marcha nupcial.

– Pronta?

– Pronta.

Ela sorriu. Inspirando profundamente, Cecily e Bobby saíram para a varanda e fizeram o caminho pelo gramado, através da congregação.

Bill estava sob o dossel; sua única objeção aos preparativos fora que ele não queria usar fraque, mas concordara com black-tie para si e para os convidados. Cecily achou que ele estava de fato muito bonito; seus cabelos louro-escuros, em geral emaranhados, estavam penteados. Ele estava barbeado e seus olhos azuis refletiam o céu contra sua pele profundamente bronzeada. Apesar de Joss, que chamava mais atenção, estar bem ao lado, ela descobriu que não conseguia tirar os olhos do futuro marido.

Bobby passou a mão dela para Bill, que assomava sobre ela, e quando o pastor começou a falar Cecily só conseguia se concentrar nos olhos dele. Ela ouvia os sons dos pássaros conversando acima do lago, como se eles também estivessem celebrando.

– Eu vos declaro marido e mulher. Pode beijar a noiva – anunciou o pastor.

Na primeira fila, Alice deu um gritinho retumbante ao lado de Kiki, que obviamente já havia bebido bastante champanhe antes da cerimônia, e os convidados aplaudiram.

Bill a beijou.

– Olá, Sra. Forsythe – sussurrou ele em seu ouvido.

– Olá – respondeu ela, timidamente, olhando para o marido, e eles seguiram por entre os convidados que ladeavam o caminho.

Embora estivesse com medo do café da manhã do casamento, Cecily ficou aliviada ao notar que seus enjoos matinais tinham diminuído, permitindo que pudesse pelo menos apreciar o maravilhoso banquete que Kiki havia proporcionado. Katherine, que, como dama de honra, estava sentada ao lado dela em uma das mesas circulares colocadas na varanda, deu-lhe um abraço.

– Estou tão feliz por você, Cecily. Você parece radiante, assim como o seu marido – comentou ela, indicando Bill sentado do outro lado da esposa.

E Cecily percebeu que ela se *sentia* radiante; apesar do subterfúgio em que o casamento originalmente se baseava, ela estava apreciando aquele dia. Alguns minutos depois, Joss se levantou e fez o discurso bem-humorado de padrinho, comentando como Cecily aparecera do nada e arrebatara o coração do "eterno solteirão do Happy Valley".

– Realmente, Cecily, minha querida – disse Joss, com sua fala arrastada –, você precisa me agradecer por sua felicidade conjugal, uma vez que fui eu quem convenceu Bill a vir para o Quênia, para começar. Então espero que demonstre sua gratidão para comigo nos próximos anos.

Ele piscou para ela e Cecily ouviu Idina rir da piada.

O tom de Joss então se tornou mais sincero ao ler os telegramas da família de Cecily, em Nova York. Os olhos dela se encheram de lágrimas, mas pelo menos sabia que havia feito a coisa certa, salvando-os de uma vergonha no futuro.

Só que ela não teve tempo de sentir saudades de casa, porque a banda começou a tocar "Begin the Beguine" e Bill a levou para a pista de dança de madeira, montada no gramado à beira do lago. Cecily ficou surpresa com a habilidade dele para a valsa e, conforme foi entardecendo, realmente se sentiu como se tivesse conquistado um partido e tanto.

Era meia-noite quando Katherine se aproximou, enquanto ela dançava com lorde John Carberry, outro belo homem da mesma idade que Bill, cujas mãos errantes ela estava lutando para manter sob controle.

– Hora de se trocar e partir para o Hotel Norfolk, minha querida – avisou Katherine, quase a arrancando das mãos do homem.

No andar de cima, Katherine a ajudou a tirar o vestido de casamento e colocar seu traje de despedida, feito de seda cor de pistache, com um casquete combinando.

– Lá vamos nós, prontas para partir – disse Katherine.

– Santo Deus, estou nervosa com esta noite. Quero dizer, não tenho certeza do que Bill... espera.

– Não fique, querida. No mínimo, Bill é um cavalheiro. E ele vai tratá-la de acordo, acredite.

– Acha mesmo que não há problema em morarmos com vocês enquanto a nova casa está sendo construída? – perguntou Cecily, levantando-se da penteadeira e se virando para a amiga.

– Querida, é claro que não. Afinal, para que servem os quartos de hóspedes? Você e Bill são bem-vindos, apesar de não ser nada parecido com a Casa Mundui. E você ficará surpresa com a rapidez com que sua própria casa ficará pronta. Espero que fique a tempo de o bebê chegar.

– Sim. E lembre-se...

– Prometo, Cecily, não direi uma palavra.

– Será que as outras pessoas sabem?

– Se sabem, estão bem caladas. Não ouvi nenhuma fofoca até agora.

– Graças a Deus. Certo, então. – Cecily vestiu o terninho, cujo botão inferior estava um pouco esticado em sua barriga cada vez maior. – Lá vou eu.

– Lá vai você, Sra. Forsythe.

No andar de baixo, os convidados tinham se reunido em torno da porta da frente. Quando Cecily emergiu com Bill ao seu lado, todos aplaudiram e celebraram.

– Jogue seu buquê, Sra. Forsythe! – gritou Alice. – Preciso de um novo marido, não é, Joss? – brincou ela, sorrindo.

Cecily jogou, mas foi Joss quem o pegou.

– Desmancha-prazeres – reclamou Alice, amuada, enquanto o resto da multidão dava risadas nervosas.

A esposa de Joss, Molly, estava aparentemente bem perto da morte.

– Vamos, minha querida, vamos lá – disse Bill.

A picape de Bill fora decorada por Joss e seus companheiros. Nygasi estava sentado regiamente na caçamba, cercado por balões. Latas haviam sido amarradas no para-lama traseiro.

– Seu amigo não vai acompanhá-lo até o quarto no Hotel Norfolk, não é, Bill? – gritou alguém da multidão.

– Muito engraçado – respondeu Bill, tomando o assento do motorista.

– Parabéns, minha querida – disse Kiki, avançando para abraçar a afilhada. – Sua mãe ficaria muito orgulhosa de você hoje. Bem-vinda ao Happy Valley, meu bem, você é realmente uma de nós agora.

Quando se sentou ao lado de Bill, Cecily sentiu um repentino respingo em sua cabeça, depois outro em seu traje.

– Minha nossa! As chuvas chegaram! – gritou outra pessoa da multidão.

– Todo mundo para dentro! – ordenou outra voz.

Enquanto a multidão recuava e a chuva começava a cair, Cecily ficou sentada, sentindo-se em um banho quente, e Bill e Nygasi trabalhavam rapidamente para prender a capota de lona na picape.

Nygasi murmurou algo para Bill quando ele ligou o motor.

– O que ele falou? – perguntou Cecily.

– Ele disse que a chuva chegar no dia do nosso casamento é auspicioso.

– De um jeito bom ou ruim? – quis saber Cecily.

– Bom, com certeza bom.

Bill sorriu para ela enquanto se afastavam da casa.

Cecily cochilou durante a viagem a Nairóbi, exausta não apenas por aquele dia, mas por causa de todos os últimos acontecimentos. Antes que percebesse, Bill a estava sacudindo gentilmente.

– Chegamos, minha querida. Você tem forças para entrar ou devemos dormir na picape?

– Estou bem, obrigada, Bill.

O saguão do hotel estava deserto, pois eram duas da manhã, e um porteiro noturno os conduziu ao quarto. Quando a porta se fechou atrás deles, Cecily olhou para a cama e depois para Bill, e achou que era muito pequena para acomodar os dois.

– Deus, toda aquela confusão me esgotou mais do que um dia de caça na selva – comentou Bill enquanto tirava o paletó e a camisa, seguidos pelas calças.

Cecily sentou-se do outro lado da cama, de costas para ele, tirou o chapéu e depois o terninho.

Uma mão tocou seu ombro.

– Ouça, se isso for muito desconfortável para você, posso dormir na picape.

– Não, está tudo bem.

Cecily levantou-se para abrir a mala e pegar sua camisola. Ouviu o rangido da cama atrás dela quando Bill se enfiou debaixo dos lençóis.

– Não vou olhar, prometo – disse ele, virando-se.

Corando profusamente, Cecily tirou o vestido e o sutiã e, apressadamente, puxou a longa camisola de musselina por sobre a cabeça.

– Bom Deus! Você parece uma personagem saída de um romance de Jane Austen! – exclamou ele, enquanto Cecily se deitava ao seu lado na cama.

A cama era tão pequena que ela podia sentir o calor do corpo do marido.

– Olhe, Cecily – disse ele, virando o rosto dela para si. – Dada a sua atual... condição, acho que não é apropriado fazer o que normalmente se faria na noite do casamento. Então vou simplesmente dizer boa-noite, Sra. Forsythe, e durma bem.

Bill a beijou na testa, depois rolou para o lado, de costas para ela. Dentro de alguns segundos, ela o ouvia roncar suavemente. Cecily ficou parada, ouvindo a chuva bater no telhado do hotel e na janela.

E só desejou *poder* fazer o que as pessoas normalmente faziam...

❂ ❂ ❂

Na manhã seguinte, Cecily despertou com um toque em seu ombro. Ela piscou e de repente os acontecimentos do dia anterior lhe voltaram à mente. Olhou para Bill e viu o brilho rosado do amanhecer através de uma fenda nas cortinas atrás dele.

– Bom dia – falou ele em voz baixa. – Pedi serviço de quarto. Tome o seu café da manhã.

Cecily se sentou e Bill colocou uma bandeja delicadamente em seu colo.

– Eu sei que você gosta do seu café forte – disse ele, indicando a xícara fumegante, acompanhada por triângulos de torrada e pequenos potes de geleia. – Coma e depois se vista. E então vamos sair.

– Sair? – perguntou ela, pegando o café. – Aonde vamos?

– É uma surpresa – respondeu ele, indo para o banheiro.

Cecily ouviu a torneira ser aberta e deu uma mordida na torrada, sentindo-se faminta como nunca.

Assim que ficou pronta, Bill, agora vestido em sua habitual roupa cáqui, guiou-a para fora do hotel até a picape, onde Nygasi estava sentado na caçamba. Ela se perguntou onde ele teria dormido e pensou que era melhor se acostumar à sua presença, pois era muito raro ver Bill sem ele.

Bill abriu a porta e a ajudou a entrar, em seguida sentou-se ao seu lado e deu partida. Ele não deu nenhuma pista do destino, mas Cecily estava contente em sentir a brisa da manhã no rosto enquanto dirigiam pela agitada Nairóbi, feliz porque a chuva da noite anterior ainda não retornara e o sol brilhava radiante no céu. Uma hora depois, eles chegaram à beira de uma pista de voo. Cecily o encarou com uma expressão de dúvida.

– Como não haverá lua de mel, especialmente agora que as chuvas chegaram e o gado vai entrar em movimento, pensei que você merecia um presente de casamento. Fiquei pensando no que eu poderia lhe dar; fui solteiro por tanto tempo que tudo o que conheço é o Quênia e sua natureza. Então venha, tenho algo para lhe mostrar. E espero que você não tenha medo de altura – acrescentou ele.

Bill a ajudou a saltar da picape e a levou a um pequeno biplano que estava na pista, com um homem de macacão parado ao lado.

– Tudo certo, Bill? – perguntou o homem alegremente quando se aproximaram. – Esta é a sua jovem esposa, não é? Prazer em conhecê-la, Sra. Forsythe.

– Prazer em conhecê-lo também – respondeu ela, automaticamente.

– Ela já passou por abastecimento e revisão – informou o homem. – Estou me referindo à aeronave, não à senhora, Sra. Forsythe – brincou ele.

– Coloque isso, por favor. – Bill entregou a Cecily uma grossa jaqueta de couro e um par de óculos de proteção, ajudando-a a colocá-los, então subiu na asa inferior da aeronave e estendeu a mão para Cecily. – Vamos lá.

Ela pegou a mão de Bill, que a amparou para subir na asa, depois para se acomodar em um dos dois lugares da aeronave, amarrou seu cinto de segurança e subiu no cockpit traseiro, ficando logo atrás dela.

– Você sabe pilotar essa coisa? – indagou ela.

– Seria muito azar seu se eu não soubesse – disse ele, com ironia. – Não se preocupe, há um assento ejetor no caso de dar algo errado.

– Está falando sério?

Ela girou em seu assento para olhar para ele, que lhe deu um sorriso.

– Cecily, você está perfeitamente segura. Apenas confie em mim e aproveite a vista.

Com isso, o motor do avião deu sinal de vida e as hélices começaram a zumbir. Bill guiou o avião pela pista e, um minuto depois, eles estavam no ar, o estômago de Cecily dando cambalhotas.

À medida que subiam e Cecily se acostumava à sensação, ela olhou para baixo, fascinada. Podia distinguir os topos dos edifícios cinzentos e as ruas de Nairóbi, carros e pessoas se movimentando como formigas, mas, depois de alguns minutos, tudo o que via era a ondulante área rural, com verdes suaves e clarões de terra alaranjada e o brilho ocasional de um rio tranquilo.

Depois de meia hora de voo, Bill bateu no ombro dela e apontou para um ponto abaixo deles, e Cecily ofegou. Era a Casa Mundui, parecendo uma perfeita casinha de bonecas à beira do lago cintilante.

Então Bill girou o avião para o norte e Cecily reconheceu os trilhos de trem que atravessavam Gilgil e identificou a extensão escura das montanhas Aberdare à sua direita. Um brilho rosa e azul apareceu ao longe, e Cecily estreitou os olhos para tentar ver o que era.

– Lago Nakuru! – gritou Bill para ela, quase inaudível devido ao barulho do motor.

Cecily arfou quando ele mergulhou o avião e a nuvem rosa que ela tinha visto cristalizou-se diante de seus olhos: milhares de flamingos colados uns nos outros pacificamente na água. Quando o avião passou sobre eles, começaram a abrir suas asas em um efeito cascata, o brilho de sua plumagem refletido na água azul, parecendo um único organismo gigantesco, movendo-se em completa harmonia.

Quando Bill finalmente voltou para o sul, Cecily olhou para baixo e viu o Quênia se espraiando, maravilhada com as novas perspectivas que seu marido lhe oferecera de maneira tão atenciosa. Agora, ali era o seu lar e, naquele momento, ela não podia se imaginar em um lugar mais lindo.

Quando pousaram, Bill a ajudou a sair do avião e Cecily sentiu as pernas tremerem. Ela tirou os óculos, sacudiu os cabelos varridos pelo vento e olhou para ele, sem saber como expressar em palavras a beleza do que tinha visto.

– Obrigada – ela conseguiu dizer. – Nunca vou me esquecer desse momento e do que acabei de ver.

– Que bom que você gostou. Vou levá-la para voar de novo depois das chuvas. Agora – disse ele, sério, enquanto a ajudava a entrar na picape –, temo que esteja na hora de voltar ao trabalho.

Enquanto se afastavam de Nairóbi em direção às montanhas Aberdare e à sua casa conjugal temporária, com Bobby e Katherine (Bill fora categórico ao se recusar a ficar sob o mesmo teto de Kiki até a construção da casa deles), Cecily não pôde deixar de olhar para ele. Qualquer que fosse a base de seu casamento, ele não apenas a fazia se sentir segura e protegida, mas seu autocontrole a fascinava. Bill e a vida que agora começavam a viver podiam não ser o que ela escolheria naturalmente, mas, ao entrarem na fazenda de Katherine e Bobby e atravessarem, aos solavancos, as planícies vermelhas que em breve seriam preenchidas com o gado voltando das colinas, Cecily sentiu que queria fazer de tudo para acolhê-los. Faria o possível para ser uma boa esposa para o homem que não apenas salvara sua vida, mas também sua reputação.

Meu marido é um homem especial, pensou ela, e o leve borbulhar de um desejo inesperado surgiu em seu estômago.

– Olá! – Katherine acenou para eles da varanda enquanto subiam pelo caminho lamacento até a pequena e recém-reformada casa. – Como foi o voo? – perguntou ela a Cecily, enquanto lhe dava o braço e a conduzia em direção à casa.

– Foi a experiência mais incrível da minha vida.

Cecily sorriu quando Katherine lhe ofereceu uma cadeira na varanda.

– Ah, fico tão feliz. – Katherine sorriu de volta, sentando-se ao lado da amiga. – Bill me perguntou se eu achava que você ia gostar e, claro, respondi que sim. É a única maneira de ver como o Quênia é mágico – disse ela, enquanto Bill trazia a mala de Cecily da picape. – Ele me levou uma vez e decidiu se exibir com seus novos truques. Confesso que vomitei por todo o cockpit.

– Coloco isso aqui no quarto de hóspedes, Katherine?

– Sim, por favor, Bill.

– Aleeki disse que mandaria o motorista de Kiki com o restante de minhas coisas amanhã – avisou Cecily, vendo Bill entrar na casa.

– Bem, é uma pena que você ainda não tenha a própria casa, mas faremos o possível para deixá-la confortável aqui.

– Ah, não se preocupe com isso; estou muito agradecida por não ter que ficar na Casa Mundui por mais tempo. A atmosfera lá é muito estranha. Além do mais, este lugar é lindo, Katherine. – Cecily apontou para a varanda, onde havia uma mesa que o próprio Bobby construíra com madeira descartada e polido até brilhar. Katherine havia plantado arbustos de hibisco ao longo das margens, além de estrelícias alaranjadas e azuis. O chalé era aconchegante e convidativo, com lindas cortinas floridas que Katherine costurara para as janelas, além de persianas bem brancas. – É muito acolhedor.

– Bem, a Cabana Inverness certamente não é grandiosa, mas é toda nossa, e é isso que importa. Agora – acrescentou Katherine, quando Bill saiu –, posso oferecer alguma bebida a vocês dois?

– Não para mim, Katherine. Tenho que voltar para a fazenda.

– É verdade, Bobby saiu hoje de manhã.

– Então tenho certeza de que vou vê-lo lá em cima. Voltamos à vida real e preciso levar o gado com segurança às planícies.

Cecily fez o possível para esconder sua decepção.

– Quando você volta?

– Não tenho certeza, para ser honesto. Na semana que vem, imagino.

– Ah. – Cecily engoliu o nó na garganta. – Bem, vou ficar bem aqui com Katherine.

– Vai mesmo – concordou Katherine, vendo a angústia de Cecily e vindo em seu socorro. – E... – Katherine olhou para Bill com expectativa – você tem outro presente para sua esposa, certo? Que tal eu ir buscá-lo enquanto vocês se despedem?

Bill assentiu, então Katherine saiu da varanda e desapareceu pela lateral da cabana enquanto Cecily se levantava.

– Mais uma vez obrigada por tudo, Bill. Sou muito grata.

– Como eu disse, tenho certeza de que vamos nos dar bem. Eu apreciaria se você ficasse de olho em nosso projeto de construção da casa enquanto eu estiver fora. Você sabe, quando o gato sai, os ratos...

– Claro que sim, vou gostar de fazer isso.

– E aqui está o seu transporte! – Katherine reapareceu, puxando uma égua castanha na direção deles. – Venha conhecê-la.

– É para mim?

– Sim – respondeu Bill. – A maneira mais fácil de visitar seus vizinhos, com certeza.

– Ah, você é tão linda...

Cecily acariciou o focinho da égua, que ostentava uma mancha como se alguém tivesse deixado cair tinta branca nele.

– Ela parece ter o tamanho perfeito para você e é muito tranquila – acrescentou Bill.

– Eu amei! Ela é realmente minha?

– É, sim, embora você tenha que se cuidar pelos próximos meses – Bill indicou sua barriga. – Não queremos acidentes, não é?

– Não. – Cecily corou. – Não queremos.

Embora Katherine soubesse do bebê, era a primeira vez que Bill mencionava a gravidez abertamente na frente dela.

– A égua ainda não tem nome. – Katherine quebrou o constrangimento mais uma vez. – Você terá que pensar em um, Cecily.

– É verdade. Certo, hora de ir.

– Vou acompanhá-lo até o carro – disse Cecily.

– Não, fique aqui com Katherine. Os últimos dias foram muito cansativos.

Até breve, Cecily – disse ele e, com um aceno breve, caminhou em direção ao paciente Nygasi, que o esperava na picape.

Ele nem me deu um beijo de despedida, pensou Cecily enquanto seguia Katherine de volta à varanda. Ela se sentira tão encorajada pelo presente de casamento perfeito e pelo sorriso maravilhoso que ele lhe dera antes de decolar no avião, mas agora...

– Você está bem, querida? – perguntou Katherine.

– Sim, só um pouco cansada.

– É claro. É uma pena que Bill tenha que partir tão cedo, mas tenho certeza de que ele voltará assim que puder.

– Sim, e eu não devia ficar triste ou fazê-lo se sentir culpado, porque eu sabia, quando ele me pediu em casamento, que esse era o acordo.

– Ora, minha querida, você gosta dele de verdade, não é?

– Acho que sim, mas não tenho ideia do que ele sente por mim.

– Eu sempre soube que Bill tinha sentimentos por você, Cecily. Ficou óbvio quando fomos naquele safári. Era em relação a você que eu não tinha certeza.

– Você está enganada. Acho que ele só me pediu em casamento porque tem bom coração.

Cecily podia sentir as lágrimas ardendo em seus olhos ao ver a picape de Bill finalmente desaparecer de vista.

– Até pouco tempo eu nem sabia que Bill *tinha* um coração, muito menos um bondoso. – Katherine sorriu. – Mas você o mudou, Cecily, de verdade. E o fato de ele estar preparado para aceitar a sua... situação deve ser uma prova dos sentimentos dele por você, não é mesmo?

– Eu... não sei.

– Bem, tudo vai melhorar quando vocês se estabelecerem em sua nova casa. Não deve demorar muito, mas vamos tentar nos divertir enquanto você estiver aqui. Agora, sente-se comigo na cozinha enquanto descasco uns legumes. Bobby também se foi, então vamos fazer companhia uma à outra.

Cecily seguiu Katherine até o hall de entrada, que também servia de sala de estar. À sua esquerda havia um corredor estreito, abrigando um cômodo do tamanho de um armário, que Bobby usava de escritório, e mais adiante uma pequena cozinha com uma mesa de pinho e duas cadeiras. Obviamente a casa inteira estava extremamente arrumada e limpa. Tudo em Katherine era assim.

– Estou surpresa que a sua cozinha não seja separada da casa, como em todas as outras moradias por aqui – comentou Cecily, enquanto observava Katherine descascar algumas batatas.

– Como não tenho empregados para cozinhar para mim, me pareceu absurdo fazer isso. Um dos meus momentos favoritos do dia é quando Bobby se senta exatamente onde você está e nós comemos e conversamos sobre o que fizemos e aonde fomos.

– Nunca aprendi a cozinhar – confessou Cecily. – Você acha que poderia me ensinar?

– É claro que sim, mas tenho certeza de que Bill contratará alguém para fazer isso por você.

– Ainda assim, preciso saber o que fazer para poder orientá-las.

– Sim, você tem razão, embora eu duvide que pessoas como Kiki ou Idina já tenham preparado sequer uma torrada com geleia, muito menos um ensopado de carne – comentou Katherine.

– Bem, não há mal nenhum em aprender. Eu gostaria muito.

– Tudo bem, então – concordou Katherine, entregando a Cecily algumas cenouras e uma faca. – Lição número um – disse ela, sorrindo.

29

Quinta Avenida, 925
Manhattan, Nova York 10021
30 de abril de 1939

Minha querida Cecily,

Seu pai, suas irmãs e eu ficamos muito felizes em receber as fotografias da sua cerimônia de casamento. Você estava linda, querida, e devo dizer que seu Bill é realmente muito bonito. Embora seu querido pai tenha ficado um pouco surpreso com a idade dele, eu lhe assegurei de que foi bom você ter escolhido um marido mais maduro.

Como você deve saber, Jack e Patricia estão agora em lua de mel em Cape Cod. Junie DuPont foi ao casamento e me contou que Patricia não chegava a seus pés em termos de beleza e que o cabelo dela estava muito feio. Ela disse que a recepção parecia um carnaval, sem nenhum refinamento. (Também ouvi rumores de que o banco da família de Jack está à beira da falência. Como Mamie falou, acho que você teve sorte em escapar dele!)

Christabel é uma gracinha e Mamie tem se mostrado uma mãe muito serena. E preciso lhe contar a grande novidade: Priscilla também está esperando um bebê! Seu pai e eu estamos tanto felizes que nossas três filhas estejam casadas, e talvez não demore tanto para você também nos trazer alguma novidade sobre a chegada de mais um neto.

Cecily, mesmo que você diga estar a salvo de qualquer guerra que possa acontecer na Europa, estamos preocupados, querida. Eu só queria que você e Bill viessem para cá até as coisas se acalmarem, mas entendo que o trabalho dele está no Quênia.

Escreva-me e envie minhas lembranças para Kiki e para seu marido.

Com todo o meu amor,

Mamãe

Cecily suspirou profundamente ao ler a carta da mãe e tentou ficar alegre com a novidade sobre Priscilla, mas tudo o que sentiu foi um nó frio de ansiedade enquanto escrevia de volta contando da própria gravidez.

... *Deve nascer em janeiro*, escreveu ela, embora soubesse que acabaria enviando um telegrama muito antes disso para anunciar a chegada do bebê.

– Vou lidar com isso quando chegar a hora – murmurou, colocando a carta dobrada em um envelope.

A boa notícia era que os dias na Cabana Inverness passavam muito mais rápido do que na Casa Mundui. Ela se ocupava ajudando Katherine a plantar uma horta nos fundos da casa e aprendendo a preparar jantares e fazer bolos (o que, após várias tentativas frustradas, convenceu Cecily de que confeitaria nunca seria seu forte). Quando acordava cedo, saía para cavalgar com Belle, sua linda égua castanha, até a fazenda de Bill, a 8 quilômetros de distância, para verificar se os construtores estavam seguindo os planos.

Por consequência, Cecily caía exausta na cama todas as noites. Achava reconfortante a chuva batendo no telhado, mas se preocupava com Bill lá fora, nas planícies, com os rios enchendo e o risco de deslizamentos de terra das montanhas. Quando estava chovendo demais para se sentar do lado de fora e Bobby estava na casa, ele acendia um fogo na pequena grelha e os dois jogavam cartas ou ouviam o Serviço Mundial da BBC no rádio cheio de estática. Essa era, muitas vezes, uma experiência preocupante, pois as notícias continuavam a relatar a situação política na Europa; muitos comentaristas acreditavam que a guerra fosse inevitável, apesar dos vários pactos e alianças que haviam sido formados.

Embora as tensões na Europa nunca deixassem a mente de Cecily, Katherine fazia de tudo para mantê-la em casa. Bobby também saía para acompanhar seu gado, mas conseguia voltar a cada poucos dias para ver a esposa.

Pelo menos, pensou Cecily, enquanto se lavava na banheira de latão que ficava em um quartinho separado da casa, ao lado do sanitário, Bill ia voltar no dia seguinte. Mal acreditava em quanto estava ansiosa para revê-lo. Na manhã seguinte, ela dirigiu com Katherine até Gilgil e foi até um suposto salão de cabeleireiro, que na verdade era um quarto nos fundos de uma cabana. Cecily se retraía de nervoso enquanto a mulher kikuyu cortava seus cabelos.

– Olhe, *bwana*, ficou bom?

Cecily tentou ver seu reflexo no pequeno espelho quebrado e desbotado que a mulher lhe oferecera.

– Sim, tenho certeza de que está bom.

Para Katherine, que havia lhe recomendado a mulher, ela perguntou:

– O que você acha? Ficou horrível?

– De jeito nenhum – Katherine a reconfortou.

– Parece tão curto.

– A boa notícia é que voltará a crescer. Vamos lá, temos que chegar em casa e preparar o jantar para os nossos rapazes.

De volta ao chalé, quando pôde se ver adequadamente em um espelho na parede, Cecily cobriu o rosto com as mãos e soltou um grito. Seus cachos haviam sido cortados e o que restava deles parecia pequenos anéis rentes ao couro cabeludo.

– Eu odiei! Absolutamente odiei! – exclamou Cecily, com os olhos cheios de lágrimas.

– Acho que combina com você.

– Estou parecendo um menino, Katherine! Bill vai detestar, eu sei que vai.

– Ele nem vai perceber – afirmou Katherine, entregando-lhe algumas presilhas. – Bobby nunca repara. Aqui, coloque isso.

Bobby chegou em casa às sete da noite e, de fato, não percebeu que as mulheres haviam cortado o cabelo.

– Ontem esbarrei com Bill nas planícies, Cecily. Ele pediu desculpas, mas vai demorar mais alguns dias. Levou mais tempo do que o esperado para reunir o gado para vacinação, por causa das chuvas.

– Ah.

Cecily não sabia se ficava aliviada, porque ele não veria seu cabelo naquele estado, ou decepcionada. Mas a decepção venceu.

– Vamos tomar uma bebida, que tal? – Katherine serviu a todos um gim da garrafa que Cecily havia comprado em Gilgil para comemorar o retorno de Bill. – Vamos brindar à chegada iminente de seu marido. Saúde!

Demorou mais uma semana até Bill aparecer inesperadamente à porta da Cabana Inverness.

– Olá, Cecily – disse ele enquanto ela se levantava apressadamente, jogando o novelo de lã e as agulhas de tricô em uma cesta ao seu lado.

– Bill! Não sabia que você ia chegar hoje – disse ela, caminhando até ele.

Bill ergueu as mãos.

– Por favor, não se aproxime, Cecily. Estou fedendo a vaca e lama. Vou dar a volta e mandar Nygasi jogar uns baldes de água em mim enquanto me esfrego.

– Aqui tem uma banheira, sabia? – gritou Cecily para as costas dele.

– Banheiras são para meninas – disse ele, piscando, enquanto Nygasi o acompanhava, carregando um balde.

– Bill voltou – contou ela a Katherine, que estava preparando o jantar na cozinha.

– Ótimo. Melhor pegar aquele gim, não é?

Tendo feito isso, Cecily correu para o quarto para escovar os cabelos e aplicar um pouco de batom. Quinze minutos depois, Bill estava de volta, usando uma camisa e calça de linho limpos, parecendo mais ele mesmo.

– Gim? – ofereceu Cecily.

– Obrigado. Saúde – disse ele, bebendo metade do conteúdo do delicado copo de cristal em apenas um gole. – De volta à civilização – comentou ele, enquanto a olhava. – Você cortou o cabelo.

– Sim, e deu muito errado. A mulher em Gilgil acabou com ele.

– Pois eu gostei. E isso vai lhe poupar de ter que voltar à cidade por um bom tempo.

– Se eu soubesse que você chegaria hoje, teria me... bem, me preparado.

– Cecily, minha querida, nunca em minha vida ficaram esperando por mim. Não há necessidade de fazer cerimônia toda vez que eu voltar.

– Olá, Bill. – Katherine sorriu ao sair para a varanda. – Ainda tem gim, Cecily?

Naquela noite, durante o jantar, Bill e Bobby discutiram todas as coisas que precisavam fazer com o gado, enquanto Cecily estava ansiosa para que ela e Bill ficassem sozinhos. Ela também tinha muito que contar.

– Bom, vou me deitar. Por favor, me deem licença – disse Bill, bocejando e dando um tapinha no ombro de Cecily. – Boa noite, minha querida.

Cecily o seguiu para o quarto de hóspedes apenas dez minutos depois, mas Bill já estava roncando suavemente em uma das camas de solteiro. Vestindo sua camisola, embora ela ultimamente dormisse nua, por ser mais confortável, Cecily subiu em sua própria cama, apagou a luz, deitou a cabeça no travesseiro e fez o possível para dormir.

Quando acordou na manhã seguinte, Bill já havia saído.

– Aonde ele foi? – perguntou a Katherine, que sempre acordava bem mais cedo do que ela.

– Para falar a verdade, não sei. Ele e Nygasi saíram na picape cerca de meia hora atrás.

– Ele disse quando volta?

– Não, receio que não. Olhe, acho que você tem que aceitar que Bill viveu sozinho durante toda a vida adulta. Ele está acostumado a ir e vir como bem entende, sem dar satisfações a ninguém. Você devia saber disso quando se casou com ele.

– Ah, sim, claro que sim. Você tem razão – concordou Cecily. – Eu só tenho que aceitar.

– Isso não significa que ele não tenha sentimentos por você. Ele apenas não se acostumou ainda a ter uma esposa, só isso. Além do mais, é a estação das chuvas, que é sempre muito agitada para os fazendeiros.

– Ele foi tão maravilhoso quando nos casamos. Eu só... – Cecily suspirou – ... queria ter um pouco mais de tempo com ele.

– Nada na vida é perfeito, Cecily. E, como meu pai sempre dizia, a paciência é uma virtude. Ele se casou com você, querida, para a surpresa de todos por aqui. E sabendo da sua condição. Pensando na situação em que você se encontrava algumas semanas atrás, acho que deve se sentir abençoada e não ser tão exigente. Agora vou plantar alguns repolhos no jardim antes que a chuva recomece.

Katherine saiu da cozinha e Cecily se sentou, humilhada pelas palavras da amiga. Ela estava certa, é claro: Bill era dono do próprio nariz e ela tinha que aceitar esse fato.

❂ ❂ ❂

Entretanto, isso se mostrou muito difícil quando Bill só apareceu três dias depois, com um leopardo morto esparramado na traseira da picape, as enormes patas amarradas por uma corda ao chassi. Cecily desviou o olhar, odiando a visão da majestosa criatura sem vida diante dela.

– Sinto muito por ter sumido, Cecily – disse Bill ao chegar, entrando na sala de estar por causa da chuva forte. – Eu precisava aliviar a tensão. Vou me secar.

Obviamente, aliviar a tensão significa atirar em animais selvagens, pensou Cecily, sem se atrever a responder.

– Como está indo a casa? – indagou ele à mesa de jantar, uma hora depois.

– Bem, eu acho. O encarregado da obra é um bom sujeito...

– Melhor que seja, ele é meu amigo – comentou Bobby. – Ele vai fazer tudo direito, sem dúvida. Ou vai se ver comigo.

– Que tal irmos lá amanhã e darmos uma olhada, Bill? – sugeriu Cecily.

– Sim, podemos ir – concordou ele. – Tenho algumas coisas a fazer na cidade, mas posso ir com você amanhã à tarde.

– O telhado progrediu desde que você esteve lá, então pelo menos não precisamos nos preocupar com a chuva – incentivou Cecily.

– Que emocionante – disse Katherine. – Com todas as ideias que Cecily teve, a casa vai ficar maravilhosa.

– Espero que sim, embora, com o orçamento apertado, não vá ser nada de luxo.

Quando Bill avisou que estava se retirando para dormir, Cecily imediatamente falou que iria também. A porta do quarto se fechou atrás deles e Bill se despiu, ficando só com as roupas de baixo, e subiu na cama dele.

– Sua barriga cresceu, não cresceu? – comentou Bill, enquanto a observava de camisola.

– Parece que sim. Bill... – começou ela, quando ele estava prestes a desligar a luz da mesa de cabeceira.

– Sim?

– Eu só queria lhe contar que meus pais enviaram algum dinheiro, como presente de casamento. Para nós dois. Então posso ao menos contribuir para mobiliar a casa e com quaisquer custos extras que apareçam.

– Você quer dizer que eles lhe deram um dote? – Bill sorriu. – Muito generoso da parte deles. Bem, não vou dizer que não chega em boa hora, porque chega. Às vezes me pergunto por que vivo de criação de gado; só me causa dor de cabeça e rende pouco, considerando a quantidade de horas que trabalho.

– Talvez porque você ame o que faz?

– Talvez – concordou ele. – Certamente não consigo me ver trabalhando de nove às cinco em algum escritório. Joss me disse que, se a guerra chegar, eles vão querer o maior número possível de homens para ajudar. Ele está pensando em se juntar ao Regimento do Quênia e acho que devo fazer o mesmo, se e quando chegar a hora.

– Você não está velho demais para lutar? – indagou Cecily, assustada.

– Nem tão "velho" assim, mocinha. – Bill a repreendeu.

– Você realmente tem que fazer isso?

– Acho que sim. Não posso ficar quieto nas planícies conversando com os anciãos enquanto a Inglaterra e meus compatriotas estão sob ataque, posso? Enfim, não aconteceu ainda, então vamos esperar para ver. – Bill se virou para o outro lado. – Boa noite, Cecily.

30

Cecily e Bill finalmente se mudaram para a nova casa no fim de junho. Talvez tivesse sido o instinto de criar um lar para os dois que tomara conta de Cecily, mas ela havia passado as últimas semanas escolhendo as cores das paredes e os tecidos para as cortinas (apesar da pouca variedade oferecida pelo armarinho de Nairóbi). Ficou em êxtase quando Bill chegou em casa, no início do mês, e disse que um carregamento de móveis da América havia chegado de navio em Mombaça e seria levado de caminhão para a fazenda na semana seguinte.

Pelo menos, com tudo que tinha a fazer na casa, Cecily notava menos as ausências regulares de Bill; ou ele estava fora cuidando do gado e o levando de volta para as montanhas, agora que a estação das chuvas havia terminado, ou estava caçando ou desaparecia para conversar com seus amigos maasais.

– Preciso trazer alguns deles aqui em algum momento para conhecê-la, Cecily – mencionara ele de passagem. – A maneira como eles vivem é fascinante. Vão aonde seu gado vai e simplesmente reconstroem suas casas a cada vez que se estabelecem em algum lugar.

– Então eles com certeza vão achar a Fazenda Paraíso muito estranha – dissera Cecily.

O nome da fazenda surgira certa noite, quando Bill voltara inesperadamente e eles saíram para ver a casa, que estava quase pronta. Cecily estava sentada nos degraus que levavam à varanda da frente e suspirou, olhando para o vale que se estendia a seus pés.

– Aqui é mesmo o paraíso – comentara ela.

– Como em *Paraíso perdido* – dissera Bill, sentando-se ao lado dela. – É o meu poema favorito; é de John Milton. Já ouviu falar?

– Não, acho que não sou muito boa em literatura inglesa.

– Bem, na verdade esse poema ocupa doze livros e contém dez mil versos.

– Uau, isso não é um poema, é uma história!

– Na verdade, é um épico bíblico, reimaginado por Milton. Segue a história de Satanás, que está determinado a destruir as novas criaturas favoritas de Deus: os humanos. Talvez devêssemos nomear a fazenda de "Paraíso". Pode ter significados diferentes para nós dois.

– Hum, tudo bem, mas espero que você não sinta que realmente perdeu seu paraíso quando nos mudarmos para cá.

– Não se preocupe com isso. O poema que vem depois se chama *Paraíso reconquistado*. – Bill sorriu. – Vamos. – Ele lhe ofereceu a mão e a guiou para fora da varanda. – Vamos deixar o paraíso e voltar aos nossos alojamentos temporários.

Mais tarde, Cecily encomendou com um carpinteiro uma placa em que se lia "Fazenda Paraíso" para pendurar no portão, apenas no caso de alguém ir visitá-los.

– Continuo otimista em relação a isso – disse Cecily a Katherine, que a estava ajudando a pendurar as cortinas na sala de estar.

– É claro que as pessoas virão visitá-los, querida; eles são intrometidos demais para manter distância.

– Então talvez percebam que estou grande demais para menos de três meses de gravidez – comentou Cecily, revirando os olhos.

– Talvez, mas vão apenas pensar que vocês não conseguiram resistir um ao outro antes de se casarem. – Katherine deu de ombros. – Sério, se você vai morar aqui no Vale, ou pelo menos nos arredores, não pode se preocupar com o que as pessoas dizem. De todo modo, os boatos de que Bill jogava no outro time com certeza cessaram.

– O que isso quer dizer?

– Ah, você sabe – sussurrou Katherine –, que ele é homossexual.

– Não! Falavam isso só porque ele nunca se casou?

– Cecily, as mulheres por aqui têm muito tempo livre para pensar besteira. Agora, olhe, terminamos a sala de estar – disse Katherine, descendo da escada para analisar sua obra. – Não está começando a ficar uma graça?

As cortinas balançavam com a brisa do ventilador que havia sido instalado no centro do teto alto da sala, e Cecily olhou em volta, para a mistura surpreendentemente agradável do Quênia e de Nova York que havia criado. Ela pedira aos pais que enviassem todos os seus móveis antigos que estavam juntando poeira no porão da casa na Quinta Avenida, e as robustas peças de mogno deram à fazenda certa distinção. Cecily colocara a chaise--longue e as poltronas de couro ao redor da lareira, com um grande tapete oriental no meio delas. Guardara os livros de Bill nas estantes que ladeavam a sala, e o ar estava tomado pelo cheiro de lustra-móveis.

Ela fazia o possível para não olhar para o tapete de pele de leopardo, no hall de entrada, que Bill trouxera para casa algumas semanas antes.

Cecily empurrou uma das cadeiras de couro para perto da lareira e se imaginou sentada de frente para Bill, ao lado do fogo, tomando gim e conversando sobre o dia.

– Cecily! – Katherine segurou seu braço com firmeza. – Você não está em condições de empurrar nada no momento, muito menos essa cadeira pesada.

– É bom que mulheres grávidas se exercitem, e tenho conseguido até agora. – Cecily deu de ombros. – Espero que Bill goste, embora possa ser civilizado demais para ele.

– Tenho certeza de que ele vai adorar, querida. Eu amei, e invejo o seu banheiro dentro de casa. Bobby me prometeu que teremos recursos para o encanamento na próxima primavera.

– Venha tomar banho aqui sempre que quiser – sugeriu Cecily.

– Eu adoraria, mas chegaria em casa morrendo de calor e empoeirada!

Alguns dias depois, Bill retornou. O plano era que ele fosse para a Cabana Inverness, como sempre, onde Katherine diria que Cecily estava na Fazenda Paraíso arrumando a mobília que chegara de navio da América. Cecily espiou pelas cortinas para ver a picape de Bill se aproximando e parando na frente da casa. Pegando duas taças de champanhe, ela caminhou até a porta e esperou que ele entrasse.

– Olá? – chamou ele, ao abrir a porta.

– Estou aqui, Bill, bem aqui.

– Graças a Deus! – A testa de Bill estava enrugada de preocupação. – Não entendi o que você estava fazendo sozinha aqui na fazenda a esta hora.

– Estou ótima – comentou ela, entregando a Bill a taça de champanhe. – Bem-vindo à Fazenda Paraíso.

– O quê? – Bill olhou em volta, para a entrada recém-mobiliada. – Está dizendo que se mudou?

– *Nós* nos mudamos, sim! Venha conhecer a sala primeiro.

Bill aceitou o champanhe e permitiu que Cecily fizesse uma visita guiada pela casa. Ela havia posto um arranjo de flores frescas em cada um dos quatro quartos e pendurado fotografias e pinturas, para dar a aparência de um lar, com gente morando.

– É aqui que mamãe, papai e minhas irmãs poderão ficar – disse ela, quando entraram nos dois quartos de hóspedes, onde as camas já estavam arrumadas.

O banheiro principal estava brilhando e apresentava uma banheira com pés em garra e torneiras de latão polido, enquanto a cozinha nos fundos da casa já havia sido abastecida com comida.

– Meu Deus, isto agora é uma casa de verdade. – Bill parecia confuso enquanto a seguia. – Preciso confessar que você fez um trabalho extraordinário. O único problema é que vou ter medo de entrar com as minhas roupas sujas e espalhar poeira em todo esse chão polido.

– Ah, não se preocupe com isso. – Cecily sorriu enquanto o guiava de volta para a sala e enchia de novo as taças de champanhe. – Todos esses móveis são muito antigos; minha mãe estava prestes a se livrar deles quando pedi que os enviasse de navio. Bem, você está com fome?

– Você sabe que estou sempre com fome, Cecily – respondeu Bill, admirando as fotos nas paredes. – Quem é aquela? – perguntou, olhando para uma pequena pintura a óleo de uma garotinha.

– Ora, sou eu! Acho que tinha uns 4 anos na época. Mamãe chamou um artista para pintar todas as filhas para a posteridade.

– Não parece nada com você, é muito mais bonita agora. Certo, vamos voltar para jantar com Katherine e Bobby?

– É claro que não! Esta é a nossa casa agora. E preparei o jantar para nós dois. Por que você não vai se lavar enquanto sirvo a comida na sala de jantar?

– Boa ideia – concordou Bill, e Cecily sorriu enquanto caminhava até a cozinha.

Bill parecia hipnotizado e ela esperava que isso fosse um bom sinal.

– Não vou mais poder ficar andando por aí de ceroulas – disse Bill, enquanto ela servia o rosbife na mesa redonda, altamente polida, que colocara em um canto da sala de estar. – Acho que vou ter que ir à cidade encomendar umas roupas mais formais, se vamos jantar aqui regularmente. Isso está com uma cara ótima, Cecily. Eu não tinha ideia de que você sabia cozinhar.

– Tem muita coisa que você não sabe a meu respeito, Bill – retrucou ela, sorrindo para o marido de maneira sedutora.

Sua euforia por finalmente se mudar para a própria casa, combinada com a taça de champanhe, a encorajara.

– Sem dúvida você tem razão – concordou ele. – E a comida está uma delícia. Um brinde a você. – Bill levantou a taça. – Realmente criou algo incrível. Acho que agora vou ficar tentado a voltar para casa com mais frequência.

– Eu ia gostar – afirmou ela. – Ah, e esqueci de lhe mostrar o escritório no fim do corredor. Não é um cômodo grande, mas coloquei a velha mesa de trabalho do meu pai lá dentro, junto com uma estante, então agora você tem um lugar para ficar e ter um pouco de paz e sossego enquanto estiver trabalhando.

– Acho que você pensou mesmo em tudo. Onde fica o quarto do bebê?

Cecily corou, como sempre acontecia quando Bill mencionava o bebê. O quarto era um cômodo compacto ao lado do quarto do casal, que ela não havia mostrado a ele de propósito.

– Cecily, por favor, não fique envergonhada. Eu sabia o que estava fazendo quando pedi que se casasse comigo.

– Eu sei, mas... você tem sido tão compreensivo, e deve ser horrível para você...

– De modo nenhum. Vejo isso como um bônus; no mínimo, ele ou ela lhe fará companhia enquanto eu estiver fora. Cecily, por favor, não chore.

Bill largou a faca e o garfo, vendo os olhos da esposa se encherem de lágrimas.

– Desculpe, estou exausta depois de fazer tudo isso.

– E agora estou envergonhado por não ter vindo ajudá-la. Tome – disse Bill, enfiando a mão no bolso da calça e retirando um lenço branco. – Use isso.

A atitude de Bill imediatamente lembrou Cecily de um momento em que Julius fez exatamente a mesma coisa, e logo surgiram mais lágrimas nos seus olhos.

– Ora, Cecily, você não devia estar chorando em nossa primeira noite na Fazenda Paraíso – comentou ele gentilmente.

– Não, mas... – Ela assoou o nariz e balançou a cabeça. – Não ligue para mim, já passou. Diga, onde você esteve nos últimos dias?

Mais tarde, depois que Bill a ajudou a empilhar os pratos sujos na pia e eles discutiram sobre contratar uma empregada kikuyu para ajudá-la com a casa, Cecily vagou pelo seu novo lar, apagando as luzes. Ficou parada na sala escura, olhando pela janela para as planícies iluminadas pela lua.

– Por favor – sussurrou ela –, que sejamos felizes aqui.

❁ ❁ ❁

Durante um ameno mês de julho, Cecily sentiu o bebê chutando, a força dos movimentos fazendo sua barriga ondular. Apesar do efeito dramático que o bebê provocara em sua vida, ela descobriu que estava ficando cada vez mais empolgada por conhecer a criança. E se tornar mãe. Pelo menos isso significaria ter alguém por perto. Alguém a quem ela pertencesse, e que pertenceria a ela. Sentia que tinha muito amor para dar e, pela primeira vez em sua vida adulta, sentia que o amor poderia ser oferecido livremente, sem medo.

Kiki havia telefonado recentemente para convidá-la para um safári.

– Os gnus cruzarão o rio Mara aos milhares. E os crocodilos estarão esperando logo abaixo, para caçar suas presas. É um espetáculo e tanto – explicara ela.

Cecily gentilmente lhe lembrara que já estava com seis meses de gravidez.

– Ah, querida, a gravidez é uma desmancha-prazeres – comentara Kiki, antes de desligar.

Bill vinha fazendo um esforço para passar mais tempo em casa, mas ela ainda ficava dias sem vê-lo; ele estava ainda mais ocupado do que o normal, gastando a maior parte de seu limitado tempo livre em Nairóbi, participando de reuniões com Joss e vários militares. Os rumores da guerra na Europa haviam escalado para um rugido que podia ser ouvido até no Wanjohi Valley, e Cecily se preocupava em silêncio com a afirmação de Bill de que se juntaria ao Regimento do Quênia se a guerra se tornasse realidade.

Enquanto passava os dias sozinha, limpando uma casa já limpa, tricotando casacos, sapatinhos e chapeuzinhos para o bebê, ela tentou aceitar o fato de que Bill a considerava mais companheira do que esposa ou amante. Desde que se mudaram para a Fazenda Paraíso, Bill dormia em um dos quartos de hóspedes, em vez de compartilhar com ela a cama do quarto de casal. Cecily tentou se consolar pensando que aquele arranjo tinha a ver com a gravidez e que ele estava apenas sendo um cavalheiro, mas nunca conseguia se convencer completamente.

Somos apenas conhecidos que dividem a mesma casa, pensou ela certa noite, enquanto apagava a luz e se arrastava para a cama.

Afinal, ele nunca tentara beijar nenhuma outra parte dela, exceto a mão, além dos beijos suaves no dia do noivado e no dia do casamento. Cecily se acostumara a reprimir o desejo natural de ser tocada, dizendo a si mesma que deveria ser grata por eles se darem tão bem. Raramente ficavam sem assunto. Bill sabia um pouco de tudo, em especial de sua nova pátria e a guerra...

– Meus pais querem nos visitar depois que o bebê nascer – avisou Cecily, com um suspiro, certa noite durante o jantar.

– Bem, eles não devem ter muitas expectativas, nem você. A inteligência britânica diz que os alemães se aliaram até aos *ruskis*, os russos. Alguma coisa está acontecendo por lá, pode acreditar. Provavelmente estão decidindo como pretendem dividir o resto da Europa entre eles.

– Quando você acha que tudo vai começar a acontecer de verdade?

– Quem sabe? – Ele suspirou. – Todos os governos da Europa estão fazendo o possível para evitar a guerra, mas já há um notável acúmulo de tropas ao longo da fronteira alemã com a Polônia.

– Sinto tanto a falta dos meus pais.

Cecily suspirou e então percebeu que nunca perguntara a Bill sobre os pais dele.

– Ah, eles estão escondidos a salvo em um condado inglês chamado Gloucestershire. Por enquanto, pelo menos.

– Mas e se houver guerra e a Inglaterra for invadida?

– Vamos torcer para que isso não aconteça, querida, mas, como meu pai era coronel do Exército, tenho certeza de que adoraria se sentir importante novamente.

– Não entendo por que os homens parecem amar tanto a guerra.

– A maioria dos homens não ama, quando se dá conta da medonha realidade, mas a ideia da guerra certamente traz o patriotismo à tona. Perguntei aos meus pais se eles gostariam de vir para cá ficar conosco. Estamos relativamente seguros aqui, embora estejam começando a posicionar tropas ao longo da fronteira da Abissínia. O problema é que não temos ideia de para onde os bandidos vão mirar seus interesses em seguida. Parece que Hitler está recrutando seu Exército há anos, e nós devemos recuperar o atraso.

– Você faz parecer que perdemos antes mesmo de termos tentado!

– É mesmo? Sinto muito por ser tão pessimista, mas todas as informações militares que estão chegando ao QG em Nairóbi indicam que Hitler está quase pronto para executar seu plano de dominação mundial.

– Podemos muito bem sair daqui e ficar com minha família em Nova York – sugeriu Cecily novamente. – Sair enquanto há tempo.

– Cecily, você sabe que não posso simplesmente abandonar o barco, por assim dizer. E você não está em condições de voar – lembrou Bill. – Como está se sentindo?

– Estou bem, obrigada – disse Cecily, embora na verdade, nos últimos dias, estivesse experimentando uma série de dores de cabeça e seus tornozelos parecessem mais os de um elefante do que os de um ser humano. – Posso pegar a sobremesa?

❂ ❂ ❂

O mês de agosto no Quênia trouxe consigo um calor seco e sufocante, que fez Cecily implorar para que as chuvas chegassem. Ela também se achava menos ágil, o que significava ficar presa em casa, sozinha, a maior parte do tempo.

Bill voltou inesperadamente certa tarde e encontrou a esposa deitada na cama, dormindo profundamente, com as persianas fechadas para manter o brilho do sol de fora.

– Aí está você. Tentei telefonar, mas você não deve ter ouvido. Eu trouxe convidados – disse ele, sem cerimônia, saindo do quarto enquanto ela tentava despertar.

Quando entrou na sala de estar, Cecily ficou assustada com o que viu. Três maasais inacreditavelmente altos e majestosos estavam empoleirados na beira do sofá.

– Ah, Cecily! Venha conhecer Leshan. – Bill apontou para um dos homens enfeitados com joias de prata e miçangas, os lóbulos das orelhas esticados e adornados com o que pareciam ser presas gigantes. – Ele é o chefe do clã ilmoleliano e um grande amigo meu – prosseguiu Bill. – E esses são seus *morans* de confiança – apresentou Bill, gesticulando para os outros dois homens sentados no sofá, suas lanças encostadas na parede ao lado. – Os guerreiros mais famosos do Quênia. Será que temos alguma coisa para comer? Vou servir uma rodada de gim.

– Claro. – Cecily saiu da sala e Bill a seguiu até a cozinha, onde ela se voltou para ele. – Bill, eu gostaria que você tivesse me avisado que íamos receber visitas.

– Tentei telefonar, como eu falei, mas você estava dormindo. Não se preocupe, Leshan e seus homens não estão esperando muita coisa. É uma verdadeira honra eles terem vindo visitar nossa nova casa.

– É claro.

Cecily suspirou e começou a fazer sanduíches para seus estranhos convidados, enquanto Bill voltava à sala com uma garrafa de gim e seus melhores copos de cristal.

Segurando a bandeja de sanduíches, Cecily foi se juntar a eles, sentindo uma dor de cabeça começar a se formar logo atrás dos olhos.

❂ ❂ ❂

Cinco dias depois, Katherine chegou à porta da Fazenda Paraíso, mas não recebeu resposta à sua batida.

– Cecily? – chamou ela, abrindo a porta e entrando no hall.

– Sim, aqui... – veio uma resposta fraca do quarto.

Katherine caminhou pelo corredor, deu uma batidinha à porta e a abriu. O quarto estava um breu, as persianas impedindo a entrada da luz do dia. Ela fez menção de abrir uma das persianas.

– Por favor, não! Estou morrendo de dor de cabeça.

– Pobrezinha. Começou hoje?

– Está indo e voltando desde a semana passada, mais ou menos, e só piora... Ah, Katherine, estou me sentindo tão mal...

– Onde está Bill?

– Não sei, ele saiu ontem, ou hoje de manhã...? Eu só queria que a minha cabeça parasse de doer tanto.

– Certo, vou ligar para o Dr. Boyle imediatamente e pedir a ele que venha dar uma olhada em você.

– Por favor, não se preocupe. Tomei mais uma aspirina e tenho certeza de que logo vai fazer efeito...

Katherine a ignorou e foi até o hall ligar para o Dr. Boyle. Sua esposa, Ethnie, atendeu depois de alguns toques. Katherine explicou a situação e ouviu um longo suspiro no outro extremo da linha.

– Você acha que é sério? – perguntou Katherine.

– Dores de cabeça muito fortes podem ser sinal de pressão alta, o que é muito preocupante em uma mulher a poucas semanas de dar à luz. Você sabe se os tornozelos dela estão inchados? – perguntou Ethnie.

– Estão, sim. Na última vez em que estive aqui, eu a vi mergulhá-los em uma tigela de água fria.

– Vou pedir a William que vá vê-la, mas, Katherine, seria muito melhor se você pudesse trazê-la a Nairóbi. Ela pode precisar de tratamento hospitalar urgente.

– Não sei como a levaríamos. – Katherine mordeu o lábio. – Vim até aqui a cavalo, e Bill está com a picape.

– Bem, veja se há mais alguém por perto que possa lhe emprestar um carro e me avise. Vou falar com William e deixá-lo de prontidão para encontrá-la no hospital.

– Obrigada, Ethnie.

Katherine imediatamente pegou o telefone de novo e ligou para Alice; ela tinha retornado de um safári no Congo havia pouco tempo.

– Ai, Alice, graças a Deus – disse Katherine, ofegando. – O Dr. Boyle quer que Cecily vá para o hospital de Nairóbi o mais rápido possível e não temos transporte. O seu DeSoto está disponível?

– Claro, e vou mandar Arap, meu motorista, imediatamente. Se eu puder ajudar em mais alguma coisa, é só me ligar.

– Obrigada, Alice.

– Pobrezinha. Mande um beijo para ela.

– Pode deixar.

Katherine voltou para o quarto, onde podia ouvir a respiração irregular de Cecily. Abrindo as persianas para que pudesse ao menos enxergá-la, Katherine andou na ponta dos pés em direção à cama e viu que os olhos de Cecily estavam fechados. Puxando o lençol, que parecia estar ensopado, Katherine deu outra olhada nos tornozelos de Cecily. Sem dúvida, eles estavam muito inchados. Engolindo em seco para tentar conter o pânico, Katherine foi até o guarda-roupa no canto do quarto para pegar algumas peças de algodão e um par de sapatos; em seguida foi até a cômoda e pegou roupas íntimas limpas.

A gaveta superior estava cheia de minúsculos chapéus, sapatos e casacos de tricô, todos embrulhados em papel de seda. E todos feitos por Cecily.

Ao vê-los, Katherine sentiu um nó na garganta, enquanto recolhia roupas íntimas da gaveta de baixo e olhava para a amiga, que se remexia inquieta no travesseiro.

– Amado Deus – sussurrou Katherine, enquanto puxava a mala de Cecily de debaixo da cama –, por favor, que ela e o bebê fiquem bem.

31

– Receio que a condição dela seja muito grave – disse o Dr. Boyle, que fora encontrar Katherine na sala de espera do Native Civil Hospital, três longas horas depois. – Podemos conversar em outro lugar?

O Dr. Boyle conduziu Katherine por um corredor estreito. O calor era sufocante e ela ficou aliviada quando ele abriu a porta para um escritório, onde um ventilador soprava ar fresco a todo vapor.

– Meu Deus! – exclamou Katherine, com lágrimas nos olhos.

Não que as palavras do médico fossem uma surpresa; Cecily gritara de dor quando Katherine a tirara da cama para vesti-la e levá-la ao DeSoto de Alice. No fim, o motorista tivera que carregar Cecily da cama e acomodá-la o mais cuidadosamente possível no banco de trás, onde Katherine havia colocado um cobertor e um travesseiro.

– Meus olhos, meus olhos... a luz é tão forte... – gemera Cecily, apoiando o antebraço frouxamente sobre os olhos. – Onde estamos? O que está acontecendo? Onde está Bill? – perguntara ela quando o carro começou a atravessar a estrada que levava a Nairóbi.

Katherine nunca ficara tão agradecida por chegar a qualquer lugar antes. Cecily gemera de agonia durante quase todo o percurso, dizendo a Katherine que sua cabeça estava prestes a explodir, que ela não conseguia enxergar direito e que as dores no estômago eram insuportáveis.

– O que ela tem? – perguntou Katherine.

– Acreditamos que ela tenha uma condição chamada pré-eclâmpsia. Você já tentou entrar em contato com Bill?

– Liguei para o Muthaiga Club e para o quartel-general do Exército britânico, antes de sair, mas disseram que não o viram hoje. Ele pode estar em qualquer lugar nas planícies, Dr. Boyle. Pode demorar dias para voltar.

– Entendo. Então temo que seja você a decidir por sua amiga. Para salvar

Cecily, devemos operar imediatamente e retirar o bebê. Como você sabe – disse ele, baixando a voz –, Cecily ainda tem quase oito semanas da gravidez pela frente, por isso é um risco enorme para a vida da criança tirá-la tão cedo. No entanto, se não fizermos isso...

– Entendo o que o senhor está dizendo. – Katherine cobriu o rosto com as mãos, sentindo como se a espada de Dâmocles estivesse pairando sobre ela. – Se o senhor não operar para tirar o bebê, quais são as chances de ele sobreviver?

– A mãe e o bebê quase certamente morrerão. Pelo menos dessa maneira há uma chance de salvar um deles. Só que não há garantias, e é importante que você esteja ciente dos riscos.

– Então... é claro que o senhor deve operar.

Katherine viu outro homem entrar no consultório, todo vestido de verde, o que indicava um cirurgião.

– Muito bem. Esse é o Dr. Stevens, que chegou recentemente do Guy's Hospital em Londres e é bem versado neste procedimento em particular.

– Prazer em conhecê-la – disse o Dr. Stevens, dando um passo à frente e apertando a mão de Katherine. – Vou fazer o que puder pelos dois.

– Obrigada.

– Agora, devo começar a trabalhar.

Ele deu um breve sorriso e saiu da sala.

– Ah, meu Deus. – Katherine balançou a cabeça. – Que escolha terrível para se fazer.

– Eu sei, minha cara. É hora de confiar naquele Deus que seu pai tanto ama. Eu tentaria entrar em contato com Bobby, se fosse você. Pode demorar para recebermos mais notícias.

❁ ❁ ❁

De fato, demorou. Katherine andou de um lado para outro na claustrofóbica sala algumas centenas de vezes antes que Bobby finalmente chegasse.

– Meu Deus! – exclamou ela, correndo para ele e mergulhando em seu abraço. – Estou tão feliz de te ver.

– Pronto, pronto. Vim assim que recebi a notícia. Como ela está?

– Ninguém me contou nada – explicou Katherine. – Não tenho notícias há horas.

– Ele está lá atrás? – perguntei.

– Sim, mas...

Atravessei o salão e abri a porta marcada como "Privativo", onde Stefano e eu havíamos compartilhado inúmeras carreiras de cocaína durante o longo e monótono processo de fazer meus cabelos ficarem lisos.

E lá estava ele, "pulverizando" o nariz.

– Electra! *Cara mia*, o que está fazendo aqui? – indagou ele, levantando-se e me beijando duas vezes no rosto. – Não temos hora marcada hoje, temos?

– Não, não temos, mas eu queria saber se você tem à mão alguma máquina de cortar cabelo...

Meia hora depois, saí pela porta dos fundos com 1 centímetro de cabelo na cabeça, isso já sendo bem generosa. No começo, Stefano se recusou a fazer o que eu queria, mas, depois de eu ameaçar tentar sozinha, ele me fez um fantástico corte raspado dos lados e um pouco maior em cima. Stefano quis finalizar com cremes e um pente especial, mas não permiti. Só queria que fosse natural.

– Nossa! – exclamou Mariam, levando a mão à boca, quando entrei no banco de trás do carro ao lado dela.

Ela era uma péssima atriz – tudo o que sentia transparecia em seu rosto.

– Então, além do susto, o que você acha da nova Electra?

– Eu... Falando sério?

– Falando sério.

Mariam me avaliou com seu olhar perceptivo e crítico. Depois de algum tempo, assentiu e me deu um grande sorriso.

– Achei incrível!

Ela levantou a mão para me dar um *high-five*.

– Imagina quantas horas da minha vida vou economizar com o cabelo assim. Horas perdidas, Mariam. Vamos apenas dizer a Susie que, a partir de agora, se necessário, vou usar perucas. Tenho uma reunião dos AA em trinta minutos, em Chelsea, então vamos para lá, mas antes quero parar para comer alguma coisa no caminho.

No carro, a caminho de casa, depois da reunião, Mariam virou-se para mim.

– Electra, teria algum problema se eu fosse para casa hoje à noite? Eu... preciso ver minha família.

– Claro! Não quero ficar prendendo você.

– Vou estar com o celular, se precisar de mim, e consigo chegar à sua casa rapidinho. É só o fim de semana.

Concordei, sentindo-me culpada por tê-la mantido longe da família. Quando chegamos ao meu prédio, fiquei satisfeita ao ver que Tommy havia retomado o seu posto habitual. Mariam passou direto por ele, com não mais do que um "olá", mas eu parei para uma conversa.

– Oi, Tommy. Não tive a chance de lhe agradecer de novo por ter me ajudado, e à Mariam, naquela noite, quando eu... passei mal.

– Electra, você sabe que eu faria de tudo por você.

Tommy abriu um sorriso, mas pude ver a tristeza em seus olhos.

– Escute, se tiver alguma coisa, *qualquer* coisa, que eu possa fazer por você, Tommy, por favor, me diga, ok?

– Obrigado. E eu adorei seu novo corte de cabelo.

– Obrigada.

Quando entrei no elevador, decidi que ia assistir a todas as minhas reuniões dos AA em Chelsea, a partir daquele momento. A última coisa que eu queria era perder Tommy como amigo, e eu sabia que ele ficaria desconcertado se descobrisse que ouvi sua confissão.

Sentada no sofá da sala, vi que havia uma ligação perdida de Miles no meu celular, então liguei de volta.

– Oi. Está tudo bem com Vanessa? – perguntei.

– Ida ligou mais cedo. Vanessa está indo bem.

– Ótimo. E como você está?

– Estou bem. É meio estranho voltar ao trabalho e não poder falar com ninguém sobre toda a confusão que eu... que *nós* enfrentamos recentemente.

– E eu não sei? Fiz minha primeira sessão de fotos hoje, e foi estranho estar tão... *presente*, sem tomar nada para me distrair.

– É... Olhe, tenho que desligar. Um cliente deve chegar logo e estou todo atrapalhado aqui no escritório.

Miles desligou, e eu me levantei e saí para a varanda. Inclinei-me sobre a balaustrada de vidro e olhei lá para baixo, para Nova York; pela primeira vez desde que chegara em casa, me senti triste. Talvez fosse porque o fim de semana estava chegando. Normalmente, eu estaria em trânsito, o que achava ótimo, porque era nos fins de semana que as pessoas de sucesso iam para suas casas de campo passar tempo com suas famílias e amigos.

– Oi, Electra – disse Mariam atrás de mim. – Deixei uma sopa de lentilhas e um pouco de salada na geladeira para o seu jantar de hoje.

– Obrigada.

– Ah, você ligou de volta para aquela terapeuta que Fi recomendou?

– Sim.

– E...?

– Depois de Fi, ela não me pareceu a pessoa certa.

– Entendo, Electra, mas precisa encontrar alguém aqui em Manhattan. Essa é a terceira com quem você fala e diz que não gostou. Talvez devesse tentar ver alguma pessoalmente? Ver como é de perto?

– Talvez, mas só não quero escolher a pessoa errada e ela estragar minha cabeça, sabe? Estou bem agora, Mariam. E tenho muitas pessoas com quem conversar, se for preciso.

– Tudo bem. Não quero ser chata, só fico preocupada.

– Eu sei, e você tem sido incrível, Mariam.

– Precisa de mais alguma coisa antes de eu ir?

– Não. Vá para casa ver sua família.

– Se você tem certeza, porque...

– Absoluta. Tenho que aprender a viver sem uma babá, não é?

– Se precisar de mim, dia ou noite, basta ligar. Promete?

– Prometo. Mariam, agora, por favor, vá para casa!

– Estou indo. Obrigada, Electra, tchau.

– Tchau.

A porta se fechou atrás de Mariam e, pela primeira vez em cinco semanas, fiquei sozinha.

– Você vai à academia, levantar alguns pesos, depois vai jantar e ir para a cama assistir a algum filme – disse a mim mesma, tentando conter o pânico.

Então, fui à academia, tomei um banho, comi o que Mariam me deixara para o jantar e, em seguida, fui para a cama e liguei a TV. Parecia haver apenas coisas sobre guerra de gangues ou séries médicas, e não achei que seriam adequadas para minha primeira noite sozinha. Tentei me concentrar em uma comédia romântica, depois em um filme francês, do qual eu normalmente gostaria, mas que era tão noir que me desconcentrei e resolvi verificar meus e-mails no notebook. Fiquei emocionada ao ver que havia uma mensagem longa e interessante de Tiggy. Estava escrita em francês, então fiquei feliz de ter acabado de assistir a quarenta minutos do filme noir como aquecimento.

Chère Electra,

Que maravilha receber uma carta sua (ou, de fato, uma carta de qualquer pessoa, hoje em dia), especialmente aqui, no meio do nada. Com o sinal da internet tão instável, sinto-me muito isolada, o que tem seus prós e contras. Mas tudo na vida é assim, não é?

Enfim, hoje o sinal está bom, então estou sentada do lado de fora, a uma mesa de piquenique, olhando para um vale que, neste exato momento, está assumindo um tom glorioso de roxo.

A primeira coisa que eu queria lhe dizer é que sou sua irmã e, mesmo que tenha sido gentil da sua parte pedir desculpas, era totalmente desnecessário. Não me lembro de nada que você já tenha feito ou dito que justificaria um pedido de desculpas – todo mundo me acha "meio esquisita", então realmente não é problema! –, mas foi muito bom ter notícias suas.

Ma me contou um tempo atrás que você decidiu se tratar e, sinceramente, Electra, tenho muito orgulho de você. É muito difícil pedir ajuda, não é? Mas dar esse passo é o mais importante. Não sei se você já voltou para casa – não falo com Ma ou com Maia há algum tempo, pois estive muito ocupada –, mas, onde quer que esteja, só quero lhe enviar um abraço bem apertado e dizer que estive pensando em você todos os dias, e orando daquele meu jeito que você conhece. Eu sei que não gosta muito dessas coisas "sobrenaturais", como sempre chamava, mas só posso dizer que sinto que você tem muita proteção e que vai sair dessa experiência difícil uma pessoa melhor, mais forte e mais bonita do que nunca.

Quanto a mim, acho que nunca fui tão feliz! Talvez Ma tenha lhe contado que tive alguns problemas de saúde recentemente e, embora não vá poder atravessar o lago Genebra a nado tão cedo, se eu me cuidar e não exagerar, devo viver ainda muitos anos.

Não é incrível como há males que vêm para o bem? Fora a minha saúde (e um tiro acidental que soa muito mais dramático do que de fato foi, mas conto a respeito em outra ocasião), eu conheci O Amor da Minha

Vida. É um pouco clichê, porque ele é médico e especializado em coração, que é a minha parte problemática. O nome dele é Charlie Kinnaird e tenho vergonha de dizer que ainda é um homem casado, com uma esposa que você chamaria de demoníaca! Ela é uma mulher muito difícil, mas a boa notícia é que ele também tem uma filha chamada Zara, que parece um anjo! Ela tem 17 anos e atualmente está estudando agricultura na faculdade, pois um dia vai gerenciar mais de 16 mil hectares de espetaculares terras escocesas (Charlie é um laird, o equivalente escocês de lorde, mas ele não liga para o título). Ele acabou de mudar de hospital para poder ficar mais perto de mim e de Zara e resolver os problemas da propriedade, que demanda mesmo muito tempo e bastante investimento em dinheiro. Enfim, está tudo meio confuso no momento, mas, ironicamente, enquanto estou sentada aqui, olhando para o vale, sinto-me feliz, porque sei que encontrei a pessoa com quem quero passar o resto da minha vida. E tenho a sorte de fazer isso no cenário mais lindo que poderia imaginar.

Além disso, gostaria de saber se você já abriu sua carta de Pa Salt. Eu abri a minha e ela me fez percorrer os caminhos emaranhados do meu passado. E, bem, se você acha que eu sou um pouco "sobrenatural", deveria conhecer Angelina, a minha prima de 70 anos! Acontece que sou descendente de ciganos romani da Andaluzia, o que já explica bastante a minha personalidade e as coisas estranhas que sempre vi e senti. Quando as coisas se acalmarem um pouco por aqui, pretendo explorar esse meu lado ainda mais, e já estou trabalhando com o veterinário local, pondo em prática o que Angelina me ensinou sobre cura e tratamentos naturais nos cuidados com os animais. Decidi que também gostaria de ajudar os humanos com o meu dom, mas, por enquanto, um passo de cada vez.

De qualquer forma, querida irmã, espero que você não tenha se esquecido de nossa viagem no Titan *para deixar uma coroa de flores no aniversário da morte de Pa; todo mundo já confirmou, até Ceci, que você já deve ter ouvido falar que se mudou para a Austrália. Tenho um pressentimento de que é muito importante que todas nós estejamos lá – não só para deixar a coroa. Você pode avisar a mim, a Ma e a Maia se poderá mesmo ir? Não acredito que já vai ser este mês!*

Bem, isso é tudo por enquanto, mas adoraria ter mais notícias suas, se você tiver a chance de me mandar um e-mail. Vou enviar isso agora antes que o sinal desapareça.

Todo o meu amor para você, Electra, e mal posso esperar para vê-la em Atlantis.

Tiggy

Sorri ao reler o e-mail, apenas para ter certeza de que não havia perdido nenhum detalhe, e me senti genuinamente feliz por Tiggy ter encontrado uma vida que combinava com ela. Como eu tinha o fim de semana inteiro para responder, decidi que deixaria para escrever na manhã seguinte, com a mente mais clara. Eu não era boa em cartas – ou qualquer outra coisa escrita –, mas aquele longo e-mail merecia uma resposta decente.

Pensar que o aniversário de morte de Pa estava chegando me lembrou da esfera armilar que chegara misteriosamente ao jardim em Atlantis, após a morte dele. As faixas tinham sido gravadas com nossos nomes e alguns números que, segundo Ally, eram as coordenadas dos lugares onde havíamos nascido. Também havia uma citação em grego para cada uma de nós. Ally me entregara os detalhes a meu respeito em um envelope, mas eu não lembrava onde o havia guardado.

Por impulso, decidi ligar para Ally. E então, na hora em que percebi que devia ser umas duas horas da manhã na Europa, ela atendeu.

– Electra? Você está bem?

– Oi, Ally. Sim, estou bem, muito bem. Eu já ia desligar; me esqueci da diferença de fuso na Noruega.

– Ah, não se preocupe. Ultimamente estou sempre trocando a noite pelo dia. Os dentes de Bear estão nascendo, e até a minha energia lendária está sendo totalmente consumida.

– Sinto muito, Ally. Deve ser difícil cuidar de uma criança sozinha.

– É mesmo – confirmou Ally. – E solitário, especialmente a essa hora da noite.

Uau, pensei, erguendo uma sobrancelha que ela não podia ver. Aquela era uma das poucas vezes que ouvi Ally admitir não ser uma supermulher.

– Bem, eu estou aqui, fazendo companhia e mandando um grande abraço para vocês dois.

– E eu agradeço muito. De verdade, Electra. Estava pensando em ir para Atlantis mais cedo. Maia ligou para dizer que vai chegar um pouco antes, e eu bem que preciso da ajuda de Ma com Bear, também conhecida como "Grand-Mère". Não me lembro da última vez que dormi mais que umas duas horas seguidas.

– Acho ótimo, Ally.

– Enfim... – ela limpou a garganta –, você ligou apenas para conversar?

– Em parte. Recebi um e-mail de Tiggy, e queria perguntar se você ainda tem minhas coordenadas da esfera armilar.

– Claro que tenho. Por quê?

– Acho que perdi o envelope que você me deu e... Bem, tive tempo para pensar, durante a reabilitação, e...

– Você decidiu que quer saber de onde vem – completou Ally, muito gentilmente, quando um grande berro ecoou do outro lado da linha. – Só um minuto – disse ela, e eu ouvi alguns sussurros e uma espécie de ruído de sucção. – Certo, vou pegar meu notebook.

– Tudo bem – respondi, percebendo que meus batimentos cardíacos estavam acelerando enquanto esperava.

– Então... Estou abrindo o arquivo agora... Ok, aqui está. Você pode anotar?

– Sim, claro.

Ally leu as coordenadas, e eu anotei. Olhei para o conjunto de números.

– Obrigada. E o que tenho que fazer agora?

– Ok, entre no Google Earth, e no lado esquerdo deve ter uma caixinha de pesquisa. Digite os números lá. Eles estão em graus, minutos e segundos. Então dê um zoom no local indicado pelas coordenadas.

– Ótimo – falei. – Obrigada.

– Electra, você vai procurar as coordenadas agora?

– Sim, por que não?

– É que... é uma coisa importante, não é, descobrir de onde você é? Tem alguém aí com você?

– Não, mas... – Um pensamento me ocorreu. – Ally, você sabe de onde eu vim?

– Bem, quando vimos a esfera armilar pela primeira vez, chequei todas as coordenadas rapidamente, só para saber se estavam certas, mas, para ser sincera, só tenho uma ideia geral da sua.

– Ok, então você não está preocupada porque vou descobrir que é um lugar ruim ou algo do tipo?

– Ai, Electra, as coisas não são simples assim: "boas" ou "ruins"... Minhas coordenadas deram em um museu em Oslo, construído em um antigo teatro onde um antepassado meu se apresentava. Descobrimos que Thom e eu nascemos no hospital de um lugar chamado Trondheim, na Noruega. Algum tempo depois, fui adotada por Pa.

– Certo. E nenhuma de nós sabe por que ele *nos* escolheu? Pelo menos era isso que ele sempre dizia: que *tinha* escolhido cada uma de nós, especificamente.

– Não. Pode ter sido apenas porque precisávamos e ele queria nos oferecer um lar. Você está com medo de descobrir sua origem, Electra?

– Estou – admiti enquanto pegava o notebook, entrava no Google Earth e começava a seguir as instruções que Ally me fornecera.

– Acho que dá para imaginar que nenhuma de nós nasceu em uma família feliz – comentou Ally. – Ou não teríamos ido para adoção.

– Verdade, verdade – concordei enquanto digitava as coordenadas. – Ok, aqui vai...

– Quer que eu fique na linha ou prefere fazer isso sozinha?

– Quero que fique, se não tiver problema – respondi, sabendo que não era o momento de bancar a corajosa. Observei a roda giratória em minha tela e suspirei. – Desculpe, por algum motivo a internet aqui é sempre mais lenta à noite... Pronto! Aqui vamos nós... Ok, apareceu o globo e ele está se aproximando... parece estar se movendo para a América do Norte...

Parei de falar, sentindo-me estranhamente como uma repórter espacial da Nasa, enquanto a imagem se aproximava de Nova York, indo depois para o Harlem. Vi, com o coração na boca, quando os pixels na tela se cristalizaram em um bloco de edifícios de uma rua arborizada e o pino vermelho pousou em cima de um deles.

– Meu Deus!

– O quê?! Não faça suspense comigo.

– Caramba!

– Electra! Por favor, o lugar já apareceu?

– Sim, sim. – Assenti para mim mesma. – Acontece que nasci bem aqui, na cidade de Nova York. Para ser mais precisa, em um local chamado Hale House, que, segundo o Google Earth, fica no Harlem, a aproximadamente – eu contei depressa – quinze quarteirões daqui.

– Você está brincando!

– Não estou, não. Espere, vou pesquisar essa tal Hale House no Google.

Li as poucas palavras que apareceram na tela e suspirei pesadamente.

– *Quelle surprise!* Nasci, ou pelo menos fui encontrada, em um lar para mães e bebês dependentes ou vítimas de aids. Que tal essa, hein? – comentei, revirando os olhos.

– Ah, Electra, sinto muito. Mas não fique chateada com isso... Maia também veio de um orfanato, eu de um hospital e... foi assim que Pa nos encontrou, lembra?

– Eu sei, mas... Bem, já está tarde, Ally, e você precisa descansar um pouco. Vou desligar agora. Muito obrigada pela ajuda, e prometo que vou ficar bem. Boa noite.

Desliguei antes que ela pudesse argumentar e fiquei olhando para a página da Wikipédia, depois fechei o notebook. O que me abalou não foi a parte de mães e bebês – Ally estava certa ao presumir que nós tivéssemos todas vindo de um lugar como aquele –, mas o fato de minha avó ter mencionado que eu vinha de uma linhagem de princesas. E essa ideia tinha mexido comigo.

– Acho que você se enganou, vovó. – Eu dei de ombros. – Os únicos genes que herdei foram os da dependência. Ah, e talvez aids também, para completar – acrescentei, melancólica, sabendo que estava sendo dramática, mas que era perdoável no momento.

Pelo menos já tinha feito o teste de HIV e sabia que não dera positivo. Mas não era esse o ponto, era?

Perturbada, decidi ligar para a única irmã que eu sabia que estava em um fuso horário semelhante ao meu e que também sabia oferecer palavras de sabedoria e conforto. Telefonei para Maia e esperei que ela atendesse, mas em vez disso caiu na caixa postal.

– Alô, oi, Maia, é Electra. Não se preocupe, estou bem e isso não é uma ligação de emergência nem nada do gênero. Eu só queria ver como você estava e conversar, sabe? Ah, também queria saber se você ainda tem a tradução que fez da minha citação na esfera armilar. Eu gostaria de saber o que ela diz. Ok, a gente se fala em breve. Tchau.

Olhei para o telefone por um tempo, esperando que Maia retornasse, mas ela não ligou.

Peguei o controle remoto novamente e comecei a percorrer os canais, tentando não focar no que acabara de descobrir, mas senti o pânico crescer ao imaginar uma garrafa de vodca, que poderia chegar em minutos se eu simplesmente pegasse o telefone, ligasse para a portaria e pedisse ao concierge. Já tinha ficado óbvio para mim que eu era mais dependente da bebida do que das drogas – mas um podia levar ao outro com a maior facilidade...

– *Merda!* – exclamei, saindo da cama, sabendo que estava na zona de perigo e procurando algo para me distrair.

Eu estava na cozinha, preparando chá de gengibre, quando ouvi meu celular tocar no quarto.

Tinha acabado de pegá-lo quando ele desligou. Era Miles. Ouvi a mensagem, que dizia simplesmente: "Me ligue." Em pânico, temendo que algo tivesse acontecido com Vanessa, retornei no mesmo instante.

– Oi – respondeu ele após o primeiro toque.

– Está tudo bem com Vanessa?

– Que eu saiba, sim. Não tive nenhuma notícia dela desde manhã.

– Graças a Deus – respondi, sem fôlego. – Por que você ligou?

– Porque Mariam me contou que era a sua primeira noite sozinha.

– Então você está me vigiando?

– Se quiser colocar nestes termos, estou, mas é porque sei que a primeira noite sozinha é sempre difícil. Já passei por isso, lembra?

– Sim, bem, eu podia ter feito mil coisas hoje, mas decidi ficar em casa – comentei, subitamente na defensiva.

– E como está sendo?

– Ah, está... tudo bem – menti. – Não tem muita coisa na TV.

– Está com a sensação de que as paredes estão se fechando ao seu redor?

– Um pouco – falei, o que era o eufemismo do século naquele momento.

– Isso é normal, Electra. E eu só queria dizer que estou aqui. Na verdade, a poucos quarteirões de distância. Por isso, se quiser conversar, só precisa ligar.

– Obrigada. É gentileza sua pensar em mim.

– De certa maneira, não tenho pensado em outra coisa. – Ele riu. – Essas últimas semanas foram uma verdadeira aventura, não foram?

– Verdade.

– A outra coisa que eu queria perguntar é se você vai estar ocupada amanhã.

– Hum... não. Por quê?

– Porque eu queria levá-la ao Harlem e lhe mostrar o centro de acolhimento. É sábado e, devido à falta de recursos, temos fechado as portas nos fins de semana, mas pelo menos você pode conhecer o lugar.

– Uau – murmurei, impressionada com a coincidência.

– O quê?

– Bem... é que eu acabei de descobrir...

Parei abruptamente, sem saber se queria ou não contar a ele.

– O quê?

– Descobri agorinha...

– O que foi?

Lembre-se: você tem que confiar, Electra...

– Acabei de descobrir que meu pai adotivo me encontrou no Harlem, em um lugar chamado Hale House.

– Conheço o lugar. Todo mundo no Harlem conhece. Caramba, Electra, que coisa mais inesperada! Quem lhe contou?

– Minha irmã Ally. Meu pai deixou coordenadas para todas nós, caso quiséssemos saber onde ele nos encontrou.

– Certo. Você sabe o que a Hale House era naqueles dias?

– Sim, um lugar onde uma mulher chamada Mãe Hale acolhia bebês de mães viciadas ou com aids – falei, repetindo o que lera na internet.

– Como você se sente sobre isso?

– Neste momento, eu não sei. E pare de soar como um terapeuta! – exclamei, meio brincando.

– Desculpe. Só estou preocupado com você. É muita coisa para lidar ao mesmo tempo. Quer que eu passe aí para conversarmos?

– Não, eu estou bem, mas obrigada por perguntar.

– Tem certeza, Electra?

– Absoluta.

– Então, posso buscá-la amanhã de manhã, por volta das onze?

– Ok – concordei. – Quer meu endereço?

– Sua eficiente assistente pessoal já tinha me passado, caso eu...

– Tivesse que atravessar a cidade para me salvar quando eu estivesse tão bêbada que não conseguisse me lembrar de onde morava? – completei, sorrindo.

– Algo assim, eu acho. Mas você parece estar indo muito bem, Electra. De verdade. E, como já disse, estou aqui se precisar de mim, a qualquer hora. Vou manter meu celular por perto.

– Obrigada, Miles. Vejo você amanhã, então.

– Sem dúvida. Tente dormir um pouco. Tchau.

– Tchau.

O sorriso que se formou em meus lábios ainda estava lá quando desliguei o celular. Tinha a sensação de que Miles realmente gostava de mim, e isso me dava um calor agradável no peito.

A questão é, pensei, decidindo que não precisava mais do chá de gengibre, *será que amanhã eu também vou visitar o lugar onde Pa me encontrou?*

Eu simplesmente não sabia.

33

ormi até as oito e cambaleei para o banheiro. Dei um gritinho quando vi meu reflexo no espelho, tendo me esquecido do corte de cabelo.

– Que merda, Electra.

Eu havia decidido que não tinha problema falar palavrão quando estivesse sozinha, embora os puristas dissessem que Deus estava sempre ouvindo...

– Será que Miles vai gostar? – continuei a dizer para si mesma. – Meu cabelo está mais curto que o dele!

Fui fazer um café e depois atravessei a sala para tomá-lo na varanda e apreciar a gloriosa manhã de junho, me perguntando por que me importava com a opinião de Miles.

Depois de uma corrida bem rápida pelo parque, voltei para casa, tomei um banho e sequei com a toalha a penugem crespa na minha cabeça. Em seguida, fui ao meu closet, em dúvida sobre que tipo de roupa seria adequado ao meu encontro – encontro não, reunião – com Miles. Eu estivera poucas vezes no Harlem, e apenas de passagem, a caminho de alguma sessão de fotos em Washington Heights ou Marble Hill.

Depois de experimentar a maioria das peças do meu guarda-roupa que pareciam minimamente adequadas, voltei à minha escolha original de jeans, tênis e um dos moletons com o relâmpago dourado na frente, que era minha assinatura. Não fora preciso muita imaginação para criar um design para XX, mas sempre que eu o usava – e eu tinha modelos nas quatro cores lançadas – me sentia poderosa.

Passei um pouco de rímel e de hidratante labial, e me sentei no sofá, esperando o interfone tocar e dizer que tinha alguém esperando por mim lá embaixo.

Meu celular tocou e eu só vislumbrei um "M" na tela enquanto o colocava no ouvido. Senti meu estômago afundar, achando que Miles fosse cancelar o encontro.

– Oi.

– Electra, é Maia!

– Ah.

– O quê?

– Pensei que fosse outra pessoa. Não olhei direito para o visor, só vi o M, e... Ah, deixa para lá – expliquei, de maneira confusa.

– Entendi... Bom, desculpe, não vi sua ligação ontem à noite. Como você está?

– Estou bem, obrigada. E você?

– Acordei muito cedo para ir à fazenda. Você lembra que eu comentei do meu projeto? Fazemos atividades lá nos fins de semana para as crianças das favelas que nunca estiveram em uma área rural.

– É claro que eu lembro. – Olhei para o relógio e vi que eram onze e cinco. – Que coincidência, porque estou indo ao Harlem agora com um amigo, para conhecer um centro de atendimento a adolescentes dependentes, onde ele trabalha. Quero fazer algo para ajudar.

– Electra! Que fantástico. Estou tão orgulhosa de você que nem sei como reagir! E, sim, é claro que ainda tenho a citação da esfera armilar. Quer que eu lhe diga o que é?

– Sim, pode falar.

– É de um filósofo dinamarquês muito famoso chamado Søren Kierkegaard: "*A vida só pode ser entendida olhando-se para trás, mas só pode ser vivida olhando-se para a frente.*" Eu acho lindo.

Fiz uma pausa enquanto assimilava as palavras e pensei que Pa não poderia ter encontrado nada mais perfeito para mim. Lágrimas encheram meus olhos.

O interfone tocou do outro lado da sala. Soltei um suspiro involuntário de alívio.

– Escute, tenho que ir, mas foi muito bom conversar com você.

– Foi bom falar com você também, Electra. Me ligue essa semana, com mais calma. Talvez a gente possa trocar algumas ideias sobre nossos projetos futuros.

– Sim. Tchau, Maia – falei, interrompendo a chamada e atendendo ao interfone. – Estou descendo.

❂ ❂ ❂

– Oi.

Miles estava sentado no hall de entrada e se levantou quando saí do elevador.

– Oi – respondi, sentindo-me ridiculamente tímida.

– Seu cabelo...

– Eu sei – falei, passando a mão pela cabeça com um ar protetor.

– Gostei muito – disse ele, sorrindo. – Combina com você.

– Eu me sinto muito exposta – retruquei enquanto saíamos do edifício.

– Com um rosto como o seu, acho que não precisa se preocupar.

– Obrigada. Onde está o carro?

– Eu não tenho carro. É horrível dirigir nesta cidade.

– Então como você anda? De limusine?

– Não – respondeu Miles, estendendo o braço para chamar um táxi. Quando um parou, ele abriu a porta para mim. – Sua carruagem a aguarda, milady – disse ele. Eu entrei, encolhendo as pernas como dava naquele espaço apertado. – Bem-vinda ao meu mundo.

Miles deu o endereço através da divisória de vidro e o táxi partiu.

– Acho que faz tempo que você não anda de táxi, né? Sinta-se honrada, querida, porque só pego um desses em ocasiões especiais; na maioria das vezes, uso o metrô.

Virei o rosto e olhei pela janela, para que Miles não percebesse minha vergonha. Para ser justa, eu tinha apenas 16 anos quando Susie me levou para Nova York. Uma das exigências de Pa fora que eu sempre tivesse um carro para me levar a qualquer reunião. As coisas seguiram assim, e eu só pegava táxi de vez em quando, com as outras modelos com quem dividia um apartamento em Chelsea. O metrô permanecia um mundo subterrâneo no qual eu nunca tinha entrado.

– Electra, eu uso o metrô há anos e ainda estou vivo – comentou Miles.

Eu odiava quando ele parecia ser capaz de adivinhar tudo em que eu estava pensando. Mas acho que também gostava.

– Me fale mais sobre o centro de atendimento – pedi enquanto o carro avançava em direção ao Harlem.

– Muitos dos voluntários são pais que perderam filhos para a dependência em drogas, ou ex-dependentes mesmo. O problema é que, desde que perdemos nosso financiamento, no ano passado, o centro vem batalhando para pagar as contas.

– É, ahn, seguro por aqui? – indaguei nervosamente quando chegamos, vinte minutos depois, a uma rua cheia de prédios humildes e antigos.

– Mais do que costumava ser, sim – disse Miles. – Ainda há algumas áreas perigosas, mas grande parte foi reconstruída e gentrificada pelo nosso ex--prefeito Bloomberg. O Harlem está se tornando um bairro moderno e caro. Houve um tempo em que era possível comprar um apartamento aqui por 1 dólar. Eu só queria ter tido esse dólar. – Miles sorriu. – Pronto, chegamos.

Saímos do táxi e tentei me livrar do cheiro de café velho e comida frita do veículo. Miles caminhou até uma porta azul maltratada, apertada entre uma bodega e uma construção coberta de tábuas e pichações. Acima da porta azul havia uma pequena placa pintada à mão, indicando que ali funcionava o Centro de Atendimento Mãos da Esperança.

Miles apertou botões em um teclado e abriu a porta. Ele me guiou por um corredor escuro até chegarmos a uma sala comprida e estreita, iluminada apenas por claraboias. Várias mesas e cadeiras de plástico estavam espalhadas por ali.

– É isso – comentou Miles. – O primo de um primo meu permitiu que construíssemos esta extensão em seu quintal pagando apenas o concreto necessário. Não é nada grandioso, mas tem feito diferença. Quer um café? – Miles indicou uma engenhoca de aço inoxidável em um balcão nos fundos da sala. – A geladeira está quebrada e não temos mais dinheiro para consertá-la, então é isso ou um refrigerante quente.

– Não precisa, obrigada – falei, me sentindo bem a menina rica e mimada que eu era.

– Além disso, recebemos um aviso de despejo alguns meses atrás. Um construtor comprou este prédio, junto com mais cinco outros na rua. – Miles suspirou. – Eu sei que não parece grande coisa, mas era um lugar seguro para as crianças daqui obterem apoio, conselhos e uma xícara de café muito ruim, mas gratuita. É um projeto minúsculo, mas, se tiver salvado uma vida que seja, para mim já valeu a pena.

– Quanto custa para fazer um lugar como este funcionar? – perguntei.

– É difícil calcular. Ofereço os meus serviços de graça, como todo mundo que trabalha aqui, mas, em um mundo ideal, teríamos conselheiros treinados, uma linha de apoio 24 horas por dia, para que as crianças pudessem conversar conosco anonimamente, um profissional de saúde e um advogado que ficasse aqui todos os dias para dar conselhos na hora, além de espaço suficiente para abrigar todos eles.

– Certo, bem, eu quero ajudar, se puder – afirmei. – Só que preciso pensar em como arrecadar fundos. Eu tenho dinheiro, mas imagino que o tipo de lugar que você está falando precise de alguns milhões de dólares.

– Não estou pedindo para você financiar, Electra, talvez apenas usar sua fama para ajudar. Entende o que estou dizendo?

– Acho que sim. Sinto muito, Miles, não tenho experiência nenhuma nesse tipo de coisa, então preciso que você me guie.

– Pensei que você pudesse atrair alguma atenção da mídia para o centro. Posso pedir a algumas das crianças que vieram para cá ao longo dos anos para dar entrevistas ao seu lado e contar como o lugar as ajudou.

– É uma ótima ideia – concordei. – Estou disposta a tudo.

– Ótimo. Agora vamos embora. Este lugar está me deixando deprimido.

Ao sairmos, ouvi um som de rap tocando de um rádio minúsculo na bodega ao lado.

– Então – disse ele, olhando para mim na calçada. – Quer ir ver onde seu pai a encontrou? Podemos ir andando.

Fiquei nervosa, indecisa.

– Escute, vamos andando naquela direção. Aquele lugar devia fazer parte da sua visita ao Harlem, de qualquer forma – sugeriu ele.

– Tudo bem – concordei, meu estômago se contorcendo de forma estranha, meu coração acelerando só de pensar.

Enquanto caminhávamos, tentei manter a calma e observar as ruas ao redor. Mesmo que alguns dos prédios estivessem caindo aos pedaços – janelas cobertas com papelão e latas de lixo transbordando –, era óbvio, pelos modernos cafés pelos quais passávamos e pelos andaimes erguidos em torno de uma série de pequenas obras, que aquela área estava sendo modernizada. Passamos por um grande prédio de tijolos vermelhos e tivemos que sair da calçada e andar pela rua para passar pela multidão do lado de fora. Todos estavam vestidos formalmente, com ternos e vestidos coloridos e chapéus combinando, e, quando voltei para a calçada, vi um carro decorado com flores parado do lado de fora.

– É o casamento de Sarah e Michael – comentou Miles. – Ela é uma das minhas histórias de sucesso; eu a ajudei a conseguir um apartamento, quando ela estava em um abrigo para mulheres – acrescentou ele enquanto uma mulher jovem, usando um enorme vestido de noiva de cetim branco brilhante, saía com dificuldade do banco traseiro de um carro velho.

A multidão que a esperava do lado de fora da igreja bateu palmas e a saudou, começando a entrar.

– Vou dar um abraço nela – avisou Miles, voltando rapidamente em direção à noiva. A mulher se virou e sorriu para ele, recebendo o abraço.

– Você conhece as pessoas daqui? – perguntei, quando ele voltou.

– É claro que conheço. Eu me mudei para cá há cinco anos, depois de ficar limpo. Aquela é a minha igreja – disse ele, enquanto assistíamos a um homem, que devia ser o pai da noiva, pegar a mão da filha e levá-la para dentro. – É muito legal ver um final feliz. Isso me anima a continuar tentando conseguir ajuda para essas crianças – prosseguiu Miles, retomando o passo com mais ritmo, obrigando-me a dobrar a velocidade para acompanhá-lo.

– Então, que tipo de direito você pratica? – indaguei.

– Depois da faculdade, fui recrutado por uma grande empresa para me juntar ao departamento de litígio, que é onde os advogados faturam mais horas. Ganhei muito dinheiro, que acabei cheirando e bebendo todo. Era muita pressão. Aí fiquei limpo e decidi me transferir para uma empresa menor, onde tenho muito mais oportunidades de assumir casos gratuitamente, embora isso tenha significado um grande corte salarial.

– Que tipo de casos?

– Como o de Vanessa. Falando sem rodeios, meu escritório me deixa assumir casos de caridade. E, sim, eu gostaria de poder fazer mais, mas tenho que pagar minhas contas.

– Dá para ver que você é uma ótima pessoa, Miles – falei enquanto subíamos uma ladeira na direção de Marble Hill.

– Dá para perceber que eu *tento* ser boa pessoa, mas eu fracasso mais do que venço. – Miles deu de ombros. – Mas tudo bem. Desde que voltei para Jesus, entendo que não há problema em fracassar desde que você pelo menos tente.

– Como assim, "voltou para Jesus"?

– Toda a minha família... na verdade, toda a minha comunidade na Filadélfia... era centrada na igreja. Era como uma grande família feliz, e eu tinha um monte de tias, tios e primos que não eram meus parentes de sangue, mas através de Jesus. Então fui para Harvard, me mudei para o mundo Muito Rico e me senti importante... mais do que minha família, minha igreja e o próprio Deus. Decidi que não precisava de nenhum deles, que a igreja era uma conspiração para manter o trabalhador submisso... Eu li Karl Marx em Harvard. – Miles deu uma risada profunda e gutural. – Eu era um idiota naquela época, Electra. Enfim, você sabe o que aconteceu depois. Com o tempo, consegui me reconectar com Jesus e minha família. Você já cantou em um coral?

– Está brincando?! Nunca cantei na minha vida.

Miles parou de repente.

– Você não pode estar falando sério.

– Estou, sim. Quando eu era criança, usava minhas cordas vocais para gritar, não para cantar, segundo minhas irmãs.

– Electra – Miles baixou a voz –, não é possível que você não cante, mesmo que seja desafinada. Na verdade, acho que não conheço ninguém que não cante. É parte da nossa cultura.

Miles voltou a andar e passou a cantarolar uma melodia suave de apenas três notas.

– Sua vez.

– O quê? De jeito nenhum!

Ele cantarolou as três notas novamente.

– Vamos lá, Electra, todo mundo canta. Isso alegra as pessoas. *Oh happy day...* – cantou Miles de repente, em voz alta e perfeitamente afinada.

Olhei em volta, para os transeuntes, mas ninguém deu atenção enquanto Miles continuava a melodia que logo reconheci.

– Estou te deixando com vergonha? – indagou ele, sorrindo.

– Está. Já contei que não cresci em uma casa com essas tradições.

– Nunca é tarde para aprender, Electra. E um dia vou levá-la à igreja e você vai ver o que anda perdendo. Muito bem. – As longas pernas de Miles pararam abruptamente na frente de uma casa de tijolos. – É aqui, Hale House, onde seu pai a encontrou.

– Ah... ahn, certo.

– E ali – disse ele, apontando para a estátua de uma mulher com um rosto muito gentil e a mão estendida em minha direção – está é Mãe Clara Hale. Ela é uma lenda por aqui. Você nasceu em 1982, não foi?

– Isso.

– Estava tentando calcular se Mãe Hale estava aqui quando você chegou. E a resposta é sim.

Olhei para aquela mulher, que podia ou não ter me carregado nos braços, depois li as palavras gravadas na placa ao lado da estátua. Clara Hale tinha começado tomando conta de seus três filhos e então passou a cuidar das crianças do bairro. Depois de algum tempo, começou a cuidar de bebês cujos pais sofriam com o abuso de substâncias e eram soropositivos. Aparentemente, em 1985, o presidente Ronald Reagan em pessoa a chamara de "verdadeira heroína americana".

Eu me virei para Miles.

– Então o fato de eu ter sido encontrada aqui... significa que minha mãe era dependente ou que morreu de aids? Tipo, ela também aceitava bebês comuns?

– Não sei, mas é verdade que ela era conhecida por cuidar de bebês de dependentes químicos, especialmente de heroína, durante a fase de dependência herdada. Mas nenhuma criança era recusada e tenho certeza de que muitas mães jovens e desesperadas vinham bater à porta dela, fossem ou não viciadas.

Olhei para Miles, me perguntando se ele estava apenas tentando me fazer sentir melhor.

– Uau, certo, bem... Devo tirar uma foto ou algo assim? Postar no Facebook e mostrar a todos os meus fãs o lugar onde fui encontrada?

Revirei os olhos com ironia, mas de repente senti que estava quase chorando.

– Ei, venha cá. – Miles me puxou para perto e me deu um abraço. – Você ainda não sabe de nada, então pare de tentar adivinhar. Talvez seja hora de pesquisar um pouco sobre sua família.

– Talvez – concordei, sem prestar atenção de verdade, porque estava *amando* aquele abraço.

– A boa notícia, querida, é que, seja lá de onde você tenha vindo, acabou sendo uma verdadeira história de sucesso. E isso é o mais importante de tudo. Agora – disse Miles, afastando-se e olhando para o relógio –, correndo o risco de parecer mal-educado, que tal eu chamar um táxi para você? Tenho um monte de trabalho atrasado, depois das minhas três semanas de ausência, e vai ser inútil eu acompanhá-la até em casa só para ter que voltar para cá.

– Eu... Tudo bem – concordei, dando de ombros, e Miles acenou para um táxi que passava.

– Obrigado por ter vindo, Electra – comentou ele quando entrei no veículo. – Entrarei em contato para dar notícias de Vanessa assim que souber alguma coisa. Cuide-se e lembre-se de me ligar sempre que precisar.

Com um aceno, Miles se foi, e senti meu coração pesado como uma pedra. Para ser sincera, eu tinha imaginado almoçar com ele em um daqueles cafés intimistas e modernos; além do mais, estava morrendo de fome.

Vinte minutos depois, entrando em meu prédio, vi que nem Tommy estava em seu posto para me cumprimentar. Entrei e subi para o apartamento com vontade de chorar. Ver o miserável galpão de concreto que representava a pouca ajuda que crianças como Vanessa podiam esperar, depois conhecer as minhas próprias origens tristes, mais o fato de ter me sentido tão próxima de Miles naquela caminhada pelo Harlem, só para ele me fazer voltar à realidade ao me enfiar em um táxi como se não gostasse de mim...

Tentando desviar os pensamentos, peguei uma Coca-Cola e o resto da sopa de lentilha na geladeira e me sentei para comer, mas logo senti uma culpa gigantesca me percorrer, como o raio dourado sobre o meu peito, no casaco. Como eu podia ficar ali sentada, em meu luxuoso apartamento, com um armário cheio de roupas ainda mais luxuosas, sentindo pena de mim mesma, quando havia tanto sofrimento acontecendo a não mais que alguns quilômetros de distância?

Bebi a lata inteira de Coca-Cola e peguei outra, sentindo aquela nuvem sombria e assustadora começar a descer – aquela que eu sempre "medicava" com álcool ou drogas. Verifiquei meu celular e vi que passava um pouco de uma e meia. Minha reunião dos AA só começava às cinco da tarde, o que me dava três horas e meia para ficar ali sentada, na companhia do meu cérebro caótico.

– Merda – murmurei, sabendo que precisava falar com alguém.

Pegando meu celular, vi uma ligação perdida de Zed. Eu já ia retornar, mas me impedi a tempo. Zed *não* era uma boa ideia, porque chegaria carregado com todas as substâncias que eu precisava evitar. Entrei na lista de contatos e rolei até achar o número de Mariam. Embora não quisesse incomodá-la em seu primeiro dia de folga desde a minha volta, todos ao meu redor haviam me convencido de que, se eu estivesse em dificuldades, deveria ligar e pedir ajuda.

Disquei o número e ele tocou, mas caiu na caixa postal.

Pressionei o botão para finalizar a chamada; ela provavelmente estava tendo um dia maravilhoso, passando tempo com a família...

– A família dela – murmurei. – E onde está a minha? Qual é o meu lugar...? Ah, é, um lar para bebês indesejados!

Até desejei que Stella estivesse na cidade, para poder conversar com ela; descobrir como ela deixou que sua neta acabasse naquele lugar. Sentindo minha raiva aumentar, percebi que precisava desviar minha atenção com urgência. Atravessei a sala e fui à varanda, segurando meu celular e esperando Mariam retornar a ligação. Olhando por cima da copa das árvores que cobriam o Central Park, eu me sentei e pensei em Miles e no jeito como ele deixara bem claro que o nosso relacionamento era apenas comercial. Decidi que deveria ter uma conversa imaginária com Fi sobre a situação.

Fi: – Então, Electra, como você se sente sobre Miles?

Eu: – Estou... confusa – admiti.

Fi: – E por que você acha que está confusa?

Eu: – Porque, mesmo que ele não faça o meu tipo, *nem um pouco* – sublinhei –, acho que posso estar gostando dele.

Fi: – Tudo bem. Mas gostando no sentido de amizade ou seria uma conexão mais emocional, na sua opinião?

Fiz uma pausa enquanto refletia sobre a pergunta.

Eu: – Primeiro, acho que pensei que era só amizade; eu nunca tinha me identificado tanto com ninguém antes. Quero dizer, ele é negro, criado em uma família de classe média, recebeu uma bolsa de estudos para Harvard e teve uma carreira de sucesso. Ah, claro, tem um problema com drogas.

Fi: – Imagino que essa tenha sido uma experiência muito poderosa. Você se sentiu menos sozinha?

Eu: – Sim, muito. Tipo, acho que na reabilitação eu não tinha que fingir ser outra pessoa. Eu ficava... – procurei a palavra certa – confortável perto dele. Como se não tivesse que explicar nada.

Fi: – Então, quando foi que esse sentimento de amizade se transformou em algo romântico?

Estremeci quando ela – ou melhor, *eu* – disse isso, mas *tinha* que ser dito.

Eu: – Foi naquela noite da tentativa de suicídio de Vanessa. Fui para o hospital e Miles me encontrou lá. Ele me abraçou e adormeci contra o seu peito. Eu me senti... em casa.

Nesse ponto, Fi teria me entregado a caixa de lenços de papel, mas não havia nenhuma ali na varanda, então esfreguei os olhos e agarrei meu celular que tocava, como se fosse uma tábua de salvação.

– Oi, Mariam.

– Electra? Sou eu, Lizzie, da reabilitação, lembra?

– Claro que eu lembro! Desculpe, Lizzie, eu estava esperando minha assistente me ligar de volta. É ótimo falar com você. Como você está?

– A bem da verdade, não muito bem. Eu deixei o Christopher.

– Meu Deus! Como assim? Por quê?

– É uma longa história, mas eu queria saber se você está ocupada agora.

– Não, nem um pouco. Pode contar – respondi, pensando em como a conversa sobre o idiota do marido de Lizzie preencheria bem o tempo antes de eu ir à reunião dos AA.

– Na verdade, prefiro contar pessoalmente. Posso ir até aí?

– O quê? De Los Angeles?!

– Não estou em Los Angeles, Electra. Estou aqui em Nova York. E acabei de descobrir que o imprestável ligou para o banco e cancelou todos os meus cartões de crédito. Estou no JFK e não tenho dinheiro para pegar um táxi, muito menos para ficar em um hotel. Ai, meu Deus...

Ouvi um soluço repentino do outro lado da linha.

– Não, Lizzie. Eu sinto muito. Que idiota vingativo!

– Eu sei. Aposto que ele estava com medo que eu sacasse todo o dinheiro possível com os cartões. Obviamente, preciso ver um advogado, mas... Me desculpe por ter ligado, eu não tinha mais ninguém a quem recorrer.

– Lizzie, saia e pegue um táxi agora mesmo. Vou dizer ao concierge para pagar quando você chegar aqui. Tem meu endereço?

– Sim, você me deu no dia em que saí do Rancho, lembra? Me desculpe, Electra, eu...

– Por favor, pare de pedir desculpas, Lizzie. Vamos conversar quando você chegar aqui, ok?

– Ok. Até daqui a pouco.

Eu me levantei e me apoiei no balaústre da varanda, gritando palavras irrepetíveis em nome de Lizzie para o ar tóxico de Manhattan. Quando eu estava no meio de um palavrão especialmente obsceno, meu celular tocou novamente.

– Electra? Sou eu, Mariam – disse ela, ofegando um pouco. – Você está bem?

– Sim, estou bem, sério.

– Sinto muito por não ter atendido na hora, mas na verdade estou por perto e posso encontrá-la em dez minutos.

– Não, não, está tudo bem, Mariam, de verdade. Desculpe ter interrompido o seu dia.

– Ah, bom. Ufa! – Ela riu. – Bem, estou aqui se você precisar de mim.

– Claro, obrigada, Mariam. Vejo você na segunda-feira.

Eu desliguei, peguei minha carteira e fui até o concierge para lhe dar dinheiro para pagar o táxi de Lizzie. Estava me sentindo bem melhor. Simplesmente porque tinha uma amiga – uma amiga *de verdade* – e gostava de pensar que ela havia me procurado em busca de ajuda.

✿ ✿ ✿

Uma hora depois, acomodei Lizzie na varanda com uma "bela xícara de chá", como ela sempre dizia. Ela parecia tão nervosa que agora era *eu* quem estava tendo sentimentos maternais, não o contrário.

– Ah, Electra, isso tudo é tão clichê. – Ela suspirou enquanto bebia o chá. – Chris está tendo um caso com uma das atrizes de seu novo filme. Ela é jovem o suficiente para ser filha dele, e incrivelmente bonita. É uma brasileira, tem 1,80 metro, enquanto ele tem menos de 1,70 metro... Talvez tenha sido a reabilitação que me deu um pouco de autoestima, mas eu simplesmente... bem, eu explodi.

– Como você descobriu?

– Além do cheiro de perfume exótico que pairava no meu quarto quando cheguei em casa? – indagou ela. – Ou do batom vermelho de uma marca que jamais pensei em comprar bem em cima da minha penteadeira? Da *minha* penteadeira! Você acredita nisso? – Lizzie balançou a cabeça. – Parecia que ela estava marcando território. Obviamente, ela queria que eu soubesse, e meu pobre e imbecil marido nem percebeu.

– E você o confrontou?

– Sim, e me desculpe por dizer isso, Electra, mas só depois que bebi meia garrafa de um de seus vinhos mais caros. Quero dizer, eu sei que ele me trai há anos, mas aquele batom estava tão escancarado... como se ela nem se importasse de estar transando com um homem casado com dois filhos... que percebi quanto tinha sido idiota todo esse tempo.

– Ele ficou chocado? – perguntei, *realmente* me sentindo a própria Fi.

– Totalmente, perfeitamente, completamente. – A sombra de um sorriso apareceu nos lábios estranhos de Lizzie. – Ele fez o discurso imbecil de sempre, de que não significava nada, que eles passaram um tempo juntos na filmagem, e eu ainda estava fora quando voltaram, e uma coisa levou a outra e... Sabe de uma coisa? Nem vou gastar saliva repetindo as desculpas patéticas que ele me deu. Aí ele falou que terminaria imediatamente, blá-blá-blá, mas só peguei minha bolsa, que eu tinha arrumado antes de ele chegar em casa... atrasado para o jantar, como sempre... e fui para o aeroporto. Peguei o primeiro voo para Nova York... de primeira classe, é claro – acrescentou ela, com uma piscadela. – Quando aterrissei, descobri que ele havia cancelado todos os meus cartões de crédito.

– Você pediu o divórcio? Quero dizer, você *quer* o divórcio?

– Quero, sem a menor dúvida. Aquele homem me fez de boba por anos, me tratando como babá e governanta, enquanto ele pulava todas as cerquinhas de Los Angeles!

Tive que rir dos impropérios incomuns de Lizzie, que ainda soavam muito educados em seu sotaque inglês.

– E os seus filhos?

– Como você mesma disse, Electra, meus filhos cresceram e têm vida própria. O pior é que acho que eles provavelmente sabiam o que o pai fazia. – Lizzie suspirou. – Liguei para Curtis, o mais velho, do aeroporto. Acho que eu ainda estava um pouco bêbada, porque bebi a outra metade da garrafa no táxi... e ele me perguntou por que eu tinha demorado tanto para tomar uma atitude. Não sei se Rosie, minha caçula, vai concordar. Ela sempre foi a menina dos olhos do pai, e muito mimada... mas pelo menos tenho um deles do meu lado.

Observei Lizzie olhar para o horizonte de Manhattan e senti uma enorme onda de carinho por ela.

– Sabe de uma coisa, Lizzie?

– O quê?

– Estou muito orgulhosa de você. Sua nova vida começa hoje.

– Bem, acho que não, se aquele escroto me deixar de mãos abanando.

– Tudo isso pode ser resolvido, tenho certeza. Talvez Miles, aquele homem negro e alto da clínica de reabilitação, possa ajudá-la ou conheça alguém que possa. Ele é advogado. E você pode ficar aqui comigo durante o tempo que quiser. Eu bem que preciso de companhia, para falar a verdade.

– É muita gentileza sua, Electra. Talvez apenas durante o fim de semana. Eu tenho algum dinheiro em uma conta-corrente que abri quando morava em Nova York, antes de conhecer Chris, então posso ir ao banco na segunda-feira. Vai dar para me sustentar por pelo menos um ou dois meses, enquanto as coisas são resolvidas.

– Não se preocupe com dinheiro, Lizzie, não vou deixar você passar fome.

– Mesmo nessa confusão toda, eu amo Nova York – disse ela, enquanto seus olhos vagavam pelo Central Park. – Foi por isso que decidi vir para cá, porque é um lugar onde me sinto em casa. Pensei que talvez pudesse conseguir algum emprego – prosseguiu ela. – Quero dizer, eu sei que não tenho muitas qualificações, mas tenho conhecimentos de informática. Além disso, aquele escroto gostando ou não, vou ficar com cinquenta por cento de tudo que ele possui. Só espero não ceder e correr de volta para ele.

– Lizzie, não vou deixar você fazer isso. Você me mantém longe das coisas que são difíceis para mim e eu a mantenho a salvo de seu marido. Combinado?

– Combinado. – Lizzie sorriu. – Electra, não tenho palavras para lhe agradecer por me acolher; você é mesmo uma pessoa maravilhosa.

– Não sou, mas obrigada mesmo assim – respondi, vendo Lizzie bocejar. Verifiquei a hora no meu celular. – Que tal eu levar você ao seu quarto para tirar uma soneca? Tenho que ir à minha reunião dos AA.

– Perfeito – disse Lizzie, e nós duas nos levantamos. Ela pegou sua bolsa no corredor e me seguiu até o quarto recentemente desocupado por Mariam. – Isso é muito melhor do que o hotel onde eu estava pensando em ficar – completou ela, parada junto às janelas que iam do chão ao teto.

Mostrei a ela como usar o controle remoto para baixar as persianas e a deixei à vontade para se instalar. Enquanto descia no elevador, pensei em como era bom ter uma pessoa que parecia precisar de mim tanto quanto eu precisava dela.

34

— Muito obrigada por vir, Miles – falei enquanto o conduzia até a sala, na segunda-feira à noite.

Eu estava tentando não babar diante da visão de Miles de terno e gravata.

– É um prazer, Electra – respondeu ele.

Havia ligado para ele mais cedo para perguntar se ele tinha um horário livre para conversar com Lizzie. Ele dissera que não, mas que iria depois do trabalho.

– Oi, Lizzie.

– Oi. – Lizzie levantou-se e apertou a mão dele. – É muito gentil de sua parte, Miles.

– Não é nada. Qualquer amiga de Electra é minha amiga também.

– Vou deixá-los a sós, ok? Quer alguma coisa para beber, Miles?

Nós dois olhamos o vinho branco que Lizzie estava tomando. Eu mesma havia pedido a Mariam para colocá-lo na lista de compras do mercado; precisava enfrentar o fato de que o álcool apareceria em minha vida cotidiana.

– Se tiver Coca-Cola, eu aceito – respondeu ele com um sorriso.

– O que não falta é Coca-Cola – falei, retribuindo o sorriso e me perguntando se aquela troca de olhares tinha sido um flerte.

Mariam estava trabalhando em seu notebook na mesa da cozinha. Tirei uma Coca-Cola da geladeira, debatendo comigo mesma se devia oferecer um copo a Miles ou apenas lhe entregar a lata. O copo venceu por causa daquele terno elegante.

– Está na sua hora de ir para casa – comentei com Mariam enquanto servia o refrigerante.

– Na verdade, só preciso falar com você alguns minutos para rever sua programação dos próximos dias. Aqui hoje está mais movimentado do que a estação de trem.

Levei a Coca-Cola para Miles e a deixei na mesa, porque ele e Lizzie já estavam em plena discussão, e dei em mim mesma um abraço metafórico. O dia *realmente* fora movimentado no apartamento, mas de maneira positiva. Susie tinha ido me ver, depois de ouvir sobre o meu novo corte de cabelo, e o declarara "Fabuloso!". Em seguida, estragou o elogio dizendo que agora poderiam cobrir minha cabeça como qualquer cliente e fotógrafo escolhessem. Contei a ela que queria que Patrick, meu fotógrafo predileto, fizesse uma sessão só para mim, completamente *au naturel*, e marcamos para a semana seguinte.

Susie, que também era inglesa, e Lizzie se entenderam muito bem e ficaram falando mal de seus ex-companheiros enquanto eu lidava com as roupas que haviam sido enviadas por um estilista, escolhendo as que ia querer experimentar mais tarde e usar em alguma ocasião de grande visibilidade. Lizzie então se juntou a mim e admirou uma jaqueta que eu colocara na pilha do "sim". Uma vez que sua bolsa continha apenas maquiagem e cosméticos, além de uma muda de roupa íntima, ela nitidamente precisava comprar umas roupas.

– Certo – disse Mariam quando voltei à cozinha. – Acho que não vamos ser interrompidas. Como estamos com a viagem a Quebec, para a *Marie Claire*, daqui a duas semanas?

– Pode confirmar.

– Ótimo. Ah, XX me enviou um e-mail, perguntando novamente se você gostaria de criar outra coleção de peças básicas com ele.

– Eu...

Fiz uma pausa antes de responder. Meu caderno estava cheio de desenhos que eu poderia usar para o projeto, mas depois pensei que certamente o *meu* nome era grande o suficiente para lançar uma coleção sozinha, então por que deixar outra pessoa lucrar? E *então*... pensei na visita de sábado ao centro de atendimento e algumas ideias ainda vagas começaram a se formar em minha mente.

– Diga a ele que não, não estou interessada – respondi com firmeza.

– Ok. Ah, e lembre-se de que sua avó deve chegar às oito da noite.

– Certo, obrigada.

Observei Mariam fechar o computador. Eu tinha passado muito tempo sem prestar atenção nos sentimentos dos outros – desde antes de conhecer a minha assistente –, e talvez por isso agora me sentisse muito perceptiva. Mas algo nela parecia diferente e me dava uma sensação estranha.

– Você está bem? – perguntei.

– Sim, claro. Como sempre – rebateu ela, obviamente chocada com a minha pergunta.

– Bom, certo, vá para casa, então. Lizzie disse que vai assumir a cozinha enquanto estiver aqui, pelo menos isso vai facilitar um pouco para você.

– Não foi nenhum problema, Electra. Você sabe que amo cozinhar.

Devia ser só impressão minha, mas pensei ver um leve brilho úmido nos olhos dela enquanto guardava o notebook na mochila de couro e se levantava.

– Boa noite, Electra – disse ela, saindo da cozinha.

– Tchau, Mariam.

Sentei-me à mesa e abri meu notebook para verificar meus e-mails. Respondi ao corretor de imóveis que estava lidando com a compra da Hacienda Orchídea e vi que Tiggy enviara um e-mail oficial para todas as irmãs, lembrando-nos sobre o nosso cruzeiro. Então liguei a pequena TV da cozinha para me distrair e não pensar no fato de que Stella Jackson chegaria em pouco menos de uma hora. E em como descobrir onde Pa me adotou afetaria nossa relação. A CNN estava dando o seu boletim de notícias habitual, com os preços das ações, então estremeci quando um rosto muito familiar apareceu na tela.

Mitch Duggan anunciou hoje que vai se juntar ao Concerto para a África, que será realizado no Madison Square Garden no próximo sábado. Diversos músicos e celebridades deverão comparecer, inclusive, segundo boatos, o senador Obama, candidato à Presidência pelo Partido Democrata.

Uma foto de Obama apareceu e o câmera voltou para a jornalista que lia as notícias.

– Stella Jackson, a líder ativista dos direitos civis e advogada que trabalha com a Anistia Internacional, se juntou a mim no estúdio para explicar a contínua crise da aids na África e como o concerto ajudará a aumentar a conscientização sobre o problema.

E lá estava a *minha* avó, sentada tranquilamente na cadeira ao lado da apresentadora.

– Obrigada, Cynthia. Eu posso lhe dizer que é preciso mais do que conscientização, no momento – disse Stella. – *Precisamos de ação direta e da ajuda de nossos políticos. O HIV devastou o leste e o sul da África e três quartos de todas as mortes por aids no mundo, no ano passado, foram registrados nessas regiões. O maior impacto é sobre bebês e crianças pequenas, que...*

Fiquei tão chocada que nem ouvi o que ela estava dizendo, apenas fiquei olhando, boquiaberta.

Fui ao corredor chamar Lizzie e Miles para verem minha avó na TV, mas a porta da sala de estar permanecia fechada. Quando voltei para a cozinha, a entrevista havia terminado.

– Droga – murmurei.

Precisando de uma distração até que os dois acabassem de conversar, fui para o meu quarto começar a experimentar as roupas que havia selecionado mais cedo. Mas eu não conseguia parar de pensar em quem era Stella Jackson, também conhecida como "vovó".

– Importante ativista dos direitos civis, que mesmo assim conseguiu perder a *própria* neta para a Hale House ao longo do caminho – rosnei enquanto me espremia em um par de calças pretas de couro que me fizeram sentir como uma pantera, e se adequavam perfeitamente ao meu humor. – Aposto que a entrevistadora gostaria de ouvir *essa* história!

– Electra! Terminamos! Você pode entrar agora – ouvi Lizzie dizer do corredor.

– Estou indo! – gritei de volta.

– Você está maravilhosa – elogiou Lizzie, enquanto me conduzia para a sala de estar. – Vai a algum lugar?

– Não, só estava experimentando as coisas que me mandaram hoje e tentando descobrir o que combina comigo.

– Bem, essas calças de couro parecem uma segunda pele em você. Não acha, Miles?

Eu me virei para ver a expressão dele, e seria justo dizer que foi extremamente satisfatório. Muito satisfatório mesmo – o que me animou muito. Ele notou as duas mulheres o encarando e desviou os olhos.

– Sim, ficou ótimo, Electra.

– Obrigada. E você nunca vai adivinhar quem eu acabei de ver na CNN. Minha avó! Não sabia que ela era famosa.

Miles e Lizzie me olharam, perplexos.

– Quem é a sua avó? – perguntou ele.

– O nome dela é Stella Jackson.

– Não me é estranho – comentou Lizzie.

– Espere aí! Você está dizendo que *a* Stella Jackson é sua avó? – indagou Miles.

– Sim, esse é o nome dela. Você a conhece?

– Rá! – Miles deu um tapa em sua coxa musculosa. – No mundo do direito civil, Stella Jackson é uma deusa. De primeira grandeza! Em Harvard, na verdade, eles falam o nome dela como se fosse o de uma santa. Ela estava lá quando Malcolm X foi baleado no Audubon Ballroom, e no comício em Washington quando Martin Luther King Júnior fez o discurso "Eu tenho um sonho". Ela deu uma palestra para os estudantes de direito de Harvard uma vez, e admito que chorei ao ouvi-la. Ela é a sua avó? – perguntou ele de novo. – Pensei que você não tinha parentes de sangue, Electra.

– Eu a conheci recentemente – expliquei, sentindo-me culpada por não ter mencionado nada para ele.

– Cacete! – exclamou Miles, o que me deu a certeza de que aquilo era importante *mesmo*. – Uau, uau, uau! E você não tinha ideia de quem ela era?

– Não, ela nunca me contou nada – respondi, vendo uma espécie de adoração nos olhos de Miles.

– Há rumores de que, se Obama ganhar a eleição, ela vai ter algum papel como consultora. Que belos genes você herdou, garota. E, agora que estou reparando, você se parece mesmo muito com ela, ainda mais com esse novo corte de cabelo – acrescentou ele.

– É bom saber que sua avó é uma mulher poderosa, não é? – disse Lizzie, de alguma forma sentindo minha tensão. – Preciso ir retocar minha maquiagem, depois dessa nossa conversa longa e estressante – acrescentou ela, afastando-se na direção do banheiro.

– Foi boa a conversa com Lizzie? – questionei Miles, determinada a mudar de assunto, e tentei me sentar com aquelas calças apertadas.

– Sim e não. – Miles deu de ombros. – Fiz o que pude, mas ela vai precisar de um cara da Califórnia para representá-la. As leis do divórcio são muito diferentes lá, mas indiquei um bom advogado que conheço. Acho que o marido dela vai criar problemas, se puder. A boa notícia é que a lei está do lado dela. E não há nada que ele possa fazer quanto a isso, além de prolongar o processo. Lizzie precisa de dinheiro, e de uma casa, depressa. Foi ótimo você tê-la hospedado, Electra. Você é uma boa pessoa – acrescentou ele. – Mas, sabendo a sua ascendência, não estou surpreso. Ainda estou em choque.

– Bem, quando eu encontrar Stella, vou perguntar como fui parar na

Hale House. – Olhei para ele por alguns segundos e percebi que Miles compreendera a indireta. – Enfim, como está Vanessa?

– Muito bem. Ida diz que ela deve estar pronta para uma visita no fim de semana. Bem, é melhor eu ir. Meu trabalho está uma loucura no momento. Se você vir sua avó, diga a ela que sou um grande fã. Eu te ligo quando tiver mais notícias de Vanessa. Boa noite, Electra.

– Boa noite, Miles, e obrigada – disse Lizzie, aparecendo no corredor bem enquanto ele fechava a porta.

Suspirei pesadamente.

– O que você tem? – indagou Lizzie, me olhando com as mãos nos quadris.

– Nada, nada.

– Tem alguma coisa, sim. Tem a ver com Miles?

Inquieta, andei de um lado para outro da sala de estar. Minha ansiedade e irritação só aumentaram quando Lizzie se serviu de um copo de vinho branco da garrafa em cima da mesa.

– Vamos, Electra, o que está incomodando você? – insistiu Lizzie, enquanto eu a observava dar um grande gole.

– Ah, são pequenas coisas.

Eu dei de ombros, sabendo que, se não tomasse cuidado, minha raiva transbordaria como um vulcão, e eu não queria traumatizar a pobre Lizzie.

– Deve ter a ver com Miles. Vocês estão juntos?

– O quê? Nossa, não! Fala sério!

– Ok, Electra, acalme-se. – Lizzie sorriu para mim. – É que, do jeito que ele olha para você, fica claro que ele a considera um mulherão.

– Ah, ok, que ótimo, mas... Ouça, Lizzie, não falei na frente do Miles porque achei que ele ia querer grudar aqui, mas minha avó deve chegar a qualquer momento. E a questão é – eu a encarei muito séria – que estou muito chateada com ela.

– Certo. – Lizzie tomou outro gole de vinho e assentiu. – Vou deixar vocês sozinhas, está bem? O Central Park é adorável nas noites de verão.

O interfone tocou e eu fui atender.

– Sim, diga a ela para subir.

– Boa sorte, Electra. Vejo você mais tarde, querida – disse Lizzie, pegando sua bolsa e caminhando em direção à saída.

Quando a porta foi fechada, mal consegui controlar a vontade de beber o que Lizzie deixara na taça de vinho, para acalmar meus nervos. Em vez disso, respirei fundo algumas vezes, e já estava relativamente controlada quando a campainha tocou para anunciar que Stella Jackson estava à minha porta.

Fui abrir e lá estava ela, usando o mesmo casaco elegante de tweed com que eu a vira na TV pouco tempo antes. Ela devia ter vindo direto do estúdio.

– Olá, Electra, como vai?

– Bem, obrigada, Stella. E você? – perguntei, sorrindo com dentes cerrados.

– Estou bem, obrigada, querida. Tive um fim de semana muito ocupado, mas bastante produtivo.

– Hum, que bom, então – assenti enquanto a observava caminhar até sua cadeira favorita e se sentar. – Quer um pouco de água?

– Obrigada, meu bem, seria ótimo. Uau, essas calças são apertadas mesmo – comentou Stella, enquanto eu servia água em um copo e o entregava a ela. – Aliás, gostei do seu cabelo; agora ninguém duvidaria de que nós duas somos parentes.

– Pois é – concordei, sentando-me cautelosamente no sofá, desejando ter trocado de calça antes de ela chegar.

– Como foi o seu fim de semana, Electra?

– Muito... interessante. Sim, interessante.

– Posso perguntar de que maneira?

– Ah, descobri onde meu pai me encontrou.

– Descobriu?

– Sim, descobri.

– E onde foi?

Eu a encarei com raiva, me perguntando se ela estava simplesmente sendo falsa ou se estava jogando algum jogo estranho, cujas regras eu desconhecia.

– Com certeza você sabe.

– Claro, queria apenas confirmar os fatos.

– Ah, os fatos estão bem confirmados – assenti, mordendo o lábio inferior para impedir que a raiva explodisse. – Foi na Hale House, no Harlem, onde cuidavam de filhos de viciados e portadores de HIV.

Mantive os olhos no rosto dela e fiquei satisfeita quando Stella desviou primeiro.

– Você sabia que eu fui adotada lá? – perguntei.

– Não na época, mas depois, sim. Seu pai me contou.

– Ok. Então você está dizendo que não sabia que eu, sua própria neta, estava em um lar para filhos de viciados e portadores de HIV?

– Sim, é o que estou dizendo.

– Quero dizer, *você*, que eu vi na TV ainda agora falando sobre a crise da aids na África, *você*, a grande defensora dos direitos civis neste país, *você* não sabia que sua própria neta havia sido deixada em um lugar como aquele?!

Fiquei de pé, em parte porque não conseguia mais ficar sentada com aquelas calças, mas também porque me sentia mais forte assomando sobre minha avó, que vi perder sua postura tão ereta e elegante e desabar na cadeira. Notei que, de repente, ela parecia velha, e havia algo em seus olhos quando ela os desviou para o nada. Percebi que era medo.

– Com certeza a mídia adoraria divulgar essa história, não? – prossegui. – Especialmente considerando a minha fama. Aposto que você não ia gostar nada disso, não é mesmo, vovó querida?! – falei, quase cuspindo.

– Você tem razão, eu não gostaria, porque, sim, isso destruiria minha reputação. Mas creio que, se eu fosse você, também acharia que eu mereço. E talvez eu mereça mesmo.

Comecei a andar pela sala de estar.

– A questão mais importante é: onde é que estava minha mãe nisso tudo? Quem era ela? E por que você não estava lá para ajudá-la, se ela tinha tantos problemas? Ou para me ajudar?! Como pode falar toda aquela merda na TV, com todo mundo pensando que você é algum tipo de deusa da bondade...? Caramba, Stella! Você não tem consciência?!

– Eu... – Stella deu um longo suspiro. – Como eu disse, na época eu não sabia.

– Você não *sabia* que sua filha era viciada em drogas ou vítima de aids ou que ela teve uma menina?

– Não, eu não sabia.

– Então onde é que você estava?

– Eu estava na África na época, mas é uma longa história, e você não vai entender até eu contar o que aconteceu antes mesmo de sua mãe nascer.

– Toda essa contextualização realmente importa? Não vai mudar o fato de que não estava lá por mim ou pela minha mãe, quando mais precisamos de você.

– Não, e você tem todo o direito de ficar com raiva, Electra, mas, por favor, eu imploro, apenas me ouça. Porque, senão, jamais vai entender.

– Para ser franca, Stella, acho que nunca vou entender de qualquer jeito, mas tudo bem. – Suspirei. – Vou tentar. Contanto que você jure que eu ou minha mãe ou você ou algum maldito parente meu vai entrar na história!

– Eu juro que sim – respondeu ela.

Eu a vi pegar um lenço da bolsa, do tipo que a rainha da Inglaterra sempre carregava, e percebi que sua mão tremia um pouco. Logo senti pena dela. Afinal, ela era uma senhora idosa.

– Escute, vou trocar essas calças ridículas e vestir alguma coisa confortável, está bem?

– Ok. Você gosta de chocolate quente? – perguntou Stella.

– Sim, minha mãe... minha mãe adotiva... sempre fazia para mim, antes de eu ir dormir.

– Bem, eu faço o melhor chocolate quente de todo o Brooklyn. Se você tiver os ingredientes, vou preparar para nós.

– Eu tenho. Ótimo, vai lá.

Dez minutos depois, estávamos sentadas na sala, bebendo o que eu tinha que admitir que era um ótimo chocolate quente. Ainda estava tentando alimentar a minha raiva, que de alguma forma tinha se dissipado, algo meio estranho, porque normalmente eu era muito boa em guardar rancor. Boa até demais.

– Bom, então você lembra que Cecily perdeu o bebê?

– Lembro, sim. A história fica mais relevante para mim a partir de agora?

– Electra, eu juro, agora vem a parte mais inacreditável...

Cecily

Quênia

Setembro de 1940

35

Cecily se empertigou, limpou a testa suada, enfiou a pá de jardinagem no solo, depois se levantou e entrou em casa para pegar um copo de limonada na geladeira. Em seguida, foi até a varanda para beber e admirar sua obra. O jardim estava começando a tomar forma; os gramados verdes que desciam em direção ao vale estavam cercados por canteiros de hibiscos e bicos-de-papagaio brancos e vermelhos.

Ela ouviu Wolfie latir do canil ao lado da casa e deixou a sombra da varanda para ir soltá-lo.

– Olá, meu querido – disse ela, ajoelhando-se enquanto o enorme cachorro a enchia de beijos molhados.

Ela quase perdeu o equilíbrio quando ele ficou de pé para colocar as grandes patas em seus ombros. Cecily sorriu ao se lembrar do cachorrinho minúsculo com que Bill a presenteara alguns dias depois de enterrarem Fleur, sua filha.

– Ele precisa de alguém que cuide dele – dissera Bill, entregando-lhe uma coisinha peluda que se contorcia. – É um cruzamento de husky com pastor-alemão, segundo o proprietário. Em outras palavras, confiável e leal, mas agressivo, se precisar.

Wolfie – que recebera esse nome sem muita criatividade porque se parecia com um lobo – não era um exemplo de beleza, com sua estranha mistura de manchas brancas e pretas, para não mencionar um olho azul e outro castanho, mas não havia como duvidar de seu carinho pela dona. Na época, tão afogada em sua dor, sem se preocupar com nada, Cecily achara os choramingos matinais e noturnos muito irritantes, até descobrir que ele dormia em paz se lhe fosse permitido ficar no quarto dela. Ela costumava acordar de manhã com ele deitado de barriga para cima ao seu lado, sua cabeça imitando a dela, também apoiada no travesseiro. Apesar de sua determinação em não amar aquele filhote, Wolfie estivera igualmente determinado a exigir que ela o amasse. E, pouco a pouco, com sua natureza cativante e suas travessuras, que faziam até Cecily, em sua amargura, abrir um sorriso, ele vencera.

Wolfie saltava ao redor dela enquanto ela caminhava de volta para a varanda, para terminar a limonada. Ele tinha o péssimo hábito de desenterrar as mudas, então tinha que ficar preso enquanto Cecily trabalhava no jardim, mas, durante o resto do tempo, ele não saía dos calcanhares da dona.

– Vou levá-lo para passear em um minuto – avisou ela. – Agora sente-se e fique quieto.

Cecily bebeu a limonada e pensou que tinha mais conversas com Wolfie – por mais unilateral que fossem – do que com qualquer ser humano. A guerra na Europa havia começado apenas algumas semanas depois de ela perder Fleur, quando ainda estava no hospital. Quando finalmente pudera voltar para casa, a sombria atmosfera de tristeza era tão densa que ela mal registrara o início do conflito. Aquilo só significara que Bill passava ainda mais tempo fora do que antes, embora na verdade ela não se importasse muito. Seu corpo tivera tempo de se recuperar, mas seu espírito demoraria muito mais.

Lembrou-se do dia em que Kiki fora visitá-la na Fazenda Paraíso e ela se escondera atrás das persianas fechadas de seu quarto, implorando a Bill para dizer que ela estava doente demais para ver a madrinha. Cecily desprezava os cestos de champanhe e potes de caviar de Kiki, além de seu ar forçado de alegria. A única pessoa que consentia ver era Katherine, que tinha sido muito gentil e paciente com ela. Com Katherine por perto, ela se abrigara no conforto e na segurança da Fazenda Paraíso, enquanto o resto do mundo entrava em guerra. Seus pais estavam desesperados para que ela voltasse para casa, para o santuário da América, mas, quando ela enfim se recuperou o suficiente, até Bill admitiu que a viagem seria perigosa demais.

– Desculpe, meu bem, não quero arriscar que você seja estraçalhada por um bombardeiro alemão ou por um dos submarinos nazistas. Acho que você vai ter que ficar aqui até as coisas se acalmarem um pouco.

As "coisas" não se acalmaram, mas pelo menos ela podia se esconder ali, trabalhando no jardim e vasculhando a extensa biblioteca de Bill. Ela sabia que, se estivesse em Nova York, sua mãe teria feito o possível por sua recuperação, fazendo-a "voltar para o mundo", e essa ideia a aterrorizava. No entanto, agora que fazia um ano da perda de sua filha, a dormência que sentira havia melhorado um pouco e Cecily descobriu que tinha saudades da família...

Não que passasse muito tempo pensando neles ou em qualquer coisa mais emocional – aprendera que a vida devia simplesmente ser suportada, não aproveitada. Todas as relações amorosas que tentara criar fora de sua família haviam sido desastrosas.

– Exceto você, Wolfie – afirmou, dando um beijo na cabeça do cachorro.

Exceto por Wolfie, Cecily sabia que estava sozinha. Mesmo Bill tendo ficado ao seu lado, segurando sua mão, enquanto baixavam o caixão minúsculo de Fleur na terra vermelha, ela achou que ele estava aliviado por não ter que criar a filha de outro homem. Ou qualquer outra criança; os médicos salvaram sua vida, mas a destruíram novamente 24 horas depois, revelando que ela nunca mais teria filhos. Bill se mostrara genuinamente triste com isso – e, para ser justa, Cecily não podia negar que ele insistira em ficar em casa com ela, até a guerra forçá-lo a ir para Nairóbi. Cecily tinha certeza de que o gesto nascera da consciência pesada. O Dr. Boyle deixara escapar que ninguém conseguira contatar Bill quando ela passou mal. Ele estava caçando, e foi somente quando Bobby correu atrás dele que Bill apareceu no hospital.

Nos últimos tempos, ela não ouvia mais as explicações de Bill sobre aonde ia quando passava tempo fora e como poderia ser localizado, se necessário. Ela era cordial com ele quando estava em casa, mas não desejava mais seus abraços ou tê-lo em sua cama. Se podia ou não ter filhos era irrelevante, pois nunca haviam tentado.

Cecily estava feliz pela iminente visita de Katherine naquela noite, para jantar e conversar. A amiga também estava longe do marido, pois Bobby se alistara. Por causa de sua asma, ele servia na parte administrativa do Escritório Agrícola em Nairóbi.

– Graças aos céus por Katherine. – Ela suspirou. – Vamos, Wolfie, vamos preparar o jantar.

❋ ❋ ❋

– Pegue um pouco do ensopado – disse Cecily, indicando a panela fumegante que colocara na mesa.

– Obrigada. Parece delicioso. Pelo menos não temos racionamento de comida, como todo mundo na Europa – comentou Katherine enquanto cortava o pão fresco que Cecily assara. – A propósito, Alice me pediu que a convidasse para uma festa que ela vai dar na Fazenda Wanjohi. Ela tem estado muito sozinha. Você quer ir?

– Acho que não.

– Cecily! Você não sai de casa há um ano. Pode ser bom sair e se divertir um pouco.

– Não o tipo de diversão que Alice e suas amigas apreciam, mas obrigada mesmo assim.

– Meu Deus, você soa como uma puritana. Só porque se esqueceu de como é se divertir, não deve odiar o resto do mundo que ainda lembra.

Ferida pelas palavras da amiga, Cecily baixou os olhos e passou manteiga no pão em silêncio.

– Eu... Ah, me perdoe, por favor. Entendo que você ainda esteja de luto, e que o aniversário de Fleur acabou de passar. É só que... você só tem 24 anos, pelo amor de Deus. Tem muita vida pela frente, e não quero ver você desperdiçá-la.

– Estou perfeitamente feliz vivendo assim. Como está Bobby? – perguntou Cecily, mudando rapidamente de assunto.

– Entediado com a organização das rotas de colheita e desejando poder voltar a se dedicar ao nosso gado em tempo integral.

– Bill comentou que daria uma olhada nele enquanto estivesse nas planícies, esta semana. Ele tinha alguns dias de folga.

– Foi o que ouvi. Graças a Deus eles se ajudam. Eu estava pensando... – disse Katherine, brincando com sua comida. – Por que você não foi com ele?

– Porque ele não me convidou.

– Ele provavelmente desistiu de perguntar, porque você sempre diz não.

– Por que você não para de me encher de perguntas e come um pouco do ensopado que eu preparei?

– Porque... na verdade estou bem enjoada. Ah, Cecily, faz um mês que estou adiando para lhe contar, mas você é minha melhor amiga e deve ouvir de mim. Bobby e eu vamos ter um bebê. Está previsto para maio. Sinto muito, mas eu tinha que lhe contar.

Havia lágrimas nos olhos de Katherine quando ela esticou a mão para pegar a de Cecily.

– Mas... essa é uma notícia maravilhosa! Estou feliz por você – Cecily conseguiu dizer.

– É mesmo? Fiquei tão preocupada em dizer qualquer coisa; não queria que a notícia a chateasse.

– Chateasse? Estou feliz por vocês, de verdade.

– Tem certeza mesmo?

– Absoluta. Na verdade, devemos abrir o champanhe que ainda sobrou dos cestos de Kiki.

– Ah, não o gaste comigo. Passo mal só de pensar em álcool, no momento. A outra coisa que eu queria perguntar é se você gostaria de ser a madrinha do nosso pequenino. Não consigo pensar em convidar mais ninguém.

– É tão gentil da sua parte! Claro que eu ficaria honrada, Katherine. De verdade.

– Isso é maravilhoso! E, como você é minha vizinha mais próxima, com certeza vou viver implorando para largar o bebê aqui.

– Não será nenhum problema – afirmou Cecily, com um sorriso.

Mais tarde, ela se despediu de Katherine na varanda. Quando as luzes traseiras da picape desapareceram na saída, Cecily sentou-se à mesa, cobriu o rosto com as mãos e soluçou como se seu coração estivesse se partindo outra vez.

❂ ❂ ❂

Três dias depois, Cecily estava esfregando o chão da cozinha quando Bill chegou em casa. Embora ele sempre insistisse que ela contratasse ajuda, Cecily recusava. Gostava de sua solidão. Além disso, cuidar da casa lhe dava algo para fazer.

– Boa noite – disse ele, observando a esposa de quatro no chão.

– Oi – respondeu ela, largando a escova no balde e se levantando. – Como vai o gado?

– Definhando a cada dia.

– Ah. Vou servir o jantar. Eu não sabia a que horas você ia voltar.

– Não. Desculpe. Cecily, podemos conversar?

– Sim, claro. Aconteceu alguma coisa?

– Não, pelo menos não comigo. Temos gim em casa? Eu bem que gostaria de uma dose.

– Há um pouco no armário da sala de estar.

– Então vamos conversar lá?

Cecily o seguiu pelo corredor até a sala e o viu derramar dois dedos de gim em cada copo, entregando-lhe um.

– Tim-tim. – Ele brindou.

– Saúde. – Cecily tomou um gole. – O que aconteceu, Bill?

– Você se lembra do meu amigo, o chefe maasai Leshan, que eu trouxe aqui para nos visitar?

– Claro que sim. Por quê?

– Ele ouviu dizer que eu estava nas planícies e foi me encontrar. Estava com um problema e queria saber se eu podia ajudá-lo... Como você já deve ter percebido, os maasais têm uma hierarquia tribal complexa. Leshan é o líder do clã ilmoleliano, um dos mais poderosos da área. Nygasi também pertence a ele. – Bill fez uma pausa e tomou um gole de gim. – A filha mais velha de Leshan já foi prometida em casamento para o filho do chefe do clã Ilmakesen. Eles são do pilar Direito, o que significa que podem se casar com o pilar Esquerdo de Leshan.

Cecily assentiu, embora não estivesse entendendo bem os detalhes. Ela imaginou que fosse um pouco como os poderosos Vanderbilts se casando com os Whitneys.

– As filhas de Leshan são como princesas na terra dos maasais. A mais velha já alcançou a maioridade, aos 13 anos, e é considerada a mais bonita de todas as suas irmãs – prosseguiu Bill. – Mas o pai dela descobriu que ela... teve relações com um *moran*, ou seja, um guerreiro, do próprio clã, e ficou grávida dele, o que é estritamente proibido. Se seu pretendente descobrir, pode haver guerra entre os dois clãs. No mínimo, Leshan seria forçado a expulsar a filha e ela seria deixada à mercê de hienas e chacais.

– Ah, não! Isso é terrível! Como essas pessoas podem ser tão bárbaras?

– Não dá para dizer que seja mais bárbaro do que o que está acontecendo na Europa, Cecily, mas o fato é que o chefe ama sua filha e, apesar de sua posição difícil, ele não quer vê-la ferida.

– Claro que não, mas o que isso tem a ver conosco?

– Ele me perguntou se eu... *nós*... a receberíamos por um tempo, só até ela ter o bebê. Depois ela poderá voltar ao clã e com sorte ninguém descobrirá.

Cecily encarou o marido.

– Você está dizendo que quer que essa garota venha morar *aqui*? E ela está grávida?

– Em resumo, é isso mesmo. Dado o que você passou recentemente, pode me achar insensível em sugerir uma coisa dessas, mas o homem me fez vários favores por muitos anos. Além disso, se não ajudarmos, a pobre menina não terá aonde ir. Na terra dos maasais, Leshan não pode ser visto ajudando-a, mas aqui, onde nenhum maasai jamais pensaria em procurar, *nós* podemos ajudar. Conheço essa menina desde que era bebê e ouso dizer que ela está em uma situação semelhante à sua, quando eu a conheci. Você não poderia se compadecer e oferecer abrigo em nossa fazenda?

– Acho que, se você coloca dessa maneira, não tenho escolha. Com quantos meses ela está?

– Leshan não tem certeza; ela escondeu a existência do bebê por um tempo e foi apenas quando sua mãe a pegou nua se lavando que descobriram. A mãe disse que ela ainda tem alguns meses pela frente. Quando chegar perto da hora, a mãe virá aqui para ficar com ela.

– Alguma dessas mulheres fala inglês?

– Não, mas Nygasi sabe um inglês básico, e não é preciso muito tempo para estabelecer comunicação. Eu consegui. Nygasi pode ficar aqui para cuidar dela e lhe trazer comida; ele encontrará um lugar seguro para acampar na floresta. Você quase não vai perceber a presença dela.

– Certo. – Cecily ficou aliviada pelo fato de não precisar conviver com a menina na casa. – Bem, se só precisamos permitir que ela acampe em nossa terra, e se a mãe estará por perto quando for a hora, então acho que está tudo bem. Quando ela vai chegar?

– Ela já está aqui. Nós a escondemos debaixo de um cobertor na caçamba da picape. Nygasi está com ela agora, procurando um local na floresta.

– Entendo. – Cecily percebeu que o acordo já fora feito. – Tenho certeza de que você vai querer sair correndo e ajudar.

– Não, mas vou informar a Nygasi que você concordou que ela fique. Cecily, eu imploro, não conte a ninguém, *ninguém* mesmo, que ela está aqui. Nem mesmo a Katherine. Bem, eu volto para o jantar.

Enquanto observava Bill sair de casa e seguir na direção da floresta, Cecily suspirou e entrou na cozinha para arrumar o jantar.

– É meu castigo não apenas perder meu bebê, mas ficar cercada de mulheres grávidas? – murmurou para si mesma, mexendo o molho e colocando-o no fogão para ferver.

Bill apareceu na cozinha quarenta minutos depois, no instante em que ela estava tirando o curry do fogo.

– Que cheiro bom, Cecily. Você é mesmo uma ótima cozinheira, sabia?

– Não fique me bajulando, Bill, só porque você quer que a menina maasai fique – retrucou Cecily, meio brincando, pois estava secretamente satisfeita com o elogio. – Você pode colocar os pratos na mesa?

Uma vez sentados à mesa de jantar, Cecily observou Bill comendo o curry.

– Então, ela já está... acampada? – perguntou ela finalmente.

– Nygasi está construindo um abrigo e, como eu disse, vou deixá-lo com ela quando for para Nairóbi.

– Céus! Tem certeza de que você pode viver sem ele? Você nunca o deixou para trás para cuidar de mim quando eu estava grávida – comentou Cecily, culpando o gim por sua língua solta.

– Não, não deixei, e vou me arrepender disso pelo resto da vida. – Ele a encarou, largando a faca e o garfo. – Sabe, não tenho mais como pedir desculpas. Você nunca vai me perdoar por não ter estado aqui, Cecily?

– Claro que eu o perdoo. Nem era seu filho, de qualquer maneira. Enfim, qual é o nome da sua menina?

– Ela não é "minha menina", está apenas sob a minha... a *nossa* proteção, até dar à luz. O nome dela é Njala. Significa "estrela" – murmurou ele. – Todo nome dado pelos maasais tem relevância. Assim como tudo o que fazem.

Não pela primeira vez, Cecily se perguntou se Bill desejava ter nascido maasai; ele certamente parecia preferir a companhia deles à dela ou a de qualquer outra pessoa que conhecia.

– Bem, Nygasi pode me avisar se ela precisar de alguma coisa.

– Obrigado por isso. Vou falar com ele. Ela está com muito medo, Cecily.

– Não é para menos. Não acredito que meninas tenham permissão para engravidar tão jovens...

– Elas são consideradas candidatas para os *morans* assim que se tornam férteis – explicou Bill. – É a vida nas planícies.

– Bill, ela não passa de uma criança e eu acho isso obsceno.

– Tenho certeza de que eles consideram nosso modo de vida igualmente obsceno – rebateu ele.

Seguiu-se um silêncio, que Cecily finalmente decidiu quebrar.

– Eu vi Katherine alguns dias atrás.

– Viu? Como ela está?

– Está bem. E está esperando um bebê para maio.

– Eu sei, Bobby me contou. Estou muito feliz por eles. Você está?

– Claro! Eles serão pais maravilhosos. Agora, se você já terminou, vou tirar a mesa.

Cecily levantou-se abruptamente, recolheu os pratos e marchou para a cozinha. Enquanto abria a torneira ao máximo, sentiu-se ferver de raiva. Será que aquele homem não tinha nenhuma empatia pelo seu sofrimento?

Bill saiu cedo na manhã seguinte, e Cecily foi trabalhar em seu jardim, puxando as ervas daninhas com a força de uma criança sendo arrancada do útero. Embora não tivesse visto nem Nygasi nem a menina que agora vivia em sua terra, era como se pudesse sentir a presença deles na floresta adiante.

Quando terminou, sentou-se com Wolfie na varanda, apreciando seu habitual copo de limonada, enquanto se refrescava do calor do dia. Depois de preparar uma ceia leve de sopa de legumes, Cecily sentiu-se incomumente inquieta, sem nem conseguir ler, como de costume. Olhou para o céu e viu que ainda havia pelo menos mais uma hora antes de a escuridão cair.

– Vamos, Wolfie, vamos fazer uma visita ao nosso novo vizinho.

Armando-se com uma lanterna e uma garrafa de água em uma bolsa de lona, Cecily partiu com o cachorro na direção da floresta. Ela nunca havia entrado ali antes, apenas a contornava quando ia visitar Katherine. Eles estavam acampados morro acima, uma caminhada de pelo menos 800 metros a pé da fazenda, e o crepúsculo já estava começando a cair quando ela chegou às proximidades.

Wolfie seguia farejando na frente dela enquanto caminhavam através das sombras das enormes árvores. Cecily nunca percebera que a mata era tão densa, e torceu para Wolfie encontrar o caminho de volta para casa. A escuridão era quase completa e ela estava pronta para dar a volta, quando Wolfie latiu de repente e saiu correndo. Sabendo que isso significava que ele sentira algum cheiro – provavelmente de comida –, Cecily ligou a lanterna e o seguiu.

– Espero que você saiba aonde vai, Wolfie – disse ela, fazendo o possível para acompanhá-lo.

Entretanto, em pouco tempo até Cecily começou a sentir o aroma sedutor de carne cozinhando no fogo e, alguns segundos depois, os dois entraram em uma pequena clareira.

Quando Cecily focou a lanterna no pequeno abrigo circular, preparado com barro e coberto com peles de animais, se sentiu em uma versão africana surreal de *João e Maria*. Em frente ao abrigo havia um lombo de carne assando no espeto que pairava sobre uma fogueira.

– *Takwena*, Cecily – disse Nygasi, aproximando-se cautelosamente.

– Olá, Nygasi. Eu... só vim dizer oi para... – Cecily indicou a cabana. – Ela está aí dentro?

– Não. Ela ouviu cachorro. Fugiu. Tem medo.

– Ah. Pode dizer a ela que eu vim vê-la?

– Sim. Você volta com sol – respondeu Nygasi, apontando para cima.

– Tudo bem – concordou Cecily, enquanto Nygasi cortava um pedaço de carne do espeto com uma grande faca afiada e o jogava para Wolfie.

– *Oldia*. Cão – disse ele.

– *Oldia* – repetiu Cecily, acariciando Wolfie.

– *Etaa sere* – despediu-se ele em seguida, fazendo uma leve reverência e se afastando.

Cecily voltou para casa. Depois que se acomodou na varanda com a lamparina a gás para ler um livro, percebeu que era a primeira vez que falava diretamente com Nygasi. Acostumada a vê-lo sempre com seu marido, ela admitiu para si mesma que sempre sentira um pouco de medo dele, mas, naquela noite, ele parecera bem amigável.

Uma hora mais tarde, quando foi se deitar, Cecily decidiu que retornaria ao acampamento no dia seguinte para conhecer a tal princesa maasai pessoalmente.

✲ ✲ ✲

– Ela está aqui? – perguntou Cecily a Nygasi quando voltou à clareira na manhã seguinte.

– Ela ali.

Nygasi apontou para o abrigo.

– Pode dizer a ela que eu gostaria de conhecê-la?

Nygasi assentiu, caminhou até o abrigo, afastou um dos couros e falou rapidamente com a pessoa lá dentro, em maa.

– Ela vem. Sentar? – ofereceu ele, indicando uma pele no chão, ao lado da fogueira.

Cecily se sentou, então viu o couro ser afastado e um par de olhos medrosos surgir. Nygasi disse algumas palavras obviamente tranquilizadoras, pois ela abriu mais a passagem. Fascinada, Cecily viu uma jovem surgir do abrigo. Ela sempre achou Nygasi alto, mas a mulher ao lado dele era ainda mais. Cecily arfou diante daquela pessoa impressionante diante dela. Sua pele negra brilhava como ébano à luz do sol que atravessava as árvores, seus longos braços e pernas eram quase impossivelmente esbeltos e seu pescoço parecia longuíssimo sob um rosto requintadamente cinzelado com lábios carnudos, maçãs do rosto salientes e límpidos olhos castanhos. Os cabelos eram raspados e o queixo estava ligeiramente empinado enquanto ela olhava para Cecily com certo ar de arrogância. Ela vestia uma saia de pele de cordeiro e um xale vermelho enrolado no torso. Uma variedade de argolas de prata estava pendurada em suas orelhas, pescoço e pulsos, também adornados com pulseiras e colares de miçangas multicoloridas.

Cecily esperava uma criança, mas aquela menina de 13 anos era uma mulher, com a postura nobre de princesa. Ela era tão incrivelmente impressionante que Cecily só conseguia encará-la, muda.

Devagar, ela se levantou e caminhou para cumprimentar a jovem, muito mais alta que ela.

– Eu sou Cecily Forsythe, esposa de Bill. Prazer em conhecê-la, Njala.

Ela estendeu a mão e a jovem a pegou quase regiamente, dando um aceno de cabeça.

– Não inglês – explicou Nygasi.

– Tudo bem. Eu só queria que ela soubesse que, se houver algum problema, eu estou... bem, estou logo ali.

Nygasi assentiu e depois falou com a garota em maa. Ela sussurrou uma resposta.

– Ela disse obrigada pelo abrigo em sua terra.

– Ah, não tem problema – gaguejou Cecily, sentindo os incríveis olhos de Njala sobre ela. – Amei as suas pulseiras. – Cecily apontou para o pulso da mulher. – Muito lindas. Bem, então é melhor eu ir. Prazer em conhecê-la, Njala. Até logo. Vamos, Wolfie.

Cecily virou-se e saiu da clareira. Somente no meio do caminho para casa percebeu que ficara tão encantada pela beleza de Njala que nem sequer tinha olhado para o tamanho da barriga da mulher para estimar o tempo da gravidez.

Depois de passar o dia no jardim e de cozinhar para si mesma outra ceia solitária, Cecily entrou na sala, acendeu a luz e foi até a estante de livros para encontrar um que falasse sobre os maasais. Acendendo o fogo na lareira, pois a noite estava fria, Cecily se acomodou em uma poltrona e começou a ler.

Era o relato de um homem branco, um grande caçador que havia sido capturado por um clã enquanto estava no território deles. Ele conseguira trocar sua pena de morte oferecendo-lhes sua espingarda e, ao longo do tempo, fez amizade com eles. O que mais impressionou Cecily foi a maneira bárbara como eles tratavam suas mulheres.

Ela empalideceu ao ler a detalhada descrição da "cerimônia" da circuncisão feminina e, de vez em quando, teve que parar para se recompor. Sentiu-se tonta só de imaginar suas próprias partes íntimas sendo violadas daquela maneira.

Quando apagou a luz para ir dormir, pensou na orgulhosa mulher-criança dormindo naquela noite sob um dossel de peles de animais. E, pela primeira vez em algum tempo, considerou-se uma pessoa de sorte por ser tão privilegiada.

❁ ❁ ❁

Na manhã seguinte, armada com o dicionário básico de maa que pertencia a Bill e levando de presente batatas e cenouras que poderiam ser cozidas em uma panela sobre o fogo, Cecily seguiu de novo pelo caminho da mata. Nygasi a recebeu com um sorriso quase imperceptível e uma pequena mesura, quando ela entrou na clareira.

– Olá, Nygasi. Veja – disse Cecily, enquanto procurava na sacola. – Eu trouxe algumas coisas para Njala comer e deixá-la mais confortável. Ela está aqui?

Nygasi assentiu e foi buscar Njala enquanto Cecily expunha seus presentes.

– *Takwena*, Njala – cumprimentou Cecily, mais uma vez hipnotizada por sua beleza, quando a garota se aproximou da fogueira.

Afastando com dificuldade os olhos do rosto da jovem, ela encarou sua barriga, que continuava coberta pelo longo xale vermelho, de modo que o volume podia ser tanto do tecido quanto do bebê. De qualquer forma, não parecia muito grande, pensou Cecily, mas havia mais espaço para um bebê dentro do corpo de 1,80 metro de Njala do que houvera no dela, de pouco mais de 1,50 metro.

– Veja, eu trouxe um travesseiro para você.

Confusa, Njala levantou sua elegante sobrancelha.

– Vou lhe mostrar. – Cecily colocou o travesseiro no chão ao seu lado e deitou a cabeça nele. – Para dormir. Quer tentar?

Cecily ofereceu o travesseiro a Njala, que o aceitou como se Cecily fosse uma empregada servindo à rainha.

– E aqui estão algumas batatas e cenouras – disse Cecily, tirando uma de cada e mostrando à menina.

Nygasi assentiu em aprovação e aproximou-se para pegá-las.

– Pode perguntar a Njala se há mais alguma coisa de que ela precisa? – indagou Cecily a Nygasi.

Nygasi traduziu a pergunta, mas a garota balançou a cabeça.

– Hoje trouxe vaca. – Nygasi indicou o animal plácido mastigando a grama debaixo de uma árvore, amarrado por um longo pedaço de corda. – Bom para bebê – acrescentou ele.

– Sim, é bom – concordou Cecily. – Por favor, me avise se houver outra coisa de que vocês precisem. *Etaa sere* – despediu-se Cecily, tropeçando nas palavras, que significavam "adeus".

– *Etaa sere.*

Foi Njala quem respondeu, seu tom infantil não combinando com seu físico de mulher.

Com um sorriso hesitante e um aceno de cabeça para os dois maasais, Cecily foi embora.

36

No mês que se seguiu, Cecily ficou cada vez mais curiosa com a jovem que morava na floresta. Em vez de caminhar pelos campos abertos que ofereciam vistas maravilhosas do vale logo abaixo, assim que o calor do dia amainava, ela e Wolfie partiam para visitar a vizinha. Novembro trouxe chuvas fortes e repentinas, que deixaram Cecily preocupada com a saúde de Njala, mas ela permaneceu segura e seca dentro de seu pequeno abrigo, pois Nygasi tivera a prudência de construí-lo em um monte elevado para que não inundasse.

No início, Njala ficava apenas atrás de Nygasi, enquanto Cecily tirava seus presentes diários da bolsa. As galinhas que Bill tinha trocado com um kikuyu estavam se mostrando boas poedeiras, então ela tinha muitos ovos de sobra.

Na primeira vez em que levou ovos para Njala, Cecily a observou fazer uma careta de desgosto e sussurrar algo para Nygasi.

– Ela diz eles vêm do traseiro dos pássaros – comunicara Nygasi solenemente, e Cecily teve que reprimir uma risadinha.

– Diga a ela que os ovos são bons para o bebê. Veja, eu vou mostrar.

Cecily pegou a panela ao lado do fogo e misturou dois ovos com leite, ainda quente do úbere da vaca, adicionando um pouco de sal e pimenta que trouxera de casa.

– Pronto – disse ela, oferecendo a comida a Njala, depois de cozinhá-la.

A menina balançou a cabeça com firmeza.

– Está vendo? – Sem garfo ou colher, Cecily usou os dedos levar um pouco do ovo mexido à boca. – Bom. *Supat.*

Njala olhou para Nygasi, que assentiu e a encorajou, então ela deu um passo à frente e mergulhou os próprios dedos na panela. Com uma expressão de quem estava prestes a comer veneno, ela provou a mistura.

– Viu? *Supat* – comentou Cecily, esfregando a barriga.

Njala gesticulou para pegar mais, então Cecily lhe ofereceu a panela e, finalmente, a menina se ajoelhou e comeu o restante com prazer.

Depois disso, Cecily levava ovos para seus hóspedes todos os dias e achava que Njala estava começando a parecer feliz em vê-la. Ela só queria poder se comunicar melhor com a menina e dizer que entendia a sua situação. Por isso, começou a levar nas visitas o pequeno quadro de giz que mantinha na cozinha para anotar lembretes de compras.

– Njala sabe escrever? – perguntou a Nygasi, demonstrando o movimento com seu giz.

Ele balançou a cabeça.

– Ah. Então talvez eu possa ensinar. Veja.

Cecily gesticulou para que Njala se aproximasse. Então escreveu "Njala" em letras grandes no quadro e desenhou uma estrela ao lado do nome. Ela mostrou as letras para a menina, apontando para elas e depois para Njala.

– Njala. Você.

Ela repetiu o processo com seu próprio nome e, finalmente, depois de muito gesticular, a menina pareceu entender.

– Njala. – Ela apontou para si mesma. – Cecily. – Ela apontou para Cecily.

– Sim, eu! – confirmou Cecily, batendo palmas com prazer, enquanto Njala também sorria, exibindo seus belos dentes brancos.

A partir de então, depois que Njala comia seus ovos, Cecily escrevia palavras básicas como "Olá" no quadro. Ela consultava o dicionário maa e pedia que Nygasi lhe ensinasse a pronúncia correta. Quando Cecily repetia a palavra em maa, Njala falava com hesitação a palavra em inglês. Depois de algumas semanas, a menina não apenas conseguia formar algumas sentenças básicas no novo idioma, como também passara a esperar ansiosamente na clareira por Cecily. Era difícil de explicar, mas um afeto se desenvolveu aos poucos entre elas. Certa manhã, ela viu Njala estremecer e apertar a barriga.

– Bebê chutando? – perguntou Cecily, imitando o movimento com o pé, e Njala assentiu. – Posso tocar?

Cecily estendeu a mão, que a menina pegou e colocou na própria barriga.

– Minha nossa! – Cecily arfou ao sentir um movimento sob a pele de ébano. Ela quis chorar de alegria e tristeza ao mesmo tempo. – Ele ou ela é forte! Forte! – repetiu, flexionando o músculo do braço, e as duas riram.

❂ ❂ ❂

– Você parece muito animada e alegre esta noite – comentou Bill, enquanto Cecily preparava o jantar.

Fazia três semanas que ele não voltava para casa, preso em sua mesa no Departamento de Guerra em Nairóbi. Com sua nova amizade com Njala, Cecily mal percebera a ausência dele.

– Obrigada – disse ela. – Eu me sinto animada.

– Deve ser única pessoa assim no Quênia. – Bill suspirou. – As coisas estão bem sombrias em Nairóbi, especialmente com os apagões. A cidade está cheia de militares.

– Já houve algum ataque aéreo?

– Apenas um, no litoral de Malindi, mês passado, mas, desde que Mussolini declarou guerra, houve conflitos entre os Aliados e o Exército italiano em solo queniano; todos estão se preparando para uma invasão pela fronteira da Abissínia. Não dá para andar pela cidade sem tropeçar em uma barricada.

– Que horror! – exclamou Cecily, distraidamente, enquanto colocava o jantar na mesa e se sentava de frente para Bill.

– Além do mais, pediram que eu assumisse o comando de um regimento do King's African Rifles.

Cecily o encarou.

– Quer dizer que você vai lutar?

– Vou supervisionar o recrutamento e organizar a movimentação de tropas, no início, mas pode apostar que vou lutar com meus homens, se for preciso. Enfim, por enquanto é bom estar em casa, de verdade.

– Quer terminar o resto do nosso gim? – perguntou Cecily, de repente sentindo-se culpada por não andar pensando muito no marido.

– Por que não? – respondeu ele, e ela se levantou para pegar a bebida. – Até o velho Muthaiga Club está secando, com a chegada de tantos militares. Acho melhor você retomar a relação com sua madrinha. – Ele deu um sorriso fraco quando Cecily lhe entregou um copo. – A adega da casa dela parece nunca secar. Tim-tim.

– Saúde – brindou Cecily.

– Então, o que você tem feito por aqui, desde a última vez?

– Ah, cuidando do jardim e da horta, é claro. Nunca havia percebido quanto as cenouras e couves são exigentes. Também andei visitando Njala todos os dias.

Bill a olhou com espanto.

– É mesmo?! Ora, que coisa. Como ela está?

– Na verdade, está muito bem. E, caramba, ela é realmente linda, não é?

– É, sim, sem dúvida.

– Tenho levado ovos para ela e ensinado um pouco de inglês. E até aprendi a falar um pouco de maa.

– Que bom. – Bill observou a esposa. – Quem diria!

– O quê?

– Que você e uma garota maasai ficariam amigas.

– Não sei por que você está tão surpreso, considerando que passa metade do seu tempo com eles.

– Infelizmente, não mais, mas entendi o que você quis dizer.

– Bill...?

– Sim?

– Você... você sabe como Njala engravidou?

– Bem, acho que foi da maneira usual.

– Quero dizer, ela estava... ahn... de acordo? – indagou Cecily, corando.

– Você quer saber se foi consensual ou se ela foi forçada?

– Sim.

– Não tenho resposta para essa pergunta, mas, na minha experiência, a filha do chefe, especialmente quando é tão linda, é considerada preciosa e é muito bem protegida. Então, imagino que a própria Njala deva ter feito os... arranjos necessários para um encontro.

– Ela amava alguém sem ser seu pretendente?

– Talvez, mas quem sabe? – Bill suspirou. – Infelizmente, uma mulher maasai raramente escolhe o próprio caminho.

– Compreendo. Ela me faz sentir muito abençoada – concordou Cecily.

– Pois é. Sempre há alguém sofrendo mais do que nós. Agora, considerando que você parece estar mais sociável, eu queria saber se você se importaria se Joss nos visitasse este fim de semana. Ele fechou o Palácio Djinn desde que sua esposa, Molly, morreu. Não pode se dar ao luxo de administrar aquele maldito lugar, e está preso em seu bangalô na cidade, fortemente envolvido com o esforço de guerra, como todos nós. Ele precisa de um pouco de ar fresco, como você pode imaginar.

– Claro, por que não? – retrucou Cecily. – Não recebemos visitas desde... bem, desde que nos mudamos.

– É, e já passou da hora, mesmo levando em consideração os meus hábitos eremitas. Há também um novo casal na cidade, Jock Delves Broughton e sua jovem esposa, Diana. Eles se mudaram da Inglaterra para o Quênia fugindo da guerra. Não que seja possível escapar completamente, no momento, mas pelo menos o clima aqui está melhor, eu suponho – comentou Bill, dando de ombros. – Joss sugeriu que nós os convidássemos também. Diana não é muito mais velha que você e pode ser bom conhecer alguém da sua idade.

– Tudo bem, mas você vai ter que arrumar um pouco de carne, porque quase não há mais nada no açougue da cidade.

– Não pode abater uma de suas galinhas?

– De jeito nenhum! – Cecily pareceu horrorizada. – Todas elas têm nomes. Além disso, elas nos fornecem ovos todos os dias.

– Eu sabia. – Bill revirou os olhos. – Tudo bem, então vou ver com Nygasi o que ele pode conseguir e convidar Joss e os Broughtons para virem à Fazenda Paraíso no próximo fim de semana.

❂ ❂ ❂

Apesar de acordar na manhã seguinte suando frio, imaginando por que concordara em receber visitas no fim de semana, Cecily descobriu que se ocupar com os preparativos era divertido. Ninguém além de Katherine e Bobby haviam estado em sua casa desde que se mudaram – a festa de inauguração que planejaram fora colocada de lado por causa da tragédia que Cecily enfrentara. Ela esfregou a casa até deixar tudo brilhando, acrescentando flores do jardim em vasos sobre as superfícies polidas. Cecily convidou Katherine também – Bobby não conseguira licença, o que acabou sendo bem conveniente, pois significava que haveria um número igual de homens e mulheres, coisa que sua mãe sempre considerava importante à mesa de jantar.

Na sexta-feira em que os convidados deveriam chegar, Cecily desencavou as garrafas de champanhe restantes dos cestos de Kiki, esperando que ajudassem a alegrar a festa, e colocou-as na geladeira. Não tendo visto Njala nos últimos dias, ela partiu com Wolfie para a mata. Quando se aproximou da clareira e viu a garota sair imediatamente de seu abrigo, Cecily reparou em quanto a barriga dela havia crescido. Ela não a encobria mais; em vez disso, usava um pedaço de tecido em forma de saia embaixo da saliência. Cecily achava que o bebê de Njala não demoraria muito a chegar.

– *Supai*, Nygasi – disse ela ao se aproximar. – Como ela está?

– Bebê perto – respondeu ele, enquanto caminhavam juntos em direção a Njala.

– Mas ela está bem?

Nygasi assentiu.

– Quando você vai chamar a mãe dela?

– Mãe vem logo – afirmou Nygasi.

– Oi, Cecily.

Njala sorriu quando eles se aproximaram. A menina se virou para Nygasi e, como uma rainha dispensando um servo, fez um gesto para ele sair. Nygasi assentiu e se afastou da clareira.

– Como você está?

Njala segurou a barriga e revirou os olhos de maneira expressiva.

– Sim, eu sei como é.

Cecily então passou a mão pela testa para indicar fadiga.

Partindo para um lado da clareira e fazendo sinal para Cecily segui-la, Njala a levou para a proteção de um denso bosque. Então, ela se virou e tomou as mãos de Cecily nas suas. Seus olhos de repente se encheram de medo.

– Você ajuda – disse ela.

Soltando as mãos de Cecily, ela indicou sua barriga, em seguida fez um movimento de embalar com os braços.

– Ajuda? Você quer dizer ajuda com o parto? – perguntou Cecily, também imitando a ação de embalar.

– Sim. Ajuda. Por favor.

– Njala, sua mãe está vindo para ajudar – afirmou Cecily, devagar.

– Não! Ajuda bebê! Por favor, Cecily!

Como uma sombra, Nygasi apareceu atrás de Njala. Ele mencionou algo em maa, indicando que a garota deveria retornar à clareira.

– Você vai para casa agora – ordenou Nygasi a Cecily, com firmeza.

Njala virou-se para ela, os olhos cheios de tudo o que ela não conseguia dizer.

– Por favor, ajuda bebê – murmurou ela, enquanto Nygasi a levava embora.

✲ ✲ ✲

Cecily ainda estava pensando em Njala e tentando interpretar o que ela pedira quando Bill chegou em casa, no fim da tarde.

– A casa está maravilhosa, minha querida, e você também. – Ele sorriu quando ela saiu do quarto em seu vestido verde e foi fazer os ajustes finais para o jantar. – Gosto de seu cabelo mais comprido. – Ele pegou um cacho que caía logo abaixo dos ombros e o enrolou no dedo.

– Só está comprido porque não há ninguém por aqui em quem eu confie para cortá-lo.

– Bem, eu gosto, e você deveria usá-lo solto com mais frequência. Agora, vou tomar um raro banho de banheira. Eles estão racionando água no Muthaiga Club, pois estão lotados. São dois homens por cômodo agora, e você se lembra de como aqueles quartos são pequenos – acrescentou ele, caminhando na direção do banheiro.

– Ah, Bill...

– Sim?

– Vi Njala hoje e ela pareceu nervosa... quase assustada. Acho que ela disse que queria que eu ajudasse no parto. Expliquei que a mãe vai ajudá-la, mas não tenho certeza se ela entendeu. Já deve estar bem perto. Você pode pedir que Nygasi garanta que a mãe dela chegue logo? Eu não suportaria se alguma coisa... – Cecily engoliu em seco – acontecesse com ela.

– Claro que peço. Njala sabe que a mãe vai chegar quando estiver na hora. Você provavelmente a entendeu mal.

– Talvez.

Mas quando Bill fechou a porta e abriu a água, Cecily pensou que com certeza não tinha se enganado sobre o medo nos olhos de Njala.

❁ ❁ ❁

Os convidados chegaram uma hora atrasados. Joss Erroll – embora parecesse exausto – estava bonito como sempre, e Jock, também conhecido como Sir Henry John Delves Broughton, era um inglês alto e idoso, que ostentava uma grande barriga e escassos cabelos grisalhos.

– Por favor, minha querida, me chame de Jock. Esta é minha esposa, Diana. Que bom para você ter alguém da sua idade para brincar, hein, menina? Diana está cercada por octogenários em Nairóbi – acrescentou ele, rindo.

– Cecily deve saber bem que não há muitas de nós, com menos de 30, por aqui – respondeu a esposa.

– Sei muito bem mesmo.

Cecily sorriu, incapaz de tirar os olhos da impressionante mulher loura à sua frente. Diana Delves Broughton era definitivamente estonteante, como alguns diriam, e Cecily não entendia o que aquela moça estava fazendo com um homem velho o suficiente para ser seu pai – ou até avô.

– Este lugar é tão encantador... – comentou Diana, enquanto Cecily conduzia as visitas para a sala de estar, onde Katherine já estava abrindo o champanhe. – Estamos acampados no Muthaiga Club no momento.

– Minha querida, você sabe que é apenas temporário. Vamos nos mudar para a nossa casa em Karen em alguns dias – lembrou-a Jock.

– Um lugar sombrio nos subúrbios de Nairóbi – murmurou Diana, bem baixinho.

– Diana, esta é Katherine Sinclair, minha grande amiga e vizinha – apresentou Cecily rapidamente.

– Vejam só! Obviamente, é aqui que todas as mulheres jovens e alegres vivem. – Diana virou-se para o marido. – Podemos construir uma casa aqui perto, querido? Eu teria bastante companhia divertida.

– Todos querem champanhe? – ofereceu Katherine, servindo a bebida em seis taças.

– Ora, ora – disse Jock, sorrindo para o grupo reunido. – Isso aqui se parece mais com o Quênia que eu conheci. Saúde!

– Saúde! – responderam todos.

– E seja bem-vinda ao Happy Valley, Diana – acrescentou Joss, sem tirar os olhos da novata loura.

– Obrigada, Joss, é um prazer estar aqui – respondeu Diana, retribuindo o olhar.

Mais tarde, até Cecily admitiu que aquela noite – e Diana – tinha sido divertida. Depois do jantar, Diana perguntara a Cecily se possuía um gramofone.

– Tenho, sim. E mamãe me enviou junto alguns dos mais novos discos da América.

– Ora, pelo amor de Deus, vamos ouvi-los! Os do Muthaiga Club podem ter sido populares nos anos 1920, mas não estão nada atualizados – retrucou Diana.

Cecily fez como pedido, colocando o gramofone na varanda, enquanto os homens moviam a mesa e as cadeiras para fora do caminho, de maneira a criar uma pista de dança improvisada.

– Dançar sob as estrelas é tão romântico, não é, Cecily? – comentou Diana, com um ar sonhador, nos braços do marido, enquanto "Moonlight Serenade", de Glenn Miller, tocava ao fundo.

– Dança comigo, Diana? – perguntou Joss, levantando os braços.

– Se você insiste... – Diana sorriu, desvencilhando-se de Jock.

– Então, Cecily, você pode me dar o prazer? – indagou o velho inglês.

Ela não teve escolha a não ser concordar. Olhando por cima do ombro dele, Cecily viu que Bill estava dançando com Katherine, mas sua atenção foi atraída principalmente por Diana e Joss, que se balançavam juntos em um canto mais escuro. Jock fez a Cecily muitas perguntas educadas, que ela respondeu devidamente. Quando a música terminou, ela pediu licença para colocar outro disco no gramofone.

– Pelo amor de Deus, toque algo alegre – sussurrou Katherine, vasculhando os discos. – Este aqui, de Count Basie, está bom.

Ainda assim, Diana e Joss continuaram a se balançar languidamente juntos, ao som de "Lester Leaps in", enquanto Cecily e Katherine davam as mãos e pulavam pela varanda, rindo e se divertindo. Bill agora estava conversando à mesa com Jock, aparentemente alheio ao comportamento da esposa.

– Bobby diz que já há fofocas no Muthaiga Club sobre os dois – sussurrou Katherine, quando se sentaram nos degraus da varanda, suada pela dança.

– Coloquem outro, por favor, meninas – pediu Joss. – Você tem "Blue Orchids"?

– Vou procurar – disse Katherine, levantando-se. – Fique, Cecily, você passou a noite toda em pé.

– É verdade – concordou Bill, caminhando até ela com Jock.

– Uma reunião maravilhosa, mas estou bastante cansado. Acho que vou me deitar. Bill disse que vai nos levar para caçar amanhã com seus amigos maasais. Boa noite, minha cara.

Cecily e Bill observaram Jock cambalear para dentro da casa, enquanto a orquestra de Glenn Miller tocava no gramofone.

Bill estendeu a mão para Cecily.

– Dança comigo?

– Eu... Tudo bem – aceitou ela, pegando a mão dele e deixando que a erguesse do degrau.

Ela sentiu um pequeno formigamento de desejo quando os braços de Bill a envolveram, mas logo o reprimiu. Sabia que Bill não tinha esse tipo de interesse por ela, então resolveu se divertir assistindo às duas pessoas que obviamente estavam *muito* interessadas uma na outra. Dava para perceber apenas pela maneira como seus corpos se moviam juntos e pelo jeito que Diana olhava nos olhos de Joss.

– Eles formam um casal bonito, não é mesmo? – disse Bill em voz baixa.

– Com certeza. É uma pena que Diana seja casada.

– Isso nunca foi empecilho para Joss. Embora eu goste muito dele, seu comportamento com as mulheres... – Bill suspirou. – Enfim, chega de falar dele. Preciso dizer que você está linda hoje, Cecily.

– Ah, obrigada.

– E agora... – Bill a soltou ao fim da música. – Tenho que levar Katherine em casa, como prometi. Eu iria para a cama, se fosse você, e deixaria os dois aí – sussurrou ele, acenando na direção de Diana e Joss. Ele a beijou na testa. – Vejo você amanhã.

❂ ❂ ❂

Cecily foi acordada por Bill na manhã seguinte. Ele já estava vestido com seu traje cáqui.

– Que horas são? – indagou ela.

– Seis e pouca. Hora de levantar, estamos partindo para a caça.

– Eu tenho que ir? Você sabe que não gosto muito. Odeio ver aqueles belos animais morrerem.

– Eu ficaria muito grato se você fosse. Você viu a situação entre Joss e Diana ontem, e preciso de você para distrair.

– Quem? Diana ou Jock? Ou, na verdade, Joss? – refletiu em voz alta, enquanto saía da cama.

– Os três, se possível. Diana e Jock estão casados há menos de um mês. Até para Joss, esse comportamento é imperdoável.

– Diana parece não se importar, então você não pode colocar toda a culpa em Joss. Ela é muito bonita, não acha?

– Ela tem certo encanto, suponho, mas seus olhos são frios, e aquele batom vermelho que insiste em usar o tempo todo é bastante vulgar.

– Acha mesmo? – disse Cecily, secretamente satisfeita.

– Não poderia ser mais óbvio o que está acontecendo, poderia? – continuou Bill. – Uma mulher jovem assim se casando com um homem como Jock. Tudo leva a crer que é pelo dinheiro. Jock pode ser tedioso, mas não merece ser tratado dessa maneira pela própria esposa. Não admira que Joss estivesse tão ansioso para trazer seus "novos amigos", ou devo dizer "amiga", para cá! Bem, mandei Nygasi carregar as picapes com os suprimentos habituais. Assim que você e Diana estiverem prontas, vamos partir. Vejo você lá fora.

– Está bem.

Cecily foi ao armário para pegar suas botas de safári, pensando no fato de o marido não ter caído nos encantos de Diana. Ou será que quem desdenha...?

Enquanto Nygasi e seus companheiros maasais abasteciam a picape com rifles e suprimentos, Cecily se viu espremida na traseira da outra picape, com Joss e Diana, enquanto Jock se sentava ao lado de Bill, na frente. Cecily virou-se para admirar a paisagem, tentando, com muito tato, não olhar para a direita, onde a mão de Joss acariciava a parte interna da coxa de Diana. Quando Joss começou a beijar abertamente o pescoço da mulher, Cecily sentiu uma agonia de suspense, temendo que Jock se virasse a qualquer momento e os pegasse em flagrante.

Quando chegaram ao local escolhido para a aventura, Nygasi e os maasais começaram a montar acampamento.

– Njala ficou bem sozinha? – perguntou Cecily.

– Mãe veio ontem à noite. Ela bem. Trabalho de mulher agora – disse Nygasi, descarregando as cadeiras dobráveis, a mesa e os cestos.

– Qual seria o melhor para mim? – indagou Diana, se aproximando e pegando um dos rifles. – Este aqui, talvez? – Ela o colocou em posição sobre o ombro esbelto. – Sim, este é perfeito. Você gosta de atirar, Cecily?

– Na verdade, não. Quase fui devorada por um leão em minha primeira caçada, mas Bill me salvou.

– Que romântico. Só fui a dois safáris desde que cheguei, e eu mesma tive que salvar o querido Jock de um leão, não foi, meu bem? – Ela deu uma risada estridente. – Vamos torcer para nos divertirmos hoje.

Cecily ficou feliz em permanecer no acampamento, à sombra das árvores, com os outros maasais que estavam de guarda, enquanto Nygasi liderava o resto do grupo pela selva. Ela viu uma cobra deslizando a poucos metros. Silenciosamente, erguendo os pés para a cadeira, observou enquanto o animal seguia seu caminho. Ponderou como, apenas um ano antes, teria gritado de susto ao vê-la, mas, enquanto a cobra passava por ela sem demonstrar nenhum interesse, Cecily percebeu como aquele tempo no Quênia a havia transformado. As cobras eram comuns, e ela aprendera com Bill e Katherine a identificar quais eram inofensivas e quais não eram.

Olhou para a planície estendida à sua frente, o céu azul no horizonte. Um rebanho de gnus galopava a distância. As chuvas haviam tornado tudo ainda mais exuberante, a mata e os pequenos lagos estavam cheios de animais sedentos, após uma longa estação de seca.

– Aqui é o meu lar – murmurou ela, repentinamente maravilhada. – Eu moro aqui na África. Quem teria imaginado isso?

E, naquele momento, enquanto assimilava a magnificência da beleza natural ao seu redor, Cecily sentiu que estava finalmente começando a se recuperar.

Os outros voltaram para um almoço tardio, com champanhe e carne fresca de antílope, que Nygasi cozinhou habilmente no espeto.

– Como foi a caça? – perguntou Cecily educadamente, embora fosse óbvio, pela zebra e as gazelas que eles haviam trazido, que fora um sucesso.

– Foi um ótimo dia – disse Bill, enquanto ouviam o zumbido de um avião circulando acima deles. – Um dos aviões de reconhecimento retornando da fronteira – comentou ele. – Só para nos lembrar de que há uma guerra acontecendo.

– A vista é muito melhor aqui do que na Inglaterra, pode acreditar – afirmou Jock, o sumo da carne escorrendo dos lábios enquanto falava. – Duvido que a gente consiga mais alguma coisa hoje com esses idiotas assustando os animais. Aonde Diana e Joss foram?

– Foram tentar avistar algum elefante – respondeu Bill calmamente. – Nygasi disse que viram uma manada por aqui ontem.

– Eles não estão procurando marfim, estão? – indagou Cecily ao marido.

– Não, Diana só queria ver um elefante; ela nunca viu um.

– São criaturas magníficas – concordou Cecily ao ver um movimento repentino nos arbustos.

Diana e Joss estavam de volta, descaradamente de mãos dadas e rindo.

– Viu algum, querida? – perguntou Jock à esposa, enquanto o casal caminhava sem pressa até o acampamento.

– Nenhum, infelizmente – respondeu ela – Que tal voltarmos ao rancho? Duvido que haja mais aventuras esta tarde.

Cecily a observou piscar para Joss e ajeitar sua blusa parcialmente desabotoada.

De volta à Fazenda Paraíso, Diana declarou que estava louca para voltar à cidade e dançar no Muthaiga Club.

– É tão divertido lá no sábado à noite, não é? Ainda mais com tantos soldados na cidade.

– Estou exausto, depois da caçada, mas vá com Joss e nos vemos no clube amanhã, está bem? – sugeriu Jock.

– Ah, querido, você é tão bom comigo... – disse Diana, beijando o rosto corado do marido. – Não se apresse em voltar para Nairóbi por minha causa. Tenho certeza de que não serei devorada na cidade. Bem, pelo menos não por nenhum animal selvagem. – Ela riu. – Cecily, você me empresta um espelho para eu me arrumar antes de sair?

– Claro. – Cecily conduziu Diana pelo corredor. – Você vai ter que usar o do meu quarto. Fiquei de colocar alguns nos quartos de hóspedes, mas não tivemos muitos convidados até o momento.

– Eu sei. Bill me contou que você perdeu seu bebê no ano passado. Que terrível falta de sorte, coitadinha. Ah, que graça! – comentou Diana, olhando o quarto. – Você tem um gosto excelente, o que é mais do que posso dizer de Jock. A casa em Karen parece um mausoléu vitoriano! Estou com medo de me mudar. Tudo é tão marrom. Eu odeio marrom, sabe? – Diana sentou-se à penteadeira de Cecily e abriu o estojo de maquiagem que havia levado. – Bill é um amor, e claramente louco por você.

– Não acho que ele seja, quero dizer...

– Está escrito na cara dele. Vocês obviamente têm um casamento feliz. Bem diferente do meu com o querido Jock. Ele e eu nunca passamos uma noite na mesma cama, e duvido que passaremos algum dia. – Ela riu enquanto escovava os cabelos louros ondulados e os prendia de novo com habilidade, usando duas presilhas brilhantes. – Você vai à cidade com frequência?

– Não, na verdade, não.

– Pois deveria! Eu estava insegura, mas Nairóbi é muito mais divertida do que Londres, apesar de a maldita guerra estar se aproximando. Estou me divertindo muito – comentou ela, passando o batom vermelho nos lábios carnudos. – Você precisa ir assistir à semana de corridas, depois do Natal. Joss disse que é a coisa mais divertida por aqui o ano todo. Não se importa se Jock ficar com vocês por mais uma noite, não é? O caminho de volta é bastante árduo, e ele realmente me parece exausto depois do passeio de hoje.

Com uma generosa borrifada de perfume no pescoço e no decote, Diana se levantou.

– Certo, rosto e cabelos arrumados, vou trocar de roupa no caminho. Há tanta poeira por aqui, não é? – Ela deu uma última olhada no espelho. – Muito obrigada pelo maravilhoso jantar ontem à noite. Espero vê-la novamente em breve.

Ela beijou Cecily no rosto e saiu do quarto, deixando um rastro do forte cheiro de seu perfume. Cecily sentou-se na cama e balançou a cabeça. A nova lady Delves Broughton com certeza era peculiar.

Depois de preparar o jantar para os três remanescentes, Cecily pediu licença logo depois de comerem e deixou Bill e Jock conversando. Na cama, ela tentou se concentrar em seu livro, mas o comentário de Diana de que Bill era louco por ela não lhe saía da cabeça. Talvez, decidiu depois de algum tempo, Diana estivesse apenas sendo gentil, porque ela tinha certeza de que Bill mal a via como mulher.

❂ ❂ ❂

No dia seguinte, Jock e Bill partiram para Nairóbi depois do almoço. Mesmo achando o inglês um pouco tedioso e arrogante, Cecily percebeu que também sentia compaixão por aquele homem.

– Quando você volta? – perguntou a Bill enquanto lhe entregava uma pilha limpa de uniformes do Exército.

– Não tenho certeza, mas aviso assim que puder. E, minha querida, realmente está na hora de você aceitar alguma ajuda doméstica. – Bill indicou a roupa lavada. – Você ficou ocupada o fim de semana inteiro.

– Vou pensar – concordou ela, com um meio sorriso.

– Não foi tão ruim ter convidados, foi?

– De jeito nenhum.

– Bem, então se cuide.

– Você também – respondeu Cecily, e Bill a beijou educadamente no rosto.

Ela seguiu os homens até a varanda e percebeu que Nygasi já estava em posição, na caçamba da picape. Se ele estava voltando com Bill, a mãe de Njala ainda devia estar na floresta cuidando dela.

Cecily acenou melancolicamente, pensando que *tinha mesmo* sido divertido bancar a anfitriã no fim de semana e ter pessoas admirando sua casa. A semana que tinha pela frente se estendia como um vazio. Antes de começar a ficar sentimental, Cecily entrou de novo na casa e foi para a cozinha enfrentar a pilha de panelas e potes esperando para serem lavados.

37

Apenas na terça-feira de manhã Cecily reuniu coragem para visitar Njala. Não tinha ideia de como eram os rituais de nascimento dos maasais – ou se Njala já tinha dado à luz –, mas um estranho instinto lhe dizia para manter distância. Talvez fosse o medo de chegar e descobrir que algo havia saído terrivelmente errado, como acontecera com ela. Finalmente, a curiosidade e a preocupação venceram e ela e Wolfie partiram em direção à floresta.

Era um lindo dia ensolarado de dezembro e, depois de uma noite de chuva e trovões, o ar estava fresco e revigorante. Cecily até se pegou cantarolando "Blue Orchids", pensando que Bill tinha razão: ela devia contratar ajuda doméstica, especialmente com o Natal chegando. Sua mãe havia telefonado para dizer que enviara uma caixa cheia de presentes, mas, com a guerra atrapalhando as entregas, Cecily não esperava que chegasse tão cedo. Ainda assim, estava ansiosa pela temporada de festas e até pensou que poderia se juntar a Bill para as corridas em Nairóbi durante a semana de Natal.

– Você está melhor mesmo... – disse a si mesma enquanto entrava na clareira.

Então parou, atônita, imaginando se Wolfie teria tomado o caminho errado enquanto ela divagava sobre as corridas.

A clareira estava completamente deserta. Cecily se aproximou de onde o abrigo ficava e viu que os únicos vestígios deixados para trás eram um monte de argila e as marcas de algumas ervas daninhas na fogueira.

– Meu Deus! – Ela olhou em volta, incrédula. – Elas podiam ter avisado que estavam indo embora, Wolfie. Que pena. – Cecily suspirou. – Queria ter visto o bebê e me despedido... Vamos, vamos para casa.

Mas Wolfie não deu atenção à dona; ele saíra da clareira na direção oposta da casa.

– Wolfie! Volte aqui agora!

O cachorro continuou correndo por entre as árvores até sair de vista. Cecily virou-se na direção da casa, sabendo que ele acabaria por segui-la, quando, de repente, ouviu Wolfie latir a distância.

– Que cachorro desobediente! – murmurou Cecily, seguindo o barulho. – Wolfie! Venha aqui!

Os latidos continuaram e Cecily não teve escolha a não ser seguir o som e se aprofundar na floresta, que era densa e escura para além da clareira. Cecily se viu avançando através de espinhos que arranhavam suas pernas nuas.

Por fim, viu o traseiro de Wolfie – o focinho estava enterrado em um arbusto – e foi ver o que o deixara tão interessado.

– O que você encontrou, garoto? Alguns ossos velhos, provavelmente. Vamos lá, saia, deixe-me dar uma olhada.

Cecily afastou o cachorro, então revirou pessoalmente o arbusto, os galhos roçando em seus braços e rosto. Tudo o que viu foi uma pilha de folhas mortas. Afastando algumas cuidadosamente, para ver o que podia estar escondido embaixo, seus dedos tocaram algo quente.

– Ah! – gritou Cecily, retirando a mão abruptamente e dando um passo para trás. Um cacho de seu cabelo se enroscou em um ramo.

Era obviamente algum tipo de animal, mas o calor indicava que estava vivo. Depois de desembaraçar o cabelo, ela quebrou um galho e, com o coração batendo forte, tentou usá-lo para afastar mais folhas. Um pequeno pedaço de pele marrom foi revelado.

Então ela ouviu o mais leve murmúrio, como o de um gatinho recém-nascido. Afastando mais folhas, Cecily viu, sobressaltada, um pezinho surgir.

Engoliu em seco, percebendo de repente o que era a criatura no túmulo de folhas. E por que Wolfie latira tanto.

– Ai, meu Deus do céu!

Cecily caiu de joelhos e usou as mãos para tirar as folhas restantes. E lá estava ela: uma pequena bebê recém-nascida, perfeita. Seus olhos estavam fechados e o único sinal visível de vida eram os lábios vermelhos, que sugavam involuntariamente, formando um "o".

Incapaz de compreender o que podia ter acontecido, Cecily estendeu as mãos e pegou a bebê nos braços. A criança estava coberta de terra e sujeira, e de seu cordão umbilical escorria pus amarelo. Cecily via as pequenas costelas marcando a pele, o estômago distendido em excesso, as pernas minúsculas parecendo as de um sapo.

– Ela está viva – sussurrou Cecily. – Ah, Wolfie... – Os olhos dela se turvaram com lágrimas. – Acho que você acabou de salvar uma vida. Vamos lá, vamos levar essa pequenina para dentro de casa o mais rápido possível.

A bebê mal se moveu nos braços dela durante a jornada de volta e sua respiração era tão superficial que Cecily quase não a sentia. Quando chegou, pousou a criança em um cobertor no chão da cozinha e Wolfie se colocou de prontidão para protegê-la.

– Agora fique aí e não se mexa, ok? – pediu ela, antes de sair correndo de novo até o celeiro, que usavam como depósito.

Bill tinha guardado toda a parafernália do bebê lá dentro antes que Cecily voltasse do hospital. Alguns objetos ainda estavam nas caixas, e ela procurou na pilha as mamadeiras e as fraldas de tecido. Antes de voltar para a casa, pegou também o xale que passara semanas tricotando, planejando buscar mais tarde outros itens que se fizessem necessários. Por enquanto, a bebê precisava urgentemente de leite.

– Só Deus sabe quanto tempo a pobrezinha ficou abandonada lá – disse para Wolfie, ofegante. Ele não havia se mexido de seu lugar ao lado da bebê, vigiando-a com olhos tristes. – Vamos torcer para que não seja tarde demais.

Ela pegou um jarro de leite da geladeira, esquentou um pouco em uma panela, lavou a mamadeira com água quente e a encheu.

– Venha cá... – disse ela à bebê.

Embrulhando aquele ser minúsculo no xale, Cecily acomodou a criança em seu braço, colocou o bico entre os lábios dela e a balançou.

– Vamos, meu amor, pode mamar – falou ela. – Se beber isso, vai se sentir muito melhor.

Nada aconteceu, então Cecily se lembrou de uma dica que lera em um livro, quando estava grávida.

Se o bebê não responder ao bico, tente passar o leite em seus lábios.

Ela fez isso, depois esperou ansiosamente por uma reação. Finalmente, percebeu um leve movimento de sucção e logo pôs o bico da mamadeira de volta na minúscula boca.

– Isso!

Cecily respirou aliviada.

No início, ela mamou sem força, e a maior parte do leite parecia escorrer da boca da bebê, mas, depois de algum tempo, ficou um pouco mais forte e Cecily percebeu que estava engolindo.

– Graças a Deus.

Ela soltou um pequeno soluço bem na hora que a bebê decidiu vomitar a maior parte do leite que conseguira engolir.

Pegando um pano, Cecily limpou as duas o melhor que pôde. A criança emitiu pequenos miados, que pareciam uma fraca tentativa de chorar.

– Pelo menos um pouco de leite deve ter ficado na sua barriguinha...

E, de fato, alguns minutos depois, uma pequena trilha de líquido verde como alcatrão escorreu de seu traseiro.

– Pelo menos o seu organismo está funcionando. Só Deus sabe quanto tempo você ficou lá antes de Wolfie a encontrar.

Depois de um tempo, exausta pelo esforço, a menininha – que ainda nem abrira os olhos – relaxou a mordida no bico e exalou.

– Você está dormindo? – sussurrou Cecily, inclinando a cabeça para tentar ouvir o som de sua respiração.

Ela viu o peito da bebê subindo e descendo. Enquanto ela dormia, Cecily ficou ali sentada, agoniada pela indecisão. Sabia que devia chamar o Dr. Boyle para examinar a bebê; ficar sozinha na floresta por só Deus sabia quanto tempo devia tê-la deixado desidratada ou talvez com outros problemas de saúde que Cecily desconhecia. Mas o lugar onde a encontrara era sombreado e fresco... Cecily colocou a mão sobre a testa dela. Não havia febre, e a bebê não parecia nem muito quente nem muito fria.

– Pela cor dessas fezes, eu diria que ela tem só algumas horas de vida... Além disso – falou, olhando para a criança adormecida –, o Dr. Boyle vai insistir em levar você com ele, e vai colocá-la em algum orfanato horrível como aqueles para onde mamãe arrecada fundos.

Exausta devido a todo o pânico, Cecily adormeceu, e quando acordou o sol já estava se pondo e a bebê choramingava em seus braços.

– Tudo bem, tudo bem, vamos tentar um pouco mais de leite.

Quando ela terminou de mamar, Cecily verificou a mamadeira e viu que ela conseguira ingerir mais de 30 mililitros, que, até o momento, não tinham voltado.

– Certo, desculpe, querida, mas preciso limpar você. Vou colocá-la em uma bacia na pia e lhe dar um bom banho.

Pegando um pano limpo e macio e uma barra de sabão, Cecily estava mais molhada do que a bebê quando terminou de limpá-la. Teve que remover um estranho revestimento ceroso de sua pele, mas fez o possível para manter o cordão umbilical seco, lembrando-se do livro sobre bebês. A pequena chorara o tempo todo, movendo braços e pernas, o que deu a Cecily a confiança de que era saudável.

Depois de envolvê-la em uma toalha seca e deitá-la suavemente no chão do quarto, Cecily saiu de novo, com a lanterna, para encher o moisés – ainda embrulhado em papel celofane – de itens dos quais poderia precisar à noite. De volta à casa, fez o possível para prender corretamente a fralda na bebê, então colocou a menina no moisés. A pequena adormecera de novo, e Cecily aproveitou a oportunidade para fazer um sanduíche rápido, correndo de volta para o quarto com outra mamadeira de leite quando a ouviu chorar. Ela mamou quase o dobro da quantia anterior, embora tenha golfado um pouco logo depois. Cecily trocou a fralda e vestiu nela a minúscula camisola de algodão que sua mãe enviara no pacote da Bloomingdale's, mais de um ano antes. Adicionando uma touca de tricô, Cecily riu ao pensar no que sua mãe acharia daquele rostinho negro sob a peça.

– Eu adoraria ver seus olhos em breve, bebê – disse ela, tirando a menina do moisés mais uma vez.

Depois de preparar outra mamadeira, para o caso de a criança acordar à noite, e armazená-la na geladeira, Cecily trancou a casa, apagou as luzes e subiu na cama, depois de verificar se a bebê ainda estava respirando no moisés ao lado.

Ela ouviu Wolfie choramingando do lado de fora do quarto, ansioso para entrar. Cecily sorriu ao pensar que ele queria proteger seu achado.

– Você fica aí, garoto, a bebê está bem aqui comigo. Boa noite.

Apagando a luz da mesinha, Cecily descansou a cabeça no travesseiro. Lembrou-se de novo da conversa que tivera com Bill, quando ele lhe perguntara se Njala podia ficar lá. E de como ele tinha sido meio vago sobre o que aconteceria com o bebê depois que Njala desse à luz. Parando para pensar, Cecily viu que havia poucas alternativas. Njala estava escondida porque ninguém devia saber que ela estava grávida, caso contrário o casamento seria cancelado e ela seria expulsa. Então, ela sabia que não poderia levar seu bebê com ela...

Ajuda bebê.

– Meus Deus!

De repente, tudo fez sentido. Naquele último dia em que Cecily visitara o acampamento, Njala não quis pedir a ela que ajudasse no parto, quisera dizer literalmente o que disse.

Cecily sentou-se de repente, em choque.

– Ela *queria* que eu e Wolfie a encontrássemos...

A bebê choramingou dormindo ao lado de Cecily, que se aproximou e a pegou no colo.

– Calma, pequenina. Você está segura agora. A salvo, aqui, comigo.

38

Na semana seguinte, Cecily disse a si mesma, todos os dias, que devia pelo menos ligar para Bill e contar o que acontecera, mas toda vez que discava o número dele no Departamento de Guerra em Nairóbi acabava desligando. Tinha certeza de que ele insistiria para que ela levasse a criança para um orfanato. Enquanto os dias passavam, e todos os seus instintos maternos reprimidos começavam a aflorar, a ideia de alguém machucar um fio de cabelo daquele pequeno ser, que era tão dependente dela, lhe trazia lágrimas aos olhos. Embora estivesse exausta por ter que acordar a noite toda para alimentá-la – a pequena recém-nascida, que mal tivera energia para mamar alguns dias antes, tinha agora um apetite voraz e um choro capaz de acordar os leões nas planícies –, Cecily nunca se sentira tão feliz e satisfeita. Ela havia montado o quarto originalmente destinado ao próprio bebê, retirando tudo do celeiro para mobiliá-lo. Agora, o cômodo outrora vazio cheirava deliciosamente ao talco que passava no pequeno traseiro de Stella. O livro sobre bebês a ensinara a cuidar do cordão umbilical, que estava secando direitinho, e deveria cair em poucos dias. Não havia tempo para cuidar do jardim; ela dormia quando o bebê dormia, e comia uma torrada entre as mamadeiras sempre que podia.

O nome Stella lhe ocorreu certo dia em que ela cochilou e acordou para se deparar com enormes olhos límpidos, as íris tão escuras quanto grãos de café, a encarando. Ela pensou em como eram iguais aos de Njala e depois se lembrou de Bill dizendo que Njala significava "estrela".

– Stella – disse Cecily, lembrando-se das aulas de latim na escola, quando aprendera que esse nome também tinha esse significado.

Além disso, não podia continuar chamando a menina de "bebê"...

– Então, você vai se chamar Stella, pelo menos por enquanto – decidiu Cecily, suspirando.

Dois dias antes, ela ouvira o barulho de um veículo serpenteando pela entrada. Correndo para a janela, Cecily vira a picape de Katherine estacionar do lado de fora. Sabendo que a porta da frente estava trancada, Cecily se agachou embaixo da janela com Stella nos braços enquanto Katherine batia à porta e gritava seu nome, antes de dar a volta na casa e espiar pelas janelas, obviamente confusa pelos latidos altos de Wolfie vindo lá de dentro. Katherine sabia que o cachorro estaria do lado de fora se Cecily tivesse ido às compras ou a teria acompanhado a qualquer lugar da fazenda. Quando finalmente ouviu a picape se afastando, Cecily levantou-se com a bebê nos braços, sentindo-se bastante idiota. Só não queria que nada destruísse o mundo acolhedor que ela, Stella e Wolfie haviam criado juntos.

No entanto, quando Cecily acordou de mais uma noite agitada, o telefone estava tocando. Depois de pensar se devia ignorá-lo, saiu da cama e foi atender a ligação.

– É o Bill – disse ele, em uma linha tão ruidosa quanto a de Nova York. – Como estão as coisas?

– Está tudo bem, Bill. Sim, muito bem. E você, como está?

– Basta dizer que a situação na Europa, e possivelmente aqui também, fica mais sombria a cada dia. No entanto, vou voltar na véspera do Natal.

– Quando é?

– Ora, Cecily, daqui a três dias. Você está bem?

– Claro que sim, nunca estive melhor. Eu... fui fazer compras, mas não havia muita carne no mercado. Na verdade, não tinha muita coisa – mentiu.

– Não se preocupe, vou levar os quitutes para as festas de fim de ano, mesmo que custem metade do salário no Exército. Katherine e Bobby vão passar o Natal conosco, como no ano passado?

– Ainda não os convidei. Devo convidar? – Cecily mordeu o lábio, sabendo que, a cada palavra, se aproximava mais do fim daqueles dias felizes sozinha com Stella.

– Vou falar com Bobby, não se preocupe, minha querida. Tem certeza de que está bem? Bobby disse que Katherine esteve aí e não encontrou você.

– As notícias correm rápido! Eu devia estar em Gilgil, só isso.

– Desde que esteja tudo bem com você... – disse ele. – Vejo você na véspera de Natal. Vou ter que voltar logo depois para o escritório, mas estava pensando que você poderia vir comigo a Nairóbi para participarmos das corridas. Você vai gostar.

– Vamos conversar sobre isso quando você chegar – retrucou Cecily de repente, ao ouvir um gemido do bebê. – Até logo, Bill.

Cecily desligou com o coração pesado e caminhou lentamente de volta para o quarto, onde Stella estava em seu berço. Ela tinha os bracinhos esticados acima da cabeça e, com seus cílios longos tremulando enquanto cochilava, era a imagem perfeita do relaxamento.

Cecily sentou-se ao lado dela.

– Ah, minha pequena, o que vamos fazer quando papai voltar?

❂ ❂ ❂

Além de sair correndo enquanto Stella estava dormindo para comprar jarros de leite fresco da mulher maasai que tinha uma barraca na estrada para Gilgil, os preparativos de Cecily para o Natal foram praticamente nulos. Tentou pensar no que diria a Bill, mas por fim decidiu que simplesmente teria que improvisar.

Na véspera do Natal, colocou um disco de canções natalinas para tocar no gramofone, pensando em como era difícil sentir o espírito natalino quando o termômetro mostrava que a temperatura passava dos 20 graus. Tomou um banho na banheira, lavou os cabelos e os deixou secar naturalmente – Bill havia comentado que gostava deles assim –, domando os cachos levemente com um par de grampos. Vestiu uma blusa fresca e uma saia creme, alimentou e trocou Stella e colocou-a no berço. Então preparou um gim bem robusto com um pouco de vermute e sentou-se na sala, esperando o marido chegar.

Ao ouvir o som de pneus na entrada, sentiu um nó no estômago.

Tudo bem, Cecily, você só precisa dizer a ele que não vai deixá-lo levar Stella para um orfanato...

– Olá – falou Bill, entrando em casa carregando uma grande árvore que, apesar das folhas em forma de agulha, não se parecia muito com as árvores de Natal que Cecily montava em Nova York. – Veja só o que peguei no caminho! Vou colocá-la em um vaso rapidinho, então você pode decorá-la, se quiser.

– Eu... Está bem.

– Também consegui várias guloseimas para a ceia. Vou buscá-las em um instante – avisou ele, beijando o rosto da esposa. – Feliz Natal, Cecily.

Ela ficou bastante surpresa com a animação incomum do marido. Tentou, mas não conseguiu se lembrar do humor de Bill no Natal anterior – a data havia passado como um borrão de tristeza, as lembranças apagadas de sua mente. Ficou feliz por ele parecer tão alegre agora. Isso poderia ajudar sua causa.

– Ah! Quase esqueci: Kiki pediu que Aleeki deixasse uma cesta no clube para você. Ainda está na caçamba da picape e tenho certeza, pelo cheiro, que inclui salmão defumado. Provavelmente precisamos comer logo.

– Sanduíches de salmão defumado, que riqueza! – comentou Cecily, com um sorriso, enquanto Bill saía correndo para pegar a tal cesta.

Ela serviu um gim com vermute para eles, enquanto Bill enchia um vaso com terra e posicionava a "árvore de Natal" dentro dele, para que fosse decorada.

– É tudo um pouco improvisado, mas quem se importa? Devemos celebrar o Natal da melhor maneira possível.

– Você gosta do Natal? – Cecily perguntou o óbvio.

– Eu amo. Sempre amei, desde criança. Pode parecer estranho para um homem como eu, mas aprecio que todos fiquem de bom humor. Até meus pais paravam de brigar no Natal. Bem, temos algumas decorações do ano passado no celeiro. Vou buscá-las.

Bill foi em direção à porta dos fundos.

– Espere! Eu...

– O que foi?

– Estou um pouco cansada, só isso. Podemos pendurar os enfeites amanhã?

– Cecily, amanhã é Natal, não vai dar mais tempo. Não vou demorar nem um minuto para pegá-los, e posso decorar a árvore, se você estiver cansada demais.

Bill saiu da casa, e Cecily não tinha mais desculpas para impedi-lo. Ela torceu para que ele não notasse a ausência de vários objetos no celeiro.

Ele voltou em um instante, carregando a caixa de enfeites.

– Todas as coisas que você juntou para o bebê desapareceram. Posso perguntar o que aconteceu com elas?

– Bem... eu explico depois. Agora, vamos decorar essa árvore – disse ela, tomando um gole de gim enquanto guiava Bill em direção à sala de estar.

– Sabe, Cecily, é incrível ver a diferença desde o último Natal. Você não saiu da cama no ano passado, lembra? – perguntou ele quando começaram a pendurar os enfeites na árvore.

– Tenho vergonha de dizer que não lembro, não.
– Você estava fora de si...
Um grito repentino ecoou de outro cômodo.
– Bom Deus! O que foi isso?!
– Eu... não sei.
Cecily sentiu-se corar até a raiz do cabelo.
O grito soou novamente e depois se transformou em choro.
O coração de Cecily se apertou; ela esperava contar a Bill o que tinha acontecido antes de apresentá-lo a Stella, mas agora era tarde demais.
– Está vindo de dentro da casa. Há algum animal selvagem trancado aqui ou algo assim?
– Não, é que...
Mas Bill já estava atravessando o corredor para encontrar a origem do barulho.
Cecily o seguiu ansiosamente enquanto ele olhava de cômodo em cômodo, até que abriu a porta do quartinho menor. Ela viu Bill se inclinar sobre o berço e depois recuar em choque.
– Diabos! O que é isso?! – indagou ele, se voltando para ela.
Cecily passou por ele e pegou Stella, caso Bill ficasse tentado a fazer alguma coisa terrível com ela. Saiu do quarto com a criança nos braços e foi para a cozinha, onde pegou uma mamadeira e colocou em uma panela de água no fogão para aquecer.
– Cecily?! Pelo amor de Deus, você pode pelo menos me explicar o que está acontecendo?! – sibilou Bill, parado na entrada da cozinha.
– Deixe-me dar a mamadeira e depois eu conto.
– Preciso de mais gim...
Cecily observou-o ir atrás de sua bebida e sentou-se com a bebê à mesa da cozinha. O choro diminuiu e a paz reinou quando Stella começou a mamar com vontade.
– Muito bem – disse Bill, de volta à cozinha.
Ele tomou um gole de sua bebida e se sentou na cadeira em frente à de Cecily.
O bebê parou de mamar e Cecily levou um dedo aos próprios lábios.
– Não me mande ficar quieto – repreendeu Bill, e Cecily viu que ele estava tremendo de raiva, mas pelo menos tinha baixado a voz.
– É muito simples, Bill. Logo depois que você partiu para Nairóbi, fui

visitar Njala em seu pequeno acampamento. Embora já não houvesse nem traços da estadia dela, Wolfie seguiu um rastro e desapareceu dentro do bosque, depois começou a latir sem parar. Então, fui buscá-lo. Foi Wolfie quem a encontrou, enterrada debaixo de um monte de folhas mortas na floresta. Acho que ela tinha nascido apenas algumas horas antes. Era óbvio que fora abandonada para morrer na floresta, então fiz o que qualquer cristão faria ou qualquer ser humano com um coração: eu a peguei e a trouxe para casa. Ela está aqui desde então.

– Ah, meu Deus.

Bill colocou a mão na testa e descansou o cotovelo em cima da mesa.

– Você acha que eu fiz a coisa errada?

– Não, claro que não.

– Você sabia... que eles largariam o bebê para morrer?

– Claro que não. Eu não *quis* saber de nada. – Bill suspirou. – Me perguntaram apenas se eu daria um porto seguro para a filha do meu amigo até a hora do parto. Leshan me contou que a criança ficaria em segurança. É difícil acreditar que a abandonaram em nossa floresta.

– Bom, ela ficou bem escondida, então foi pura sorte Wolfie a encontrar. Mais algumas horas e ela teria morrido. Era tão pequenina...

Havia lágrimas nos olhos de Cecily quando ela encarou Stella.

– Admito que estou furioso por eles terem deixado a roupa suja para nós lavarmos. E...

– Não ouse falar assim desse bebê! Ela não é "roupa suja", é um ser humano, assim como nós!

– Perdão, Cecily, isso foi grosseiro e peço desculpas, mas, por favor, entenda que estou em choque. Volto para casa na véspera de Natal, querendo uns dias de paz longe do caos, e encontro um bebê negro no berço.

– A cor da pele dela realmente faz diferença para você, Bill? Você passa metade da vida fingindo que é um maasai.

– Não, é claro que não faz diferença, Cecily, mas obviamente significa que, assim que o Natal terminar, devemos levar o bebê para Nairóbi e...

– *Não!* Não vou permitir que essa criança seja entregue a alguma missão ou orfanato, onde não vão cuidar direito dela. Só Deus sabe o que seria dela, e não posso deixar que nada de ruim lhe aconteça.

– Você não está sugerindo ficar com ela, está? – perguntou Bill, depois de uma pausa.

– Por que não? Não temos filhos nem nunca teremos. Por que não podemos adotá-la?

Bill olhou para Cecily como se ela tivesse enlouquecido.

– Você está falando sério? Está pensando mesmo em criá-la aqui, como nossa filha?

– Sim! Temos uma casa, dinheiro suficiente... Além disso, Njala obviamente sabia o que ia acontecer. Ela me pediu que ajudasse seu bebê, com as poucas palavras em inglês que lhe ensinei. Tenho certeza de que foi por isso que ela deixou a bebê por perto; ela *queria* que eu a encontrasse.

– Sinto muito, Cecily, mas você está fantasiando. Como falou, foi sorte que o cão a tenha encontrado, enquanto você passeava pela floresta...

– Uma caminhada que fizemos todos os dias durante quase dois meses. Wolfie conhecia o cheiro de Njala, que provavelmente é semelhante ao de Stella...

– Você deu um nome ao bebê?

Bill estava pálido de exaustão.

– Eu tinha que chamá-la de alguma coisa, não tinha? Veja, eu a ninei e ela está dormindo. Quer segurá-la?

– Não, Cecily, não quero. – Bill apertou a ponte do nariz entre o polegar e o indicador. – Sinto muito, mas não podemos ficar com ela.

– Por quê?

– Porque...

– Sim?

– Ela é negra. O mundo em que vivemos não aceita a adoção de uma criança assim, nem qualquer outro mundo que eu conheça.

– Uau, Sr. Forsythe, o grande defensor dos maasais, que até leva um com ele aonde quer que vá. Por dentro, você é tão preconceituoso quanto o resto do mundo! Bem, deixe-me dizer uma coisa: se este bebê for embora, eu também vou! Porque fiz uma promessa àquela pobre moça e não vou me livrar da criança, está me ouvindo?!

Cecily levantou-se com Stella nos braços, marchou para o quarto, bateu a porta e a trancou.

Deitando a bebê na cama ao lado dela, Cecily caiu em prantos, chorando alto.

– Não se preocupe, pequena. – Ela soluçou. – Prefiro morrer a deixar que algum mal lhe aconteça. Juro.

❁ ❁ ❁

Cecily acordou com uma batida à porta. Olhou para o relógio e viu que já passava de meia-noite. A bebê estava se mexendo ao lado dela, enfiando a mão fechada na boca, que era sua maneira de dizer que estava com fome.

– Cecily, posso entrar?

Como Stella precisava de uma mamadeira, Cecily destrancou a porta relutantemente, com o bebê nos braços. Mal olhou para Bill ao passar por ele para buscar o leite. Depois de aquecê-lo, ela se sentou em uma cadeira da cozinha para alimentar a criança.

– Desculpe, Cecily – disse ele, aparecendo à porta. – Você não fez nada de errado.

– Não fiz mesmo – sibilou Cecily. – E quem disser que fiz é um ser humano desprezível.

– Concordo – afirmou Bill, sentando-se na mesma cadeira que havia ocupado antes.

– Estou falando sério. Se você sugerir novamente levar esta criança para um orfanato, vou arrumar minhas coisas e ir com ela. Você entendeu?

– Entendi perfeitamente. Só que isso não muda o fato de que a sociedade ainda não aceita a adoção inter-racial – argumentou ele, com firmeza. – Talvez um dia isso mude; eu rezo para que sim.

– Não me importo com o que a sociedade pensa, e achei que você também não se importasse!

– Cecily, acredite, se eu me importasse com as regras da sociedade, nunca teria me casado com você, em primeiro lugar, e certamente nem estaríamos tendo essa conversa. Eu teria simplesmente tomado a bebê de você e a levado para Nairóbi. Então, por favor, me dê algum crédito. No entanto, nós três *temos* que viver em sociedade, por mais que tentemos quebrar as regras. E nunca se ouviu falar de um casal branco adotando um bebê negro.

– Eu... – Cecily abriu a boca para falar, mas Bill ergueu a mão para detê-la.

– Escute, por favor. Está claro que você se apegou à menina. É compreensível, dada a perda da sua filha. Só fiquei sabendo dessa... situação há algumas horas, então perdoe minha dificuldade de chegar a alguma conclusão. Cecily, o fato é que, mesmo que você saia de casa com o bebê, não tem para onde fugir.

– É claro que tenho! Katherine ou mesmo Kiki nos acolheriam...

– A princípio, sim, mas diriam o mesmo que eu. Você não pode ser mãe de uma criança negra. Isso não seria aceito em nenhum lugar do mundo. E, por favor, não diga que você vai morar com os maasais, porque eles também não vão querer você lá – explicou Bill, em uma tentativa fracassada de humor. – Cecily, você está me entendendo? O mundo de fantasia que você criou enquanto eu estava fora nunca vai virar realidade. Sabe disso, não sabe?

Cecily mordeu o lábio, percebendo que, em certa medida, o que seu marido dissera era verdade.

– Mas não posso desistir dela, Bill. Fiquei responsável por cuidar de Stella. Além disso, é tudo culpa sua, para começo de conversa. Se você não tivesse permitido que Njala ficasse aqui em nossa terra, não estaríamos nesta situação agora.

– Estou ciente disso, Cecily, e agora lamento por isso. Venha, deixe-me segurá-la – disse Bill, esticando os braços do outro lado da mesa.

– Jura que não vai fugir com ela para Nairóbi no meio da noite?

– Juro. Me dê aqui – encorajou ele.

Com relutância, Cecily colocou Stella em seus braços.

– Olá, pequena – falou ele, olhando a criança. – Você é igualzinha à sua mãe, absolutamente linda.

Cecily observou Bill esticar um dedo e uma das minúsculas mãos de Stella o agarrou e segurou com força. A visão lhe trouxe lágrimas aos olhos.

– Meu Deus, Sra. Forsythe. Você certamente agitou minha vida desde que nos casamos. – Ele deu um sorriso fraco. – E eu que vim para casa pensando que navegaria em águas mais calmas, porque você parecia muito melhor.

– Peça o divórcio, se quiser – disse Cecily, na defensiva, dando de ombros.

– Cecily, para resolver essa situação, você precisa se comportar como uma mulher adulta, não como uma criança petulante. Posso perguntar se mais alguém sabe de Stella? Katherine, por exemplo?

– Ninguém. Por isso não deixei Katherine entrar no outro dia.

– Tem certeza?

– Absoluta.

– Já é alguma coisa. – Bill olhou para a bebê. – Deixe-me pensar com calma no que é melhor para todos nós...

– Mas eu...

Bill levou um dedo aos lábios.

– Chega por hoje, Cecily. Eu ouvi você. Agora, vamos dormir um pouco. Estou exausto.

Bill levantou-se, entregou Stella de volta e beijou Cecily na testa.

– Feliz Natal, minha querida esposa. Esse é o presente mais inesperado que já ganhei.

❂ ❂ ❂

Para a surpresa de Cecily, Stella só a acordou às cinco da manhã. Com medo de que os gritos dela acordassem Bill, ela a levou para mamar na cozinha.

– Feliz Natal, querida – disse ela, enquanto um glorioso nascer do sol surgia no horizonte. – E não se preocupe, vou lutar por você, custe o que custar.

Com Stella alimentada e dormindo no moisés, Cecily colocou um avental e preparou pão fresco para acompanhar o salmão defumado, depois usou o pão dormido na despensa para fazer recheio para o frango que Bill trouxera. Com tudo preparado, ela colocou seu vestido esmeralda favorito, passou um pouco de pó para cobrir as olheiras e um pouco de ruge nas bochechas pálidas. Então voltou à cozinha para descascar alguns legumes. No ano seguinte, sua horta estaria prosperando e ela colheria os legumes frescos...

Cecily interrompeu o que estava fazendo. Como podia estar tão alegre? Havia todas as chances de Bill acordar e dizer que Stella tinha que ir embora, o que significava que ela também faria as malas...

– Bom dia – disse Bill, como se os pensamentos de Cecily o tivessem invocado. – Você parece feliz e animada. Posso lhe pedir uma xícara de chá?

– Claro. – Cecily colocou um pouco de água para ferver.

– Você... e *ela*... dormiram bem?

– Muito bem, obrigada. Ela não se remexe muito à noite.

– Mas obviamente acorda cedo, não é? Obrigado – comentou ele, enquanto Cecily lhe servia o chá. – Pois bem, Bobby e Katherine devem chegar ao meio-dia, então vou terminar de me arrumar e vejo você na sala depois. Precisamos conversar, Cecily.

Quinze minutos depois, Cecily estava na sala de estar, o coração batendo forte, quando Bill voltou completamente vestido e sentou-se na poltrona à sua frente.

– Passei grande parte da noite pensando sobre o melhor a fazer – começou Bill. – Entendo que sou responsável por essa... situação difícil em que nos encontramos. Afinal, concordei em receber Njala aqui.

– Tenho certeza de que ela teria ficado com a filha se pudesse, mas não podia, por isso me pediu ajuda...

– Eu acho, minha querida, que temos que lidar com fatos. Entendo que você se sinta responsável pela criança, mas deve ter consciência de que, na realidade, você não tem culpa. No entanto, também entendo que se apegou a ela, e disse que vai embora com a menina, se eu insistir em levá-la.

– Com certeza, Bill. Desculpe, mas...

– Poderia me poupar do drama, Cecily, e apenas ouvir o que tenho a dizer? Argumentei ontem que não tem como você e, consequentemente, *eu* adotarmos esse bebê. Tenho medo de pensar no que sua mãe e seu pai diriam se você apresentasse Stella a eles. Então, você precisa ser realista. Ou eu tenho que ser realista por você. Pensei em uma solução, que espero que funcione para você, para mim e para a própria Stella, claro. Está preparada para me ouvir?

– Sim.

– Muito bem. Você se lembra de que mencionei, da última vez que parti para Nairóbi, que devíamos contratar uma empregada doméstica?

– Lembro.

– Minha sugestão é que Nygasi nos ajude a encontrar alguma mulher, explique a ela a situação, e ela venha morar aqui para servir de cozinheira e governanta. Eu já tinha separado parte do celeiro para transformar em alojamento de empregados, e não vou precisar de muito tempo para torná-lo habitável. Quando a mulher chegar, diremos a todos que temos uma nova empregada, que veio para cá com seu bebê, ou talvez sua neta, dependendo da idade dela. Dessa forma, Stella poderá ficar aqui na Fazenda Paraíso e crescer sob nossa proteção. Não é incomum empregadas domésticas terem dependentes morando com elas. Também significa que Stella crescerá dentro de sua própria cultura. Por favor, lembre-se de que isso também é importante para ela.

– Você está dizendo que Stella terá que morar em um celeiro? – perguntou Cecily, horrorizada.

– Para ser sincero, Cecily, não estou preocupado com os detalhes; podemos resolver isso depois. Estou muito mais interessado em encontrar uma maneira de você saber que cumpriu sua promessa para Njala, fez seu dever cristão e que Stella pode ficar.

– Mas, Bill, eu quero educá-la... ser a mãe dela – admitiu Cecily, mordendo o lábio.

– Para todos os efeitos, quando não tiver ninguém mais por perto, você será.

– A empregada não vai achar estranho que a patroa branca queira passar tanto tempo com o bebê negro?

– Não vai ser trabalho dela julgar o que seus patrões fazem. Você pode fazer o que quiser, desde que Stella fique com a empregada quando alguém vier nos visitar.

Cecily encarou os próprios pés, em silêncio.

– Entendo que não seja a solução perfeita – comentou Bill, com suavidade –, mas foi a única que consegui imaginar. Até eu tenho meus limites, Cecily, e, acredite, eles já foram bem forçados no ano passado. Mas entendo que separar você de Stella é tão insustentável quanto criá-la como nossa filha. Então, pelo seu bem e o dela, vou aceitar sua presença sob o nosso teto, desde que você aceite minhas condições. O que me diz?

Cecily continuou a olhar para os próprios pés.

Bill soltou um suspiro.

– Ontem lhe pedi que não se comportasse como uma criança petulante, e peço novamente agora. Não posso fazer mais nada. Você aceita?

Cecily finalmente ergueu os olhos para encarar Bill.

– Aceito.

– Ótimo. Então será que podemos continuar celebrando o Natal? – Bill apontou para a árvore. – Olhe ali embaixo.

Cecily se levantou e foi até a árvore, onde havia um pequeno pacote.

– Desculpe, não tive tempo de embrulhá-lo corretamente. Espero que você goste.

– Ah, Bill, que vergonha... Meu presente para você estava na encomenda que meus pais enviaram dos Estados Unidos, mas ainda não chegou...

– Não se preocupe, minha querida. Vá em frente, abra.

Cecily levou o pacote até a cadeira, desfez o laço e abriu o papel-pardo, que revelou uma caixa de veludo. Abrindo a tampa, Cecily viu uma delicada corrente de ouro com uma requintada esmeralda quadrada no centro de um aglomerado de diamantes.

– Meu Deus, Bill! É tão bonito. Não precisava. Eu... Eu não mereço isso. Eu não mereço você...

– Quer que eu coloque em você? Combina com esse seu vestido verde. Eu tenho a pedra há anos. Um colega sul-africano me deu em agradecimento a um favor e, em vez de deixar definhando na gaveta, pensei que, bem, ficaria linda em você. Pronto. Por que você não se olha no espelho?

Cecily levantou-se, as lágrimas brilhando em seus olhos, e foi olhar seu reflexo no espelho sobre a lareira.

– É perfeito. Obrigada, Bill, muito obrigada. E obrigada por permitir que Stella fique.

– Venha aqui, sua bobinha. – Bill puxou Cecily para seus braços. – Tivemos tempos difíceis desde que nos casamos – disse ele, enquanto ela apoiava a cabeça em seu ombro. – E com a guerra e o novo membro da família, provavelmente virão outros. Mas espero que este Natal possa pelo menos marcar uma nova era para nós dois. – Ele ergueu o rosto de Cecily pelo queixo, encarando-a. – O que você acha?

– Eu acho... acho que gostaria muito.

– Ótimo.

Então Bill se inclinou e, pela primeira vez desde o dia do casamento, procurou seus lábios. Fazia tanto tempo que não era beijada que Cecily quase se esquecera do que fazer, mas uma maravilhosa onda de calor tomou seu corpo quando Bill roçou os lábios nos dela até que entreabrisse a boca.

Um berro veio do quarto e Cecily se afastou, relutante.

– Meu bom Deus! Você sabe há quanto tempo estou esperando para fazer isso, e agora somos interrompidos! – Bill sorriu para ela. – Vá, vá cuidar de sua bebezinha – disse Bill quando ela se afastou.

39

Cecily sabia que nunca esqueceria aquele Natal. Não ficou feliz por Nygasi levar Stella para o bosque, fora de vista, ainda mais ao ver o choque em seu rosto quando ela e Bill lhe entregaram a bebê e mamadeiras suficientes para as próximas horas. Bill tinha lhe assegurado que Nygasi não faria mal a um fio de cabelo da menina.

– Eu disse a ele que, se acontecer qualquer coisa com a criança, vou denunciar os dois, ele e Njala, às autoridades, por abandonarem um recém-nascido. – Bill a reconfortou enquanto conduzia Cecily de volta para dentro de casa. – Você entende que ninguém pode vê-la antes que nossa nova empregada chegue, não é?

– Entendo, sim. Obrigada, Bill, muito obrigada. Prometo que ela não vai incomodar você e...

– Você sabe muito bem que isso não é verdade, mas agradeço a intenção. – Bill balançou a cabeça ao fechar a porta. – As coisas que faço para ver você feliz, minha querida... Bem, vou abrir um champanhe, e é melhor você ir para a cozinha. Katherine e Bobby chegarão a qualquer momento.

O dia passou em um transe. Cecily mal conseguia acreditar que Bill não apenas a beijara, mais cedo, como também concordara em lhe dar o melhor presente de todos: Stella. Ela não mais olharia para a barriga de Katherine com inveja, porque também teria uma filha para amar. Era triste que não pudesse ser da maneira tradicional, mas ainda era melhor do que Cecily ousara sonhar naquele último ano terrível. Seu colar foi muito admirado por Katherine, que a seguiu até a cozinha para ajudá-la a servir o almoço.

– É inacreditável como você faz tudo isso sozinha, quando pode muito bem contratar ajuda, Cecily – comentou Katherine, virando as batatas, que eram parte importante de um tradicional assado inglês.

– Na verdade, Bill e eu decidimos que é hora de arrumar alguém. Vamos contratar uma empregada assim que pudermos.

– Muito bem! Estou torcendo para o salário do Exército e os lucros da fazenda nos permitirem contratar ajuda também, quando o bebê chegar. Aliás, Cecily, você está radiante hoje – observou Katherine, olhando para a amiga. – Finalmente está superando e é maravilhoso ver você e Bill tão felizes. Eu só queria que Bobby fosse romântico assim comigo, mas nos conhecemos desde sempre e às vezes acho que ele ainda me vê como aquela criança irritante que ficava andando atrás dele.

– Katherine, você tem um dos casamentos mais felizes que já vi.

– Não sei se ele ainda vai olhar para mim depois que eu der à luz. Estou me sentindo com o dobro do tamanho! Vou chegar ao tamanho de uma de suas preciosas novilhas até o parto!

Depois de um almoço muito alegre, eles jogaram cartas por um tempo, antes de Katherine dizer que era hora de ir para casa.

– Estou exausta, mas foi um dia maravilhoso. Muito obrigada. Vamos retribuir o favor no próximo ano, prometo – disse Katherine, enquanto ela e Bobby se despediam dos anfitriões.

Bill teve que segurar sua esposa firmemente pelos ombros enquanto a picape desaparecia ao longo do caminho.

– Espere alguns minutos, Cecily. Nunca se sabe, Katherine pode ter esquecido algo e voltar para buscar.

Depois de dez minutos, Cecily correu para fora, chamando Nygasi.

– Você precisa mesmo buscar Stella agora? – perguntou Bill atrás dela. – Eu queria ter você só para mim um pouquinho.

Mas Cecily já estava fora do alcance de sua voz.

Mais tarde naquela noite, quando Stella estava dormindo em seu berço, aparentemente intacta depois do dia com o tio Nygasi, Bill acendeu a lareira não apenas porque a noite estava fria, mas porque "parecia mais natalino".

– Conte-me sobre os Natais da sua infância – pediu Cecily, encolhendo-se na cadeira diante do marido.

– Ah, eram muito ingleses. Abrir os presentes logo de manhã, depois caminhar pela neve até a igreja... Não devia nevar todo ano, mas é assim que lembro. Muito diferente daqui... – Ele suspirou e olhou para ela. – Cecily, eu... acho que começamos com o pé esquerdo.

– Como assim?

– Acho que você presumiu que eu a pedi em casamento apenas para salvar sua reputação e arrumar uma esposa para administrar um lar que eu não tinha. Em outras palavras, que foi um "acordo" que serviu para nós dois.

– Sim, foi o que você falou na época, Bill. Eu entendi errado?

– Não completamente, não. Eu... bem, eu me senti atraído por você no minuto em que a conheci. Você me fascinou, porque era diferente de todo mundo aqui. Você era *real* e não se preocupava com as roupas que vestia ou em andar com "as pessoas certas". E era obviamente inteligente e bonita também. – Ele sorriu. – E então nos casamos e, quanto mais eu a conhecia, mais percebia sua tenacidade discreta... E você nunca exigiu nada de mim, simplesmente aceitou quem eu era. Eu comecei a... bem... mais do que gostar de você. Obviamente, achei que seria impróprio termos uma... relação física enquanto você estava grávida, mas queria dizer que não foi porque eu não a desejava. – Um leve rubor subiu ao pescoço dele. – E então, é claro, o pior aconteceu, e eu não estava ao seu lado quando você precisou de mim. Cecily, foi indesculpável deixá-la sozinha aqui, tão perto do parto, ainda mais sem avisar onde eu estava. E quando finalmente cheguei ao hospital e a vi sedada, correndo risco de morte, percebi não apenas que tinha sido um idiota egoísta, mas também que eu... que eu a amava. Cecily, eu me sentei ao seu lado na cama naquele dia e *chorei*. E eu não chorava desde que Jenny, a garota que partiu meu coração, terminou nosso noivado.

Bill fez uma pausa, o rosto demonstrando toda a sua angústia.

– Mas, é claro, era tarde demais: você estava doente e arrasada, e pensou que eu não me importava. E por que pensaria outra coisa? Eu me casei com você e depois continuei na mesma vida de antes. E aí veio a guerra e, embora eu não quisesse deixá-la sozinha aqui, não tive escolha. Além disso, entendi que você não me queria por perto. Mesmo assim, ainda que do meu jeito atrapalhado, fiz o que pude para mostrar que eu a amava, mas acho que você não percebeu.

– Não, Bill, nunca pensei que você me amasse.

– Estávamos mesmo em um impasse e, para ser sincero, eu não via jeito de as coisas mudarem. E então, quando Njala veio, a nuvem cinza ao seu redor pareceu se dissipar. Eu a vi sorrindo de vez em quando e, na noite em que recebemos Joss, Diana e Jock, você estava adorável. Quando dançamos juntos, comecei a acreditar que poderíamos ter um futuro. O que você acha, Cecily?

– Eu... acho que nós dois nos isolamos do mundo, de maneiras diferentes.

– Concordo. E, apesar disso, nos afastamos um do outro. O mais importante, claro, é se você... Você tem sentimentos por mim?

– Não sei se eu arriscaria, Bill. – Cecily balançou a cabeça, confusa. – Assim como você, aprendi a me virar sozinha. Eu... só não quero ser magoada de novo. Depois de tudo o que aconteceu, eu não suportaria.

– Eu entendo, é claro. Você acha que podemos começar de novo? – Os olhos de Bill estavam embaçados, e ele parecia prestes a chorar. – Quero tentar ser um homem melhor para você.

– E para Stella.

– E para Stella. – Ele assentiu. – E então? – Ele estendeu a mão. – Podemos tentar?

Depois de uma breve pausa, Cecily pegou a mão dele.

– Claro que podemos tentar.

– Venha aqui.

Bill se levantou e puxou Cecily para perto. Então, envolveu-a nos braços e a beijou.

❁ ❁ ❁

Cecily acordou na manhã seguinte com um choro a pleno vapor. Ela abriu os olhos com dificuldade e viu Bill em pé ao lado, com Stella nos braços.

– Acho que ela está doente. Tentei lhe dar uma mamadeira, mas ela só fica cuspindo. O que eu faço?

Cecily sentou-se e percebeu que estava nua.

– Me dê ela aqui – disse, estendendo os braços e pegando a bebê que chorava. – Nossa, ela está fedendo. Você falou que ela não quis a mamadeira?

– Não quis. Eu peguei o leite na geladeira, mas ela recusou.

– Você aqueceu primeiro?

– Não... Ah, deve ter sido por isso.

– Pode me passar o meu robe?

Bill o tirou do gancho atrás da porta. Cecily colocou a menina na cama e se sentou para se vestir, estranhando ficar nua na frente do marido. Bill inclinou-se e beijou seu ombro e sua nuca.

– A noite passada foi maravilhosa, meu bem.

– Sim, mas preciso alimentar a neném para que ela pare de gritar.

Cecily sorriu, amarrando o roupão e pegando a bebê nos braços.

Bill a seguiu até a cozinha e observou-a pegar a mamadeira e colocá-la em uma panela com água para aquecer.

Depois que a bebê começou a mamar, satisfeita, Bill sentou-se na frente da esposa. Ele estava só de cueca e a visão de seu peito largo causou um formigamento entre as pernas de Cecily.

– Você está tão linda hoje.

– Tenho certeza de que não estou – retrucou Cecily, revirando os olhos. – Ainda nem penteei o cabelo.

– E, por mim, nunca mais pentearia. Adoro ver seu cabelo assim, caindo nos seus ombros nus...

– Bill! – exclamou Cecily, rindo.

– De qualquer forma, Sra. Forsythe, pretendo despenteá-la de novo assim que puder, mas queria saber se você iria comigo a Nairóbi para as corridas. Acho que é hora de aparecermos no Muthaiga Club. Todos estarão lá e, com você ao meu lado, talvez eu até me divirta também.

– Ah, mas o que faremos com Stella?

– Nygasi e eu achamos que encontramos uma pessoa adequada.

– Já? Tão depressa!

– Sim. Você deve conhecer a mulher que vende leite fresco no caminho para Gilgil...

– Conheço, sim.

– Bem, Nygasi a ajudou quando ela enfrentou a mesma situação de Njala. Eles são primos e ele me perguntou se eu a ajudaria, fornecendo-lhe duas vacas para que ela pudesse ordenhar e vender o leite. Ela ficou com o filho, que agora tem mais ou menos 10 anos, e desde então os dois moram naquela cabana no meio da estrada, tentando ganhar a vida. Nygasi afirma que ela é uma mulher honesta, e também fala um pouco de inglês, já que conversa com os residentes brancos que compram seu leite.

Cecily tentou visualizar a mulher.

– Quantos anos ela tem?

– Não sei com certeza, talvez uns 20 e poucos. E, claro, ela criou o próprio filho, então sabe cuidar de um bebê.

– O filho dela também viria morar aqui?

– Sim. Ele pode ajudar você no jardim. Nygasi já falou com ela, que entendeu a situação de Stella.

– Ela não vai contar a ninguém, vai?

– Por Deus, não. Ela já acha que você é uma santa por salvar a criança. E você é, minha querida. Fico com vergonha de pensar que minha reação a fez duvidar disso.

– Ok, vou só trocar Stella e me vestir e podemos ir vê-la – concordou Cecily.

Uma hora depois, ela estava sentada com Bill na sala de estar. Nygasi levara até lá uma jovem terrivelmente magra, que Cecily reconheceu, e um menino pequeno, claramente desnutrido para seus 10 anos. Mãe e filho olhavam em volta da sala, maravilhados.

– Por favor – Cecily apontou para o sofá –, sentem-se.

Os dois pareceram aterrorizados com a ideia, mas Nygasi traduziu, e eles se empoleiraram com relutância na beirada do sofá.

– Essa é Lankenua e seu filho, Kwinet – disse Bill. – Esta é Cecily, minha esposa – apresentou ele, em maa, à dupla no sofá.

– Muito prazer em conhecê-la. *Takwena*, Lankenua – acrescentou Cecily.

– Certo, Nygasi e eu podemos traduzir as perguntas que você tiver para Lankenua – sugeriu Bill.

– Eu... não sei o que perguntar.

Cecily estava avaliando a jovem à sua frente. Seus olhos pareciam os de um cervo assustado que sairia correndo ao menor ruído. Ela não era particularmente graciosa; tinha cabelo raspado, nariz grande para o rosto e dentes amarelados e irregulares. O filho era bem mais bonito, com o porte orgulhoso de seus antepassados maasais.

– Lankenua sabe o que o trabalho implica e está feliz... muito feliz... – repetiu Bill – em aceitá-lo. Talvez fosse mais simples buscar Stella e ver como ela interage com a moça.

– Tudo bem – concordou Cecily, levantando-se.

Voltando com a bebê, alguns segundos depois, ela a entregou a Lankenua, cujos olhos se iluminaram ao ver Stella. Ela murmurou algo baixinho e sorriu, depois arrulhou para Stella, que descansava calmamente em seus braços.

– O que ela falou? – questionou Cecily a Nygasi.

– Que a menina é linda, como uma princesa.

– E no mundo dos maasais, ela é mesmo – completou Bill.

– Mãe de Lankenua mulher sábia – disse Nygasi. – Muito esperta.

Stella começou a chorar, então Cecily foi buscar uma mamadeira.

– Deixe Lankenua alimentá-la, meu bem – sugeriu Bill.

Cecily permitiu, e a criança logo aceitou a mamadeira de Lankenua.

– Ela sabe cozinhar? – indagou Cecily.

Nygasi traduziu a pergunta em maa.

– Ela diz que não comida de gente branca, mas aprende depressa.

Cecily observou como Kwinet, o menino, estava debruçado sobre Stella, suas feições suavizando-se enquanto sorria para a bebê.

– E há também a roupa suja. E trabalho para o menino no jardim – explicou Cecily.

– Menino cuida de vaca. Ele é forte – explicou Nygasi.

Lankenua disse algo para Nygasi, que assentiu.

– O que ela falou?

– Falei você boa mulher – interveio Lankenua, lentamente, sorrindo para Cecily. – Gosto trabalhar você.

Bill olhou de soslaio para Cecily.

– E então?

Cecily ainda estava olhando para Lankenua.

– Tudo bem – decidiu ela. – Também gosto que você trabalhe para mim.

✺ ✺ ✺

No início daquela noite, Lankenua, seu filho e as duas vacas magras foram instalados em uma ponta do celeiro.

– Sabe, acho que nem vai ser preciso fazer muitas mudanças – comentou Bill. – Eles só vão dormir lá durante as chuvas. Parecem muito felizes com a nova casa.

– Eles precisam ter pelo menos instalações sanitárias, Bill. Um lavatório e uma torneira. Tem certeza de que podemos confiar neles?

– Absoluta. Além disso, Nygasi vai ficar aqui para supervisionar as coisas enquanto estivermos em Nairóbi.

– Ah, Bill, não posso ir amanhã. Quero ver com meus próprios olhos se ela sabe cuidar de Stella direito.

– Meu instinto diz que essa mulher é confiável, que teve uma vida difícil. Vamos deixar Lankenua dormir no quarto de Stella hoje, e vamos para a cama cedo. – Ele sorriu. – Amanhã de manhã veremos como ela se saiu.

– Tudo bem.

Cecily entendeu as intenções dele e assentiu timidamente. Com o braço de Bill sobre seus ombros, os dois voltaram em direção à casa.

40

Assim começou uma nova era na vida de Cecily. Vendo que Lankenua já estava apaixonada por Stella, ela acompanhou Bill às corridas em Nairóbi. O fato de que suas roupas estavam fora de moda havia dois anos e de que seu cabelo não estava bem cortado não importavam, porque Bill disse que ela ficava linda de qualquer jeito. E, depois de várias noites longas e quentes fazendo amor em seu pequeno quarto no Muthaiga Club, ela se sentia tão linda quanto Diana, cujo caso com Joss era agora do conhecimento de todos. Cecily e Bill jantaram com eles certa noite, e Jock se sentou ao lado dela – o corno manso, como Bill o chamava –, ficando bêbado lentamente. Ninguém no clube parecia se incomodar com o que estava acontecendo.

– Já estão acostumados com os modos de Joss, meu bem – disse Bill, dando de ombros. (Cecily adorava quando ele a chamava de "meu bem".)

Ele a convenceu a ficar até a véspera do ano-novo, e encontrou sua madrinha na grande festa realizada no clube.

– Oi, meu amor! Você está radiante! – Kiki a envolveu em uma névoa de perfume e fumaça de cigarro. – Mas precisa atualizar seu guarda-roupa – sussurrou ela em seu ouvido. – Vou lhe dar o endereço de uma lojinha que vende umas roupas fabulosas, copiadas das últimas passarelas parisienses. E você precisa conhecer Fitzpaul e a princesa Olga da Iugoslávia. Eles estão hospedados comigo durante essa guerra infeliz. Venha um fim de semana e faremos uma festa em casa!

Cecily concordou, sabendo que Kiki provavelmente esqueceria o convite. Apesar de sua *joie de vivre* e maquiagem perfeita, sua madrinha tinha olheiras escuras sob os belos olhos, e suas mãos tremiam ao colocar o cigarro na boca.

– Você precisa mesmo ir para casa? – perguntou Bill a Cecily, enquanto estavam deitados na cama, nus, ouvindo a animada festa continuar até as primeiras horas de 1941.

– Você sabe que sim, Bill. Não vejo Stella há dias. Ela pode se esquecer de mim.

– Desde que sejam alimentados e tenham as fraldas trocadas, bebês não se importam com quem está prestando o serviço – comentou ele. – Pelo menos é o que minha velha babá dizia.

– Sua babá podia até ter razão, mas acho que Stella vai sentir a minha falta. Além disso, você vai voltar ao trabalho, o que eu vou fazer aqui o dia todo?

– É verdade. Bem – disse ele, beijando-a na testa –, corra de volta para a sua bebê e os seus repolhos. Vou me juntar a você assim que puder.

Cecily partiu na manhã seguinte, com a caçamba da picape de Katherine cheia de roupas que Cecily havia comprado na butique recomendada por Kiki.

– Não foi divertido? – perguntou Katherine, bocejando, quando saíram de Nairóbi. Sua barriga já encostava no volante.

– Quer que eu dirija, Katherine?

– Não precisa. E a maior parte não é o bebê, é gordura mesmo – disse ela. – Admito que estou feliz em voltar para casa; essas festas foram exaustivas. Bill pareceu ter se divertido muito também. Ele sempre foi tão chato em relação a esses eventos. Obviamente vocês estão se dando bem agora. Seu marido anda parecendo um pinto no lixo. Você foi a melhor coisa que já aconteceu na vida dele.

– E ele foi a melhor coisa na minha. – Cecily sorriu. – Vou sentir saudades enquanto ele estiver fora.

– É a primeira vez que ouço você dizer isso, e fico muito feliz pelos dois.

De fato, depois que Katherine deixou Cecily e seus pertences na Fazenda Paraíso e foi apresentada a Lankenua, Kwinet e Stella – em quem não parou de babar –, Cecily acenou para ela com a bebê nos braços, pensando que não poderia estar mais feliz.

✿ ✿ ✿

Nas semanas seguintes, Bill fez o possível para voltar com mais frequência, às vezes chegando tarde da noite e saindo novamente ao amanhecer.

Durante aquelas noites, Cecily instalava Lankenua e Stella em um dos quartos de hóspedes – ela se recusara a aceitar que a bebê dormisse no celeiro – para que ela e Bill não fossem perturbados.

Quanto mais conhecia Lankenua, que Cecily calculava ter a mesma idade que ela, mais confiava e gostava da moça. Ela aprendia rápido e, depois de menos de um mês, já era capaz de fazer uma boa galinha assada e um curry – embora tenha se enganado e estrangulado uma das preciosas galinhas de Cecily, em vez de pegar a da geladeira. Kwinet também estava se provando muito útil no jardim, e Cecily o ensinou a cuidar das diferentes verduras e legumes. Ela só teve que repreendê-lo uma vez, quando saiu na varanda e viu as duas vacas magras pastando no gramado da frente. Em geral, ele era um menino doce e, agora que se alimentava direito, seu rosto magro estava ganhando forma. Lankenua também era sempre gentil com Stella, o que dava a Cecily confiança para dirigir até Nairóbi nas ocasiões em que Bill não conseguia ir para casa.

Na última semana de janeiro, Lankenua acordou Cecily com uma batida à porta do quarto.

– Venha, dona Cecily.

Lankenua fez um gesto para imitar um telefone ao ouvido. Cecily vestiu o roupão e atravessou o corredor para atender à chamada.

– Olá, meu bem, é Bill. – A voz do marido falhava na ligação. – Eu só queria avisar que vou chegar em casa mais tarde hoje. Algo horrível aconteceu.

– O que foi?

– Joss sofreu um acidente de carro perto da casa de Diana e Jock, em Karen. Parece que ele quebrou o pescoço... Meu Deus, Cecily... Joss morreu!

– Ah, não! – Cecily mordeu o lábio. Sabia que Bill adorava Joss, apesar do terrível comportamento do amigo com as mulheres. – Eu... Há alguma coisa que eu possa fazer?

– Não. Obviamente, vou ter que assumir as funções dele por aqui enquanto resolvem tudo. Vou até o necrotério agora para... ver meu velho amigo e dizer adeus – explicou Bill, sua voz falhando.

– Querido, eu sinto muito. Talvez seja melhor eu ir encontrá-lo.

– De qualquer forma, organizarão o funeral rapidamente. Por aqui, isso é necessário, entende? Bem, se você quiser mesmo vir, nos vemos no clube mais tarde. Tome cuidado no caminho, Cecily.

Ela desligou o telefone e entrou na cozinha para fazer uma xícara de café forte. Enquanto bebia, olhou pela janela e admirou mais uma manhã gloriosa; uma manhã que Joss – tão cheio de vida e energia – não veria. Ela se lembrou de como seu pai costumava repetir um ditado bastante arcaico, algo como quem vive pela espada morre pela espada. Pela primeira vez, Cecily realmente entendeu o que isso significava. Joss vivera acelerado, sem se dar um descanso. E agora se fora.

Lankenua apareceu na cozinha com Stella nos braços.

– Tudo bem, dona Cecily?

– Tenho que ir a Nairóbi. Você cuida de Stella, está bem?

– Está bem.

Cecily empacotou o único vestido e chapéu pretos que possuía e, pouco depois do meio-dia, partiu para a capital. Embora, no início, ficasse nervosa em dirigir sozinha, havia aprendido a desfrutar da liberdade de se locomover como e quando quisesse.

A atmosfera no Muthaiga Club era pesada, para dizer o mínimo. Ela viu pela pequena janela que os homens estavam no Gentlemen's Bar, bebendo uísque e falando em voz baixa. Algumas mulheres estavam sentadas na varanda, erguendo suas taças de champanhe em um brinde a Joss.

Cecily foi para o quarto com a intenção de trocar de roupa depois da viagem pela estrada poeirenta, mas logo ouviu a porta se abrir.

– Olá, meu bem. Me disseram que você tinha chegado.

Bill parecia triste e cansado, como se tivesse envelhecido dez anos desde a última vez em que o vira. Cecily se aproximou dele.

– Sinto muito, muito mesmo. Eu sei quanto você gostava dele.

– Bem, apesar de seus defeitos, a vida por aqui nunca mais será a mesma. Só que a situação ainda é pior, Cecily. Fui vê-lo no necrotério e falei com o superintendente Poppy. Isso *não pode* se tornar de conhecimento público até o Palácio do Governo anunciar amanhã, mas parece que ele foi assassinado.

– Assassinado? Meu Deus, Bill. O que aconteceu?

– Levou um tiro na cabeça. A bala atravessou em linha reta da orelha ao cérebro. Não teve chance nenhuma.

– Mas quem ia querer assassinar Joss? Todo mundo gostava dele! Ou não?

Cecily procurou a resposta no rosto do marido, depois pensou melhor.

– Ah – sussurrou ela.

– Sim, receio que todos pensem o mesmo, principalmente porque aconteceu muito perto da casa de Jock e Diana. Joss tinha acabado de deixar Diana em casa e... só Deus sabe o que aconteceu exatamente, mas a situação não está boa para Jock Broughton.

– Bem, para ser sincera, Bill, mesmo sabendo quanto você gostava de Joss, eu não culparia Jock se ele *tivesse* atirado.

– Eu sei, meu bem, eu sei. – Bill suspirou e sentou-se na cama. – Obviamente, isso tudo é extremamente secreto. O funeral será amanhã, e depois a polícia chamará Jock para depor.

– *Você* acha que foi ele?

– Como você disse, ele certamente tinha motivo. De qualquer forma, não comente nada com ninguém por enquanto. Eu só queria que você soubesse. Agora preciso voltar para o escritório e tentar organizar as coisas por lá. Vai ficar bem?

– Claro que sim – respondeu Cecily.

– Volto a tempo para o jantar.

Com um aceno triste, Bill saiu do quarto.

✺ ✺ ✺

O funeral de Josslyn Victor Hay, 22º conde de Erroll, aconteceu no dia seguinte, na Igreja de São Paulo, em Kiambu, nas redondezas de Nairóbi. Cecily, sentada com Bill na primeira fileira, olhou para trás e viu que todo mundo importante estava lá, mas não conseguiu identificar Diana. Na noite anterior, Bill lhe contara que, poucas horas antes da morte, Jock concordara em se divorciar para que ela pudesse se casar com Joss. Ele brindara à felicidade deles no Muthaiga Club, à vista dos demais clientes.

– Lembre-se de que apenas as autoridades policiais sabem que Joss foi assassinado; todo mundo ainda acredita que foi apenas um trágico acidente de carro. – Bill a alertou antes de partirem para o funeral.

No entanto, durante o velório no Muthaiga Club, ficou óbvio que muitas pessoas já estavam comentando. Alice e Idina estavam arrasadas e poucas palavras gentis foram ditas sobre Diana. Quando Jock surgiu, parecendo meio embriagado e aborrecido, foi levado por sua amiga June Carberry antes que "fizesse papel de idiota", como ela sussurrou para Bill.

– Parece o fim de uma era – falou Bill, ajudando Cecily a entrar na picape, mais tarde naquele dia. – O Happy Valley *era* Joss e, mesmo achando algumas de suas atitudes deploráveis, o mundo será um lugar menor sem ele. Por favor, tome cuidado na jornada para casa e me ligue quando chegar, está bem?

– Pode deixar.

Enquanto se afastava, Cecily torceu fervorosamente para que o golpe da morte do melhor amigo de Bill não prejudicasse seu novo e maravilhoso relacionamento.

✿ ✿ ✿

Jock Broughton foi preso três semanas depois pelo assassinato de Joss Erroll. O escândalo ganhou as manchetes em todo o mundo, e até Dorothea ligou para Cecily para saber das novidades.

– Você conheceu Joss pessoalmente? – perguntou Dorothea, ofegante.

– Sim, ele é... era amigo íntimo de Bill. Ele, Diana e Jock vieram passar um fim de semana conosco em dezembro.

– Que coisa! – Houve um silêncio deslumbrado. – Então você também conheceu Diana? Ela é tão bonita quanto parece nos jornais?

– Ela é muito atraente, sim.

– Acha que Sir Jock atirou nele?

– Mamãe, eu não sei, mas Joss e Diana não faziam nada para esconder que estavam tendo um caso.

– Não acredito que você os recebeu debaixo do seu teto...

Cecily teve que sorrir, porque sua mãe parecia fascinada, por mais terrível que fosse a situação.

– Eles se amavam como dizem os jornais? – indagou Dorothea.

– Ah, sim. – *Ou se desejavam*, pensou Cecily. – De qualquer forma, preciso desligar – disse ela, ouvindo as queixas de Stella de que era hora de mamar. – Mande beijos para todos.

– Espere, é um bebê que estou ouvindo ao fundo?

– Sim, é Stella, filha da minha empregada. Ela é tão linda, mamãe...

– Bem, se essa guerra um dia acabar, vou direto para aquele navio visitar você, querida. O Quênia parece um lugar muito interessante.

– Ah, é muito interessante mesmo – concordou Cecily. – Até logo, mamãe.

✲ ✲ ✲

As notícias da guerra, que haviam dominado as conversas por tanto tempo, foram temporariamente suspensas em favor das fofocas sobre a investigação do assassinato. Embora Cecily estivesse feliz cuidando de Stella, seu coração doía pelo marido, que passava todo o tempo em Nairóbi, não apenas ajudando a executar as antigas funções de Joss, mas também resolvendo assuntos pessoais do amigo.

Katherine telefonava regularmente para a Fazenda Paraíso. Ela estava passando a maior parte do tempo com Alice, na Fazenda Wanjohi, fazendo o possível para aliviar a dor dela pela perda de Joss.

– Estou preocupada com ela – confidenciou Katherine a Cecily. – O pai também morreu recentemente, e ela está arrasada pelo assassinato de Joss... Ela não está bem, Cecily, e eu não sei o que fazer.

O julgamento de Jock Broughton foi aberto na Corte Central de Nairóbi, no fim de maio.

– Francamente, é como uma plateia indo assistir a um show. – Bill suspirou ao telefone, no fim do primeiro dia. – Todo o Happy Valley está aqui, usando suas melhores roupas, é claro, e também há repórteres de todo o mundo. Pelo menos Diana fez a sua parte, contratando para o pobre marido um advogado talentoso. Veja bem, ela chegou ao tribunal hoje de vestido preto e pronta para interpretar o papel de viúva. Odeio falar mal dos outros, mas ela parece estar gostando da atenção.

Quelle surprise, pensou Cecily.

– Venha para a cidade se quiser, mas é um espetáculo lúgubre, principalmente em plena época de guerra.

– Acho que vou ficar por aqui – afirmou Cecily, sabendo quanto sua mãe ficaria decepcionada por ela perder um dos julgamentos de assassinato mais sensacionalistas dos tempos modernos.

Ela estava muito mais interessada em cuidar de Stella, agora com quase 6 meses de idade, e observar seu desenvolvimento. O bebê magrelo tinha se tornado uma coisinha rechonchuda e adorável, e cada movimento que fazia deixava Cecily encantada. Stella era muito esperta e curiosa, e Cecily a colocava em um cobertor no jardim à sombra de uma árvore frondosa, observando seus olhos enormes – tão parecidos com os da mãe – seguirem o movimento das nuvens no céu e dos bandos de pássaros cantando alegremente nos galhos acima. Wolfie a adorava e ficava do lado de fora da porta do quarto dela a noite toda.

– Você parece passar muito tempo cuidando de Stella – comentou Katherine certa vez. Ela já estava para dar à luz e fora lhe fazer uma visita, o que era cada vez mais raro.

Cecily estava com a menina no colo.

– Lankenua fica tão ocupada com a casa que alguém tem que cuidar dela. E ela é muito pesada para ser carregada em um pano nas costas – respondeu Cecily rapidamente.

Katherine a encarou.

– Stella não é um nome muito maasai...

– Na verdade, o nome dela é Njala, que significa estrela. Não é lindo? Stella é o equivalente latino – mentiu Cecily, sem dificuldade.

– Só tome cuidado para não se apegar demais e acabar cuidando dela o tempo todo. Caso contrário, estará apenas trocando um trabalho por outro.

– Não me importo. Afinal, é bem melhor do que esfregar o chão – disse Cecily, sorrindo.

✲ ✲ ✲

– O júri finalmente saiu para deliberar sobre o veredicto – contou Bill à esposa, por telefone, dois meses depois. – Para ser sincero, a esta altura não ligo muito para o resultado. A coisa toda se tornou um circo e vou ficar bastante aliviado quando acabar.

– O que você acha que decidirão? – perguntou Cecily, enfiando uma colher com polpa de maçã na boca de Stella e segurando o receptor ao mesmo tempo.

– As evidências contra ele são bastante fortes, mas Morris, seu advogado, fez um discurso de encerramento espetacular. Valeu cada centavo que Diana pagou. De qualquer forma, ligo para você assim que o veredicto sair. E então talvez meu querido e velho Joss possa finalmente descansar em paz.

– Espero que sim – murmurou Cecily para si mesma, colocando o telefone no gancho. – E que Bill possa ficar em paz também.

✲ ✲ ✲

– Ele foi absolvido! – Bill ligou novamente às dez horas da noite. – Não será enforcado, afinal.

– Meu Deus! Pensei que ele fosse ser considerado culpado.

– De fato, era o que todos esperavam, mas... para ser honesto, depois de ouvir todas as evidências, também já não tenho tanta certeza. Estou feliz por ter acabado e, meu bem, sinto muito, mas receio não poder voltar para casa no fim de semana; tenho que visitar um campo de detenção em Mombaça.

– Meu Deus, isso não vai ser perigoso?

– Não, de maneira alguma. Só tenho que verificar se os prisioneiros de guerra estão sendo bem tratados. Entrarei em contato assim que puder. Anime-se; essa situação não pode continuar por muito mais tempo.

Cecily desligou e saiu para a varanda. Apesar de o céu estar limpo, era uma noite incomumente úmida de julho e o ar estava denso com a fragrância das flores no jardim. Ela não pôde deixar de pensar naquela noite, quando Joss e Diana dançaram juntos bem ali...

Voltando para dentro, decidiu que ligaria para a mãe no dia seguinte, para lhe dar as notícias. Apesar de acreditar, de coração, que Jock era culpado, ela estava feliz por ele não acabar com uma corda no pescoço. Deitando-se na cama, Cecily desejou fervorosamente que a guerra terminasse em breve; ela quase não vira Bill nos últimos meses. Se não tivesse Stella, talvez houvesse enlouquecido.

Pelo menos Katherine estava na mesma situação e podia voltar a visitar a Fazenda Paraíso, pois seu filho, Michael, nascera no fim de maio. Juntas, ela e Cecily tricotavam meias e balaclavas para os soldados nas frentes de batalha, com Stella e Michael deitados no tapete, na frente delas. Stella, que agora conseguia se sentar, encarava solenemente o pequeno companheiro.

– Que venha logo o fim da guerra para que Bill e eu possamos finalmente ser um casal normal – disse Cecily, suspirando ao apagar a luz.

41

Maio de 1945

Somente quatro anos mais tarde Cecily conseguiu ter seu desejo realizado. E foram os quatro anos mais longos de sua vida.

Quando recebeu a notícia de que Pearl Harbor fora atacado e que os Estados Unidos haviam entrado na guerra, Cecily agarrou Stella firmemente e soluçou, aterrorizada por sua família em Nova York. À medida que a escassez de alimentos se tornou mais severa, Cecily ficou agradecida por sua horta estar prosperando e por terem ovos e leite. Belle, sua bela égua, tinha sido entregue ao esforço de guerra e, no dia em que Bill a levara embora, Cecily achou que não tinha mais lágrimas para derramar.

Embora a Fazenda Paraíso permanecesse intacta, ela temia constantemente pela vida de Bill. Em seu papel como comandante do King's African Rifles, Bill fora fiel à sua palavra e lutara com suas tropas, quando se fez necessário. Seus compromissos militares haviam sido limitados no início da guerra, mas, em 1943, para horror de Cecily, a 11ª Divisão fora enviada à Birmânia para lutar. Cecily viveu em agonia e suspense, passando semanas a fio sem notícias dele, com apenas algumas breves cartas contando sobre o intenso calor e a umidade da selva, além de frases apagadas pelos censores. Ele tinha retornado brevemente à Fazenda Paraíso, magro e perturbado, mas fora enviado novamente para lutar.

O telefone e o telégrafo haviam se tornado seu único contato com o resto do mundo, pois ela se isolara de tudo, tentando criar uma atmosfera calma para Stella, que estava se transformando em uma doce e brilhante garotinha.

✿ ✿ ✿

Durante uma chuva torrencial, em maio de 1945, o telefone tocou.

Era Bill, dando notícias que deixaram o coração de Cecily batendo forte quando desligou.

– Acabou, acabou mesmo! Lankenua, acabou! – gritou ela, correndo até a cozinha, onde, aos 4 anos, Stella desenhava à mesa, enquanto Lankenua cuidava da limpeza. – Acabou mesmo! – gritou ela, rindo e abraçando a mulher sobressaltada.

– O que acabou, dona Cecily?

– A guerra! Acabou de verdade – repetiu ela, indo pegar Stella, que já era uma cabeça mais alta do que Michael, embora houvesse apenas seis meses de diferença entre eles. – Terminou. Ela beijou o topo dos cabelos bem trançados de sua amada filha.

– Agora Bill pode voltar para casa de vez e finalmente seremos uma família.

– Por que está chorando se está feliz? – perguntou Stella.

– Ah, porque isso é maravilhoso! Finalmente posso levar você para casa e lhe mostrar Nova York e... Ah, um milhão de outras coisas. Agora, tenho que ir para Nairóbi. Há várias celebrações planejadas. Lankenua, você pode passar aquele meu vestido azul com as fitas? E meu velho chapéu de palha vai ter que servir.

– Posso ir também? – implorou Stella.

– Hoje não, a cidade estará lotada e você pode se perder. Mas outra hora, eu prometo.

– Mas eu gosto de olhar as lojas com você e Yeyo.

– Eu sei, minha querida, mas as lojas estão vazias. Em breve, porém, vamos poder comprar muitos vestidos bonitos. Vamos – Cecily estendeu a mão –, venha me ajudar a me arrumar.

Stella se sentou na cama enquanto Cecily prendia os cachos.

– Por que seu cabelo é diferente do meu? – indagou Stella.

– Muitas pessoas de lugares diferentes têm cabelos diferentes.

– Mas nós duas somos daqui – insistiu Stella.

– Bem, eu vim dos Estados Unidos da América. Você lembra? Eu lhe mostrei no atlas. Fica do outro lado de um grande oceano. Você e Yeyo são daqui, do Quênia.

Ela e Bill tinham decidido que seria melhor Stella crescer acreditando que Lankenua era sua mãe. Desde que começara a falar, ela chamava Lankenua de Yeyo, a palavra maasai para "mãe", enquanto Cecily era chamada de Kuyia, a forma abreviada de "nakuyia", que significava "tia". Stella falava maa fluentemente com Lankenua, seu "irmão" Kwinet – que havia se transformado em um jovem musculoso e trabalhava incansavelmente para Cecily, mantendo os jardins em ordem – e com seu tio Nygasi. Ela também adotara o sotaque de Nova York de Cecily quando falava inglês, o que fizera Bill rir nas poucas ocasiões em que estivera em casa.

– Odeio o meu cabelo – disse Stella, puxando suas tranças, que Lankenua fizera agilmente no dia anterior. – É duro. O seu é macio. E por que você pinta o rosto? Fico parecendo uma bobona quando pinto o meu – comentou Stella, vendo Cecily passar um pouco de ruge.

– Porque tenho uma pele branca e pastosa que precisa de ajuda, enquanto a sua é tão bonita que não precisa de nada. Muito bem – concluiu Cecily, colocando a maquiagem e outros itens em seu pequeno estojo de beleza. – Você pode me ajudar pegando minha camisola cor de pêssego na cômoda.

Stella abriu a gaveta superior e puxou um dos sutiãs de Cecily.

– Por que você usa isso? Yeyo não usa. Eu vou usar um quando ficar mais velha?

– Se você quiser. Agora, onde está a camisola? Preciso chegar a Nairóbi o mais rápido possível.

Lankenua e Stella se despediram com acenos depois que Cecily prometeu voltar no dia seguinte. A caminho de Nairóbi, ela se juntou a uma fila de outros carros cheios de pessoas que tinham ouvido as notícias e estavam indo comemorar. Cecily pensou na conversa que tivera com Stella naquela manhã. Não havia dúvida de que a garota adorava sua Yeyo, mas ultimamente andava questionando o motivo de dormir em um dos quartos de hóspedes (que Cecily havia transformado em um paraíso para garotinhas), enquanto Yeyo dormia do lado de fora com Kwinet. Da mesma forma, ela não entendia por que Lankenua se vestia com simplicidade, mas ela sempre tinha vestidos bonitos. Enquanto Kwinet não demonstrava nenhum interesse por aulas e preferia trabalhar a céu aberto, Stella sabia ler e escrever – Cecily lhe dava lições todas as manhãs e Stella se mostrava uma aluna de rapidez excepcional.

– Você vai acabar mandando a menina para a universidade aos 10 anos, querida – dissera Bill, em tom de brincadeira, em um fim de semana de licença. – Apenas tome cuidado para não fazê-la sonhar alto demais.

Esse comentário incitou uma das piores discussões que os dois já haviam tido, quando Cecily acusou Bill de ter dois pesos e duas medidas e assegurou-lhe de que nos Estados Unidos mulheres negras podiam frequentar a universidade.

– Pode até ser, mas nós vivemos na África, onde Stella não terá esse tipo de oportunidade.

– Então vou ter que levá-la para Nova York! – exclamou ela, enfurecida.

Bill pedira desculpas, mas nas últimas semanas Cecily havia começado a entender a preocupação dele. Stella estava confusa sobre a própria identidade – e era uma situação que Cecily não sabia como resolver.

– Isso não é problema para agora – murmurou ela, parando nos arredores de Nairóbi e entrando na fila de carros buzinando, com passageiros dando vivas, ansiosos para entrar na cidade.

O céu tinha ficado milagrosamente limpo e o trânsito na Avenida Delamere não se movia. Cecily ouviu o som da banda de metais quando o desfile da vitória começou. Perdendo qualquer esperança de encontrar Bill, Cecily deixou o carro onde estava e foi se juntar às multidões que aplaudiam as tropas vitoriosas que marchavam orgulhosamente junto de seus companheiros.

❋ ❋ ❋

Um mês depois, Bill finalmente voltou. Cecily pediu a Kwinet que decorasse a frente da casa com uma fileira de bandeirolas do Reino Unido que pegara no desfile da vitória. Katherine, Bobby e Michael estavam lá, e Stella rodeava animadamente seu tio Bill. Ele estava envelhecido, pensou Cecily, com os cabelos riscados de cinza e uma expressão atormentada nos olhos que não existia antes da guerra.

– Aos amigos reunidos – brindou ele – e aos que deixaram saudades e não estão mais conosco.

– Aos que deixaram saudades – repetiram todos, fazendo um brinde.

Cecily sabia que Bill estava pensando não apenas em seus companheiros que morreram em combate, mas também em Joss e Alice, que se matara com um tiro, em casa, poucos meses após Jock Broughton ter sido absolvido do assassinato de seu amado Joss. Havia rumores de que a própria Alice tivesse sido a responsável pelo crime, mas também havia muitos outros suspeitos. Cecily aprendera a não dar ouvidos a fofocas e lamentara muito a morte de Alice.

– Ao início de uma nova era! – gritou Bobby, lançando um olhar para a esposa e a puxando para mais perto. – Que possamos viver em paz pelo resto das nossas vidas.

– Saúde, saúde! – repetiram todos.

❂ ❂ ❂

– Meu Deus, estou feliz de deitar em um colchão americano macio – comentou Bill, com um sorriso, mais tarde naquela noite.

Cecily juntou-se a ele, que a abraçou.

– Olá, esposa.

– Olá, marido – disse Cecily, afastando um fio de cabelo do rosto dele. – Espero que você descanse um pouco na próxima semana e que possamos passar algum tempo juntos – sussurrou ela.

– Descansar?! Minha querida, não sei o significado dessa palavra, assim como nenhum homem que se preze. Agora que essa guerra infeliz finalmente acabou, vou ter que brincar de caçar vacas. Só Deus sabe quantas cabeças desapareceram enquanto o dono esteve fora. Amanhã vou sair para descobrir.

– Você não poderia passar mais um dia comigo e Stella? Ela mal o reconhece. Quero que você passe algum tempo conosco.

– Pode até ser verdade, mas não faz sentido ficar sentado aqui em casa me preocupando com o rebanho.

– Quanto tempo você vai ficar fora?

– Não sei, mas entenda que eu preciso ir.

Você sempre tem que ir a algum lugar... Cecily mordeu o lábio e engoliu em seco. Não queria chorar na primeira noite de Bill em casa.

– Eu estava pensando que podíamos visitar meus pais na América – sugeriu ela. – Você nunca esteve em Nova York. Pode ser divertido, ainda mais levando Stella para conhecer o lugar também.

– Cecily, eu sei que você está ansiosa para ir, mas tenho que recuperar o controle de nossa fazenda. É ela que nos fornece o pão de cada dia, e não rendeu quase nada nos últimos anos. O que vendi para o governo gerou muito pouco e corremos o risco de ficar com dívidas se eu não resolver as coisas.

– Eu tenho algum dinheiro, Bill, você sabe. Não vamos morrer de fome, disso tenho certeza.

– E tenho certeza de que não quero ser sustentado por minha esposa. – A expressão de Bill ficou séria. – Sou um agricultor, não um cavalheiro com tempo livre, como tantos por aqui. Não é porque a guerra acabou que vou me aposentar e passar o resto da vida em casa, com o traseiro grudado na cadeira, bebendo gim. Mal posso esperar para sair pelas planícies... – Ele se virou para ela. – Você podia se juntar a mim para uma caçada, na semana que vem.

– Talvez – respondeu Cecily, sem entusiasmo.

– Meu Deus, estou exausto – disse ele, beijando-a na testa. – Boa noite. Durma bem.

Cecily o viu se virar e, em poucos segundos, já estava roncando. Ela desligou o abajur ao lado da cama e deixou as lágrimas que sufocara rolarem silenciosamente pelo rosto. Não conseguia se lembrar da última vez que fizeram amor.

Os dias paradisíacos de quatro anos antes, quando Joss ainda era vivo e Bill não tinha perdido a alma na Birmânia, eram apenas uma lembrança distante.

– A vida é tão cruel... – sussurrou Cecily, esfregando os olhos para secar as lágrimas. – Dou graças a Deus por Stella.

❂ ❂ ❂

Durante o ano seguinte, Cecily sentiu que nada havia mudado desde a guerra. Ela ficava sozinha a maior parte do tempo e se agarrava a Stella por conforto. Na verdade, era pior do que ficar sozinha; tinha Bill em sua cama de novo, mas ele era ausente, não mais o Bill de quem se lembrava. Ficava calado e se mostrava frio em relação a ela, e seu mau humor azedava o ambiente na Fazenda Paraíso. Ele mal prestava atenção em Stella.

A mãe de Cecily ligava uma vez por mês, ansiosa para saber quando a filha voltaria para casa, porém, sempre que Cecily abordava o assunto com Bill, ele dizia que não era a hora, que ele não podia sair enquanto o seu gado não estivesse prosperando novamente.

– Me dê doze meses para colocar as coisas de volta nos trilhos, então vou poder pensar no assunto – disse ele.

Cecily percebeu que não via sua família havia mais de seis anos. Sentia muitas saudades de casa.

42

Era novembro de 1946 e as chuvas haviam transformado o jardim de Cecily em um exuberante paraíso tropical. Katherine chegou no meio da manhã de quarta-feira, como sempre, com Michael a reboque. Ele estava com 5 anos e adorava sua melhor amiga, Stella. Cecily estava ensinando aritmética básica à menina, sentada à mesa da cozinha. Stella adorava números e, mesmo sabendo que não havia um vínculo genético para explicar o fenômeno, Cecily ficava feliz em alimentar sua paixão. Mas, quando viu Michael, Stella gritou e correu para abraçá-lo.

– Caramba. – Katherine sorriu, enquanto Michael zunia em volta do jardim ensopado, fingindo ser um avião, com Stella gritando enquanto ele tentava pegá-la. – Eu mal consigo fazer meu filho se sentar à mesa para comer, quanto mais se concentrar em matemática.

– Se Michael quiser participar das aulas, eu ficaria feliz em ensinar a ele.

– Talvez eu aceite – concordou Katherine, enquanto as duas amigas bebiam limonada na varanda. – Você gosta muito mesmo de Stella, não é?

– Claro que sim. Ela cresceu sob o meu teto – disse Cecily, na defensiva.

– Bem, vai ser uma grande ajuda se você cuidar de Michael para mim de vez em quando, nos próximos meses. Finalmente estou grávida de novo – revelou Katherine, erguendo uma sobrancelha.

– Que notícia maravilhosa! Você está feliz?

– Ah, é claro que vou ficar feliz quando o bebê nascer. É que não gosto muito de passar pela gravidez.

– Bobby está contente?

– Não sei. Ele anda muito distante desde que voltou da guerra. Para ser franca, estou surpresa por termos conseguido fazer um bebê. Seu interesse nesse departamento desapareceu nos últimos anos.

– O de Bill também. – Cecily corou ao admitir. – Ele anda rabugento quase o tempo todo.

– Estou torcendo para que o tempo cure Bobby – retrucou Katherine, com um suspiro. – Ver homens sendo despedaçados deve ter afetado todos eles. Mas já faz mais de um ano, e eu queria o Bobby que eu amo de volta.

– É horrível dizer isto, mas fico aliviada por não ser apenas meu marido.

– Tudo parece ter mudado, não é, Cecily? Mesmo aqui em cima, no Vale. Acho que muitos dos nativos que foram forçados a se alistar durante a guerra para servir ao país e ao rei acreditavam que as coisas seriam diferentes quando voltassem. Mas é claro que nada mudou para *eles*, mudou? Na verdade, dado que muitas fazendas ficaram descuidadas, o trabalho aqui está ainda mais escasso do que antes.

– E eu pensando que tudo melhoraria...

– Não há nada de errado em ser otimista. Foi o que nos fez aguentar a guerra – comentou Katherine. – Mas admito que parte de mim fica bem tentada a voltar para casa, na Inglaterra. Os recursos médicos de lá são muito mais avançados, e eu também poderia seguir minha carreira como veterinária. Por aqui, é quase impossível. Quando os fazendeiros se veem diante de uma mulher, fogem correndo com suas vacas doentes! Também tenho sonhado com um bom nevoeiro – acrescentou ela, rindo.

– Sei exatamente como você se sente. Quero ir para casa no Natal, Katherine. Não vejo minha família já faz mais de sete anos.

– Então você deve ir. Claro que deve.

– E se Bill se recusar a ir junto?

– Vá sem ele. – Katherine deu de ombros. – Caramba, se eu tivesse a chance de sair da África por um tempo e ver a América, estaria lá em um segundo.

– Eu a chamaria para ir comigo, mas... – Cecily indicou a barriga pequena, mas já aparente, de Katherine. – Isso não vai acontecer, não é?

– Não desta vez. Mas me convide depois que o bebê nascer e será um sim com certeza. Cecily, vá e tenha um merecido Natal com sua família em Manhattan. Leve sua empregada com você, se não quiser ir sozinha.

– E Stella, é claro.

Katherine a encarou.

– Claro.

✲ ✲ ✲

Quando Bill voltou das planícies, alguns dias depois, e sabendo que precisava tomar uma decisão, pois dezembro estava se aproximando, Cecily preparou o ensopado de carne favorito dele e abriu a última garrafa de *claret*.

Depois que o marido comeu e bebeu, Cecily teve coragem de falar:

– Bill, eu... bem, eu realmente gostaria de ir visitar meus pais no Natal.

– É mesmo?

– Sim. E gostaria mais ainda se você fosse comigo. Estou esperando há um ano, como você me pediu. Sei que a fazenda precisa da sua atenção e que você tem que reconstruir tudo o que foi perdido durante a guerra. Mas... – Ela respirou fundo. – Eu *preciso* ver a minha família. Já faz muito tempo. Quando se trata das pessoas que amamos, não podemos desperdiçar um segundo do precioso tempo que nos resta na terra.

Bill esvaziou a taça e a encheu com mais vinho. Cecily ouvia a chuva caindo no telhado enquanto ele tomava um gole e a encarava do outro lado da mesa.

– Entendo perfeitamente que você queira vê-los, mas não posso sair da fazenda agora. No entanto, não quero impedi-la. Então, vá, sim.

– De verdade?

– De verdade.

Ela sentiu lágrimas surgindo nos olhos e se levantou para dar um beijo no marido.

– Obrigada, querido. Como não quero viajar desacompanhada, espero que você concorde que eu leve Lankenua e Stella comigo.

– Isso é mesmo necessário? Deve haver alguém voltando para casa com quem você possa viajar.

– Eu perguntei por aí e não há. Kiki já está em Nova York e há poucos americanos por aqui atualmente.

– Bem, então você deve levar Lankenua, é claro.

– Tenho certeza de que Nygasi pode cuidar da casa enquanto estivermos fora. E você tem Kwinet para o jardim e as hortas...

– Ora, não se preocupe comigo, Cecily. Eu era perfeitamente capaz de me cuidar antes de você aparecer.

– Bill. – Cecily pegou as mãos dele. – Por favor, você sempre falou de como ama o Natal... Em Manhattan, você veria neve, luzes... até um peru. Não poderia ir nem por umas duas semanas?

– Talvez outra hora, Cecily. Também não saio da África, pelo menos socialmente, há muitos anos. Acho que não me sentiria bem no meio de gente mais educada. Vá você, minha querida, e deixe seu marido triste e cansado por aqui.

Cecily lamentou o fato de ter aberto o *claret*; a bebida estava deixando Bill ainda mais sentimental do que o normal.

– Bill, eu te amo, por favor, não diga isso. Estou louca para que meus pais conheçam o genro.

– Sinto muito, Cecily. Por favor, vá com a minha bênção. – Bill levantou-se. – Agora preciso dormir um pouco.

Cecily o viu se afastar com os olhos cheios de lágrimas.

43

– Já estamos chegando na América, Kuyia? – perguntou Stella, animada, espiando pela janela da cabine.

– Estamos, querida – respondeu Cecily, enquanto Lankenua terminava de guardar os pertences nos baús. Cecily apertou a campainha do comissário. – Daqui a pouco, vamos ao convés e você poderá ver a Estátua da Liberdade. Ela é muito famosa, e está lá para receber os viajantes de todo o mundo.

O comissário chegou para levar a bagagem e Cecily lhe deu uma gorjeta, depois se certificou de que seus papéis estavam guardados na bolsa.

Fora uma correria para organizar tudo; Lankenua e Stella precisavam de muita papelada para entrar no porto de Nova York. Certidões de nascimento, passaportes e o aval de oficiais britânicos tiveram que ser emitidos, e Cecily ficou agradecida por Bill ter conexões no governo. Após uma consulta com Nygasi, um sobrenome adequado foi escolhido para as duas passarem pela imigração sem problemas.

– Entramos no rio Hudson, senhora, e a Estátua da Liberdade ficará à vista em cerca de dez minutos – avisou o comissário.

– Vamos – disse Cecily a Stella e Lankenua. – Vamos subir no convés para vê-la!

– Eu fico aqui – retrucou Lankenua, balançando a cabeça, tremendo diante da ideia, mesmo usando o casaco grosso de tweed de Cecily.

– Tudo bem. – Cecily estendeu a mão para Stella. – Nós vamos.

No convés da primeira classe, poucos ousaram se aventurar naquela temperatura congelante, embora, ao olhar para baixo, Cecily visse braços esticados e ouvisse vivas dos conveses inferiores.

– Lá está ela! – gritou, apontando para a esquerda, onde uma neblina pesada rodopiava em volta da baía.

– Onde? Não estou vendo – disse Stella.

– Lá... – Cecily apontou para a estátua.

A visão trouxe lágrimas aos seus olhos, que ela secou rapidamente antes que congelassem em sua pele. O rosto benevolente da dama que segurava sua tocha no meio da neblina, dava boas-vindas aos viajantes cansados. Cecily nunca se sentiu tão feliz em vê-la.

Stella olhou para Cecily.

– Ela é tão pequena! Você falou que tudo na América era muito maior.

– Bem, ela é muito especial; é mais um símbolo do que qualquer outra coisa. – Cecily suspirou. – Quando o nevoeiro diminuir, você verá os arranha-céus.

– O que é isso? – Stella estendeu a mãozinha para os flocos brancos que caíam em sua palma.

– É neve! Lembra as fotos que eu lhe mostrei? É o que cai quando o Papai Noel está para chegar, e você verá muita neve por aqui.

– Papai Noel mora aqui, em Manhattan?

Os olhos de Stella se arregalaram.

– Não, mas ele envia a neve do Polo Norte no Natal, para que seu trenó possa pousar nela e deixar presentes para as crianças que se comportaram bem.

– Ahh, está tão frio! – Stella esfregou o nariz. – Podemos entrar?

– Claro, querida. Mas prometo que você vai amar Manhattan – afirmou Cecily enquanto Stella pegava sua mão e elas retornavam à cabine.

Cecily estava muito agradecida pelo privilégio de viajar de primeira classe. Quando atracaram e ela entregou seus papéis ao oficial de imigração, estava sorrindo.

– Estou tão feliz por estar em casa, senhor. Faz sete anos – disse ela ao funcionário que analisava seus documentos.

– E quanto tempo vai ficar, Srta. Huntley-Morgan?

– Estamos aqui apenas para uma visita. Estou de casamento marcado no Quênia em fevereiro – revelou ela, como fora instruída, uma vez que seu passaporte ainda a identificava como solteira.

– Então a Sra. Ankunu e sua filha Stella voltarão para a África com a senhorita?

– Claro. Como você pode ver, nossas passagens de volta estão bem aqui. Quero dizer, eu não me esqueceria de levar minha empregada e sua filha de volta, não é? – disse Cecily, rindo tolamente.

– Não, claro que não, senhorita – retrucou o funcionário, olhando para Lankenua e Stella. – Elas falam inglês?

– Não muito bem – respondeu Cecily depressa. – Mas será divertido para elas conhecerem Manhattan.

– Será, sim. – O funcionário carimbou os passaportes de Lankenua e Stella. – Bem-vindas aos Estados Unidos, e um Natal muito feliz para todas vocês.

Cecily deu um suspiro de alívio ao sair, olhando brevemente para trás e vendo uma fila de só Deus sabia quantas pessoas se estendendo pela prancha do navio, esperando no frio.

– Muito bem – disse ela, quando emergiram na área de desembarque. – Conseguimos. Meu Deus! Estou tão animada!

Ela riu ao ver sua mãe, seu pai e o motorista, Archer, acenando para elas.

– Venham conhecer a minha família!

Nem a mãe nem o pai pareciam ter envelhecido e, depois de um reencontro emotivo no cais, Archer conduziu o grupo em direção ao carro que os esperava.

– E quem é essa? – perguntou Dorothea, vendo Stella pela primeira vez, escondida timidamente atrás de Lankenua.

– Essa é Stella, minha amiga muito especial, não é, querida?

Cecily sorriu para a menina.

– Não sabia que teríamos mais pessoas para levar para casa – comentou Dorothea. – A empregada pode se sentar na frente com Archer, mas essa menina...

– Ela pode se sentar no meu colo, mamãe, há muito espaço para três e meio no banco de trás – argumentou Cecily com firmeza, pegando a mão de Stella.

No caminho para casa, Cecily ignorou os comentários de desaprovação da mãe e ficou espiando pela janela com Stella, apontando para vários edifícios, enquanto a menina se admirava ao ver os arranha-céus.

De volta à casa na Quinta Avenida, Cecily foi recebida por toda a família, que se reunira na sala de estar. Priscilla estava ao lado de seu marido Robert e de Christabel, de 7 anos. Hunter tinha o braço na cintura de Mamie, que segurava uma criança, enquanto duas outras se escondiam, envergonhadas, atrás dos pais. Um enorme pinheiro decorado com velas e enfeites fora colocado em lugar de destaque, e as alegres meias vermelhas da família pendiam sobre a lareira.

– Mary, leve a empregada e sua filha até o quarto delas, para a Srta. Cecily poder conversar com sua família – ordenou Dorothea à governanta.

Relutantemente, Cecily soltou a mão de Stella, percebendo que deveria ter dito à mãe que queria que a menina ficasse no mesmo andar que ela, mas sem saber como explicar a situação.

– Cecily!

Mamie e Priscilla vieram abraçá-la e apresentá-la à pequena Christabel, a Adele, Tricks e Jimmy. Cecily abraçou a todos e, enquanto as meninas pareciam impressionadas por finalmente conhecerem sua tia misteriosa, Jimmy, de 3 anos, estava mais focado em seus brinquedos, esparramados por todo o tapete.

– Você está ótima, Cecily – elogiou Priscilla. – Virou uma verdadeira beldade nesse tempo fora.

– Quer dizer que eu não era bonita antes?! – concluiu Cecily, rindo.

– Ah, pare de distorcer minhas palavras! Você nunca soube aceitar elogios, não é, Mamie?

– É verdade.

Cecily olhou para Mamie, que, com o rosto pálido, batom vermelho-escuro e cabelos castanhos curtos, parecia ridiculamente estilosa. Priscilla estava tão bonita e saudável como sempre, embora um pouco mais roliça do que quando Cecily a vira pela última vez.

– E como vocês estão? – perguntou ela.

– Morta de tédio com a maternidade, mas o que posso fazer? – disse Mamie, acendendo um cigarro preso na ponta de uma piteira. – Não consigo parar de ter os danados.

– Ela só está brincando, Cecily. Não está? – indagou Hunter, indo se colocar ao lado da esposa.

– Você bem que gostaria que eu estivesse – respondeu Mamie, suspirando dramaticamente.

– Agora, sente-se aqui e conte absolutamente tudo sobre os últimos sete anos de sua vida – ordenou Priscilla, guiando Cecily para o sofá.

– Não sei se vou conseguir fazer isso hoje – disse ela. – Foi uma viagem muito longa, mas vou pelo menos começar.

– É claro que ela não consegue – interveio Dorothea. – Devo dizer, querida, que estou surpresa por você não ter voltado com a mesma cor de pele de sua empregada e a filha dela, com todo aquele sol.

– Usei um chapéu bem grande, mamãe – rebateu Cecily, estremecendo por dentro com as palavras da mãe.

– Que bom. – Dorothea pegou uma taça de champanhe da bandeja. – Bem-vinda de volta, querida. Todos sentimos a sua falta, não foi?

– Sentimos mesmo – concordou Walter, também pegando uma taça. – E da próxima vez que você disser que vai sair por algumas semanas para visitar algum lugar longínquo, não a deixaremos ir!

– Não foi minha culpa a guerra ter começado – retrucou Cecily.

– Claro que não. Houve escassez de alimentos por lá? – indagou Walter.

– Sim, mas eu tinha a minha própria horta, então comíamos muito bem.

– Horta? – Priscilla olhou espantada para a irmã. – Você desenterrou suas próprias cenouras e couves?

– Sim, com a ajuda do filho de Lankenua, Kwinet. E se ficássemos com muita fome, é claro, eu ia até a beira do jardim, atirava em um antílope e o colocava no espeto em cima do fogo.

Dez rostos olharam para ela com espanto; até Jimmy parou de brincar com seu carrinho.

– Você está brincando, não é? – perguntou Priscilla.

– Bem, talvez não na beira do meu jardim, mas se Bill e eu saíssemos em um safári, era assim mesmo. Bill tem excelente pontaria. Uma vez ele me salvou de ser comida por um leão.

– Bang bang! – gritou Jimmy do tapete.

– Sim, Jimmy, esse é o barulho certo, mas na realidade é bem mais alto.

Cecily sorriu, apreciando as expressões extasiadas ao seu redor.

– Você está brincando, não está, Cecily? – comentou Priscilla.

– Não muito. – Ela riu. – E ainda há as cobras, grandes víboras brilhantes e serpentes que deslizam para o seu quarto à noite. Tenho muitas fotografias para mostrar a vocês.

– A boa notícia é que é improvável encontrar cobras na Quinta Avenida, e que o jantar será servido sem a gente ter que matar o banquete primeiro – murmurou Walter, secamente.

– Convidamos Kiki para se juntar a nós – disse Dorothea. – Você ficou sabendo que o filho dela morreu em ação?

– Fiquei, sim. Fui visitá-la na Casa Mundui na época, mas Aleeki, seu criado, disse que ela não queria ver ninguém – contou Cecily, solenemente. – Ela está melhor?

– Só falei com ela por telefone. Ela está no Stanhope com a mãe e Lillian, que lhe faz companhia. Não me pareceu muito bem. – Dorothea suspirou. – Quem se sentiria bem, depois de todas as tragédias que ela sofreu? Aquela amiga de quem ela gostava tanto, Alice...

– Sim, as duas se conheciam havia muitos anos, e Kiki ficou arrasada quando Alice se matou. Todos nós ficamos – afirmou Cecily.

– Eu li que foi porque o belo conde de Erroll era o amor de sua vida – interrompeu Priscilla. – Você dançou mesmo com ele na sua noite de núpcias, Cecily? Ele era mesmo tão bonito como os jornais diziam?

– Ele era certamente muito bonito e charmoso, sim. – Cecily estava achando o seu novo status, o de pessoa mais interessante na sala, um tanto penoso. – Então, agora quero saber o que anda acontecendo por aqui.

❂ ❂ ❂

Mais tarde, depois do jantar, Cecily pediu licença e, praticamente se arrastando, subiu as escadas para seu quarto. Kiki não tinha aparecido, um fato que não a surpreendeu nem um pouco, sabendo quanto a madrinha era imprevisível. Parando no patamar que levava ao seu quarto, ela olhou para o conjunto íngreme de escadas que conduzia ao sótão mais acima.

Tirando os sapatos de salto alto – ela não estava acostumada a usá-los no Quênia –, Cecily subiu os degraus. Lá em cima, ela se abaixou sob os beirais da casa e se dirigiu ao quarto que Lankenua e Stella estavam compartilhando.

Ela ouviu Lankenua tossindo assim que bateu à porta. A pobre mulher estava resfriada desde que embarcara no navio para Nova York, em Southampton.

O quarto estava terrivelmente frio e Cecily estremeceu em sua fina blusa de seda, um tecido perfeitamente adequado para os quartos aquecidos do andar de baixo.

– Kuyia? – sussurrou uma voz vinda de uma das estreitas camas de ferro. – É você?

– Sim, sou eu. – Cecily andou na ponta dos pés pelas tábuas ásperas até Stella. Embora a janela do sótão estivesse fechada, uma corrente de ar frio emanava dali. – Você está bem? – perguntou ela.

Stella estava toda encolhida, com apenas um cobertor fino para mantê-la aquecida.

– Estou com muito frio. – A garotinha estremeceu. – É muito frio nessa tal de Nova York e Yeyo disse que não está passando bem.

– Venha cá, deixe-me dar um abraço em você – disse Cecily, colocando os braços em volta da menina.

– Onde você estava? – indagou Stella.

– Lá embaixo, jantando com minha mãe, meu pai e minhas irmãs.

– Posso ir jantar com você amanhã? Só comemos um sanduíche, e o pão não era gostoso como o que você faz lá em casa.

– Talvez – respondeu Cecily, percebendo que Stella estava acostumada a fazer uma boa refeição com ela quando Bill não estava em casa, ou seja, quase sempre.

– E eu não gosto daqui no telhado – continuou Stella. – Dá medo.

– Não se preocupe, querida, vamos resolver tudo amanhã, prometo. Por enquanto, que tal descer as escadas na ponta dos pés comigo e dormir na minha cama? Você terá que ficar bem quietinha porque os Huntley-Morgans estão dormindo e ficarão zangados se nós os acordarmos, ok?

– Ok.

Tirando o cobertor de Stella, Cecily o colocou sobre Lankenua, para aquecê-la um pouco mais, em seguida levou a menina pela mão pelo longo corredor estreito e desceu as escadas, prendendo a respiração, temendo dar de cara com os pais. Uma vez em seu quarto, ela deu um suspiro de alívio.

– Pronto, agora deite-se e se acomode enquanto eu me arrumo para dormir.

– Está bem, Kuyia. Eu gosto mais daqui de baixo – comentou Stella, no meio da cama grande. – É quente e bonito.

– Era aqui que eu dormia quando criança – disse Cecily, subindo na cama ao lado dela e apagando a luz. Stella se aproximou para abraçá-la. – Melhor agora? – perguntou Cecily, envolvendo a criança.

– Melhor.

– Boa noite, minha querida.

– Boa noite, Kuyia.

❂ ❂ ❂

Na manhã seguinte, tendo posto um alarme para ter tempo de voltar ao andar de cima e vestir Stella antes de Evelyn entrar com a bandeja do café da manhã, Cecily chegou ao sótão e descobriu que Lankenua estava ardendo em febre. Ela correu até a cozinha para pegar algumas compressas e colocar na testa da mulher.

– Aonde você está indo com isso, querida? – indagou Dorothea quando passou pela filha no corredor.

– Minha empregada está doente, mamãe. Está tossindo desde que partimos da Inglaterra e agora tem febre alta. Preciso fazer a febre baixar.

– Mary ou Evelyn podem cuidar dela, Cecily. Deve ser só um resfriado.

– Bem, não estou surpresa que ela esteja doente; está congelando lá em cima, naquele sótão.

– Os outros criados nunca reclamaram.

– Os outros criados não acabaram de chegar da África, mamãe. Peça a alguém que leve um balde de carvão até o quarto e vamos acender um fogo lá.

– Yeyo vai ficar bem? – perguntou Stella enquanto Cecily limpava o corpo suado e trêmulo de Lankenua com os panos frios.

A tosse dela era profunda e áspera, e ela murmurava palavras indecifráveis para si mesma.

– Claro que sim, querida. Se não melhorar até de noite, vou chamar o médico para vê-la. Não se preocupe – assegurou Cecily para Stella, que olhava a neve espessa caindo lá fora do peitoril da janela.

Cecily tinha envolvido a garota em um de seus próprios casacos de lã para mantê-la aquecida.

– Espero que sim, Kuyia. Eu amo muito a Yeyo.

– Eu também, querida. E prometo que ela vai melhorar logo. Depois disso, que tal a gente sair para fazer compras? Precisamos de roupas novas de inverno. Ah, claro, tem a loja de brinquedos, e podemos passear em uma carruagem puxada por cavalos em torno do Central Park...

– Como o trenó do Papai Noel, que é puxado por renas? – O rosto de Stella se iluminou. – Pelo menos aqui tem neve para ele pousar. – Ela bateu palmas animadamente enquanto Cecily acrescentava mais carvão ao fogo agora queimando na pequena grade. – Só que... – Stella contou lentamente nos dedos – faltam mais cinco noites até ele chegar!

– Isso mesmo – concordou Cecily, lembrando como Bill havia ficado chateado com ela por contar a Stella a história de Papai Noel.

– Não é a cultura dela, e agora ela vai esperar que caiam presentes pela chaminé pelo resto da infância – argumentara ele.

– E qual é o problema? É permitido aos africanos acreditarem em Jesus, não é? E cada vez mais deles acreditam.

– Isso eu também não aprovo – retrucara Bill. – Destruir culturas locais, que já existiam há centenas de anos, é errado, Cecily. Você não enxerga isso?

Claro que ela enxergava, mas como aquele era o primeiro ano que Stella podia realmente entender o conceito de Papai Noel, a emoção e a ansiedade em seu rosto haviam sido suficientes para acabar com qualquer culpa. Era um conto de fadas como qualquer outro, e ela não via mal em acreditar nele. Além disso, Bill estava muito longe, no Quênia...

❁ ❁ ❁

– Mamãe, preciso que você chame um médico para vir ver Lankenua. Não consigo fazer a febre dela baixar e estou com medo de que ela tenha pneumonia – pediu Cecily, entrando apressada na sala onde Dorothea tomava chá com uma amiga, naquela tarde.

– Com licença, Maud – disse ela à mulher, conduzindo Cecily para fora da sala de estar, até o hall de entrada.

– Você pode me dar o número e eu ligo para ele – insistiu Cecily.

– Querida, não chamamos médicos para os criados. Se eles ficarem doentes, podem ir à clínica gratuita e ver alguém lá.

– Mas *eu* chamo médicos para o meu pessoal, mamãe, especialmente porque trouxe Lankenua para cá. Ela é minha responsabilidade, você não entende?

– Por favor, Cecily, fale baixo! Maud é uma viúva muito rica que estou tentando atrair para o nosso comitê de órfãos negros.

– Bom, mamãe, você pode muito bem acabar com uma órfã bem debaixo de seu teto se não chamarmos um médico agora!

– Está bem, está bem... O número do Dr. Barnes está no livro de endereços na mesa do seu pai.

– Obrigada. E não se preocupe, eu pago – disse ela para Dorothea, que já estava correndo de volta para sua viúva rica.

Ao telefone, falando com a secretária do Dr. Barnes, Cecily omitiu que a consulta para a qual ele estava sendo chamado era para uma empregada negra. Quando abriu a porta para o médico, uma hora depois, ficou aliviada ao ver que ele era uma versão mais jovem do Dr. Barnes – provavelmente seu filho – e tinha um rosto muito mais gentil.

– Muito obrigada por ter vindo, doutor. Vou levá-lo até a paciente.

Seis lances de escada depois, Cecily abriu a porta do quarto no sótão.

– O nome dela é Lankenua, e ela chegou do Quênia comigo faz apenas alguns dias – explicou Cecily, estudando o rosto do médico para ver sua reação.

– Certo, me deixe dar uma olhada nela.

Cecily pegou a mão de Stella e as duas deram licença para que o Dr. Barnes pudesse examinar Lankenua.

– Antes de tocá-la, devo perguntar se acha que pode ser coqueluche. Vários casos foram relatados recentemente, suspeito que devido à quantidade de imigrantes entrando na cidade.

– Ah, não, definitivamente não é tosse de coqueluche, doutor. É um peito muito cheio, que eu temo que possa se transformar em pneumonia.

– A senhorita com certeza parece saber do que está falando, Srta. Huntley-Morgan – retrucou ele, com um sorriso.

– Na verdade, sou a Sra. Forsythe. E é preciso saber essas coisas quando se vive a quilômetros do único médico que atende uma área do tamanho de Manhattan – explicou ela. – Lankenua também me ensinou sobre as plantas que seu povo usa para doenças. Sua mãe era uma curandeira e seus remédios funcionam mesmo.

– Aposto que sim, Sra. Forsythe – afirmou o Dr. Barnes enquanto tirava o estetoscópio da valise e ouvia o peito de Lankenua. – Certo, a senhora pode me ajudar a sentá-la para que eu possa ouvir suas costas?

– Claro. Quando liguei, fiquei esperando por seu pai.

– Meu pai se aposentou e eu assumi a prática. Sinto muito se a decepcionei...

– Ah! De modo algum. – Cecily balançou a cabeça. – Como está o peito dela?

– Chiando demais para o meu gosto. Acho que seu diagnóstico está correto, Sra. Forsythe. Sua empregada está prestes a desenvolver uma pneumonia. Foi bom a senhora ter me chamado.

– O senhor tem alguma coisa para receitar?

– Tenho, sim. É uma nova droga maravilhosa chamada penicilina e, tecnicamente, está disponível apenas em hospitais e é administrada por injeções. Dois de meus pacientes apresentaram os mesmos sintomas de sua empregada e conseguiram o remédio no hospital. Ambos estão se recuperando muito bem.

O Dr. Barnes enfiou a mão na valise mais uma vez e tirou de lá um pequeno frasco e algumas seringas.

– Deve ser administrado quatro vezes por dia durante cinco dias. A senhora já aplicou alguma injeção?

– Para falar a verdade, sim. Meu marido, Bill, foi ferido por um guepardo moribundo há alguns anos e nosso médico prescreveu morfina. Ele me ensinou como injetar para aliviar a dor enquanto ele se recuperava.

– A senhora teve permissão para administrar morfina? – O Dr. Barnes parecia chocado.

– Como eu disse, quando se mora a quilômetros de qualquer lugar, é preciso se tornar bastante autossuficiente – explicou Cecily. – Sou capaz de aplicar uma injeção.

– Isso é muito útil – comentou o Dr. Barnes. – As nádegas são o melhor local para a aplicação desses medicamentos. Vou supervisionar sua primeira injeção e então será a mesma dose quatro vezes por dia. Já vai dar para ver uma mudança dentro de 48 horas. Além disso, traga algumas tigelas de água fervente para ajudá-la a respirar melhor.

O Dr. Barnes a ajudou a medir a dosagem correta, depois analisou como Cecily aplicava a injeção em Lankenua. Ele assentiu, aprovando.

– Muito bem, a senhora é uma enfermeira e tanto. Voltarei amanhã para ver a paciente.

– Minha nossa, acho que não é necessário.

– Ora, é para isso que estou aqui. Afinal, queremos que a senhora esteja bem em seu primeiro Natal em Manhattan, não é? – disse ele a Lankenua, que assentiu fracamente. – Então, até amanhã.

O Dr. Barnes sorriu e saiu do quarto.

✲ ✲ ✲

– Amanhã vou levar Stella para comprar roupas de frio e ver o Papai Noel na Bloomingdale's – disse Cecily. – Ela está entediada, com a mãe doente e de cama.

– Ela pode ficar com os outros criados na cozinha. Você parece muito apegada a essa criança. – Dorothea olhou para a filha. – Ela é a filha da sua empregada, não um parente.

– Talvez as coisas sejam diferentes na África, Dorothea – argumentou Walter.

– Podem ser, mas acho que nunca vi uma mulher branca andando pela Bloomingdale's com uma criança negra. Você já?

– Os tempos estão mudando, querida – comentou Walter. – Eu estava lendo no *New York Times* na semana passada que o número de rapazes negros entrando em Yale e Harvard está crescendo.

– E as moças? – murmurou Cecily, bem baixinho.

– O que você falou, querida? – perguntou Dorothea.

– Nada. Mary já arrumou o quarto ao lado do meu para Stella? Se não arrumou, eu mesma posso fazê-lo.

– Aquele quarto está sempre pronto, como você bem sabe, Cecily. Embora eu realmente não perceba a necessidade de levar a menina para o andar de baixo.

– Por causa do risco de infecção, mamãe. O Dr. Barnes me pediu que mantivesse Stella longe até que sua mãe melhorasse – mentiu ela. – Bom, se você me der licença, vou dar uma olhada em Lankenua. – Cecily levantou-se da mesa. – Ah, e pensei em passar no Stanhope Hotel, onde Kiki está hospedada. Quero levar um presente de Natal para ela.

– Liguei para lá hoje, mas a mãe dela informou que Kiki não está recebendo visitas.

– Bem, pelo menos posso deixar meu presente na recepção. Boa noite, mamãe e papai.

Cecily deixou a mesa e subiu as escadas para o sótão, onde ficou satisfeita ao ver que Lankenua dormia serenamente e sua testa estava mais fresca. Ela a acordaria às dez horas para a próxima dose do medicamento.

Stella, que Cecily havia deixado em seu próprio quarto enquanto os adultos jantavam, estava sentada na cama, de camisola, absorvida em um livro de gravuras antigo chamado *A noite antes do Natal*.

– Como está Yeyo? – perguntou Stella, ansiosa.

– Ela já está melhorando, querida. Agora vou levar você ao seu próprio quarto. – Cecily ofereceu a mão para Stella e levou-a para o quarto ao lado, onde tinha pedido a Mary que acendesse o fogo mais cedo, para que ficasse quentinho. – Vamos para a cama – disse Cecily, colocando Stella para dormir.

– Yeyo pode vir aqui quando estiver melhor?

– Vamos ver. Agora, você quer tentar ler uma história para mim esta noite? – sugeriu Cecily, indicando o livro antigo e se sentando na cama.

❁ ❁ ❁

Lankenua sem dúvida estava melhor na manhã seguinte. A febre havia diminuído e, embora a tosse ainda estivesse encatarrada, Cecily ficou satisfeita por ela conseguir beber um pouco de água.

– Desculpe, dona Cecily, eu grande problema – disse Lankenua, suspirando.

– Não há por que pedir desculpas. – Cecily a confortou. – Vou voltar depois para lhe dar a próxima injeção à tarde. Enquanto isso, vou sair com Stella para fazer compras.

– Eu bem. – Lankenua assentiu. – Pode ir.

– Descanse – pediu Cecily, colocando mais carvão no fogo. – E voltaremos para lhe contar tudo mais tarde.

A primeira parada foi o departamento de roupas infantis da Bloomingdale's. Os olhos de Stella se arregalaram diante das araras repletas de vestidos e jardineiras para ela escolher. Uma vendedora – que as olhou com estranheza quando Cecily se aproximou – as estava seguindo de perto ao longo das alas, enquanto as duas escolhiam peças para Stella experimentar.

– Você está linda. – Cecily sorriu enquanto Stella girava na frente do espelho, usando um vestido laranja-claro, a saia composta por camadas de rede e tule. – É perfeito para o Natal e combina com a sua cor de pele! – Cecily bateu palmas, sem se importar com a expressão de desdém da vendedora. – Agora vamos escolher algumas roupas boas de frio, está bem?

Depois de combinar na recepção para que as duas grandes sacolas de roupas novas fossem enviadas para Archer, no carro, Cecily e Stella – agora vestida com um casaco Harris Tweed vermelho com gola de veludo e botões de metal brilhantes e uma boina combinando – saíram do departamento de roupas infantis e foram ao de brinquedos. A fila para ver o Papai Noel era longa; parecia que todos os pais em Manhattan haviam tido a mesma ideia.

– Olhe, mamãe! – gritou o garotinho à frente delas. – Ela é preta como carvão!

O garoto apontou para Stella.

– Jeremy! Por favor, fique quieto – repreendeu a mãe, mas sem deixar de se virar para encarar Cecily e Stella.

– E você é branco como Kuyia – retrucou Stella, apontando de volta para ele, nem um pouco perturbada.

Alguns segundos depois, mãe e filho deixaram a fila. Cecily prendeu a respiração, esperando por mais comentários, enquanto Stella se divertia apontando para as bonecas nas prateleiras e o urso em tamanho real sentado, apoiado em um pilar, com um chapéu de Papai Noel na cabeça.

– Olhe! – exclamou Stella. – É um leão, como os lá de casa! – Stella correu em direção ao brinquedo. – Ele não morde, não é? – perguntou ela, ao se aproximar, com Cecily logo atrás. – É de mentira, não é?

– Claro que sim – disse Cecily, e Stella jogou os braços ao redor da cabeça do enorme leão.

– Ah! Sempre quis abraçar um leão. – Stella deu uma risadinha enquanto as outras mães e crianças na fila observavam a cena.

– Sabe de uma coisa, querida, não vamos esperar nesta fila imensa para ver o Papai Noel. Vamos comprar alguns presentes para Lankenua, minha mãe e meu pai, depois vamos para casa colocar a cartinha para o Papai Noel na chaminé, como fazemos normalmente, ok?

Stella olhou ansiosa para o homem todo vestido de vermelho e branco, sentado na plataforma, e suspirou.

– Acho que a fila está mesmo bem comprida – concordou ela.

Cecily não olhou para trás para ver todos os olhares que acompanharam a sua saída.

❁ ❁ ❁

Mais tarde, já em casa, Stella escreveu sua cartinha para o Papai Noel, com Cecily anotando mentalmente os itens que ela queria. O leão grande de pelúcia estava no topo da lista.

– Não sei como ele vai conseguir descer com o leão pela chaminé, querida – disse Cecily, sentando-se em frente à lareira em seu quarto, tostando diretamente no fogo os *s'mores*, que eram a novidade favorita de Stella.

– É verdade – concordou a menina, tirando um marshmallow pegajoso do espeto que Cecily segurava e o esmagando, como Cecily lhe mostrara, entre o chocolate e dois biscoitos. – Mas Michael me falou que ganhou uma bicicleta do Papai Noel no ano passado.

– Vou lhe contar um segredo: por acaso, eu sei que há um leão de verdade no Central Park – sussurrou Cecily.

– De verdade? Ele deve estar com frio lá fora, na neve – comentou Stella, indo até a janela.

– Ele está bem; ele tem uma casa inteira só para ele. Agora, por que você não vem me ajudar a embrulhar alguns presentes neste lindo papel?

Depois de dar um banho em Stella, Cecily subiu as escadas para aplicar outra dose de penicilina em Lankenua. Percebeu que sua empregada já estava bem melhor, pois ela fez um enorme escarcéu por causa da agulha e do lugar onde ela seria enfiada.

– Pronto – disse Cecily, descendo a camisola da mulher.

Em seguida, foi buscar Stella e a levou até o sótão.

– Querida, vou visitar uma velha amiga aqui pertinho – avisou Cecily. – Não vou demorar, mas pode ficar aqui com Yeyo e fazer companhia a ela enquanto eu estiver fora? Talvez queira ler para ela o seu novo livro do Ursinho Pooh...

– Boa ideia. – Stella assentiu, ansiosa. – Não demore, Kuyia – pediu ela, enquanto Cecily saía do sótão.

❁ ❁ ❁

Tinha finalmente parado de nevar quando Cecily saiu de casa e entrou no banco de trás do Chrysler da família. Enquanto o carro seguia pela Quinta Avenida, o som do tráfego era abafado pela espessa cobertura de neve nas calçadas e ruas, e o vapor do metrô saía das grades e derretia a neve em cima dele. Chegando ao Stanhope Hotel, Cecily pediu a Archer que a esperasse e saiu do carro.

– Vou demorar cerca de trinta minutos – avisou ela, desaparecendo sob o dossel verde que marcava a entrada do hotel.

Já podia ouvir o jazz ao vivo vindo do bar ao se dirigir à recepção e pedir que avisassem Kiki Preston de sua presença. Esperando que Kiki estivesse indisposta, ela ficou surpresa quando a recepcionista lhe informou para ir diretamente à suíte. Cecily pegou o elevador para o quinto andar. Depois de uma batida à porta, uma mulher que ela não reconheceu a abriu.

– Olá, Cecily. Sou Lillian Turner, uma amiga de sua madrinha. Por favor, entre. Kiki não está se sentindo muito bem, mas disse que realmente queria ver você – sussurrou ela, conduzindo Cecily a uma grande sala de estar, onde Kiki estava deitada em uma chaise-longue em frente ao fogo.

Foi uma das únicas vezes que viu sua madrinha sem maquiagem. Embora Kiki parecesse terrivelmente pálida, seu cabelo escuro estivesse despenteado e com mechas grisalhas, ela ainda era muito bonita.

– Minha querida Cecily! Desculpe não me levantar para cumprimentá-la, mas minha saúde não anda muito boa nas últimas semanas – explicou Kiki, estendendo a mão para Cecily enquanto apagava o cigarro com a outra. – Como você está, minha querida?

– Estou bem, obrigada. E empolgada por voltar a Manhattan! Fazia tanto tempo...

– E aqui estou eu, ansiando pelo Quênia nesta cidade escura e deprimente. Não se pode ver o céu aqui. – Kiki suspirou. – Lillian, ofereça uma bebida à nossa visita. O que você prefere, Cecily? Champanhe?

– Estou bem, não quero incomodá-la, se está doente. Só vim lhe entregar um presente de Natal.

– Que gentileza a sua! Às vezes sinto que Nova York se esqueceu de mim. Posso abri-lo agora?

– Pode, é claro, mas talvez deva guardá-lo para o dia de Natal.

– Ora, meu anjo. – Kiki colocou uma mão visivelmente trêmula no antebraço de Cecily. – Uma lição que aprendi é que jamais devemos guardar coisas especiais para depois, porque o amanhã pode nunca vir. – Lágrimas brilharam nos olhos de Kiki. – Agora vamos ver o que você trouxe para mim.

– Ah, não é nada grandioso, eu apenas pensei...

– Você sabe muito bem que o tamanho não importa. – Kiki deu a Cecily um de seus sorrisos maliciosos e, de repente, lembrou mais a pessoa que costumava ser.

Ela tirou a caixa retangular da embalagem e a abriu.

– É uma foto de nós duas na Casa Mundui antes de eu me casar com Bill. Aleeki a tirou com a minha câmera – explicou Cecily.

Kiki olhou para a fotografia, tirada ao pôr do sol, com o lago Naivasha ao fundo.

– Meu Deus! Que presente maravilhoso. – Kiki acariciou a fotografia.

– E nós duas parecemos tão jovens. – Ela sorriu, mais uma vez com lágrimas nos olhos. – Muito obrigada, Cecily. Você é muito atenciosa e sempre gostei demais de você. Por favor, Lillian, coloque na lareira para que eu possa sempre vê-la. – Lillian obedeceu e Kiki agarrou a mão de Cecily. – Você é feliz, querida?

– Acho que sim.

– Bem, ouça agora o meu conselho e jure que vai segui-lo: faça o que for preciso para ser feliz e fazer feliz quem você ama, porque em um piscar de olhos sua vida... e a deles... termina. Não desperdice a vida, Cecily, está bem? Defina o que e quem é importante para você e se apegue a eles. Você promete?

– Claro que sim, Kiki. Tem certeza de que está bem? Eu conheço um ótimo médico...

– Não se preocupe comigo. Agora, venha aqui e dê um grande abraço em sua madrinha.

Cecily inclinou-se e deixou Kiki abraçá-la, as longas unhas vermelhas da madrinha pressionando suas costelas.

– Feliz Natal – desejou a mulher, soltando a afilhada, os olhos mais uma vez cheios de lágrimas. – Seja feliz, está bem?

– Vou ser. Feliz Natal, Kiki.

Lillian acompanhou Cecily até a porta.

– Tem certeza de que ela está bem? – perguntou Cecily em voz baixa, quando chegou ao corredor. – Ela me parece... estranha.

– Ela só está deprimida por causa do filho – sussurrou Lillian. – Além disso, odeia o Natal, pois se lembra de todas as pessoas que não estão mais aqui para celebrar. Não se preocupe, tenho certeza de que ela vai melhorar quando o Natal passar. Até logo.

– Até logo.

44

Na manhã seguinte, Cecily se lembrou, com uma animação infantil, de que era véspera de Natal. Ficou surpresa ao encontrar um convite endereçado a ela em uma bandeja de prata no corredor.

A SRA. TERRENCE JACKSON SOLICITA O PRAZER DA PRESENÇA DA

Sra. William Forsythe

NA REUNIÃO DE VASSAR.

NA TERÇA-FEIRA, 3 DE JANEIRO DE 1947

RSVP

JORALEMON STREET, Nº18

BROOKLYN

11021 NOVA YORK

Cecily ficou surpresa com o convite; Rosalind fizera parte de um grupo mais inclinado a discutir políticas e anedotas intelectuais do que conversar sobre maquiagem, durante a faculdade. Cecily achava que a moça sempre cultivara certo ar de indiferença, e ela nunca se sentira boa o suficiente para fazer parte de seu grupo.

– Minha nossa! Isso é uma honra! As festas de Rosalind e seu marido são vistas como as mais importantes e desejadas da cidade. Dizem que a Sra. Roosevelt em pessoa compareceu à última – comentou Mamie, que havia chegado ao corredor com um grande saco de presentes para deixar na casa da mãe. – E ela é uma grande feminista – acrescentou ela. – Você tem que ir.

– Sabe de uma coisa, Mamie? Acho que vou aceitar.

Cecily sorriu para a irmã antes de subir as escadas para dar a injeção em Lankenua.

Depois de deixar Stella na cozinha com Mary e Essie, a cozinheira, preparando todo tipo de guloseimas de Natal, Cecily se fechou no quarto para preparar as meias de Lankenua e de Stella e embrulhar uma versão menor do lindo leão da Bloomingdale's, que mandara entregar em casa no dia anterior. Lembrando-se de ligar para Bill – que lhe contara que passaria a véspera de Natal no Muthaiga Club com alguns de seus amigos do Exército –, Cecily analisou o complicado problema de como convencer seus pais a deixar Stella se juntar a eles no almoço de Natal, em vez de comer na cozinha com os criados.

Uma batida repentina à porta a tirou de seu devaneio.

– Quem é? – perguntou ela.

– É sua mãe e preciso falar com você agora!

– Entre!

A mãe entrou no quarto, com uma expressão de choque absoluto.

– O que houve, mamãe? Parece que você viu um fantasma.

– Ah, Senhor, ah, meu Deus, Cecily! – Dorothea respirou profundamente. – Kiki... Kiki morreu!

– Morreu? Não pode ser, mamãe. Eu a vi ontem à noite e ela parecia bem, ainda que um pouco triste... O que aconteceu?

Dorothea desabou em uma poltrona.

– A mãe dela ligou há alguns minutos. Kiki foi encontrada caída no pátio dos fundos do Stanhope Hotel. Ela... – Dorothea engoliu em seco. – Aparentemente, ela pulou da janela. Estava de pijama quando a encontraram.

– Meu Deus! Tem certeza de que era Kiki?

– É claro que tenho certeza! Helen reconheceria a própria filha, não é?!

– Perdoe-me, mamãe, estou muito chocada.

Estava mesmo?, perguntou-se Cecily enquanto abraçava a mãe e acalmava seu choro. Na noite anterior, Kiki parecera estar se despedindo...

– Eles estão abafando a notícia durante o Natal, mas não vai demorar muito até que todos os jornais fiquem sabendo da história e comecem a investigar a vida de Kiki, para que toda a América possa ler sobre seus escândalos durante o café da manhã! Que tristeza, Cecily, eu a adorava; éramos amigas há tanto tempo, e ela foi muito boa com você, não foi?

– Sim, mamãe – concordou Cecily, tentando desesperadamente conter as próprias lágrimas.

– E o pior é que ela não quis *me* ver, uma de suas amigas mais antigas. Se eu soubesse que ela estava tão deprimida, teria feito qualquer coisa, *qualquer coisa,* para ajudar – argumentou Dorothea, soluçando.

– Mamãe, vou tocar a campainha e pedir a Evelyn que nos traga um pouco de conhaque. Isso ajudará a acalmar nossos nervos.

– Ah, Cecily, como posso celebrar o Natal sem ela aqui?

– Porque... Sabe de uma coisa, mamãe? Kiki ia querer você celebrasse. Ela era uma das festeiras mais famosas da cidade. E ela me aconselhou ontem à noite que devo decidir o que me faz feliz e ir atrás disso. Então amanhã colocaremos nossos melhores vestidos por ela e... – Cecily engoliu em seco – celebraremos a sua vida. Está bem?

Por fim Dorothea assentiu, pegou o lenço de Cecily para secar as lágrimas e se levantou. Ela caminhou até a porta do quarto parecendo atordoada.

– Agora... – Ela suspirou. – Preciso contar ao seu pai.

Cecily foi para a cama naquela noite sabendo que não era um bom momento para perguntar à mãe se Stella podia se juntar a eles para o almoço de Natal. Depois de uma noite inquieta e cheia de sonhos estranhos, nos quais Kiki falava com ela de uma nuvem, usando um pijama, dizendo-lhe para decidir o que era realmente importante, ela acordou com um sobressalto na manhã de Natal, sentindo lágrimas se formarem ao se lembrar do terrível acontecimento do dia anterior. Levando alguns minutos para se recompor, Cecily conseguiu sair da cama e vestir seu robe. Forçando um sorriso alegre, entrou no quarto de Stella e encontrou a menina chupando um doce, os lábios manchados com o chocolate que ela já tinha encontrado em sua meia.

– Ele veio, Kuyia! – Stella olhou para Cecily toda feliz e apontou para o leão de brinquedo em seu colo. – Acho que o Papai Noel teve que encolher o leão para passar pela chaminé. Você acha que ele vai crescer de novo, agora que está aqui? – perguntou ela, olhos arregalados.

– Não sei, talvez ele seja um leão mágico.

– Ele vai se chamar Sortudo, porque é isso que eu sou! – disse ela, rindo e se esticando para abraçar Cecily, que a apertou de volta com força.

– Kuyia! Você está me esmagando! – Stella olhou para Cecily. – Por que está chorando? Está triste?

– Estou bem, querida. Vou ligar para o tio Bill agora e desejar a ele um feliz Natal. Sinto falta dele e de nossa casa.

– Eu também, mas gosto muito daqui – afirmou Stella, que então voltou sua atenção para Sortudo.

Ainda de robe, e de repente desesperada para falar com o marido sobre Kiki, Cecily desceu as escadas até o escritório do pai para usar o telefone. Ela ligou para o Muthaiga Club e Ali atendeu. Cecily sorriu ao ouvir sua voz profunda, que lhe era tão familiar.

– Olá, Ali, aqui é a Sra. Forsythe. O Sr. Forsythe está?

– Feliz Natal, Sra. Forsythe – desejou Ali –, embora eu devesse lhe oferecer minhas condolências. Tivemos notícias aqui de que a Sra. Preston morreu.

– Obrigada, Ali – disse Cecily. Estava chocada ao perceber como as notícias corriam rápido. – Preciso falar com o Sr. Forsythe. Você poderia chamá-lo para mim, por favor?

– Receio não poder. O Sr. Forsythe saiu em uma caçada algumas horas atrás.

Cecily ficou desolada.

– Bem, quando ele voltar, poderia, por favor, dizer a ele que sua esposa ligou e que preciso muito falar com ele? Ele tem o meu número de Nova York. Obrigada, Ali, e feliz Natal.

Ela desligou e sentou-se na cadeira de couro do pai, tentando se recompor. Mais uma vez, quando precisava do marido, ele não estava acessível.

❂ ❂ ❂

Ao meio-dia, pouco antes de suas irmãs chegarem, Cecily levou Stella para a cozinha, onde os empregados estavam ocupados preparando o almoço de Natal.

– Ora, vejam só! Você não é a coisa mais linda? – comentou Essie, a cozinheira, que tinha muita simpatia por Stella. – Agora venha aqui e ajude a tia Essie com as tortas.

Stella, que estava usando seu vestido de tule laranja, inadequado para trabalhos na cozinha, foi alegremente ajudar Essie.

– Feliz Natal a todos – desejou Cecily. – Alguém pode levar um caldo para Lankenua? Hoje ela finalmente disse que está com fome.

– Sem problema. – Essie assentiu. – E não se preocupe, Srta. Cecily, a filha dela vai comer aqui conosco. Não é, Stella?

– Espero que sim – respondeu a menina.

– Santo Deus! Você fala como se fosse branquinha como eles – comentou Essie, achando graça.

✲ ✲ ✲

Apesar de Cecily ter pedido à mãe que não deixassem de celebrar o Natal, o dia foi silencioso. Mamie e Priscilla vieram com suas famílias para trocar presentes e almoçar, as três irmãs fazendo o possível para animar Dorothea, que estava de coração partido.

Depois do almoço, Dorothea retirou-se para o quarto.

– Mamãe está arrasada – comentou Mamie com Cecily.

– É natural, Kiki era sua amiga mais antiga.

– Mesmo assim, elas só se viam de vez em quando. Você *morou* com ela quando se mudou para a África e esteve com ela na noite em que morreu. Está tudo bem?

– Claro que estou muito triste, Mamie, mas estou bem... Acho que Kiki perdeu as esperanças. E quando se perdem as esperanças...

– Eu sei – concordou Mamie. – Não sobra nada. Bem, agora vamos embora colocar esses monstrinhos na cama.

Assim que se despediu das irmãs, e Walter se retirou para o escritório para uma soneca, Cecily voltou para a sala de estar. Olhou para a enorme árvore de Natal, decorada com tantos enfeites que quase não se viam os galhos.

Ela pensou em Bill, em algum lugar nas planícies africanas, a imagem dele lá tão em desacordo com aquela bela sala de estar em Manhattan.

Esta é minha casa, ela se perguntou, *ou será que pertenço ao Quênia, com Bill?* A verdade era que Cecily simplesmente não sabia.

✲ ✲ ✲

No dia seguinte ao Natal, com Dorothea trancada no quarto, deprimida demais para sair, Cecily decidiu levar Stella para um passeio por Nova York.

A primeira parada foi o Central Park, onde comprou para a menina um saco de castanhas assadas e ensinou a descascá-las e a comer os pedaços ainda quentes. No zoológico, Stella acenou para o leão em sua jaula, falando com ele em maa.

– É a língua dele, não é? – perguntou a menina, enquanto Cecily reprimia uma risada.

Archer as levou pelas ruas movimentadas da cidade, e Stella ficou boquiaberta com as luzes brilhantes da Times Square. Depois ouviu com atenção, extasiada, enquanto Cecily apontava para a arquitetura do edifício Chrysler e do Empire State Building. Ao entardecer, elas tomaram chocolate quente com chantilly, depois Cecily levou Stella para a pista de gelo no Rockefeller Center. Agarradas uma à outra, elas escorregaram e deslizaram, abrindo caminho na multidão.

Cecily começou a reenxergar sua cidade através de Stella; apaixonou-se de novo por ela e sua atmosfera mágica. Talvez fosse porque sabia que iriam embora no fim de janeiro, mas se sentia determinada a absorvê-la tanto quanto possível.

Longe de eventos culturais desde que fora morar na Fazenda Paraíso, ela e suas irmãs foram assistir aos recentes espetáculos na Broadway. Cecily também gostou de reabastecer seu guarda-roupa e de ter a chance de usar os trajes para sair. Suas irmãs lhe disseram que ela tinha "chegado ao auge de sua beleza" e, depois de um corte de cabelo com a estilista de Mamie, até Cecily começou a sentir que não era o patinho feio que já pensara ser.

– Hoje em dia você é uma beldade – disse Priscilla, com apenas um leve toque de inveja na voz, quando um grupo de homens bonitos na Madison Avenue deu uma bela "encarada" em Cecily, como sua irmã descreveu.

Depois de longos anos escondida na África, Cecily se sentia como um leão libertado do cativeiro.

A única nota triste em uma alegre semana pós-Natal foi o funeral de Kiki. Não havia muita gente – muitas pessoas da elite de Nova York viajavam durante as festas de fim de ano, e Kiki morava no exterior havia muito tempo. Cecily ajudou seu pai a amparar Dorothea fora da igreja e na vigília que se seguiu, quando sua mãe estava visivelmente embriagada. Cecily não pôde deixar de sentir que a morte de Kiki significava o fim de uma era – não apenas para sua mãe, mas para ela também.

Cecily voltou para casa certa tarde, depois de ir à chapeleira, onde comprara novas peças para substituir alguns de seus chapéus ultrapassados, e ouviu o som estridente de uma risada vindo do escritório de seu pai. Batendo à porta, ela encontrou o pai com Stella no colo.

– Boa tarde, Cecily – disse Walter. – Stella e eu estávamos dando uma olhada no mapa-múndi. Eu estava tentando imitar um leão, mas então ela me pediu que imitasse uma zebra. Achei que fiz uma imitação excelente, mas obviamente você não concordou, hein, senhorita? – perguntou Walter, sorrindo para Stella enquanto ela saía de seu colo e corria em direção a Cecily.

– Você não está incomodando o Sr. Huntley-Morgan, está, Stella?

– Nem um pouco – respondeu Walter. – Eu a encontrei aqui olhando os livros nas estantes, e estamos nos divertindo muito. E eu pedi que ela me chamasse de Walter, não pedi?

Stella assentiu timidamente.

– Ela é uma criança muito inteligente, Cecily. A mãe dela vai mandá-la para a escola no Quênia?

– Não há escolas lá para uma criança como Stella, mas tenho feito o que posso para ensiná-la a ler e escrever.

– Ela me ensinou a somar – acrescentou Stella, com o rosto sério.

– Tudo bem, então, vamos jogar o jogo que costumava brincar com Cecily? Quanto dá dois mais dois?

– Quatro.

– Três mais quatro?

– Sete.

– Oito mais cinco?

– Treze – respondeu Stella sem hesitar.

– Estou impressionado. – Walter sorriu. – Acho que vou ter que elaborar questões mais difíceis.

Vinte minutos depois, Walter ergueu as mãos em rendição enquanto Stella implorava para ele continuar com os testes.

– Acabaram minhas perguntas, querida, mas você respondeu tudo muito bem. Excepcionalmente bem – elogiou ele, lançando um olhar para Cecily. – Agora, podem ir, vocês duas. Estou esperando uma visita.

– Eu gosto do Walter – afirmou Stella, enquanto caminhavam em direção à cozinha para encontrar Lankenua, que estava encolhida perto do fogão. – Pelo menos gosto mais dele do que da Sra. Huntley-Morgan. – Stella deu de ombros enquanto olhava o bolo de chocolate na mesa da cozinha. – Mas eu gosto mais disso aqui – concluiu ela, rindo e apontando para o bolo.

– Como está se sentindo, Lankenua?

– Bem. – Lankenua assentiu. – Quando vamos para casa, dona Cecily?

– Dentro de algumas semanas – respondeu ela, virando-se para Mary. – Poderia levar café para o meu quarto? Vou sair às cinco e ainda preciso trocar de roupa.

– É claro, Srta. Cecily.

Em seu quarto, Cecily parou na frente do espelho, tentando decidir o que devia usar na reunião de Vassar. Ela lembrou que Rosalind não ligava para moda, então escolheu um vestido mais formal, preto e liso. Terminando o café, ela pediu a Mary que avisasse a Archer para levar o carro até a entrada. Durante o trajeto, Cecily se sentiu nervosa; ainda não tinha ideia do motivo que levara Rosalind a convidá-la. Ela morava no Brooklyn – um endereço, segundo Priscilla lhe informara, que estava se tornando popular entre os jovens. Dorothea havia comentado que o lugar estava cheio de irlandeses, que tinham ajudado a construir a Ponte do Brooklyn.

– Este bairro tem muitos prédios pequenos e antigos – comentou Archer, enquanto dirigiam pelas ruas. – Passou um tempo em decadência, mas pessoas como a sua amiga estão se mudando para cá agora porque conseguem ótimas residências por um preço excelente. Nova York está sempre mudando, não é, Srta. Cecily?

O carro parou em frente a um prédio reformado no meio de uma fileira de casas bem mais simples, e Cecily desceu.

– Não devo demorar mais de uma hora – avisou a Archer, e então subiu os degraus até a porta da frente.

– Cecily! Que maravilha você ter vindo! – exclamou Rosalind.

Os cabelos escuros da amiga ostentavam um corte elegante, semelhante ao de Mamie, e ela sorriu para Cecily ao guiá-la a uma agradável sala de estar, cheia de mulheres jovens, muitas delas vestindo calças compridas. Cecily sentiu-se horrivelmente antiquada e bem-vestida demais.

– Cerveja ou xerez? – ofereceu Rosalind, conduzindo-a até um carrinho de bebidas.

– Xerez, por favor. Conheço alguém aqui?

– Claro que sim. Com poucas exceções, todas eram da nossa turma em Vassar. Então, a máquina de fofocas de Nova York me contou que você mora na África! – disse Rosalind. – Mal podemos esperar para ouvir tudo, não é, Beatrix?

Uma mulher negra com olhos grandes e acolhedores analisou Cecily.

– Não mesmo, considerando que é de onde nossos antepassados vieram, Rosalind.

Cecily olhou para as duas mulheres, confusa.

– Não se preocupe, Cecily. – Rosalind riu. – A maioria das pessoas não me reconhece como negra. Obviamente, algum homem branco se intrometeu ao longo das gerações, mas meu coração é tão negro quanto o de Beatrix. Vassar só ficou sabendo depois que recebi meu diploma. Você sabe como eles são, Cecily. Por eles, estaríamos varrendo o chão, e não sentadas em salas de aula com pessoas como você. Isso está mudando lentamente, acredite. Eles foram constrangidos a aceitar Beatrix, em 1940, pois outras faculdades tinham um número de negros muito maior. Então, diga olá para nossa primeira graduada negra oficial de Vassar.

– E espero ser a primeira de muitas. – Beatrix sorriu. – Estou cursando a Faculdade de Medicina de Yale agora, e o desafio lá não é apenas a cor da minha pele, mas o fato de eu ser mulher. Um golpe duplo, hein, Rosalind?

– Se é – concordou Rosalind, indicando um canto mais silencioso nos fundos da sala. – Agora, Cecily, venha nos contar tudo sobre a África. Você mora no Quênia, não é?

A princípio, Cecily fez sua descrição habitual dos safáris, leões e cobras mortais, mas Rosalind logo a deteve.

– Diga-me: em um país colonial, os negros têm direitos? Existem partidos ativistas?

– Não que eu saiba.

– Então, mesmo que o Quênia seja uma sociedade predominantemente negra, os negros, em seu próprio país, ainda são governados por alguns poucos homens brancos de uniforme? – indagou Beatrix.

– Sim, receio que sim. Embora eu saiba que, desde a guerra, quando muitos deles se inscreveram para lutar pelo rei e pelo país...

– Pelo país deles, mas não pelo rei deles – interrompeu Beatrix.

– Sim, claro – concordou Cecily apressadamente. – Disseram a eles que sua vida melhoraria se lutassem. Depois que eles voltaram, nada mudou. Na verdade, meu marido contou recentemente que piorou.

– Acha que a tensão está crescendo por lá? – quis saber Rosalind.

– Sim – respondeu Cecily, pensando em suas conversas com Bill nos últimos meses. – Os kikuyus, que formam a maior tribo do Quênia, não estão mais aceitando as terríveis condições e o trabalho escravo exigidos por seus senhores brancos. Não há atendimento médico para eles. Só consigo me lembrar de um hospital para negros nas proximidades, que é financiado por uma organização de caridade. E quanto à educação...

– Nem me fale. – Rosalind revirou os olhos. – Não é muito melhor para os nossos filhos aqui nos Estados Unidos, embora pelo menos haja escolas disponíveis para brancos e negros, e não sejam segregadas como no Sul. Mas as crianças brancas superam as nossas em número, e ainda há preconceito estrutural, especialmente dos professores. Eu sei, porque eu fazia parte da minoria no ensino médio.

– Fiz o possível para ensinar matemática à filha de minha empregada, além de ler e escrever... Ela é simplesmente brilhante.

– Ora, ora. – Rosalind ergueu uma sobrancelha para Beatrix e depois voltou-se para Cecily. – Tenho uma filha de 5 anos e não quero que ela passe pelo que passei para completar minha educação. Quero que ela aprenda em um ambiente seguro e favorável, onde se sinta valorizada e não tenha que lidar com insultos e piadas de seus colegas de classe nem seja injustamente discriminada por seus professores. Assim... estou no processo de criar uma pequena escola bem aqui na minha casa. Beatrix e eu escolhemos algumas crianças negras brilhantes que conhecemos, e a quem planejamos ensinar, com o objetivo de que, no futuro, possam ingressar em uma universidade da Ivy League.

– Nossas crianças precisam ter modelos em que possam se espelhar. Elas têm que acreditar que podem fazer essas coisas, e cabe a nós lhes mostrar que podem mesmo – acrescentou Beatrix, seus olhos brilhando com fervor.

– Então você disse que tem ensinado a filha de sua empregada? – indagou Rosalind.

– Sim. Stella... esse é o nome dela... absorve o que eu ensino como se fosse uma esponja.

– Gostaria de trazê-la aqui para nós conhecermos? – perguntou Rosalind. – Ela pode ser uma boa candidata para a nossa escola. E, se você estiver interessada, eu bem que gostaria de mais um par de mãos no ensino.

Beatrix ficará ocupada demais com a medicina em Yale, então estou praticamente criando esse projeto sozinha.

– Parece ótimo, Rosalind – afirmou Cecily. – Nunca pensei que Stella pudesse ter uma chance dessas.

– Bem, ficaríamos muito felizes em ter você conosco também. Você se formou em história, não foi?

– Sim, mas minha verdadeira paixão era economia e, acreditem, eu sou muito boa com números.

– E Rosalind gosta de Humanas, então vocês duas juntas, e com alguma ajuda minha, quando tiver tempo livre, podem se virar com as ciências – comentou Beatrix, dando uma risadinha. – Só precisamos lembrar que tudo é possível na terra da liberdade... contanto que *nós* façamos acontecer.

– Então, quando devo trazer Stella aqui para conhecê-las?

– Quando você quiser. O semestre começa oficialmente na semana que vem. Que tal sexta-feira? – sugeriu Rosalind.

– Perfeito.

Beatrix e Rosalind a acompanharam até a porta e, quando as três se despediram, Rosalind olhou para Cecily com uma expressão de dúvida.

– Diga, Cecily, como gostaria de se juntar a nós em um protesto?

– Não sei... Contra o que exatamente vocês vão protestar?

– A situação habitacional no Harlem é péssima. Os negros vivem em guetos. Tem uma terrível superlotação, sem falar na brutalidade da polícia para "manter as coisas sob controle". O prefeito O'Dwyer tem sido um grande amigo de nossa comunidade...

– Só para conseguir nossos votos! – interveio Beatrix.

– Mesmo assim, ele fez certas promessas, e nós estamos cobrando. Ele deve falar na Abyssinian Baptist Church na próxima semana, e estaremos lá para lembrá-lo do que está em jogo – prosseguiu Rosalind. – Seria ótimo ter você lá, Cecily; você seria um ótimo acréscimo ao nosso grupo.

– Bem... deixe-me pensar a respeito, ok?

– Pensar em quê? – indagou Beatrix. – É uma questão de certo e errado, vida ou morte. Você deveria saber isso melhor do que ninguém, tendo morado na África. Por favor, fique do nosso lado, Cecily. Também precisamos dos brancos apoiando nossa causa.

– Tudo bem. Estarei lá. Mas agora realmente preciso ir para casa.

– Entraremos em contato para lhe dizer onde nos encontrar! – avisou Rosalind.

Archer abriu a porta do carro para Cecily e ela se sentou no banco de trás.

– Desculpe-me por demorar tanto.

– Sem problemas, Srta. Cecily. Como foi sua noite? – perguntou ele, enquanto atravessavam a Ponte do Brooklyn.

– Foi... bem, absolutamente incrível! – respondeu Cecily.

45

Na quarta-feira seguinte, conforme as instruções, Cecily vestiu roupas mais simples. Deixando Stella aos cuidados de Lankenua, que já parecia muito mais saudável, ela instruiu Archer a levá-la ao Harlem.

– Aonde, Srta. Cecily? – perguntou ele, abrindo para ela a porta do Chrysler.

– Você me ouviu, Archer: Harlem, na frente da Abyssinian Baptist Church, 138th Street, número 132 – informou Cecily, lendo a anotação do endereço que Rosalind lhe dera pelo telefone.

– Seus pais sabem que está indo para lá? – perguntou ele, depois de uma pausa.

– Claro que sim – mentiu Cecily, irritada porque, mesmo sendo uma mulher casada, Archer ainda a tratava como uma criança.

– Como desejar, Srta. Cecily.

Cecily olhou pela janela enquanto se dirigiam ao Harlem, onde nunca estivera antes; somente fingiu confiança ao dar a Archer o endereço. Os arranha-céus da Quinta e da Madison foram ficando para trás e, quando atravessaram a Lenox Avenue, ela percebeu que os rostos na rua eram negros e pardos em vez de brancos. De repente, se sentiu como um peixe fora d'água na própria cidade. Crianças negras sentadas nos degraus de casas abandonadas observavam a passagem do Chrysler, as janelas de muitas lojas estavam fechadas com tábuas, latas de lixo enferrujadas transbordavam nas esquinas onde haviam sido reunidas. Apesar de já estarem em 1947, por ali parecia que a Depressão estava longe de acabar.

Archer parou o carro. Ao longo da rua, Cecily viu uma imponente igreja gótica, na frente da qual uma grande multidão de manifestantes já havia se reunido. O motorista saiu para abrir a porta para ela.

– Vou estacionar no fim da rua, na esquina da Lenox Avenue, do outro lado – explicou ele, apontando para o local. – Se houver algum problema, venha correndo e estarei esperando, ok? Tem certeza de que vai ficar bem?

– Sim, Archer, obrigada. Vou me encontrar com umas amigas – informou ela, com muito mais confiança do que sentia. Então se afastou em direção à multidão.

Ela analisou a massa de pessoas, muitas segurando cartazes manuscritos com dizeres como "DIREITOS IGUAIS!" e "HABITAÇÃO PARA TODOS!". Com o coração acelerado, Cecily caminhou hesitante para onde estava a multidão, todos de frente para uma plataforma elevada, que havia sido montada como palco na calçada, na frente da igreja.

– Aí está você! – A voz familiar de Rosalind atravessou todo aquele clamor.

Cecily virou-se e viu sua nova amiga se aproximando, usando uma calça comprida e um casaco masculino.

– Estou tão feliz por você ter vindo – comentou Rosalind. – Já estavam fazendo apostas sobre se você apareceria ou não. Este é meu marido, Terrence. – Ela apontou para o homem alto e negro ao seu lado.

– Prazer em conhecê-la – disse ele, apertando a mão de Cecily e sorrindo calorosamente. – Agradecemos o seu apoio.

Cecily não ficou surpresa ao ver que era uma das poucas pessoas brancas presentes, mas foi recebida com sorrisos enquanto os outros manifestantes abriam caminho para ela educadamente. Alguns estavam segurando garrafas de café para afastar o frio, e Cecily viu que uma mulher tinha um bebê amarrado ao peito.

– Quanto tempo isso vai durar? – sussurrou ela para Rosalind.

– Ah, mais ou menos uma hora – respondeu Rosalind, animada. – Veio muita gente. Beatrix é ótima para motivar as pessoas. Olhe, ali está ela!

Beatrix apareceu ao lado delas, os olhos brilhando de excitação, seus cabelos escuros trançados firmemente contra o couro cabeludo.

– Cecily! Que bom que você veio! Eu...

A voz de Beatrix foi abafada por um rugido da multidão quando três homens pisaram no palco. Cecily reconheceu o prefeito O'Dwyer das fotos do *New York Times*. Havia outros dois homens brancos ao lado dele, um vestido com uma roupa de gala de chefe de polícia e olhando os cartazes de cara feia.

– Harlem! É uma honra estar aqui! – começou o prefeito O'Dwyer com seu forte sotaque irlandês, e a multidão aplaudiu em resposta.

Cecily olhou para os rostos reunidos e, de repente, se sentiu encorajada. Ali estavam pessoas empenhadas na criação de um mundo melhor; ela não se sentia tão emocionada e esperançosa desde as celebrações do Dia da Vitória, em Nairóbi. Beatrix entregou-lhe um cartaz que dizia "O HARLEM NÃO É UM GUETO!", e Cecily o segurou no alto com orgulho. Ela ouviu o discurso do prefeito O'Dwyer, que prometeu reformas das moradias e um bom financiamento para as escolas, e piscou quando a lâmpada de um repórter disparou ali perto.

Quando as pessoas começaram a se empurrar, para ter uma visão melhor, Cecily recebeu uma cotovelada nas costas, e Rosalind estendeu a mão para firmá-la quando ela perdeu o equilíbrio. Apesar do ar gelado, Cecily sentia o suor se acumulando na nuca e percebeu quanto os participantes do protesto estavam apertados uns contra os outros.

Quando o chefe de polícia se aproximou do microfone, uma onda de inquietação se espalhou pela multidão e Cecily estremeceu. Ela esticou o pescoço para ver até onde a multidão se estendia, para os dois lados, e ficou chocada ao ver um anel de policiais rodeando as pessoas, as mãos nos cassetetes de madeira, os rostos inescrutáveis sob os bonés azuis.

– Por que a polícia está aqui? – sussurrou ela para Rosalind.

– Apenas fique perto de mim e de Terrence e vai ficar tudo bem – sussurrou Rosalind de volta.

– Assassinos! – Beatrix cuspiu. – Esses policiais atacaram Robert Bandy. Atiraram nele quando o rapaz estava desarmado e apenas tentando salvar a vida de uma mulher. Porcos malditos!

Uma onda de raiva começou a emanar ao redor deles, e Cecily respirou fundo enquanto a multidão era pressionada ainda mais pelos policiais. Cecily não conseguia mais ouvir o discurso no palco, apenas os gritos de consternação da mulher perto dela, cujo bebê começou a chorar em seu colo enquanto ela tentava protegê-lo do esmagamento.

Gritos encheram o ar. Um homem a empurrou de lado para escapar de um policial que vinha em sua direção, com o cassetete erguido. O homem levantou seu cartaz para se defender, mas foi derrubado até cair na rua suja, protegendo a cabeça dos golpes contínuos. Cecily ouviu um apito estridente e o relincho de cavalos e ergueu os olhos. Viu que policiais montados avançavam contra os manifestantes, muitos dos quais agora estavam fugindo.

– Cecily! Fique perto de nós! – gritou Beatrix.

Ela agarrou a mão de Cecily e a guiou em direção a uma abertura na linha de policiais. Cecily seguiu Beatrix cegamente, o coração batendo forte enquanto corria, esquivando-se de outros manifestantes que também estavam buscando segurança. Ela tentou ignorar os gritos de dor e os sons repugnantes dos cassetetes batendo em corpos humanos. Com um puxão repentino, Cecily se viu caída no chão e ergueu os olhos para ver Beatrix sendo contida por dois policiais. Ela estava lutando como um gato selvagem, seus cachos se libertando das tranças, enquanto era arrastada para longe.

– Não! Beatrix! – gritou Cecily, tentando se levantar, e então sentiu uma dor no tornozelo. – Pare! Ela não fez nada de errado!

Ela ficou olhando em volta, chocada e confusa. O que começara como uma reunião pacífica e ordenada havia se transformado em caos.

– Archer – murmurou ela, tentando se lembrar onde ele disse que esperaria por ela.

Cecily tentou se levantar, mas seu tornozelo cedeu quando uma nova onda de manifestantes estourou na direção dela.

Quando pensou que seria pisoteada ali mesmo, ela ouviu uma profunda voz masculina acima dela.

– Consegue andar?

Ela olhou para cima e viu um homem branco parado ao seu lado.

– Meu tornozelo...

– Pegue a minha mão.

Cecily pegou, e o homem a colocou de pé. Então, apoiando-a com um braço, ele começou a guiá-la através da multidão.

– Meu motorista... ele está me esperando na Lenox, ali no fim da rua – disse ela, ofegante, quando recobrou um pouco o raciocínio.

– Então vamos tirar você daqui rápido; parece que as coisas estão prestes a ficar ainda mais feias.

Ao redor, brigas violentas começaram conforme os manifestantes se reuniram e começaram a revidar.

Ao se aproximarem do cruzamento da 138th Street com a Lenox, Cecily viu o Chrysler e apontou para ele.

– Ali está! – gritou ela, em meio ao barulho da multidão.

O homem a pegou nos braços e correu com ela para o carro, abrindo a porta traseira assim que o alcançaram.

– Graças a Deus a senhorita está segura! – gritou Archer, dando a partida no motor. – Vamos sair daqui!

– Cuide-se, senhora – disse o homem, colocando Cecily no assento.

Quando ele estava prestes a fechar a porta, Cecily o segurou, vendo dois policiais com cassetetes indo em direção ao carro.

– Archer, espere! Entre *agora*! – gritou ela para o homem, juntando suas forças para segurar o braço dele e puxá-lo para dentro no instante em que os policiais avançaram para agarrá-lo. – Vamos, Archer! Vamos! Vamos! Vamos!

Archer ligou o motor e acelerou.

Quando o Chrysler se afastou daquela cena horrorosa, os três ocupantes deram um suspiro coletivo de alívio.

– Não sei como agradecer... – disse Cecily.

– Não foi nada. Eu é que devo lhe agradecer pela ajuda ali atrás – respondeu o homem, recostado no banco, os olhos semicerrados.

– Podemos levá-lo a algum lugar? Onde você mora? – perguntou ela.

– Apenas me deixe na estação de metrô mais próxima.

– Estamos chegando à estação da 110th Street – avisou Archer.

– Fica ótimo para mim – respondeu o homem.

Archer parou o carro.

– Posso pelo menos saber seu nome? – indagou Cecily.

O homem hesitou por um momento, depois enfiou a mão no bolso e entregou-lhe um cartão antes de sair do carro e bater a porta.

46

Dois dias depois, Cecily acordou com o tornozelo ainda latejando de dor, apesar das bolsas de gelo que havia colocado durante a noite. Ao voltar do protesto, suja e mancando, Cecily fizera Archer jurar que não contaria nada a ninguém. Embora hesitante, ele prometera não falar do acontecido com os pais dela.

– Não quero ser intrometido, Srta. Cecily, mas acho que é melhor não se envolver com essas coisas de novo – dissera ele, com uma preocupação genuína nos olhos, quando pararam em frente à casa e Cecily se recompôs.

– Obrigada, Archer, mas tenho idade suficiente para saber o que estou fazendo – respondera ela secamente. – E alguém tem que enfrentar as desigualdades, não tem?

– Desde que se mantenha em segurança, Srta. Cecily. Essa luta não é sua. A senhorita é uma dama.

Dorothea ficara consternada ao ver o estado da filha, que inventara rapidamente uma mentira sobre ter tropeçado em um bueiro, antes de subir as escadas devagarinho até o sótão e encontrar Stella com Lankenua. Stella correra para seus braços e Cecily a abraçara com força.

– Por que você está tão suja, Kuyia? Onde você estava?

– Não ligue para isso, querida – comentara Cecily, sorrindo para a menina. – Estou muito feliz em ver você.

❁ ❁ ❁

Houve uma batida à porta do quarto e Evelyn entrou com uma bandeja de café e torradas, colocando-a no colo de Cecily antes de examinar o tornozelo apoiado em um travesseiro.

– Está muito melhor – comentou ela.

– Obrigada, Evelyn – disse Cecily, analisando-a com um novo olhar. – Evelyn?

– Pois não?

– Você gosta de trabalhar para a minha família?

– Que pergunta, Srta. Cecily! Faço isso há muito tempo, desde que a senhorita era uma garotinha.

– Sim, eu sei, mas você não gostaria de ter tido outras oportunidades?

Houve uma pausa, então Evelyn falou alegremente:

– Sou muito grata por ter tido *essa* oportunidade. Sou feliz servindo à sua família, Srta. Cecily. Não está satisfeita com o meu trabalho?

– Claro que estou! Sinto muito – disse Cecily, impotente. – Eu só... Ah, não se preocupe, Evelyn, é bobagem minha.

– Se precisar de alguma coisa, basta tocar a campainha, Srta. Cecily.

Evelyn saiu do quarto e Cecily recostou a cabeça nos travesseiros. Desde os terríveis eventos do protesto, toda a sua visão de mundo havia mudado. Ela não conseguia parar de ver os rostos aterrorizados dos manifestantes sendo levados à força pela polícia e a pura e ultrajante injustiça de tudo aquilo. Pelo menos Rosalind telefonara no dia anterior para avisá-la de que Beatrix e algumas dezenas de outros manifestantes finalmente haviam sido libertados.

– Foi uma fiança pesada, mas nosso advogado falou com o juiz e conseguiu um bom acordo. É a segunda prisão de Beatrix, então ela tem que tomar mais cuidado no futuro.

– Isso poderia acontecer com Stella só por causa de sua cor de pele. Em que mundo nós vivemos...? – ponderou Cecily, naquele momento.

Um mundo que beneficia você, respondeu sua mente. E por quê? Simplesmente pelo fato de ser rica, privilegiada e *branca.*

Por favor, fique do nosso lado, Beatrix havia lhe dito.

Cecily olhou pela janela do quarto, de onde via a neve cobrindo o Central Park como um cobertor branco e felpudo. Tudo parecia em paz naquela pequena parte de Nova York, mas agora que fora exposta ao outro lado – um lado marcado pelo sofrimento e pela opressão –, nada seria como antes. Lembrava-se de ter visto as fotos dos campos de concentração na Alemanha abertos pelos soldados americanos no fim da guerra, de suas lágrimas de choque caindo sobre o jornal, sua mente lutando para compreender tamanha crueldade. Entretanto, agora ela sabia que, assim como no Quênia, a uma curta distância de sua casa a vida das pessoas era preenchida diariamente com uma injustiça semelhante.

– As pessoas acreditam que esta é a terra da liberdade, mas não fazemos nada para corrigir as injustiças para os que chegam aqui – sussurrou ela.

Enquanto comia sua torrada, Cecily sentiu o peito se encher de uma energia tensa e ficou desesperada para falar com Rosalind e Beatrix. Não podia se imaginar discutindo nenhum daqueles temas com suas irmãs, muito menos com o pai – ou, pior ainda, com a mãe. Imagine se Dorothea a tivesse visto no protesto, ombro a ombro com os "negros" – para cujos filhos ela mesma arrecadava dinheiro, mas que eram tão bem-vindos em sua casa quanto os ratos do esgoto.

– Mas é verdade, eu não sou um deles – lembrou a si mesma, tomando o seu café.

Então por que sentia aquele fogo, aquela necessidade de lutar por justiça pelo que testemunhara no Harlem dois dias antes?

Porque você ama a criança a quem chama de filha. E deve lutar por ela e por outros como ela, porque ela não pode...

❋ ❋ ❋

Mais tarde naquele dia, Cecily deu alguns passos hesitantes e descobriu que seu tornozelo já suportava seu peso novamente. Enquanto Dorothea tirava sua soneca da tarde, que ficava cada vez mais longa desde a morte de Kiki, Cecily vestiu Stella e deixou a menina se admirar no espelho de corpo inteiro de seu quarto.

– Para onde nós vamos, Kuyia? – perguntou Stella, enquanto ajustava a gola do casaco vermelho.

– A uma escola, com muitas outras crianças tão brilhantes quanto você. Quer conhecê-las?

– Quero! – gritou Stella. – Posso levar Sortudo para conhecer todo mundo também? – Ela agarrou o leão de pelúcia pela juba.

– É claro que pode – disse Cecily.

❋ ❋ ❋

Archer parou o carro em frente ao prédio de Rosalind. A neve havia parado de cair recentemente e ainda não tivera a chance de virar lama, então Stella riu de alegria ao deixar pequenas pegadas perfeitas até a porta da frente.

– Obrigada, Archer.

– Por nada, Srta. Cecily. Vou ficar esperando – disse ele, piscando para ela.

O segredo parecia ter criado um vínculo entre eles.

Cecily levantou Stella para alcançar a pesada aldrava de bronze da porta. Rosalind as recebeu e cumprimentou Cecily com um abraço afetuoso.

– Bem-vinda, irmã – sussurrou ela no ouvido de Cecily. – E você deve ser Stella – disse ela, agachando-se e estendendo a mão para a menina.

Vencida pela timidez, Stella se escondeu atrás das pernas de Cecily.

– Tudo bem, querida – Cecily a encorajou. – Rosalind é minha amiga, e ela vai apresentá-la a todas as outras crianças.

Hesitante, Stella pegou a mão de Rosalind e permitiu que ela a conduzisse até os fundos da grande casa, até que chegaram a uma sala arejada com portas francesas que se abriam para um pequeno jardim. O local fora convertido em uma sala de aula, com uma lousa de frente para cinco mesinhas. Estantes cheias de cadernos e cartilhas, artigos de papelaria e brinquedos cobriam um lado da sala, enquanto outra parede era dedicada à tabuada, a um mapa de Nova York e fotos de animais desenhados por mãos infantis.

– Quem é esse seu amigo, Stella? – perguntou Rosalind.

– É o Sortudo – respondeu a menina, levantando o leão.

Rosalind acariciou o brinquedo.

– Ele é muito bonito, que bom que você o trouxe. Já esteve em uma escola antes?

– Não, mas Kuyia me ensina. – Ela olhou para Cecily, que assentiu para incentivá-la. – Kuyia é "tia" – explicou ela.

Rosalind então levou a menina a um cantinho de leitura, onde almofadas estavam espalhadas por tapetes, e elas se sentaram juntas.

Cecily observou com orgulho Stella se animar quando Rosalind lhe fez perguntas e depois pegou um dos livros ilustrados na prateleira ao lado. A menina começou a ler em voz alta as passagens que Rosalind apontava.

Cecily sentou-se em uma das pequenas mesas enquanto Rosalind testava Stella em aritmética básica, e depois fazia algumas questões de lógica, às quais Stella respondeu com facilidade. Depois de trinta minutos, Rosalind sugeriu que Stella conhecesse as outras crianças, e ela se levantou, ansiosa. As duas foram até o andar de baixo, para uma grande cozinha onde quatro crianças estavam comendo sanduíches de manteiga de amendoim e geleia ao redor de uma velha mesa de carvalho.

– Digam olá para Stella, crianças! – exclamou Rosalind, e meninos e meninas se levantaram timidamente para recebê-la.

Cecily observou Stella sorrir e se sentar à mesa ao lado da filha de Rosalind, Harmony, que tinha os cabelos cacheados presos com fitas e ofereceu a Stella metade de seu sanduíche.

– Então, seríamos apenas nós duas ensinando por enquanto – disse Rosalind baixinho para Cecily, enquanto observavam as crianças rindo juntas. – Se a escola for um sucesso, espero expandi-la. Penso em financiá-la pedindo a alguns dos meus amigos negros mais abastados, que estão loucos por uma educação decente para os filhos, pagarem, o que nos permitiria aceitar as crianças mais espertas cujos pais não têm condições.

– É um ótimo plano. Você realmente pensou em tudo – comentou Cecily, cheia de admiração por sua nova amiga.

– Ora, já que fico em casa com Harmony de qualquer maneira, posso muito bem colocar meu diploma em uso. Então, conte-me mais sobre Stella. É óbvio que ela é uma criança brilhante e que adora você.

Cecily se certificou de que Stella estivesse totalmente ocupada, depois indicou que se afastassem um pouco das crianças.

– Na verdade, eu a encontrei quando ela tinha apenas algumas horas de vida, pois foi deixada para morrer na floresta de minha fazenda, no Quênia. Eu a levei para casa e, bem... – Cecily suspirou. – É difícil de explicar, mas foi amor à primeira vista. Meu marido ficou chocado quando falei que queria cuidar dela, criá-la como se fosse nossa filha, mas então ele teve uma ideia e nós traçamos um plano para podermos ficar com ela.

Cecily explicou sobre a chegada de Lankenua em suas vidas e como Stella acreditava que ela era sua mãe.

– Claro, ninguém mais sabe a verdade, Rosalind. Minha mãe morreria se descobrisse nosso verdadeiro relacionamento, mas é o melhor que podemos fazer.

– Entendo – disse Rosalind. Cecily viu que havia lágrimas nos olhos dela. – Posso lhe dar um abraço?

– É claro que pode – respondeu Cecily, e Rosalind a abraçou.

– Acho que o que você fez por essa criança é a coisa mais linda que já ouvi. E quero ajudá-la a dar a Stella tudo o que ela merece, e muito mais.

Cecily também sentiu os olhos marejarem, porque era a primeira vez, desde que tomara Stella em seus braços, ainda recém-nascida, que conseguira compartilhar a verdade com outra pessoa além de Bill e Lankenua.

– E o seu marido? Ele está esperando que você volte logo ao Quênia? – perguntou Rosalind, seu olhar perceptivo encontrando o de Cecily.

– Na verdade, sim, mas talvez eu possa me demorar um pouco e ver como Stella... e eu... nos ajeitamos aqui. Também preciso de um propósito, preciso fazer uso do meu cérebro. No Quênia, além da casa e dos jardins, e de Stella, é claro, eu não tenho nenhum. E, para ela, não há futuro na África agora.

– Muito bem, crianças, quem quer brincar na neve? – perguntou Rosalind.

– Eu! Eu! – gritaram todos.

Cecily e Rosalind os seguiram para fora da cozinha e os ajudaram a vestir suas botas e casacos.

– Nunca brinquei na neve – disse Stella calmamente para Cecily. – Não vou saber o que fazer.

– Eu lhe mostro – ofereceu-se Harmony. – Vamos fazer um boneco de neve!

Stella pegou a mão de Harmony e as duas correram para o jardim, onde todos gritavam, riam e faziam uma guerra de bolas de neve, e depois pararam para construir um boneco. Observando das portas francesas, Cecily nunca vira Stella tão confiante e feliz – na verdade, nunca vira Stella com tantas crianças. O mundo dela era pequeno e limitado, seu único companheiro de brincadeiras era Michael. Ali, ela podia ser uma criança normal entre outras. Instintivamente, Cecily soube que aquele era o lugar certo para Stella. E que ela sacrificaria praticamente qualquer coisa para continuar vendo sua menina tão feliz.

– Eu adoraria que vocês se juntassem à nossa escola – afirmou Rosalind na varanda, mais tarde. – Mas sei também que você tem uma grande decisão a tomar.

– Tenho, sim.

– Bem, me avise quando decidir, ok?

– Pode deixar.

Enquanto descia os degraus com Stella até o carro que as esperava, Cecily sentiu-se quase chorosa ao vê-la acenar para seus novos amigos.

– Tchau, até logo! – gritou Stella.

Enquanto se afastavam, Cecily teve certeza de que faria tudo o que pudesse para garantir que sua amada filha voltasse logo mesmo.

❋ ❋ ❋

Na manhã seguinte, Cecily acordou com a cabeça e o coração doendo devido a um sonho que tivera com Bill. Vestiu-se rapidamente e desceu as escadas, sem querer acordar a casa que ainda dormia. Estava escuro lá fora, apenas os primeiros lampejos do amanhecer tocavam o céu, e ela se enrolou firmemente em seu casaco e cachecol de pele e caminhou em direção ao Central Park. Com o tornozelo ainda dolorido, ela limpou um pouco de neve de um banco e se sentou de frente para uma estátua vestida com uma longa camisola de gelo. O parque estava silencioso, com apenas alguns pombos bicando inutilmente a lama no chão.

Cecily se abraçou, vendo sua respiração condensar no ar gelado, uma novidade para ela depois de tanto tempo no calor da África. Ali, a Cecily de Manhattan mal conseguia se lembrar da sensação de passar calor, e a Cecily do Quênia parecia mais um personagem de sonho, uma impostora. Ela se perguntou o que Bill estaria fazendo naquele momento, se ainda estaria em um safári. Quando ligava para casa, ele nunca atendia, e, no Muthaiga Club, Ali dizia não ver o *sahib* desde o Natal.

O destino de Stella estava ali; ela sentia isso até nos ossos. No entanto, se decidisse ficar com ela em Nova York, estaria abandonando Bill no Quênia. Sua casa e tudo o que isso implicava... a Fazenda Paraíso, Wolfie, Katherine... Lankenua escolheria ficar com ela ali? Não podia pedir que uma mãe abandonasse o próprio filho.

Talvez, como contara a Rosalind, por enquanto só dissesse a Bill que adiaria seu retorno por um tempo – ele não teria muito como reclamar, depois de todos os anos que passara presa no Quênia, e ele também não estava fazendo nenhum esforço para manter contato com ela. Pelo menos uma estadia prolongada lhes daria uma chance de experimentar uma nova vida, sem tomar nenhuma decisão irrevogável.

De volta à casa, Cecily entrou no escritório do pai. Ouviu passos na cozinha e nos corredores enquanto Evelyn levava a bandeja de café da manhã para os pais e acendia o fogo. Cecily pegou uma caneta-tinteiro e um pouco de papel, sentou-se à mesinha e começou a escrever.

Meu querido Bill,

Feliz ano-novo! Espero que você tenha comemorado, onde quer que estivesse. Lamentei não estar ao seu lado. Como foram as festas de Natal no Muthaiga Club? Quando liguei, no Natal, Ali mencionou que você havia saído em um safári. Na verdade, tentei ligar em várias ocasiões na fazenda e no clube desde então, por isso estou recorrendo à escrita. Estou interpretando sua ausência como um bom sinal de que você está se mantendo ocupado, e não isolado como um eremita, enquanto estou fora.

Como estão Bobby e Katherine? A gravidez dela está indo bem? Stella sente muitas saudades de Michael.

O Natal aqui em Nova York foi sombrio por causa da morte de Kiki. Mal posso suportar a ideia de a Casa Mundui estar vazia, sem ela.

Tenho me consolado passando tempo com meus sobrinhos e me reaproximando de minhas irmãs. Também me divirto muito explorando Manhattan com Stella e, para dizer a verdade, o tempo está passando tão depressa que eu gostaria de ficar mais um pouco. Afinal, não venho aqui há sete anos! Espero que você não se importe, Bill. É uma jornada bem longa, e eu não tenho ideia de quando poderei voltar depois que partir. É claro, você é muito bem-vindo a se juntar a mim a qualquer momento. Mamãe e papai adorariam conhecê-lo e eu gostaria de lhe mostrar a minha cidade, como você me mostrou o Quênia.

Avisarei quando reservar uma passagem de volta.

Espero que tudo esteja bem com a fazenda e, por favor, envie lembranças a todos. E receba todo o meu amor. Sinto muitas saudades de você.

Por favor, escreva de volta ou me ligue. Estou preocupada!

Cecily

Quando estava endereçando o envelope, a porta do escritório se abriu e seu pai entrou.

– Olá, Cecily – disse ele. – Acordou cedo, querida.

– Sim, eu só queria escrever uma carta para Bill.

– Ah, claro. Você deve sentir falta dele, mas vão se ver de novo em algumas semanas, certo?

– Na verdade – respondeu ela, batendo o envelope na palma da mão –, decidi ficar aqui em Nova York por mais um tempo, se estiver tudo bem por você e pela mamãe, é claro.

– Nem precisa perguntar. – Walter sorriu. – Essa é uma notícia maravilhosa. Agora venha tomar café comigo e podemos fazer as palavras cruzadas do *New York Times* juntos.

Saindo do escritório com o pai, Cecily largou a carta na bandeja de prata do corredor para ser postada.

❂ ❂ ❂

Stella começou na escola na segunda-feira seguinte, usando seu vestido xadrez favorito e com os cabelos presos em marias-chiquinhas, como os de sua nova amiga Harmony. Archer as levou ao Brooklyn, e Stella saiu do carro e subiu os degraus até a porta da frente. Cecily dera a ela sua velha pasta escolar de couro, colocando dentro lápis e borrachas, além de um pacote de biscoitos de chocolate que Essie havia feito para ela compartilhar com os colegas de classe.

Rosalind as conduziu para a sala de aula e Stella correu para abraçar Harmony, que lhe ofereceu a mesinha ao lado dela. Cecily ficou no fundo da sala e assistiu a Rosalind começar a aula. Ela viu a expressão ansiosa de Stella enquanto ouvia com atenção cada palavra que a professora dizia.

❂ ❂ ❂

A partir de então, uma rotina começou. Todos os dias da semana, Archer levava Cecily e Stella ao Brooklyn às nove horas para as atividades escolares. Cecily e Rosalind revezaram-se para ensinar suas diferentes disciplinas, e uma ficava no andar de baixo, preparando lições e corrigindo os trabalhos das crianças, enquanto a outra dava aula.

Cecily descobriu que adorava ensinar – demorou um pouco até pegar confiança, mas depois disso as crianças reagiram muito bem ao seu estilo firme, porém gentil. Depois que Archer as levava para casa, Cecily passeava com Stella pelo Central Park, onde a menina conversava alegremente sobre tudo o que tinha aprendido naquele dia. À noite, elas se enrolavam juntas na cama e liam um livro e, quando a menina adormecia em seu ombro, Cecily a pegava no colo e a colocava em sua cama, no quarto ao lado.

Ela também decidiu ligar para o número no cartão do homem que a resgatara no protesto, para agradecer. Uma mulher com sotaque francês respondeu e passou o telefone para o marido. Cecily insistiu em levar o casal para almoçar. Os três passaram algumas horas interessantes no Waldorf. Os Tanits eram bem viajados, e Cecily achou inspirador conversar com um casal que vivera a guerra na Europa. Isso a fez perceber quanto a maioria dos americanos que conhecia eram egocêntricos. Infelizmente, os Tanits retornaram à Inglaterra, mas Cecily passava cada vez mais tempo na companhia de Beatrix e Rosalind, considerando o círculo de amigos delas muito mais estimulante do que as mulheres que conhecia do infindável circuito de caridade da mãe. O mundo estava mudando depressa, e ela queria fazer parte do futuro e não ficar presa a um passado cada vez mais esmaecido.

Lankenua fizera amizade com Evelyn e tinha começado a ir à igreja dela aos domingos. As perguntas sobre a volta ao Quênia diminuíram e Cecily ficou satisfeita ao ver que ela estava começando a se acostumar a Nova York. Agora que o recesso de fim de ano havia terminado, Walter passava todos os dias no banco, frequentando o clube à noite, e, para alívio de Cecily, Dorothea tinha viajado para sua visita anual à mãe, em Chicago. Quando estava em casa, Walter puxava Stella para seu escritório, onde jogavam complexos jogos de matemática. Era óbvio que ele gostava da menininha e, em mais de uma ocasião, Cecily ficou tentada a lhe contar a verdade sobre a relação delas.

Não houve uma só palavra de Bill – nem por carta, nem por telefone, nem mesmo quando ela enviou um telegrama para o Muthaiga Club. Quando ela ligava, Ali lhe assegurava de que o *sahib* estava bem, mas nas planícies, com seu gado, o que Katherine também confirmava.

– Talvez ele simplesmente tenha me esquecido – murmurou ela, colocando o telefone no gancho depois de mais uma ligação não atendida.

Antes que Cecily percebesse, já era fim de março e a primavera expulsava o longo inverno de Nova York. Ela pensava cada vez menos na Fazenda Paraíso e, embora tivesse conseguido finalmente falar com Bill ao telefone duas vezes, havia um distanciamento na voz do marido que ela não podia atribuir à chamada de longa distância. Stella também parara de perguntar quando voltariam para casa. A única coisa que atrapalhava sua feliz rotina era o fato de Dorothea ter voltado de Chicago, o que trouxe para a casa uma atmosfera instável e tensa.

Uma última nevasca de inverno varria as ruas de Nova York, sacudindo as vidraças. Cecily e Stella estavam escondidas juntas na cama de Cecily, de camisola, tomando chocolate quente, com o livro *Uma casa na campina* aberto no colo da menina, que lia em voz alta e clara, mas tremia quando a nevasca estremecia a casa.

– Estou com medo, Kuyia – sussurrou ela. – E se o vento destruir tudo?

– Todo mundo está são e salvo dentro de suas casas. Esta casa existe há muito, muito tempo, e já resistiu a umas cem nevascas. Agora, você prefere ler um pouco mais ou dormir?

Como em todas as noites, Stella continuou teimosamente a ler, mas Cecily viu seus olhos se fecharem e por fim ela pegou no sono. Cecily observou seus cílios tremulando delicadamente contra a pele escura, suas feições completamente em paz. Acariciando os cabelos da menina, permitiu que seus próprios olhos se fechassem enquanto se juntava a Stella em um mundo de sonhos.

❂ ❂ ❂

Houve uma batida à porta e Cecily acordou com um pulo, desorientada. Viu a luz da manhã atravessando as janelas do quarto, olhou para Stella deitada ao seu lado e percebeu que as duas tinham adormecido.

– Entre – respondeu ela, esperando Evelyn com a bandeja de café da manhã.

Não foi Evelyn quem abriu a porta, mas Dorothea.

– Cecily, eu só queria lhe dizer que hoje vou...

A mãe parou no meio da frase ao ver a cabeça de Stella ao lado da de Cecily no travesseiro.

Dorothea levou a mão à boca e deu um gritinho de horror.

– O que *ela* está fazendo na cama com você?

– Eu... Stella estava com medo da tempestade, então se deitou comigo e lemos uma história e...

Dorothea marchou pelo quarto e puxou as cobertas da menina. Em seguida, pegou a garotinha, ainda meio adormecida, bruscamente pelo braço e a puxou para fora da cama.

– Você vem comigo, mocinha. Agora mesmo! Para o sótão, que é o seu lugar! Já suportei o suficiente desse seu comportamento ridículo, Cecily. E isso... colocar a filha negra de sua empregada na sua *própria* cama... passou dos limites!

– Por favor! – Stella chorou enquanto tentava se esquivar do apertão de Dorothea. – Você está me machucando!

– Solte a menina *agora*, mamãe!

Cecily também já estava fora da cama, puxando o braço da mãe para soltar Stella.

– Não vou soltá-la! Não ligo para o que você faz debaixo do próprio teto, naquele país esquecido por Deus que chama de lar, mas aqui, embaixo do *meu* teto, esses pretos sujos moram no sótão, que é o lugar deles!

– Como você *ousa* chamar Stella de suja? Ela é tão limpa quanto eu! – gritou Cecily. – Eu mesma dei banho nela ontem à noite!

– *Você* deu banho nela? Meu Deus do céu, Cecily! Aquele sol lá do Quênia prejudicou o seu cérebro? Ela é a filha suja da sua empregada!

– Se você a chamar de suja de novo, eu juro que vou...

– Ai! – gritou Dorothea, quando os dentinhos brancos de Stella morderam a carne macia de seu pulso e ela finalmente a soltou.

Stella correu em direção a Cecily, que a abraçou protetoramente.

– Essa criança não passa de uma selvagem! Veja! – Dorothea estendeu o braço. – Ela me tirou sangue! Eu juro, Cecily, quero ela e a mãe fora da minha casa o mais rápido possível. Preciso ligar para o meu médico. Essa menina deve ter me passado algum tipo de doença!

– Não seja ridícula, mamãe, Stella é tão saudável quanto você e eu.

– Eu já disse, quero que ela e a mãe saiam da minha casa hoje!

– Muito bem. Então eu vou com elas. Além disso, não suporto ficar nesta casa nem mais um minuto ouvindo seus comentários preconceituosos nojentos e suas observações racistas! Stella é apenas uma criança, mamãe, igual a qualquer um de seus amados netos!

A gritaria atraiu Walter, que saiu do quarto principal de pijama.

– Que diabos está acontecendo aqui?

– Sua filha deixou uma criança preta dormir na cama dela a noite toda – proclamou Dorothea. – Isso é obsceno!

– Pronto. Para mim, chega! – Cecily pegou Stella nos braços e calmamente a carregou para o sótão, onde Lankenua esperava nervosamente no topo da escada.

– Você pode se vestir, arrumar Stella e fazer as malas? Depressa, por favor? Estamos indo embora.

Lankenua olhou de Cecily para Stella, confusa, mas fez o que lhe foi pedido.

Cecily voltou para seu quarto, vestiu-se, jogou algumas roupas em uma bolsa. Encontrou Lankenua e Stella no corredor e depois as guiou escada abaixo para o hall de entrada.

– O que é que você está fazendo? – indagou Walter, no topo da escada, olhando a filha colocar o casaco em Stella, além de botas e chapéu.

– Mamãe disse que Lankenua e Stella têm que sair desta casa, então vou com elas, papai.

Por um momento, eles se entreolharam, o coração de Cecily batendo rápido, enquanto esperava para ver se ele sairia em sua defesa. Como o pai não fez menção de falar, ela se virou com um suspiro triste.

– Mary, chame Archer. E, por favor, arrume o resto das minhas coisas no meu baú. Vou pedir que ele o busque mais tarde – ordenou ela à governanta, que estava com os olhos arregalados de choque.

– Sim, Srta. Cecily.

Vestindo o próprio casaco, Cecily virou-se para os pais; o rosto da mãe ainda vermelho de raiva, uma das mãos segurando o pulso mordido. O pai desviou os olhos, evitando encará-la.

– Você deveria se envergonhar, papai – murmurou ela, quando Archer apareceu à porta. – Leve Stella e Lankenua para o carro e me espere lá fora – falou ela.

– Sim, Srta. Cecily.

Archer estendeu a mão e gesticulou para Stella se aproximar. Os três desapareceram pela porta aberta.

– Então, essa é a sua escolha? Escolhendo a *elas,* e não a *nós*? – perguntou Dorothea.

– Se essa é a escolha que você está me dando, então sim, eu escolho ir com elas.

Enxugando as lágrimas que escorriam pelo rosto, Cecily caminhou até a porta. Sem olhar para trás, saiu para o ar gelado e abandonou a casa de sua infância.

Electra

Nova York

Junho de 2008

47

— Nunca mais pus os pés naquela casa.

Stella virou a cabeça em direção ao horizonte de Nova York, além das janelas. Tinha entardecido e anoitecido sem que nós percebêssemos.

– Eu... não sei o que dizer – sussurrei, me empertigando.

Durante aquelas longas horas, eu havia colocado uma almofada embaixo da cabeça e me deitara no sofá. Via apenas o contorno da minha avó na penumbra, seu perfil orgulhoso quase invisível em meio às luzes silenciosas da cidade irradiadas pela sala.

Tentei imaginá-la como aquela menininha: o bebê salvo da morte certa por uma estranha e trazida para Nova York. Era difícil conciliar as duas imagens.

– Para onde vocês foram ao sair de casa?

– Para a casa de Rosalind, é claro. Sabe de uma coisa? Embora eu estivesse assustada, por causa de todos os gritos e palavras duras que não entendia na época, Archer pegou minha mão, me levou para o carro e me colocou no banco de trás. Ele me ofereceu um pirulito e me disse para ficar quietinha, que tudo ficaria bem. E eu acreditei nele. – Stella abriu um pequeno sorriso. – Ficamos com Rosalind e seu marido, Terrence, por vários meses. Dorothea cancelou o crédito de Cecily. Então, por um tempo, ficamos sem dinheiro. Foi Kiki Preston quem nos salvou.

– Como assim?

– Ela deixou uma herança para a afilhada. Algumas ações e dinheiro, o que nos permitiu comprar um apartamento perto do de Rosalind, no Brooklyn. Não era nada parecido com o que Cecily estava acostumada e, quando olho para trás, acho que a vida deve ter sido muito difícil para ela. Naquele dia, ela perdeu toda a sua família... por minha causa.

– Ela devia amar muito você.

– É verdade. – Stella assentiu. – E eu a adorava. Ela se provou uma professora talentosa também; com a ajuda dela e de Rosalind, a pequena escola que começaram foi ficando cada vez maior. Quando eu tinha 10 anos, elas já haviam reunido alunos suficientes para alugar um lugar maior. E quando saí, elas tinham oitenta alunos... alguns deles eram brancos, aliás... e seis professores em período integral.

– Ela encontrou sua missão de vida.

– De fato. Ela era uma mulher incrível, e sinto falta dela até hoje.

Na minha mente, muitas perguntas precisando de respostas disputavam a prioridade.

– E a empregada que você cresceu acreditando ser sua mãe?

– Lankenua? Ela ficou aqui em Nova York conosco. Conheceu um homem na igreja e eles se casaram um ano depois que saímos da casa na Quinta Avenida. Eles se mudaram para um pequeno apartamento aqui no Brooklyn, e ela continuou trabalhando para Cecily, cuidando de mim.

– E o filho dela?

– Kwinet tinha quase 16 anos quando saímos do Quênia. Lankenua perguntou se ele queria vir para ficar com ela, mas ele não quis. Estava feliz cuidando da Fazenda Paraíso.

– Eles já morreram?

– Infelizmente, sim. – Stella suspirou. – Quase todo mundo já morreu, exceto Beatrix. Ela tem 85 anos e continua firme e forte. Eu adoraria apresentá-la a você algum dia. Você pode acender a luz?

– Claro.

Acendi o abajur na mesinha ao lado do sofá. O brilho, de alguma maneira, quebrou o feitiço, e nós duas fomos jogadas de volta no presente.

– Meu Deus, são duas e meia da manhã – comentou Stella, olhando para o relógio. – Preciso ir para casa.

– Vou chamar um táxi para você.

– Obrigada, querida. Seria ótimo.

Fui ao interfone e organizei tudo enquanto Stella se levantava e caminhava, um tanto instável, para o banheiro. Quando fui à cozinha buscar um pouco de água, vi que a porta do quarto de Lizzie estava fechada. Ela devia ter voltado ao apartamento em algum momento da noite.

Stella saiu do banheiro e foi até a cadeira pegar sua bolsa.

– Vai ficar bem aqui sozinha esta noite? – perguntou ela, gentilmente. – Eu posso ficar...

– Vou ficar bem. Tenho uma amiga aqui comigo, mas obrigada por se oferecer.

– Electra, eu sei que temos muito mais a conversar... que você quer, precisa e tem todo o direito de saber sobre sua mãe. Mas espero que você entenda por que foi tão importante que soubesse como eu vim para a América. Não é nenhuma desculpa para o que aconteceu depois, mas...

– Eu compreendo, Stella. Vá para casa e descanse um pouco.

– Quando você quer que eu volte? Tenho coisas a fazer, mas você é minha prioridade agora, eu juro.

– Posso ligar de manhã, depois que tiver dormido um pouco?

– Claro. Boa noite, querida, e sinto muito por tê-la aborrecido.

– Tudo bem – respondi, abrindo a porta para ela. – Pelo menos ouvi uma coisa que me animou.

– O quê?

– Saber que sou mesmo descendente de uma linhagem de princesas. – Sorri para ela. – Boa noite, Stella.

✲ ✲ ✲

– Vocês conversaram um tempão – comentou Lizzie quando entrei na cozinha, na manhã seguinte.

Estava me sentindo como se tivesse cheirado algumas carreiras e bebido uma garrafa inteira de vodca na noite anterior.

– Foi mesmo – concordei, ligando a máquina de café preparar um bem forte.

– Então, você se resolveu com a sua avó?

– Eu não diria isso, mas acho que estamos melhorando...

– Isso é ótimo. Bem, você sabe que não quero me intrometer, mas estou aqui se quiser conversar, Electra.

– Eu sei, Lizzie, obrigada.

– Estou indo ao banco agora de manhã. Espero que eles tenham encontrado os formulários que preciso assinar para que meu dinheiro seja liberado. Então vou poder sair do seu caminho.

– Lizzie, sério, eu amo ter você aqui. Na verdade, ficaria muito chateada se você fosse embora. Agora que estou me conhecendo melhor, descobri que não fico bem morando sozinha. Que tal você se mudar para cá de vez?

– Ah, meu bem, eu adoraria, mas não tenho como pagar um aluguel exorbitante.

– Você sabe que dinheiro não é problema para mim. Por outro lado, também ando pensando em me mudar. Meu contrato termina em breve. Fui ao Harlem com Miles outro dia, e existe uma verdadeira comunidade por lá. Aqui em cima, parece que você pode estar em qualquer lugar, não é?

– Se você quer dizer que é impessoal, como um hotel, então, sim, tem razão. Harlem com Miles, hein? – comentou Lizzie, com um sorrisinho. – Você nem comentou nada, ontem. Quero dizer, é óbvio o que *ele* quer, mas e você?

– Você entendeu errado, Lizzie. Miles e eu somos apenas bons amigos; estamos ajudando Vanessa e trabalhando em um projeto juntos. Ele já teve muitas chances e nunca tentou... bem, nunca tentou nada.

– Talvez ele seja tímido, Electra, ou esteja nervoso. Quero dizer, você é oficialmente uma das mulheres mais bonitas do mundo. Ele deve achar que não está à sua altura – comentou Lizzie, levantando-se e indo para a varanda. – Você gosta de torrada com abacate? Eu mesma não posso comer, mas adoraria preparar para alguém.

– Claro, por que não?

– Enfim – continuou ela –, essa é minha teoria sobre Miles. Ele pode ser bonitão, mas não faz o tipo celebridade bilionária que você normalmente namora.

– Não, não faz mesmo, graças a Deus. Sabe de uma coisa? Nunca pensei sob esse ângulo.

– Então pense. Ah, e mudando de assunto um minuto: quando eu estava na cozinha, ontem à noite, para não atrapalhar você e sua avó, espero que não se importe, mas dei uma olhada no seu caderno de desenhos. – Lizzie apontou para o caderno sobre a mesa. – Alguns desses desenhos são realmente muito bons.

– Obrigada, mas são apenas rabiscos. Comecei a desenhar de novo na reabilitação, lembra?

– Você deveria fazer alguma coisa com eles, Electra. Eu definitivamente os compraria. Adoro esse visual étnico.

– Na verdade, eu estava pensando nisso ontem. Em obter os materiais de empresas éticas e sustentáveis e ceder os lucros da coleção ao centro de atendimento. Afinal, não preciso do dinheiro, não é mesmo?

– Ah, eu queria poder dizer o mesmo. Acho que é uma ideia incrível – concordou ela, colocando abacate em uma torrada de centeio.

❁ ❁ ❁

Depois que Lizzie saiu para ir ao banco e Mariam chegou, tomei um banho e me perguntei se estava com vontade de ver Stella. Concluí que sim. Ou pelo menos que precisava vê-la. Eu tinha que *saber*.

A vida só pode ser entendida olhando-se para trás, mas só pode ser vivida olhando-se para a frente...

A citação que Pa me deixara na esfera armilar continuava flutuando pelo meu cérebro. Talvez ele a tivesse escolhido por saber que Stella ia entrar em contato comigo e finalmente revelar a história do meu passado. Se ele achava que seria bom eu saber, então precisava acreditar que realmente fosse. Afinal, ele me amara mais do que qualquer outro ser humano no planeta...

Animada com a força desse pensamento, liguei para Stella, que atendeu imediatamente, e perguntei se ela podia passar na minha casa naquele dia mesmo, mais tarde.

– Claro, mas você não gostaria de vir à minha? Pode ver onde Cecily e eu moramos.

– Você ainda mora no mesmo apartamento?

– Moro, sim, e o lugar não mudou muito desde então – constatou Stella, com uma risadinha.

– Ok, eu vou. A que horas?

– Às três seria ótimo. Podemos tomar chá no jogo de porcelana de Cecily.

Anotei o endereço, depois desliguei e entrei na cozinha para falar com Mariam.

– Bom dia – cumprimentei com um sorriso.

– Bom dia, Electra. Como você está?

– Estou bem. Vou sair de tarde para visitar minha avó e provavelmente só volto bem mais à noite.

– Ah, tudo bem.

Olhei para sua cabeça coberta e seus dedinhos voando pelo teclado enquanto ela digitava. Algo em sua linguagem corporal me dizia que nem tudo estava bem, mas eu não tinha o direito de bisbilhotar.

– Duas coisinhas – falei, pegando uma Coca-Cola na geladeira. – Você pode dar uma pesquisada em algodão proveniente da África? De preferência do Quênia?

– Claro que sim – respondeu Mariam. – Posso perguntar por quê?

– Estou pensando em criar uma coleção. Quero que todos os lucros sejam direcionados para o centro de atendimento que Miles está tentando manter aberto.

A reação de Mariam, como a de Lizzie, foi muito positiva, e nós passamos uma meia hora bem interessante pesquisando possíveis fontes.

– Seria incrível se você pudesse ir até lá conhecer as mulheres que fabricam esses tecidos – comentou Mariam.

– Talvez um dia eu vá. Meus ancestrais vieram do Quênia.

– É mesmo? Foi o que sua avó contou?

– Sim, e vou ouvir mais da história hoje. Poderia chamar um carro para me levar ao Brooklyn às três?

– Claro.

– Ótimo, vou dar uma corrida agora.

Mais uma vez, não vi Tommy em seu posto quando atravessei a rua correndo. Era estranho ter alguém assim em sua vida cotidiana e não ter ideia de onde ele morava ou de como entrar em contato, se desaparecesse de repente.

Perdida em meus próprios pensamentos, não vi os dois homens se aproximando até que um me segurou por trás, em um mata-leão, enquanto o outro arrancava meu Rolex do pulso, além do pequeno diamante em uma corrente no meu pescoço.

Antes que eu pudesse gritar ou tentar resistir, eles se foram, deixando-me paralisada de susto. Eu me inclinei, sentindo o mundo girar por um momento. Então ouvi uma voz ao meu lado:

– Você está bem? Me desculpe não poder ajudar, eles tinham uma faca.

Olhei para cima e vi um senhor, de cabelos grisalhos, que estava mais encurvado do que eu, mas por causas naturais.

– Tem um banco ali, deixe-me ajudá-la – ofereceu ele.

Senti seu braço contornando minhas costas; ele tinha um jeito firme e reconfortante ao me guiar para o banco.

– Pronto, descanse um pouco – disse ele, enquanto me ajudava a me sentar.

– D-Desculpe, foi o choque. Já vou ficar bem – afirmei, ofegante.

– Tome um pouco de água. É uma garrafa nova. Ainda não abri.

– Obrigada.

– Você não devia estar correndo sozinha no parque. Esses caras são profissionais. Já tinham visto você e suas joias e planejaram exatamente onde esperá-la.

– Sim, a culpa foi minha, fui idiota – concordei. – Costumo tirar o relógio, mas...

– É por isso que trago Poppet comigo; ela parece pequena, mas tem um verdadeiro fetiche por tornozelos – disse o velho, dando uma risada.

Olhei para baixo e vi um pequeno terrier, com um laço na cabeça, sentado aos pés de seu mestre e olhando para mim. A imagem me fez sorrir.

– Você mora por aqui? – prosseguiu o homem.

– Sim, do outro lado da rua, no Central Park West – respondi, indicando a direção do meu apartamento.

– Então somos vizinhos – comentou ele. – Eu moro ali na Quinta Avenida. – Ele apontou para um prédio de apartamentos. – Moro lá há mais de oitenta anos. Eu nasci lá.

– Minha avó morou na Quinta Avenida por um tempo, em uma casa bonita com a fachada curva.

– Não! Você está falando do número 925? A casa dos Huntley-Morgans, naquela época?

– Acho que sim – confirmei, ainda confusa pelo choque.

– Ora, ora, eu poderia lhe contar algumas histórias sobre eles. Aquela Dorothea... que bruxa velha e amarga ela era. – O homem riu. – Depois que o marido morreu, ela morou sozinha lá durante anos. Eu era apenas uma criança, mas morria de medo dela, sentada à janela toda vestida de preto, olhando para fora como a velha do filme *Psicose*. Nunca vi ninguém ir visitá-la, nem uma única vez.

Eu estava tonta demais para responder.

Houve uma pausa antes de ele acrescentar:

– Eu sei quem é você. Já a vi nos outdoors. Estou surpreso que não tenha um guarda-costas correndo ao seu lado. Se quiser evitar incidentes desse tipo, é melhor pensar em contratar um.

– Sim, eu sei, mas eu gosto do espaço, e...

Eu estava prestes a dizer que era capaz de me cuidar, mas, naquelas circunstâncias, obviamente não era verdade.

Toquei minha nuca, dolorida onde a corrente fora arrancada. Eu a havia comprado com um dos meus primeiros cachês mais altos e quase nunca a tirava. Sentia-me estranhamente nua sem ela. Vi as pontas dos meus dedos manchadas de sangue.

– É melhor você ver esse corte. Quer que eu ligue para alguém vir buscá-la?

– Não, eu vou ficar bem, minha casa fica bem pertinho – expliquei, fazendo um esforço para me levantar.

– Vou acompanhá-la.

Então meu novo anjo da guarda, seu pequeno terrier e eu caminhamos bem devagar até o meu prédio. Ele até me ofereceu o braço enquanto esperávamos que o sinal abrisse para atravessar a rua.

– Muito obrigada – disse quando paramos sob o toldo do meu prédio.

– Ora, não foi nada. Foi um prazer conversar com você; é uma coisa rara, hoje em dia. Ligue para a polícia e denuncie o roubo. Eu ficaria feliz em ser sua testemunha.

– Como se eles fossem resolver alguma coisa – murmurei, enquanto o homem pegava um cartão no bolso da calça e me oferecia.

– Aqui, Davey Steinman, a seu dispor. Apareça um dia desses para eu lhe contar histórias sobre aqueles Huntley-Morgans. Minha mãe os odiava. Nós éramos judeus, entende, e mesmo sendo nossos vizinhos há anos eles nunca falaram conosco.

– Pode deixar. Obrigada pela ajuda, Davey.

Eu sorri, acenei para ele e Poppet e entrei no edifício ainda cambaleando.

– Meu Deus! – exclamou Mariam quando entrei na cozinha e desabei em uma cadeira. – O que aconteceu, Electra?

– Fui assaltada. – Dei de ombros. – Mas estou bem. Só preciso que você dê uma olhada no meu pescoço, porque não dá para eu ver o machucado.

Mariam já estava de pé, pegando a caixa de primeiros socorros no armário da cozinha.

– Nunca achei boa ideia você correr sozinha naquele parque, Electra. Não é seguro, ainda mais para uma celebridade como você. Agora, vamos ver como está isso aqui.

– Acho que a gente só percebe o perigo depois que alguma coisa acontece.

Mas eu gosto desse tempo sozinha, sabe? Ai! – gritei e estremeci ao sentir algo ardendo no pescoço.

– Desculpe, mas preciso limpar o corte. É bem pequeno... apenas onde a corrente roçou quando a arrancaram. Você realmente deveria ligar para a polícia...

– Para quê? Eles não vão pegá-los – murmurei.

– Para ter um relatório para entregar à seguradora pelas joias roubadas... e garantir que não aconteça com outras pessoas.

– Pode ser. Conheci um senhor muito amável que disse que eles já deviam estar me vigiando, o que é meio assustador – comentei, enquanto Mariam pegava gaze e esparadrapo para cobrir a ferida.

– É mesmo – concordou Mariam com veemência.

– O tal senhor disse que eu deveria contratar um guarda-costas.

– Bem, concordo com ele, Electra.

– Será que Tommy aceitaria o emprego? – falei, levantando-me e procurando na caixa de remédios dois comprimidos de ibuprofeno. – Na verdade, estou preocupada com ele. Não o vejo por aí há um bom tempo. E você?

– Também não.

– Por acaso tem o número do celular dele?

– Não, por que eu teria? – respondeu Mariam, bruscamente.

– Pensei que vocês mantinham contato... Bom, espero que ele apareça nos próximos dias. Preciso tomar um banho, almoçar e depois seguir para a casa da minha avó.

Sorri para Mariam, que estava de costas para mim, recolocando a caixa de primeiros socorros no armário.

– Ok, tem sushi na geladeira. Vou arrumar a mesa para você.

– Obrigada.

❂ ❂ ❂

Ao atravessar a Ponte do Brooklyn a caminho do apartamento de Stella, pensei novamente em Mariam e na mudança sutil em seu comportamento habitual, tão calmo e controlado. Algo estava acontecendo, eu sabia, e decidi que à noite perguntaria qual era o problema. Se fosse relacionado a mim, eu realmente precisava saber, porque não suportava a ideia de perdê-la.

Chegando a Sidney Place, saí e vi edifícios de tijolos mais bem cuidados e mais novos. A calçada era arborizada e tinha uma atmosfera calma de riqueza discreta. Subindo os degraus de um dos prédios, com bonitos canteiros floridos nas janelas, apertei a campainha que dizia "Jackson" e, em poucos segundos, minha avó estava à porta.

– Bem-vinda, Electra – disse ela.

Ela me conduziu a um hall de entrada e depois direto a um cômodo amplo e arejado, com janelas que davam para os fundos, com vista das casas do outro lado e de um jardim logo abaixo. Notei os móveis antigos: havia um sofá coberto com tecido estampado e duas poltronas de couro maltratado em frente a uma grande lareira.

– Que lindo – comentei com sinceridade, mesmo me sentindo em outro século.

Era reconfortante que tudo parecesse ter estado sempre ali.

– Desculpe a decoração, nunca liguei para design de interiores – comentou Stella, movendo uma pilha de papéis do sofá e colocando-a sobre uma mesa de centro já repleta de arquivos. – Quer beber alguma coisa?

– Uma Coca-Cola seria ótimo, se você tiver.

– É claro que tenho. Quer me seguir e ver o resto do apartamento?

– Ok – concordei.

Ela abriu a porta nos fundos da sala e fomos até a cozinha.

Havia portas duplas que davam para um belo jardim; as paredes eram de uma estranha cor amarelada, que deviam ter chegado àquele tom com o passar do tempo; e rachaduras ziguezagueavam pelo teto. Havia uma grande mesa de pinho antiga, também coberta de papéis e pastas, e um fogão do tipo que eu tinha visto recentemente em um filme que se passava nos anos 1950. Havia uma cômoda ao longo de uma das paredes, cheia de peças coloridas de cerâmica.

– Continua quase igual à época da minha infância.

– Minha mãe morou aqui com você?

Stella fez uma pausa de alguns segundos antes de responder:

– Sim. Cecily usou a herança de Kiki para comprar o apartamento por uma ninharia, quando esta área ainda era barata. Quando nos mudamos, era muito difícil viver nesta região, mas ao longo dos anos ela transformou esta casa em um lar para todos nós, e agora, bem, a área é considerada "desejável" pelos corretores de imóveis. Havia um quarto no andar de cima para Cecily, um para mim e outro para Lankenua, até que ela se mudou para a própria casa com o marido. Quer se sentar no jardim? A esta hora do dia, bate sol.

– Claro.

Stella me levou até lá, onde havia uma mesa antiquada de ferro forjado e duas cadeiras que já haviam sido pintadas de branco, mas agora estavam lascadas e esverdeadas devido ao musgo.

– Faço o que posso para manter isso aqui – afirmou ela, indicando o jardim, que estava inundado com todos os tipos de plantas floridas cujos nomes eu não saberia dizer. – Quando Cecily cuidava do jardim, ele era o seu orgulho e alegria. Sua amiga Katherine mandou algumas mudas do Quênia. Mas depois que coube a mim cuidar dele, as ervas daninhas tomaram conta. Estou quase sempre fora e simplesmente não tenho tempo ou talento para cuidar de plantas.

– Cecily voltou para a África? Você voltou? – perguntei.

– Sim para as duas perguntas. Entendo que você tenha centenas delas, Electra, mas eu estava pensando, antes de você chegar, que é melhor continuar contando a história em ordem cronológica.

– Tudo bem, mas preciso lhe perguntar uma coisa, Stella: minha mãe está viva? Bem, ela não deve ser muito velha e...

– Sinto muito, Electra, mas não. Ela morreu muitos anos atrás.

– Ah... ok.

Stella estendeu a mão, hesitante, e segurou a minha.

– Você precisa de um tempo antes de eu contar o que aconteceu depois que saímos da casa na Quinta Avenida?

– Não. Quero dizer, não posso lamentar a morte de alguém que nunca conheci, certo? Eu só precisava saber.

– Você pode lamentar, sim.

Engoli em seco, porque minha avó tinha razão. Aquilo era o fim de qualquer fantasia de conhecer minha mãe biológica. Eu pensava muito nela quando era pequena, e me desentendia com Ma por qualquer problema. Eu a imaginava (como a maioria das crianças adotadas devia imaginar) como uma presença angelical, que flutuaria dos céus para me abraçar e dizer que me amava incondicionalmente, por pior que eu fosse.

– Estou bem. Só quero saber tudo agora, para poder seguir em frente. Quando você descobriu que Lankenua não era sua mãe de verdade?

– Quando ela quis se casar. Lankenua ia se mudar e começar uma vida nova, e eu não ia com ela, então as duas me contaram juntas.

– Você ficou chateada quando soube a verdade?

– Não, porque, mesmo que ela me amasse, sempre tinha ficado em segundo plano em relação a Cecily. Poderíamos dizer que ela foi minha babá. Foi Kuyia... Cecily... que me educou e quem sempre vi como minha mãe. O problema foi que Cecily de repente percebeu que Lankenua e eu tínhamos entrado nos Estados Unidos com um visto que nunca fora renovado. Então, tecnicamente, éramos imigrantes ilegais. Lankenua estava bem, pois ia se casar com um cidadão dos Estados Unidos e, naquela época, ela automaticamente se tornaria cidadã americana. Mas restava eu. Cecily queria me adotar legalmente, mas uma mulher branca adotar uma criança negra não era apenas algo sem precedentes, mas impossível. Como Lankenua estava se mudando, elas acabaram decidindo que Rosalind me adotaria oficialmente. Seu marido, Terrence, era advogado e tinha feito amigos em posições importantes, através da militância. Na época, era uma coisa bem simples. Então me tornei Stella Jackson e finalmente consegui minha cidadania e um passaporte americano, embora continuasse morando aqui, com Cecily.

– Jackson... claro! Eu não tinha conectado os sobrenomes antes. Essa Rosalind parece ter sido uma mulher e tanto.

– Ah, foi mesmo, e ela me influenciou muito durante toda a minha vida. É difícil para você imaginar como era ser uma jovem negra nos anos 1950, mas, se souber um pouco de história americana, vai lembrar que foi o momento mais incrível de mudança para os negros de toda a América.

– Stella, preciso ser sincera: não sei nada de história americana. Estudei na Europa, onde eles ensinam apenas a história de lá.

– Entendo, mas você deve ter ouvido falar de Martin Luther King Junior.

– Sim, ouvi falar, é claro.

– Bem, quando ganhei uma bolsa para Vassar, em 1959, exatamente como Cecily e Rosalind haviam planejado, a vida aqui nos Estados Unidos estava um tumulto. A Declaração Universal dos Direitos Humanos tinha sido aprovada pela ONU em 1948 e foi o primeiro passo para acabar com a segregação. Fui para a faculdade em um momento em que os protestos estavam no auge, no Sul. E, claro, com Rosalind e Beatrix como mentoras, eu me joguei na causa de todo o coração. Ainda me lembro de como elas e Cecily comemoraram, em 1954, quando a Suprema Corte dos Estados Unidos decidiu que a segregação racial nas escolas públicas era inconstitucional. Isso significava que a segregação... Você sabe o que essa palavra significa, não sabe, Electra? – perguntou Stella, de repente.

– Sim, separar os negros dos brancos.

– Exatamente. Bem, as leis do Conselho de Educação tecnicamente só se aplicavam às escolas, mas abriu as comportas dos protestos que argumentavam que a segregação em qualquer outro lugar também era ilegal. Foi quando o Dr. King começou sua ascensão à fama. Ele organizou um boicote no Sul, depois que uma jovem ativista chamada Rosa Parks se recusou a ceder seu assento em um ônibus público para um passageiro branco. O boicote era que nenhum negro entraria em um ônibus enquanto a segregação não terminasse, o que colocou as empresas de ônibus do Sul de joelhos.

– Uau – falei, tentando assimilar o que ela estava me contando.

– Embora tudo isso estivesse acontecendo no Sul, os estudantes aqui do Norte organizaram protestos para apoiar a causa. Ah, Electra – Stella suspirou –, é tão difícil explicar tudo isso para uma jovem como você, que já nasceu com seus direitos garantidos, mas naquela época nós éramos movidos por uma causa maior.

Quando Stella fez uma pausa e seus olhos vagaram pelo jardim, vi surgir neles uma luz que deixou claro que ela estava revivendo aqueles dias de glória.

– Você alguma vez foi presa protestando? – indaguei.

– Sim, algumas vezes, e tenho orgulho de dizer que sua avó tem antecedentes criminais. Fui acusada de afronta junto com seis colegas de faculdade. A brutalidade policial era inacreditável. Mas eu não me importava, nem meus amigos, porque a nossa causa, ou seja, a liberdade de uma nação inteira e o direito de ser tratado igualmente, como nossos compatriotas brancos, importava mais. Quando toda essa atividade chegou ao ápice, no verão de 1963, eu tinha concluído meu último ano em Vassar. A atmosfera naquele momento era incrível; 250 mil de nós se juntaram na marcha em Washington, em uma reunião pacífica para ouvir o Dr. King fazer seu icônico discurso.

– *Eu tenho um sonho* – murmurei.

Até eu tinha ouvido falar disso.

– Sim, esse mesmo. Duzentas e cinquenta mil pessoas, e nenhum de nós cometeu qualquer ato de violência. Foi... – Stella engoliu em seco – um momento edificante em minha vida, de todas as maneiras.

– Aposto que sim – assenti, com uma ansiedade egoísta para que a lição de história acabasse. – E então o que você fez?

Stella riu.

– Segui o caminho óbvio e tomei a vaga que tinha conseguido na faculdade de direito de Columbia, aqui em Nova York, com apenas uma ideia na cabeça: me tornar a maior ativista e advogada de direitos civis da história. Senti que Deus me enviara para a América e me dera todas aquelas oportunidades com apenas um objetivo em mente: ajudar pessoas como eu que não tiveram tanta sorte. No entanto, nada na vida acontece de acordo com os planos, não é mesmo?

– Como assim?

Stella me encarou por um momento.

– Sabe, acho que chegou a hora daquele chá que lhe prometi. Também comprei algumas broinhas. Você gosta de broinhas?

– Hum, são tipo muffins com passas? Acho que nossa governanta fazia, às vezes, porque Pa gostava.

– Mais ou menos. Cecily e sua amiga Katherine adoravam. Fique aqui e eu preparo tudo.

Então fiquei sentada esperando minha avó servir o chá da tarde, com a sensação de que ela estava se dando um tempo para criar coragem de me revelar alguma coisa. O sol da tarde estava bastante forte agora e uma flor rosa exótica, pendurada em uma treliça emaranhada, emanava um odor soporífico. Fechei os olhos e tentei processar o que Stella me contara, culpada por não saber nada sobre o que mulheres como ela e Rosalind tinham feito para que eu desfrutasse de igualdade e liberdade agora.

"História" era algo que eu associava a cavaleiros lutando em suas montarias e a estátuas de damas deitadas sobre túmulos nas criptas das igrejas que visitamos com Pa em algumas cidades medievais onde passamos as férias de verão. A história que Stella estava contando era sobre tempos mais recentes, tempos que *ela* vivera. Ela e suas amigas colocaram as vidas em risco para que eu pudesse ter a liberdade de ser eu mesma...

Isso me fez sentir muito pequena e egoísta por pensar que *eu* tinha problemas.

– Prontinho – anunciou Stella, trazendo uma bandeja carregada com um belo bule de porcelana, duas xícaras com pires e uma leiteira. – Você pode se servir enquanto pego as broinhas?

– Sim, claro.

Mesmo não sendo fã de chá, peguei uma espécie de minipeneira e por fim entendi que sua função era reter as folhas da chaleira. Então adicionei o leite.

– Isso é Darjeeling – explicou Stella ao voltar. – Meu chá favorito.

– Como você aprendeu tantos hábitos ingleses se Cecily era americana? – perguntei, tomando um gole do chá.

Pela primeira vez, gostei do sabor.

– É que naquela época o Quênia estava sob o domínio britânico, e a amiga de Cecily, Katherine, como você sabe, era inglesa, isso sem falar de Bill, é claro. Tome, experimente uma broinha; com creme de leite e geleia, não há nada melhor.

Obedeci, mas apenas para agradar a ela; o sabor era rico, doce e grudento ao mesmo tempo.

– Electra, o que tenho a dizer agora é muito difícil. Espero que você compreenda. Sinto vergonha de lhe contar.

– Levando em consideração a minha história, Stella, tenho certeza de que vou entender. Duvido que você tenha feito algo mais vergonhoso do que se encher de bebida, drogas e calmantes e depois vomitar por toda parte.

– É diferente, um tipo muito pior de vergonha, e eu rezo para que você me perdoe.

– Ok, prometo que vou perdoar. Agora conte – pedi, impaciente.

– Eu lhe disse que a marcha em Washington e o discurso do Dr. King foram marcantes para mim...

– Sim.

– Naquela época, eu estava saindo... quer dizer, flertando... com um jovem que conheci em um protesto. Ele não tinha frequentado a faculdade, mas era apaixonado pela causa e fazia uns discursos muito edificantes. Mesmo sem muita instrução, ele era tão brilhante e carismático que... bem... eu me apaixonei por ele. E naquela noite, em Washington, depois que os discursos terminaram e todo mundo estava embevecido... você não pode nem imaginar o sentimento... eu, bem, eu... e ele... nós fizemos amor. Debaixo de uma árvore, em um parque.

– Só isso? Stella, não estou nada chocada, eu juro. Você é humana, afinal, e todo mundo já fez coisas assim.

– Obrigada, Electra. – Stella pareceu aliviada. – É muito embaraçoso para uma mulher de 68 anos contar algo assim à neta.

– Não vejo problema nenhum nisso, então não se preocupe. O que aconteceu? – perguntei, embora já tivesse adivinhado a resposta.

– Descobri que estava grávida pouco depois. Foi um grande choque. Quero dizer, eu tinha me graduado como uma das melhores da minha turma em Vassar e minha vaga na faculdade de direito de Columbia estava garantida. Me lembro de voltar aqui para o apartamento, sabendo que tinha que contar a Cecily o que havia acontecido. Acho que nunca me senti tão assustada na vida.

– Porque você pensou que ela iria deserdá-la?

– Não, claro que não. Era mais porque ela tinha trabalhado e sacrificado muita coisa por mim, e então iria tudo por água abaixo. Eu odiava a ideia de decepcioná-la.

– Como ela reagiu?

– Sabe de uma coisa? Ela ficou inacreditavelmente calma, o que, de certa forma, foi pior. Acho que eu queria ser castigada e xingada. Primeiro, ela me perguntou se eu amava o pai e, como eu já tinha pensado muito sobre isso desde o... *acontecimento*, eu disse que achava que não. Que eu tinha me deixado levar por toda a emoção da noite. Depois ela perguntou se eu queria o bebê e eu lhe respondi sinceramente que não, não queria. É algo terrível de se admitir, não é, Electra?

– Claro que não. – Balancei a cabeça. – Ora, eu sou mais velha do que você era na época e teria sentido o mesmo. Então você fez um aborto?

– Abortos eram ilegais nos anos 1960, embora Cecily tenha dito que investigou discretamente e descobriu um bom cirurgião que fazia abortos em segredo. Então sim, pode-se dizer que tive essa escolha. Mas não consegui aceitar.

– Por que não?

– Porque Cecily, Rosalind, Terrence e seus filhos me criaram como cristã. Eu acreditava em Deus, e continuo acreditando. Tirar a vida de outra pessoa, sem que essa pessoa possa se defender, e só porque o momento não me agradava... tudo isso era impensável. Eu disse que me casaria com o pai, mas Kuyia... Cecily... falou que eu só devia fazer isso se o amasse, e que nós duas resolveríamos a situação. Ela sugeriu que eu adiasse a faculdade de direito por um ano e disse que cuidaria do bebê para mim, o que me permitiria continuar minha educação.

– Ela parece ter sido uma pessoa incrível – comentei, de coração.

– Ela era a minha Kuyia; ela me amava e eu a adorava. – Stella deu de ombros. – Então, foi o que aconteceu. Consegui trancar a faculdade por um ano e, sete meses depois, dei à luz sua mãe.

– Em que ano foi isso?

– Foi em 1964. O ano em que a Lei dos Direitos Civis foi aprovada.

– Eu...

Finalmente vou ouvir sobre minha mãe, pensei.

– Qual era o nome dela?

– Eu lhe dei o nome de Rosa, em homenagem a Rosa Parks, a mulher que começou tudo aquilo. E a Rosalind, é claro.

– É um nome bonito.

– Ela era um bebê muito lindo, meu Deus, lindo demais... – Stella sorriu, seus olhos se enchendo de lágrimas. – Perdoe-me, Electra, este é o seu momento de luto, não o meu. Não sei o que me deu, não costumo chorar.

– Nem eu. Mas ando chorando muito ultimamente. Acho que é bom extravasar.

– Sim. E obrigada por ter ouvido tudo isso com tanta maturidade até agora.

– Mas tenho o pressentimento de que o pior ainda está por vir...

– Temo que você tenha razão.

– E então? – perguntei, me servindo um pouco mais de chá, apenas para fazer alguma coisa, pois o suspense estava me matando.

– Bem, terminei a faculdade de direito enquanto Cecily cuidava de Rosa, depois consegui um emprego em Nova York, trabalhando para uma associação habitacional e fazendo lobby no gabinete do prefeito e de qualquer pessoa que pudesse oferecer melhores condições para os inquilinos. Eu lidava com pequenas disputas, defendia mulheres com quatro filhos que viviam em um único quarto sem instalações sanitárias... mas o que eu realmente queria fazer era maior. Então me ofereceram uma chance de ingressar na equipe jurídica da NAACP, a Associação Nacional para o Progresso das Pessoas de Cor. Trabalhamos com advogados de todo o país, dando conselhos sobre como lidar com violações de direitos civis.

– Desculpe, o que isso significa, na prática?

– Por exemplo, se um homem negro tivesse sido preso e fosse óbvio que as evidências contra ele tinham sido plantadas pela polícia, nós investigávamos e nos sentávamos com a defesa no tribunal para aconselhá-la. Ah, Electra, era o trabalho com o qual eu sonhava havia anos, e era muito desgastante. Eu tinha que viajar por todo o país para instruir os advogados nos casos.

– O que significava que você passava pouco tempo em casa.

– Sim, mas Cecily me incentivava, nunca me fez sentir culpada por ela ficar cuidando de Rosa enquanto eu seguia minha carreira. Tudo correu bem e comecei a fazer meu nome no mundo dos direitos civis. Então, quando Rosa tinha 5 anos, tudo mudou...

Cecily

Brooklyn, Nova York

Junho de 1969

48

— Tchauzinho, comporte-se, está bem? – disse Cecily, acenando para Rosa ao sair da arejada sala de aula que ela e Rosalind tinham pintado de um amarelo brilhante e que por isso parecia sempre alegre e acolhedora.

Não era seu dia de dar aulas, então voltou direto para o apartamento, a fim de recuperar o atraso no trabalho. Quando Stella dera à luz, Cecily diminuíra seus dias de ensino, a fim de cuidar do bebê. Atuando como contadora freelancer, ela podia trabalhar de casa, o que trazia um bem-vindo dinheiro extra.

Cecily chegou em casa se sentindo cansada. Talvez fosse simplesmente por estar envelhecendo – completaria 53 naquele ano – ou talvez por Rosa ser muito exigente em comparação a Stella. Tudo era uma luta – mesmo o mais simples ato de calçar os sapatos podia se transformar em briga se Rosa não estivesse com vontade de usá-los.

Ou talvez eu tenha me esquecido de como é cuidar de uma criança de 5 anos, pensou ela, dando um suspiro ao entrar no apartamento e ver a bagunça causada pela última birra de Rosa por todo o chão da sala.

Depois de coletar os brinquedos e guardá-los em uma cesta, ela desceu as escadas para lavar a louça. Lankenua havia deixado o Brooklyn havia dois anos, em seu 50º aniversário. O marido tinha melhorado de vida, começando como mecânico e, por fim, economizando o suficiente para abrir seu próprio negócio em Nova Jersey. Cecily esperava que seu motivo para partir fosse apenas não precisar mais trabalhar e querer passar um tempo em casa, cuidando do marido. Suspeitava, no entanto, que Lankenua também tivesse passado apertos com Rosa; além disso, o salário que conseguira pagar em todos aqueles anos fora irrisório. Ela sabia que Lankenua tinha ficado tanto tempo apenas por amor.

– Ah, Senhor.

Cecily suspirou e se perguntou se deveria deixar as panelas para a diarista, que chegaria logo, mas o orgulho venceu o bom senso. Panelas sujas eram um sinal de que as coisas estavam saindo do controle. Depois de terminar de lavar a louça e abrir a porta para a diarista – um eufemismo, já que ela só podia pagar por uma faxina por semana –, Cecily preparou para si um bom e forte bule de café e foi se sentar alguns minutos no jardim antes de começar a trabalhar. Olhou para as ervas daninhas crescendo sem controle, como de costume no clima quente de junho. Ela as arrancaria mais tarde, pensou. Mexer na terra sempre a acalmava, mesmo que aquele jardim fosse um tanto patético em comparação ao terreno magnífico que ela havia cultivado no Quênia.

Ela ouviu a campainha tocar, mas não atendeu – certamente era o carteiro, e a diarista abriria a porta se fosse um pacote. O sol estava tão agradável que ela estava quase pegando no sono quando ouviu uma voz atrás dela.

– Olá, Cecily.

Era uma voz profunda e familiar, que ela não conseguiu identificar. Abriu os olhos e notou que uma figura estava bloqueando o sol.

Ergueu os olhos para a silhueta e, por um momento, pensou que estava alucinando, pois ali estava seu marido, Bill, o sol atrás dele formando um halo ao seu redor.

– Meu Deus! – exclamou ela, porque realmente não havia mais nada a dizer. – O que *você* está fazendo aqui?

– Primeiro, acredito que, tecnicamente, você ainda é minha esposa. Em segundo lugar, você me convidou várias vezes para visitá-la aqui em Nova York – afirmou Bill. – Finalmente achei que estava na hora de aceitar sua oferta.

– Você se importaria de sair do sol? Mal posso ver seu rosto.

– Me desculpe – disse Bill, movendo-se para puxar a cadeira do outro lado da mesa de ferro forjado.

Só então ela pôde ver que os cabelos dele ainda eram fartos, mas estavam quase completamente brancos. Seu belo rosto estava cheio de linhas profundas, resultado de muito sol e das tensões de uma vida que atravessara duas guerras mundiais. Ele parecia mais velho, sim, pensou Cecily, mas quando seus olhos percorreram aquele corpo ainda musculoso, percebeu que ele continuava forte como sempre.

– Por acaso você não teria uma cerveja gelada, teria? – perguntou ele.

– Não, não tenho. Apenas limonada caseira.

– Vou aceitar um pouco, obrigado.

Cecily levantou-se e entrou para pegar a limonada na geladeira. Embora parecesse calma, seu coração batia forte. Bill – seu marido – estava ali, em Nova York, sentado em seu jardim. Era uma imagem tão surreal que ela deu um tapa no próprio rosto para ter certeza de que não estava sonhando.

– Pronto – disse ela, colocando um copo na frente de Bill.

Ele engoliu a bebida de uma só vez.

– Está gostosa. – Ele sorriu. – Vim direto para cá do aeroporto. Não é incrível como os tempos mudaram? Levava duas semanas para viajar para Nova York. Agora são apenas algumas paradas em um avião e pronto, aqui estou eu. O mundo fica menor a cada dia.

– Com certeza – concordou Cecily, notando o olhar dele. – O que foi? Estou com alguma coisa no rosto?

– Não, eu só estava reparando em como você não mudou quase nada desde a última vez que a vi. Ao passo que eu... – Ele suspirou. – Agora sou um homem velho.

– Faz 23 anos.

– Tudo isso? Como o tempo voa. Tenho quase 70 anos, Cecily.

– E eu tenho 53, Bill.

– Não parece.

Um longo silêncio caiu entre eles enquanto olhavam para o pequeno jardim, nenhum dos dois sabendo o que dizer.

– Por que você veio, Bill? – perguntou Cecily, depois de algum tempo. – Você entra aqui tranquilamente, como se tivéssemos nos despedido ontem. Pelo menos podia ter ligado para dizer que estava vindo em vez de me dar o maior susto da minha vida!

– Peço desculpas, meu bem. Você deve lembrar que nunca me dei bem com telefones, mas tem toda a razão. Eu devia ter avisado da minha chegada. Aqui é muito tranquilo, não é? – comentou ele. – Sempre tive a sensação de que Nova York era um lugar bem frenético.

– Ande alguns quarteirões até o centro da cidade e verá que é mesmo.

– Percebo que você trouxe um pouco da África para o Brooklyn – comentou Bill, apontando para o hibisco que crescia à vontade pela treliça.

– Sim, Katherine me enviou algumas mudas e, milagre dos milagres, elas conseguiram sobreviver à jornada e florescer. Como ela está?

– De volta à fazenda agora, e a mesma de sempre – respondeu Bill, dando de ombros. – Você já deve ter lido sobre a Revolta dos Mau-Mau...

– Sim, ela me escreveu para contar. Ela e Bobby foram com as crianças para a Escócia, por segurança.

– Assim como milhares de colonos brancos; todo mundo temia o pior, embora eu tenha ouvido dizer que os relatos do massacre dos brancos por seus ex-funcionários foram muito exagerados pelos jornais. Só morreram 35 homens brancos durante toda aquela agitação. Uma ou outra fazenda foi incendiada, mas a maior parte do derramamento de sangue ocorreu entre os próprios kikuyus. Só Deus sabe quantos morreram quando primos se voltaram contra primos na luta pelo poder. E nosso governo não ajudou também. Eles lidaram com os suspeitos de maneira brutal; muitos inocentes foram enforcados. No entanto, como você com certeza sabe, o Quênia finalmente conquistou a independência em 1963. O domínio colonial não existe mais.

– Então você ficou lá o tempo todo? Sempre pensava em você, e me perguntava se teria ficado. Eu lhe escrevi algumas vezes, endereçando as cartas ao Muthaiga Club, mas nunca recebi resposta. Para ser sincera, eu não tinha ideia se você estava vivo ou morto.

– Perdoe-me, Cecily. Mesmo que eu não tenha recebido suas cartas... imagine como tudo estava caótico naquela época... hoje vejo que devia ter entrado em contato para, pelo menos, dizer que eu... e Wolfie, na época, assim como Kwinet... ainda estávamos vivos e em segurança.

– Quando... Quero dizer, como Wolfie morreu?

A imagem de seu leal companheiro e de como ela o abandonara lhe trouxe uma onda de culpa.

– De velhice, dormindo. Depois que você se foi, ele se apegou a Kwinet e andava atrás dele muito contente.

– E a Fazenda Paraíso?

– Permanece incólume, embora alguns de seus móveis antigos precisem bastante de um espanador. Nunca fui um bom dono de casa, como você sabe – contou Bill, com um sorriso fraco.

– Então como estão as coisas por lá agora?

– Na verdade, depois da crise do fim dos anos 1950 e início dos anos 1960, o Quênia passou por um período de crescimento. O presidente Kenyatta fez um discurso impressionante logo após a independência, instando os agricultores brancos a permanecerem e ajudarem a reconstruir a economia... e muitos de nós permanecemos. Alguns, é claro, decidiram vender terras ao recém-criado Land Bank, mas os investimentos estão fluindo atualmente, e aviões pousam todos os dias trazendo turistas para fazer safári.

– Então pelo menos, com a economia em crescimento, o novo regime oferece melhores cuidados de saúde e educação para o próprio povo?

– Eu não iria tão longe. – Bill revirou os olhos. – O fato é que nada mudou muito para ninguém. Acho que os pobres continuam pobres como sempre foram, as malditas estradas continuam intransitáveis, e quanto à educação... bem, ainda é cedo e é preciso ter esperança de que as coisas melhorem para a próxima geração, cujos pais deram a vida pela causa.

– Parece que nós dois enfrentamos revoluções em nossos países – disse Cecily, secamente. – E, sim, é preciso ter esperança de que o futuro seja melhor. Caso contrário, qual é o sentido de todo o sofrimento?

– É verdade. Então, me diga o que andou fazendo nos últimos vinte anos. Como está Stella?

– Ah, ela é simplesmente incrível. – Cecily sorriu. – É advogada de direitos civis e trabalha no departamento jurídico da Associação Nacional para o Progresso das Pessoas de Cor. Ela passa a maior parte do tempo voando pelo país para aconselhar advogados sobre como combater casos em que há óbvio preconceito racial. Estou muito orgulhosa dela, e tenho certeza de que você também ficaria.

– Meu bom Deus, tiro meu chapéu para você, Cecily. Quem diria que a bebê maasai abandonada pela mãe se tornaria uma combatente pela liberdade das massas oprimidas?

– Foi o caminho que ela escolheu e pelo qual é apaixonada, Bill. Ela sempre foi muito inteligente.

– Sim, sempre foi. E você obviamente deu a ela grandes oportunidades...

– Você sabe quanto eu sempre a amei.

– Sei, sim.

Os dois caíram em silêncio novamente.

– Sempre me perguntei... – começou Bill, depois de alguns instantes.

– O quê?

– Se você me abandonou ou se veio por causa dela. Se é que entende o que quero dizer.

– Nunca pretendi *abandoná-lo*, Bill, mas, sim, as oportunidades que

Stella tinha aqui em Nova York foram mesmo um grande incentivo para eu ficar. Especialmente porque você não parecia se importar nem um pouco se eu ia voltar ou não.

– Meu Deus, Cecily! – exclamou Bill imediatamente. – Nem por um segundo eu quis que soasse como uma crítica. Por favor, não se culpe. Eu mesmo admito que nunca fui um marido atencioso. Depois que a guerra terminou, eu estava perdido demais em meus próprios problemas para ser gentil com qualquer pessoa.

– Não foi sua culpa, embora eu admita que passei cinco anos na esperança de que, terminada a guerra, pudéssemos finalmente ser uma família feliz.

– Se as coisas... se *eu* tivesse sido diferente, você teria ficado? Mesmo que isso significasse que Stella não receberia o tipo de educação que você almejava para ela?

– Ah, Bill... – Cecily suspirou. – Não tenho como responder.

– Não, claro que não tem. Sempre que pensei na nossa vida juntos, tive a impressão de que, toda vez que tivemos uma chance de felicidade, algo acontecia para atrapalhar. Acho que foi azar nosso.

– Pode ter sido, sim.

– Cecily, uma das razões para eu ter vindo vê-la é que acho que é hora de enterrar o passado e resolver qualquer mal-entendido que ainda exista entre nós. Quero que saiba que não guardo nenhum rancor de você, e jamais guardei. E quanto a me abandonar, meu bom Deus! Passei a maior parte do nosso casamento correndo da Fazenda Paraíso, deixando um rastro de poeira atrás de mim.

– Era o seu jeito, Bill, e eu sabia disso antes de me casar.

– Dá para acreditar que ainda somos casados? – disse Bill, rindo. – O que me faz pensar que você nunca mais quis tentar com outra pessoa. A menos, é claro, que você seja bígama.

– Não e não – respondeu ela, sorrindo.

– Mas você deve ter tido alguns companheiros ao longo desses anos...

– Nossa, não, estive ocupada demais com Stella, minhas aulas e a contabilidade para sequer pensar em algo assim.

– Isso é uma surpresa. – Ele a olhou com uma expressão interrogativa. – Eu meio que esperava ser recebido por uma grande fera americana que iria se declarar seu namorado. Agora que Stella cresceu, você deve ter mais tempo.

– Que nada. – Cecily revirou os olhos. – Stella tem uma filha. Ela mora aqui conosco. Seu nome é Rosa.

– Ora, ora. – Bill refletiu. – Isso me faz sentir ainda mais velho. Rosa é o mais perto de uma neta que nós poderíamos ter, imagino.

– Sim. Pelo menos é assim que eu a vejo. Para falar a verdade, ela me chama de vovó.

– Qual é a idade dela?

– Ela tem 5 anos. É fofa e brilhante como a mãe, mas dá muito trabalho. Hoje mesmo estava pensando que estou ficando velha demais para cuidar dela.

– Posso perguntar onde está o pai?

– Nem Stella nem eu temos ideia. Ela optou por não contar a ele. Os dois se conheceram em um protesto, alguns anos atrás. Ele morava no Sul e, quando tudo se acalmou, eles não tiveram mais motivos para se encontrar.

– Entendi. Então você está de novo em casa cuidando de um bebê?

– Isso mesmo.

– Mas tem alguma ajuda?

– Não, Bill, não tenho. Acho que nunca lhe contei o verdadeiro motivo por que saí da casa dos meus pais...

– Não, você apenas me escreveu com um endereço diferente, se me lembro bem. O que aconteceu?

– Minha mãe entrou no quarto certa manhã e encontrou Stella dormindo comigo na cama. Tinha ocorrido uma nevasca na noite anterior e Stella ficou com medo. Mamãe ficou indignada e enojada por ter uma criança negra na minha cama. As coisas que ela disse naquele dia, Bill... Acho que nunca vou esquecê-las. Ela insistiu que Lankenua e Stella fossem embora, chamou meu comportamento de "obsceno"... Então não tive escolha a não ser sair com elas. Nós três ficamos com uma amiga que mora aqui perto. Minha mãe cortou meu fundo fiduciário no mesmo dia, mas felizmente Kiki, minha madrinha... Lembra-se dela?

– Claro que sim! Como alguém poderia esquecer Kiki?! – indagou Bill, rindo.

– Bem, ela me deixou uma herança generosa, o que me permitiu comprar este apartamento e me virar ao longo dos anos. Recebo uma renda das ações de Kiki, Stella ajuda com algumas contas e tenho meu salário de professora e contadora.

Bill olhou para ela, boquiaberto.

– Meu bom Deus, sua tola! Por que não me contou o que tinha acontecido? Não sabia que eu poderia ajudá-la?

– É muito digno de sua parte dizer isso, Bill, mas na época você estava lutando para recuperar sua fazenda de gado.

– É verdade, mas logo depois as coisas melhoraram. Comecei a cultivar e as finanças vão bem desde então. Você sabe que eu teria ajudado, Cecily, se tivesse me pedido.

– Bill, para todos os efeitos, eu o abandonei – argumentou ela suavemente. – Não ia pedir nenhuma ajuda financeira depois disso.

– Minha nossa. Estou chocado. E passei todos esses anos lá no Quênia achando que você estava tendo uma vida de luxo e privilégios aqui em Nova York. Eu era... *sou*... seu marido, Cecily, não importa o que tenha acontecido entre nós. Você devia ter falado comigo.

– Mas não falei, e pronto. Além disso, nós demos o nosso jeito.

– Então você e seus pais nunca fizeram as pazes?

– Não, nunca. Minha irmã, Mamie... que deixou o marido há alguns anos e é o único membro da família que ainda fala comigo... contou que mamãe diz a todas as amigas que peguei uma febre na África que me deixou demente.

– E seu pai? Você sempre o descreveu como um bom sujeito.

– Ele não era... não *é* má pessoa, apenas um homem fraco. Só que naquela manhã ele viu o que estava acontecendo. Viu quando nós saímos e não disse uma palavra em nossa defesa, embora eu soubesse que ele gostava de Stella e de mim também. Ele me escreveu um tempo depois, dizendo que eu deveria procurá-lo se precisasse de ajuda. Mas meu orgulho não permitiu, mesmo nos momentos mais difíceis.

– Você nunca pensou em voltar para casa, na África?

– O tempo passou, Bill, e eu construí uma vida com Stella aqui.

– Você já sentiu saudades? – perguntou ele, de repente.

– Do Quênia, você quer dizer?

– Sim. Imagino que não sentiu nem sente. Afinal, você podia ter me visitado em algumas das férias escolares de Stella.

– Bill, você fala como se fôssemos velhos amigos, como se nunca tivesse havido nenhum sentimento entre nós – disse Cecily. – Eu... só precisava seguir em frente. Tentar esquecer a África, e *você*... percebi que você nunca me amou de verdade, porque, se amasse, certamente teria vindo a Nova

York para me convencer a voltar para casa. Escrevi e pedi que você me visitasse, e com bastante frequência. Você nunca veio. Então, pelo bem da minha sanidade mental, tive que seguir a vida.

– Nem por um momento sequer *suspeitei* que você quisesse que eu fizesse isso. Se eu soubesse...

– Então o quê, Bill? – interrompeu Cecily, nervosa. – Não era óbvio que eu o amava? Essas coisas não mudam quando você entra em um barco ou avião e vai para outro país. Depois que Kiki morreu, me lembro de ficar desesperada para falar com você. Era Natal, e liguei para o Muthaiga Club, mas fiquei sabendo que você estava em um safári. Você tinha o número do telefone dos meus pais em Nova York, por que não ligou?

– Só Deus sabe. – Bill suspirou. – Na época, me senti um pouco abandonado. Orgulho, talvez?

– Ou, mais provavelmente, você esqueceu. Pode falar a verdade. Afinal, já se passaram 23 anos. Você não pode mais me magoar.

– Meu Deus, Cecily, que confusão – lamentou Bill, passando a mão pelos cabelos fartos.

Era um gesto tão familiar que Cecily teve que se conter para não estender a mão e segurar a dele.

– Sério, Bill, por que você veio?

– Porque... senti que era hora de eu... de *nós*... formalizarmos o nosso... acordo. Estou ficando velho, como você pode ver, e o médico disse que tenho um problema no coração. Mesmo não sendo nada grave, ele me aconselhou a diminuir o ritmo. Então estou pensando em vender a Fazenda Paraíso e comprar alguma coisa um pouco mais fácil de cuidar. Como ainda *estamos* casados, achei que deveria pelo menos pedir a sua permissão. Afinal, Cecily, você não deu vida apenas à casa, mas também ao jardim, e quase tudo lá dentro é seu. Você quer de volta?

– Bill, esqueça os móveis, pelo amor de Deus! O que o médico falou do seu coração?

– Não é nada preocupante. Consultei um especialista quando estive na Inglaterra. Ele me deu um remédio sublingual de gosto horrível, para interromper os ataques de angina. A boa notícia é que parece estar funcionando. Mas esse não é o ponto, Cecily. Estou perguntando o que você acha de vender a Fazenda Paraíso. Como eu disse, as coisas estão melhores no Quênia e tenho alguém interessado em comprá-la e administrá-la.

Cecily fechou os olhos e voltou a pensar em sua linda casa e jardim. Era como abrir um livro que ela mantivera fechado em uma prateleira por anos, sua beleza quase esquecida. Ouviu-se ofegar ao reviver a vista do pôr do sol da varanda, e sorriu.

– Eu amei aquela casa – sussurrou ela. – Fui muito feliz lá, embora solitária – acrescentou secamente.

– Bem, não tenho que vender, é claro. Só pensei que, se você não tem interesse em voltar para casa, seria o melhor. A outra questão é se devemos nos divorciar. Estou pronto para ser intimado por qualquer motivo necessário. Deserção talvez seja o melhor, você não acha?

Cecily virou-se para Bill, que, apesar de afirmar estar velho, podia passar por mais jovem do que qualquer um dos carecas barrigudos de Manhattan que tivessem mais ou menos a sua idade. Lágrimas lhe vieram inesperadamente aos olhos.

– Bom Deus, o que fiz agora para chateá-la? – perguntou ele.

– Eu... Perdoe-me, é apenas o choque de você aparecer do nada, como um fantasma. Não consigo responder a esse tipo de pergunta agora. Preciso de tempo para pensar, Bill. Para me adaptar à sua presença aqui. Ok?

– Claro. Perdoe-me, Cecily, já falei bobagem e a chateei outra vez. Você me civilizou por um tempo, mas tive esses anos todos para voltar ao que era – argumentou ele, com muito mais delicadeza. – Escute, se você puder me indicar algum hotel mais ou menos decente aqui no bairro, eu vou embora e a deixo em paz. Não dormi nem tomei banho nos últimos dois dias e devo estar fedendo.

– Tudo bem, Bill, tenho um quarto sobrando aqui; é de Stella, mas ela vai passar os próximos dias em Montgomery, então você é bem-vindo.

– Tem certeza? Agora me sinto um idiota por aparecer assim sem nenhum aviso prévio.

– Você nunca seguiu as regras, não é, Bill? Onde está sua bagagem? – perguntou ela, se levantando.

– Ali. – Bill indicou uma bolsa. – Você me conhece, eu viajo com pouca roupa.

– Bem, vou lhe mostrar onde fica o chuveiro.

Depois que lhe indicou o banheiro, Cecily voltou para fora e sentou-se, sentindo-se totalmente perdida. Apesar de... bem, apesar de literalmente *tudo*, aquele sentimento que se enraizara nela quando conhecera Bill e que havia crescido como um pequeno broto quando o conheceu melhor ainda estava lá depois de todos aqueles anos.

– Maldito seja, Bill Forsythe! – murmurou ela, ouvindo o chuveiro ser aberto e imaginando seu corpo musculoso nu embaixo da água... – Você é uma velha triste e solitária – disse a si mesma com firmeza.

Fazia mais de 23 anos desde a última vez que tivera qualquer tipo de contato íntimo com um homem. Certamente o que estava sentindo eram apenas décadas de carência frustrada. Bill estava velho, e não era nenhum galã dos sonhos. No entanto, ela também era uma mulher acabada.

– Em qual quarto eu fico? – indagou Bill atrás dela, uma toalha enrolada na cintura.

– Eu lhe mostro – respondeu Cecily, tentando ignorar seu torso nu, que envelhecera muito bem. – Aqui – indicou ela, abrindo uma porta no corredor do andar de baixo. – Esse é o quarto de Stella.

– E essa é Stella? – Bill apontou para uma foto dela no dia da formatura da faculdade. – Meu Deus, ela é maravilhosa.

– Eu sei, ela é a cara da mãe.

– E tudo isso... – Bill gesticulou para o belo quarto – é consequência de meu pedido para dar a... Como ela se chamava mesmo?

– Njala.

– Para dar a Njala um refúgio em nossa terra.

– Sim, mas eu juro, Bill, não precisa se sentir culpado por isso. Stella é a melhor coisa que já me aconteceu. Amá-la mudou a minha vida e a mim – comentou Cecily. – Agora, vou deixar você descansar um pouco. Tenho que pegar Rosa às três na escola, mas se acordar enquanto eu estiver fora, por favor pegue qualquer coisa da geladeira.

– Não se preocupe comigo, eu sei me cuidar – disse Bill, tirando as cobertas da cama e jogando Sortudo, o amado leãozinho de Stella, no chão.

– Eu sei, mas você está na selva urbana agora. – Cecily sorriu. – Durma bem.

✲ ✲ ✲

– Então, essa é Rosa – disse Bill, que, depois de fazer a barba, dormir um pouco e trocar de roupa, estava mais parecido com seu eu dos velhos tempos.

– Como vai, senhor? – perguntou a menina, esticando a mão para ele.

– Muito bem, obrigado, Rosa – respondeu Bill.

Rosa virou-se para Cecily:

– Quem é esse homem? – indagou a menina, imperiosamente.

– Ele se chama Bill e é um velho amigo meu.

– Tá bom. Posso ver TV?

– Não até fazer sua lição de casa, Rosa.

– Ah, mas não posso ver TV primeiro? Daqui a pouco começa *Mr. Rogers*. Depois eu faço o dever de casa.

– Querida, você conhece as regras. Agora sente-se à mesa em silêncio e termine o dever de aritmética.

– Não! – Rosa bateu o pé e fez beicinho. – Eu quero ver *Mr. Rogers*!

– Bem, não pode e pronto. Agora, sente-se.

– Não!

– Rosa, você sabe o que vai acontecer se continuar assim; vai ficar de castigo no seu quarto e não vai jantar até fazer sua lição de casa.

– Mas eu quero ver *Mr. Rogers* – choramingou a menina.

– Certo, então vou levá-la para o seu quarto.

Cecily pegou a mão da criança firmemente e a guiou pelo corredor. Ela abriu a porta e puxou a criança que se contorcia para dentro, depois a sentou na cama.

– Então, o que vai ser? Ficar sentada aqui sozinha ou fazer sua lição de casa e depois comer sanduíches de manteiga de amendoim e geleia na frente da TV?

– Eu quero ver *Mr. Rogers* agora!

Cecily saiu do quarto, depois fechou e trancou a porta, preparando-se para os gritos de protesto que começaram imediatamente. Voltando à cozinha, ela olhou para Bill e suspirou.

– Desculpe pelo barulho, eu mencionei que ela dá muito trabalho.

– Sim, dá para ouvir – comentou Bill, enquanto os gritos atravessavam as paredes e quase perfuravam os ouvidos.

– Normalmente ela se acalma em um minuto – disse Cecily, com mais confiança do que de fato sentia. Às vezes, os gritos duravam horas. – A propósito, comprei cerveja para você no caminho de volta para casa. Está na geladeira.

– Obrigado. – Ele foi à geladeira pegar uma garrafa. – Você tem trabalho com ela, não é? – observou Bill, enquanto os gritos continuavam.

– Acho que sim, mas ou eu cuidava dela ou Stella seria obrigada a abrir mão de todo seu esforço para educar Rosa pessoalmente. Com certeza ela encontrará outro homem um dia, e os três vão viver como uma família.

– É mesmo? Duvido que qualquer sujeito esteja interessado em ter uma criança escandalosa desse jeito.

– No fundo, Rosa é muito doce; ela só gosta das coisas do jeito dela, e na hora dela – respondeu Cecily, subitamente na defensiva. – Fiz um ensopado de carne enquanto você dormia; lembro que era um de seus pratos favoritos.

– Ensopado de carne... – Bill sentiu o cheiro. – Minha nossa, isso me traz muitas lembranças. Em casa, vivo à base de comida enlatada.

– Isso não ajuda a sua saúde, não é? – disse Cecily, indo ao forno para verificar o ensopado. – Está pronto. Quer comer agora?

– Para falar a verdade, estou faminto e comeria uma vaca Boran inteira.

Por fim, os gritos no quarto cessaram. Enquanto Bill comia o ensopado, Cecily foi tirar Rosa do castigo.

– Vai fazer sua lição de casa agora?

– Sim, senhora.

– E o que você vai dizer ao nosso pobre convidado, que veio da África só para ouvir você gritando? – perguntou Cecily, pegando a mão de Rosa e levando-a de volta para a cozinha.

– Vou pedir desculpas, vovó. Me desculpe, senhor – disse ela, sentando-se à mesa, enquanto Cecily abria os livros escolares na frente dela. – Quando mamãe vai voltar para casa? – indagou a menina, tirando um lápis do estojo.

– No fim de semana, querida.

– Você conheceu minha mãe, Bill? – questionou Rosa. – Ela é muito bonita e muito inteligente, e tem um trabalho muito importante, e é por isso que ela não está aqui agora – explicou Rosa, copiando meticulosamente alguns números, o lápis pressionando com força o papel.

– Conheci, sim. Eu a conheci quando ela era um bebê, não foi, Cecily?

– Isso mesmo – confirmou Cecily.

– Ela nasceu na África, sabia? – disse Rosa.

– Sabia, porque, quando ela era mais nova, morava na minha casa. Em *nossa* casa – Bill se corrigiu, olhando para Cecily.

– Sua casa é na África?

– É, sim.

– Você já viu leões?

– Ah, sim, muitos.

– Mamãe ama leões, não é, vovó?

– É verdade.

– Eu queria ir à África um dia.

– Tenho certeza de que um dia você irá, mocinha.

– Agora, Rosa, chega de conversa e continue a lição de casa.

❁ ❁ ❁

Depois de arrancar duas histórias de ninar de Cecily e insistir para que Bill fosse lhe desejar boa-noite e lhe contasse sobre todos os animais selvagens que ele tinha visto na África, Rosa finalmente foi dormir.

Cecily se serviu de uma taça de vinho – um hábito que talvez devesse refrear, mas pelo qual esperava ansiosamente, pois era sinal de que Rosa finalmente estava na cama, dormindo. Ela sugeriu a Bill que fossem para a sala de estar.

– Com que frequência Stella fica em casa? – indagou Bill, sentando-se em uma cadeira junto à lareira.

– Depende do trabalho dela. Em geral, ela fica em Baltimore, a três horas de trem daqui, por isso, se não tiver que viajar para algum lugar, ela sai no domingo depois do jantar e volta para cá na sexta-feira à noite.

– Então ela não vê muito a filha.

– Não, não muito – concordou Cecily, com um suspiro.

– Você parece destinada a ficar consertando as coisas.

– Eu não chamaria Rosa de "coisa", Bill. Ela é minha neta, e só estou fazendo o que qualquer avó faria sob as mesmas circunstâncias.

– Estou vendo, mas isso também significa que você está presa nessa situação pelos próximos anos. Não deseja mais nada?

– Pensei que *você* já tivesse aprendido, como eu aprendi, que a vida não é uma questão do que se *deseja*. Mas, sim, você tem razão: ultimamente tenho me sentido um pouco presa – admitiu Cecily.

– Parece que você sacrificou quase tudo por Stella – disse Bill calmamente. – Sua família, sua casa, seu dinheiro, até seu casamento... e agora sacrifica qualquer esperança de ter a própria vida cuidando de Rosa.

– Foi um sacrifício que valeu a pena – respondeu Cecily, na defensiva.

– A gente faz o que pode por quem ama, Bill, mas acho que você não entenderia isso.

– Por favor, Cecily, mais uma vez, me perdoe. Não tenho o direito de vir aqui e começar a lhe dizer o que fazer com a sua vida. E eu... Bem, não importa o que tenha se passado entre nós, ainda gosto de você e quero ajudar, se puder.

– É muita gentileza sua, mas não sei como poderia me ajudar.

– Para começar, uma ajuda financeira para que você possa contratar alguém para cuidar da menina. Francamente, Cecily, você parece exausta e precisando desesperadamente de férias.

– Faz muito tempo que não sei o que é isso. Mas não posso aceitar seu dinheiro, Bill. Não seria certo.

– Lembre-se de que fui eu quem colocou você... *nós dois...* nessa situação, em primeiro lugar. O mínimo que posso fazer agora é ajudar com as consequências. Afinal, você ainda é minha esposa e, por acaso, tenho dinheiro de sobra. Além de a fazenda estar indo bem, meu irmão mais velho morreu ano passado e me deixou a casa da família, na Inglaterra. Passei por lá antes de vir para Nova York. Fica perto daquele lugar horroroso onde você conheceu aquele patife salafrário do... Qual era mesmo o nome dele?

– Julius – respondeu Cecily, estremecendo.

– Talvez você goste de saber que ouvi dizer que ele deixou este mundo há alguns anos, depois de ter tido inúmeras esposas e consumido abundantes tonéis de conhaque, sem deixar descendentes. Enfim, o agente imobiliário me contou que tem gente interessada na minha casa, que é bem menor. Deve render um bom dinheiro. Aparentemente, uns astros pop querem montar um estúdio de gravação na adega. O que você acha dos Beatles? As músicas deles tocavam no rádio o dia inteiro quando estive na Inglaterra, e parece ser o mesmo aqui, na América.

– Stella é louca por eles, é claro. Acho que também gosto das canções. São cativantes.

– Mas não exatamente românticas. Você se lembra daquela noite, com Joss e Diana, quando eles estavam obviamente apaixonados, e o pobre e velho Jock ficou sentado, o corno manso, em um canto, assistindo?

– Lembro, sim.

– Você e eu dançamos ao som de Glenn Miller. Penso muito naquela noite. Foi o início da nossa recuperação, depois que perdemos Fleur. Se ao menos a guerra não tivesse chegado...

– Bem, mas chegou. E aqui estamos agora – interrompeu Cecily.

Aquela noite fora crucial para ela, e ficou impressionada que tivesse tido o mesmo significado para Bill.

– Dias felizes – murmurou ele. – Por que é que só percebemos essas coisas em retrospecto? Enfim, Cecily, com ou sem a sua aprovação, vou colocar um valor em sua conta e vou ajudá-la a encontrar uma babá, ou seja lá como chamam aqui na América, para ajudar com Rosa. E não quero ouvir mais nenhuma palavra sobre isso. O que você vai fazer amanhã?

– O que eu sempre faço: levar Rosa para a escola, voltar para casa, fazer minha contabilidade e depois...

– Que tal amanhã você me levar para passear e me mostrar os pontos turísticos de Nova York? Já que finalmente vim até aqui, acho que deveria saber do que as pessoas falam tanto. O que me diz, Cecily? – perguntou Bill, inclinando-se para a frente e segurando a mão dela.

– Acho que sim – concordou ela, tentando ignorar o formigamento que disparou em seu corpo ao toque dele. – Agora, peço desculpas, mas preciso dormir um pouco.

– Claro. Vejo você de manhã. Mais uma vez, obrigado por me dar um teto.

– Uma vez você me deu um teto, lembra? Estou apenas retribuindo o favor. Boa noite.

49

Apesar de ter passado a noite insone, virando-se de um lado para outro, sem entender os próprios pensamentos e sentimentos sobre o abrupto retorno de Bill, Cecily passou um dia maravilhoso na cidade com ele. Fazia muito tempo desde que saíra por Manhattan, então começaram com um passeio de carruagem ao redor do Central Park, onde ela apontou para a casa da sua família, parecendo pequena entre dois enormes edifícios residenciais.

– Minha terrível sogra ainda habita a casa? – Bill quis saber.

– Ah, sim, embora Mamie tenha me contado que ela passa o tempo todo pulando de uma doença para outra, jurando que está morrendo e fazendo drama.

– E seu pai?

– Ele continua aguentando.

Cecily estremeceu enquanto a carruagem se afastava da casa. Depois, ela o acompanhou pela Quinta Avenida, onde *Bonequinha de luxo* havia sido filmado, alguns anos antes, e ficou chocada ao descobrir que Bill nunca vira o filme.

– Mas, Bill, você *tem* que ter visto! Duvido que exista uma pessoa no planeta que não tenha assistido a esse filme.

– Uma pessoa no planeta América, talvez. Você sabe que fico mais confortável em uma tanga com uma lança na mão do que no meio desta grande pilha de concreto vertical.

Em seguida, eles foram ao Empire State Building, onde Bill espiou sobre a amurada e logo deu um passo para trás.

– Meu bom Deus! Minha cabeça está rodando. Acho que estou com vertigem. E isso vindo de um homem que escalou o monte Quênia sem fazer uma pausa para respirar. Vamos descer, quero plantar meus pés na terra imediatamente!

Seguiu-se uma viagem pelo rio Hudson para ver a Estátua da Liberdade, e Bill se declarou extremamente decepcionado.

– É tão pequena – reclamou ele. – E eu prefiro o lago Naivasha e sua população de hipopótamos a essa lagoa lamacenta que vocês têm aqui.

– Pare de reclamar, Bill! Você está virando um velho rabugento.

– Você sabe muito bem que eu era rabugento jovem também, então não mudei nada, mudei?

Rosalind concordara, muito gentilmente, em levar Rosa para sua casa depois da escola e lhe dar o jantar. Ela sabia de Bill, é claro, mas, quando eles chegaram para pegar a menina, Cecily ficou quase tímida ao apresentá-lo à amiga.

– Olá, Bill – disse Rosalind, encarando-o com uma mistura de suspeita e curiosidade.

– É um prazer conhecê-la, Rosalind. Cecily me contou que você foi uma amiga e tanto durante todos esses anos.

Em poucos minutos, eles estavam conversando como velhos amigos. O sotaque britânico de Bill venceu todas as reservas que Rosalind pudesse ter. Tomaram uma bebida e, quando Terrence chegou, foram convidados para jantar. Rosa foi colocada na cama, e Terrence e Rosalind ouviram avidamente tudo o que Bill tinha a dizer sobre a nova República Independente do Quênia.

– Eu não estava esperando um homem *assim* – sussurrou Rosalind, enquanto ela e Cecily tiravam os pratos de sobremesa. – Ele é inteligente e bem *gostosão*, querida, para um homem mais velho. – Ela riu. – Ele me lembra um pouco o Robert Redford, você não acha?

As duas tinham assistido a *Butch Cassidy* no cinema, e ficaram malucas por Redford e Paul Newman, como o resto da América.

– E olhe só! Seu marido realmente sabe empunhar uma arma e montar a cavalo – completou Rosalind, rindo.

Ela insistiu que Rosa passasse a noite em sua casa, então Cecily e Bill voltaram para o apartamento sozinhos.

– Tenho que admitir que Nova York não é tão horrível quanto imaginei – confessou Bill, enquanto passeavam pela rua sob o ar ameno de junho.

– Isso me deixa muito feliz.

– Não estou dizendo que eu conseguiria ficar aqui por muito tempo antes de voltar correndo para a vida ao ar livre, mas, por alguns dias, parece ser uma cidade muito agradável.

– Quanto tempo você *vai* ficar, Bill?

– Na verdade, não pensei nisso. Só tomei a decisão de vir e peguei um avião. Por quê? – Ele parou e se virou para ela: – Você está me achando *tão* chato assim? Eu posso ir para um hotel.

– Não, de jeito nenhum. – Eles andaram um pouco mais, em silêncio, antes de Cecily prosseguir: – Você está me dizendo a verdade sobre a sua saúde, Bill? Ou é mais sério do que você me contou?

– Pela enésima vez, minha querida, juro que ainda não estou prestes a bater as botas. Mas ter esse problema, quando antes eu me sentia feito de titânio, me deu coragem para vir vê-la, é verdade. Todos vamos morrer um dia, e meus ataques de angina apenas me lembraram de que sou, de fato, mortal, algo que costumo esquecer, como você sabe. Estou feliz por ter vindo, Cecily, juro. Faz muito tempo desde que tirei um dia para me divertir com uma dama. Que, por acaso, também é minha esposa – acrescentou ele. – Isso me lembrou de por que me apaixonei por você.

– É mesmo?

– Sim. Você é mesmo única. Eu soube disso quando a conheci, e sei disso agora. Sob esse verniz tímido, encontra-se um tigre feroz.

– Não há tigres na África – disse Cecily, sorrindo.

– Não mais, depois que você foi embora. Você se transformou em uma mulher e tanto, se posso dizer. Enquanto continuo o mesmo de sempre.

– É verdade – concordou Cecily. – Embora você pareça mais... leve, de alguma maneira.

– Por favor, explique.

– Acho que você não está tão infeliz. – Ela riu. – E é claro que, no momento, você é um cativo em meu território, enquanto no Quênia eu sempre fui cativa no seu.

– Bom argumento. Sim, estou em suas mãos aqui no Brooklyn. O que vamos fazer amanhã?

– Vou dar aulas na escola, então você vai ficar por conta própria – respondeu ela, subindo os degraus de seu apartamento e abrindo a porta da frente.

– Não é à toa que você esteja tão exausta. Entre fazer contabilidade, ensinar e cuidar de Rosa, não deve ter um minuto para si mesma.

– Prefiro ficar ocupada. Além disso, eu amo ensinar, e é preciso ganhar a vida.

– Como já lhe disse, se você me der o número de sua conta bancária, vou transferir algum dinheiro para você. Não! – Bill colocou um dedo sobre os lábios de Cecily quando ela abriu a boca para protestar. – Não quero ouvir mais nada. Você não me custou nada nos últimos 23 anos. Pense nisso como um pagamento atrasado por todos os alimentos, roupas, combustível e, é claro, gim que deixei de lhe fornecer.

Cecily riu, quase incapaz de acreditar que se sentia tão à vontade com ele tão depressa, depois de todo aquele tempo.

– Principalmente o gim – concordou ela. – Falando nisso, quer uma dose? Acho que tenho o resto de uma garrafa.

– Beba você o gim. Prefiro cerveja. Agora, fique aqui, coloque os pés para cima e eu vou buscar o... Como vocês chamam aqui?

– Destilado – disse Cecily, vendo-o seguir para a cozinha.

Ela se sentou no sofá, tirou os sapatos e fechou os olhos por um momento, gostando do fato de que tinha alguém lhe preparando uma bebida. Uma coisa tão simples, mas ela se esquecera de como era ser cuidada.

– Pronto, madame. Um gim misturado com algo chamado refrigerante de limão, pois não havia água tônica nem limão amargo.

– Obrigada, vou experimentar, pelo menos – respondeu ela.

Não se importava realmente com o gosto da bebida, pois naquela noite experimentava uma liberdade que havia muito não sentia.

– A propósito, como está Lankenua? Acho que me lembro de você ter dito, muitas luas atrás, em uma carta, que ela havia se casado...

– É verdade, e ela está muito feliz.

– Eu gostaria de vê-la. Tenho uma fotografia de Kwinet... e sua esposa e filho... posando orgulhosamente no jardim da Fazenda Paraíso.

– Ah, eu também adoraria ver essa fotografia. Passei muitas horas trabalhando com ele nisso.

– Cecily. – Bill pegou o copo de gim, colocou-o sobre a mesa e segurou as mãos dela. – Por que você não volta comigo ao Quênia? Apenas como férias. Kwinet passou as últimas duas décadas cuidando de seu precioso jardim, esperando que um dia você pudesse ver o trabalho que ele fez. Você poderia rever Katherine, Bobby e seus filhos e, é claro, o Quênia.

– Ah, Bill, eu adoraria, mas como posso fazer isso? Tenho que cuidar de Rosa.

– Stella deve ter algumas férias para tirar, não? Ou algumas semanas de folga?

– Bill, você não entende: ninguém aqui nos Estados Unidos tira férias, ainda mais uma jovem advogada negra e ambiciosa, que está determinada a fazer um nome. A ética do trabalho aqui, em comparação aos outros países, é uma loucura. A vida em Happy Valley era hedonista; a vida aqui, nos dias de hoje, para alguém como Stella, é só trabalho duro para chegar ao topo.

– É claro que entendo, mas isso não está certo, Cecily. – Bill suspirou. – Eu queria que você pensasse nisso. Já me falou que não tira férias desde que chegou aqui! Acho que passou demais da hora. Por favor, pelo menos pense. Farei o que puder para facilitar sua ida, mas talvez você precise ver a Fazenda Paraíso outra vez para me ajudar a decidir o que devo fazer. O que *devemos* fazer.

– É uma ideia maravilhosa, mas não tenho como deixar Rosa. – Cecily bocejou. – E já passou da minha hora de dormir, e eu bebi demais. Tenho uma sala de aula cheia de crianças de 6 anos para enfrentar amanhã de manhã. – Ela se levantou e sorriu para ele. – Obrigada pelo dia adorável. Foi como um dia de férias, e gostei muito. Boa noite, Bill.

– Boa noite, Cecily.

Quando Cecily se retirou, Bill foi pegar outra cerveja da geladeira e vagar pelo pedacinho do Quênia que Cecily havia criado no Brooklyn. E começou a formular um plano...

❂ ❂ ❂

Stella chegou em casa na sexta-feira, depois da meia-noite, exausta como sempre após mais uma semana longa e difícil no Alabama. Cecily tinha mandado Bill para a cama enquanto esperava Stella chegar, como de costume. Chocolate quente com creme e biscoitos caseiros foram oferecidos, enquanto Stella contava sobre sua causa atual.

– É tão óbvio que as autoridades fabricaram evidências. Descobrimos que as testemunhas não poderiam ter estado onde eles dizem que estavam para ver Michael Winston atirando naquele sujeito... Estamos fazendo de tudo, mas não sei se vamos conseguir salvá-lo do corredor da morte. O júri no Alabama é famoso por distribuir a pena de morte.

– Tudo o que você pode fazer é dar o seu melhor – disse Cecily, como de costume, vendo a raiva e a paixão brilharem nos olhos de Stella e sabendo que era parcialmente responsável por isso. – Agora, você precisa descansar um pouco. Mas vai ter que dormir com Rosa esta noite, porque eu tenho um hóspede.

– Sério? Quem?

– Talvez você não se lembre dele, porque, na última vez em que o viu, você tinha apenas 5 anos. O nome dele é Bill e eu era casada com ele quando a adotei.

– Bill... – Stella coçou o nariz. – Sim, acho que me lembro dele. Ele tinha cabelo claro e era bem alto?

– Exatamente, embora agora esteja todo branco. – Cecily sorriu. – Foi ele quem me convenceu a deixar sua mãe ficar em nossa fazenda enquanto ela estava grávida de você. Ele também elaborou o plano de Yeyo morar conosco, para que eu pudesse ficar com você e criá-la.

– Ele conheceu a minha mãe biológica? – perguntou Stella, incrédula.

– Claro que ele conheceu Njala. E era amigo de seu avô, que era o chefe do clã.

– Então onde ele esteve esse tempo todo, Kuyia? Por que não veio conosco para Nova York?

– Porque ele administrava uma grande fazenda de gado no Quênia e porque... o lugar de Bill é na África.

– Então você o abandonou?

– Tive que fazer isso, para dar a você algum tipo de futuro. Implorei a ele para vir muitas vezes, mas ele jamais quis.

– Você o deixou por mim?

– Não, Stella, por favor... – Cecily voltou atrás, percebendo o que dissera. – Nós não estávamos... *ele* não estava lidando bem com nosso casamento na época. Nosso futuro estava aqui e o dele não. Só isso.

– Você ainda é casada com ele?

– Sou. Nunca vi sentido em nos divorciarmos.

– Caramba! Isso deve ser esquisito... Seu marido aparecendo do nada, depois de mais de vinte anos.

– É e não é. Sempre me perguntei o que sentiria se ele viesse me ver, mas agora nem parece que se passaram duas décadas. Ele não tem mágoas de mim, nem eu dele.

– Kuyia! – Stella sorriu. – Você está com uma expressão toda sonhadora. Ainda o ama? Parece muito que sim.

– Não sei. Tem sido bom ter companhia, para variar. E sempre nos demos bem.

– Que romântico ele ter vindo encontrar você depois de todo esse tempo.

– Na verdade, ele veio para resolver as coisas. Uma das primeiras perguntas que ele me fez foi se eu queria o divórcio! E se eu me importaria se ele vendesse a Fazenda Paraíso, onde morávamos, no Quênia. Ele tem quase 70 anos, além de um problema cardíaco, então está longe de ser o príncipe encantado em seu cavalo branco.

– Pela sua cara, parece que ele é, sim – comentou Stella, em tom de brincadeira, depois bocejou. – Preciso descansar agora, estou exausta.

– Coloquei Rosa no sofá-cama, para deixar a cama para você. Boa noite, querida.

– Boa noite.

Stella deu um rápido abraço em Cecily antes de pegar sua bolsa e descer as escadas para ir dormir.

❂ ❂ ❂

Quando os quatro se sentaram à mesa do café, na manhã seguinte, Cecily pensou no que Stella dissera. Ela e Bill se entenderam de imediato; Stella ouvia, fascinada, as histórias dele sobre o local em que ela nascera, sobre sua tribo ancestral, e os maasais. Até Rosa parecia extasiada, e a visão dos três juntos, parecendo uma família, causou um nó na garganta de Cecily. Naquela tarde, eles foram ao cinema e assistiram a *Se meu fusca falasse*. Rosa quase morreu de rir, sua risada contagiante, e, embora Bill tivesse dormido por quase metade do filme, o passeio foi declarado um sucesso. Então foram a um restaurante para que Bill pudesse experimentar seu primeiro hambúrguer americano.

– Gostei da combinação do pão com o queijo, mas essa carne não chega aos pés das vacas Boran do Quênia. E quanto a isso – Bill apontou para o cachorro-quente de Rosa com nojo –, é só amido de milho e farinha de rosca.

Naquela noite, Cecily se despediu e deixou Stella e Bill conversando na sala ao se dirigir para o próprio quarto, que ficava nos fundos do apartamento, com vista para o jardim abaixo. Ela se despiu, depois se deitou sob os lençóis frios, maravilhada diante das mudanças que a chegada de Bill provocara na família. Rosa estava muito mais obediente, Stella ficara encantada por ele, e quanto a ela... tendo lidado com a solidão por tanto tempo... até o simples fato de haver um homem na casa era extremamente reconfortante. As pequenas coisas que ele tinha feito, como servir o gim, olear a porta da cozinha que rangia irritantemente e até mesmo arrancar as ervas daninhas, tinham sido um bálsamo calmante para a autossuficiente alma de Cecily.

– Não precisa, Bill – dissera ela. – O médico falou para você não se exceder.

– Tirar algumas urtigas de um jardinzinho não vai acabar comigo. Além disso, não sou o tipo de pessoa que para quieta, como você bem sabe.

Mais do que tudo, Cecily havia gostado da risada – antigamente, quando Bill estava de bom humor, sempre era capaz de fazê-la rir com seus comentários espirituosos.

– Ah, como eu queria poder voltar para o Quênia...

Cecily suspirou, pegou o livro que acabara de comprar, escrito por Ernest Hemingway e intitulado *As verdes colinas da África*, pensando que era provavelmente o mais próximo que ela chegaria de lá.

❁ ❁ ❁

No domingo, como Bill disse que ia ficar maluco se continuasse preso em casa, Cecily declarou que fariam um passeio até Jones Beach. A novidade foi recebida com gritos de alegria de Rosa, que só visitara o local uma vez com Stella, para seu primeiro mergulho em águas abertas.

O dia estava quente, e a praia cheia, mas Cecily sentou-se em uma espreguiçadeira e observou Bill, Stella e Rosa se divertindo na água. Depois, foram para um almoço tardio no Boardwalk Café, que tinha uma das mais belas vistas do mar.

– Assim está melhor? – perguntou Cecily a Bill, no terraço com vista para o Atlântico.

– Não são as areias brancas e desertas da praia de Mombaça, mas vai servir por enquanto...

Naquela noite, Cecily deu banho em Rosa e a colocou na cama; depois, Bill contou à menina outra história sobre os suricatos que viviam na África, enquanto Stella fazia as malas e se aprontava para ir à estação pegar o trem para Baltimore. Nenhum deles estava com muita fome depois do almoço, então Cecily preparou sanduíches e um bule de chá e os três se sentaram para comer antes de Stella sair.

– Kuyia, temos algo para conversar com você – disse Stella, olhando nervosamente para Bill. – Bill me contou que já faz 23 anos que você não tira férias. Isso é tempo demais para passar sem um único dia de folga.

– Honestamente – Cecily olhou furiosa para os dois –, estou muito bem, obrigada, e tenho muito tempo agora que Rosa está na escola.

– Você pode nos ouvir, por favor? – pediu Stella. – Você ficou todo esse tempo sem ir ao Quênia, então Bill e eu achamos que deveria voltar com ele e passar algum tempo na Fazenda Paraíso.

– Isso soa muito bom na teoria – respondeu Cecily –, mas e Rosa?

– Bill disse que teria prazer em pagar uma babá para cuidar dela durante a semana, enquanto você estiver viajando. Eu venho nos fins de semana e vamos resolver todos os detalhes.

– Mas...

– Sem "mas", Kuyia. Rever Bill, depois de todo esse tempo, me lembrou de quanto você fez por mim. E, se alguém merece férias, é você. Então vou tirar uns dias de folga... tenho muitos acumulados... e vou começar a procurar a pessoa certa para ficar com Rosa enquanto você estiver fora.

– E a minha opinião não importa?

– Não, receio que não. O tempo está passando. Se você não voltar agora, talvez nunca mais volte. Por favor, Kuyia – disse Stella, estendendo as mãos sobre a mesa e tomando as de Cecily. – É a sua vez agora.

– De quanto tempo seriam essas férias? Eu sei que está mais fácil chegar ao Quênia hoje em dia, mas não dá para fazer a viagem para passar uma semana.

– Pensamos em dois meses – interveio Bill.

– Dois meses?! Mas e as minhas aulas? O meu jardim?

– Liguei para Rosalind mais cedo e ela também acha que você deve ir. Eu sei que você não gosta de pensar nisso, mas você é substituível – explicou Stella calmamente. – Rosalind tem uma ótima professora de meio período que está louca por mais trabalho.

– E quanto ao jardim – retrucou Bill –, já entrei em contato com uma agência de serviços domésticos para encontrar uma pessoa para cuidar dele e do apartamento.

Cecily recostou-se na cadeira.

– Caramba! Vocês pensaram em tudo.

– De fato, e, pela primeira vez na sua vida, você precisa deixar outra pessoa assumir as responsabilidades, está bem?

– Tudo bem. – Cecily respirou fundo. – Mas quero conhecer a pessoa que vai cuidar de Rosa. Você sabe como ela às vezes é difícil, Stella, e não quero nenhuma megera...

– Ela é minha filha! Você acha mesmo que eu a deixaria com uma megera? – rebateu Stella. – Tenho 28 anos e uma profissão que depende muito de saber avaliar o caráter das pessoas. Por favor, confie em mim, ok? Agora preciso ir ou vou perder meu trem. – Stella levantou-se e beijou Cecily no topo da cabeça. – Nós te amamos, e está na hora de você relaxar e ser feliz um pouco. Vejo vocês na sexta-feira – despediu-se Stella, pegando sua bagagem de mão e saindo da cozinha.

– Gim? – sugeriu Bill quando a porta da frente se fechou. Sem esperar por uma resposta, ele se levantou. – Fui a uma loja de bebidas e reabasteci o estoque – avisou ele, tirando do armário uma garrafa nova. – Saúde – brindou Bill, depois de adicionar água tônica e gelo aos copos e colocar um na frente de Cecily.

– Saúde, eu acho – Cecily brindou de volta e deu um grande gole. – Então, eu nem posso opinar sobre o assunto?

– Infelizmente, não.

– Estou me sentindo sequestrada! E se eu não quiser ir?

– Ah, acho que você quer, sim – disse Bill, com um sorriso bastante complacente, na opinião dela. – Eu posso ver nos seus olhos toda vez que falo do Quênia.

– Só estou preocupada com Rosa...

– Como Stella disse, ela é uma mulher adulta e a verdadeira responsável pela própria filha. Você falou que elas não passam muito tempo juntas. Talvez isso as ajude a formar um vínculo mais forte.

– Minha ausência, você quer dizer.

– Isso mesmo. – Bill a puxou para ficar de pé e segurou suas mãos. – Dois meses, Cecily. Só isso. Dois meses para descobrirmos se ainda podemos ser casados para além do papel, se é que você me entende.

– Sim – disse Cecily, sentindo o rubor percorrer seu pescoço e subir para o rosto.

– Eu admito: quando cheguei aqui, não estava pensando que tivéssemos qualquer futuro. Mas, bem, estou gostando tanto de ficar com você que me vi temendo a ideia de ter que deixá-la. Depois de tudo o que passamos, acho que devemos um ao outro algum tempo juntos. A menos, é claro, que você tenha considerado esses últimos dias um inferno e esteja torcendo para me ver pelas costas. Se for esse o caso, então é melhor você me dizer, mas se não for...

Cecily baixou os olhos.

– Não é.

– Ótimo. Então temos um plano. Devo dizer que vir aqui foi a melhor decisão que já tomei na vida.

E então Bill se inclinou para sua esposa e a beijou pela primeira vez em 23 anos.

Electra

Brooklyn, Nova York

Junho de 2008

50

ntão, quando encontramos uma boa babá e uma governanta, Bill levou Cecily de volta para o Quênia com ele – concluiu Stella.

– Bem, *esse* foi um final feliz, e com certeza bem merecido – comentei. – Ainda mais depois de ela ter que lidar com a minha mãe. Odeio admitir, mas eu era bem assim quando criança.

– Eu não sei, Electra, porque não estava por perto para ver você crescer, e nunca vou me perdoar por isso. Ou pelo fato de não ter cuidado de Rosa como deveria.

– Você era uma mãe solteira que trabalhava fora, o que deve ter sido bem difícil.

– Sim, mas milhões de mulheres em todo o mundo conseguiram fazer isso com sucesso. Infelizmente, eu não.

– Bill e Cecily chegaram a voltar para os Estados Unidos? – indaguei.

Queria saber disso antes de passarmos para os assuntos mais difíceis que, pela expressão de Stella, percebi que viriam.

– Não, nunca mais voltaram.

– Por que não?

– No começo, por boas razões; assim que Cecily voltou ao Quênia, ficou óbvio que estava mais feliz do que nunca. E que ela e Bill finalmente tinham conseguido tempo para ficar juntos, para se aproveitarem. Infelizmente, como tudo na vida, não durou para sempre.

– Bill morreu por causa do problema cardíaco?

– Depois de algum tempo, sim, mas foi minha amada Kuyia que perdi primeiro. Eles estenderam a estadia para seis meses e foram viajar pela África. Estavam atravessando o Sudão em direção ao Egito, pois Cecily sempre quisera ver as pirâmides, quando ela começou a se sentir mal. Seus remédios e a caixa de primeiros socorros tinham sido roubados e eles estavam no meio do nada. Quando Bill conseguiu levá-la a um hospital, já era tarde demais. Ela morreu alguns dias depois.

– Ah, não. – Estremeci ao ver os olhos da minha avó se encherem de lágrimas. – O que ela tinha?

– Malária. Se tivesse sido tratada mais cedo, sem dúvida teria sobrevivido, mas... – Stella engoliu em seco. – Ela morreu nos braços de Bill... e pediu que ele me dissesse que me amava muito... Eu... Me desculpe.

Eu observei como, mesmo depois de todos aqueles anos, minha avó obviamente ainda sentia muito aquela perda.

– Quando ouvi a notícia, só consegui pensar que queria morrer também – prosseguiu Stella. – Não tenho como explicar o que essa mulher foi para mim. O que ela fez por mim, tudo o que sacrificou por mim... A única coisa que me confortou foi que ela estava com Bill e eles pelo menos tiveram seis maravilhosos meses juntos. Ela morreu onde desejava estar, com o homem que amava.

Embora eu nunca tivesse conhecido aquela mulher notável, que tinha afetado nossas vidas de forma tão dramática, senti um nó na garganta também.

– Bill voltou para os Estados Unidos por um tempo e levamos as cinzas dela e as espalhamos perto da Estátua da Liberdade. Como ela nasceu em Manhattan e fez de tudo para me dar minha própria liberdade, achei que seria o mais apropriado. Ele ficou conosco por um tempo; tinha envelhecido muito naqueles poucos meses, mas não conseguia se sentir em casa no Brooklyn, então voltou para o Quênia, vendeu a Fazenda Paraíso e comprou uma casa perto do lago Naivasha. Cinco anos depois, recebi um telegrama dizendo que ele havia morrido também. E que me deixara tudo o que possuía. O testamento dizia que essa seria a vontade de Cecily.

– Acho que ele tinha razão – concordei. – Posso lhe servir mais uma xicara de chá?

– Não, eu vou ficar bem, obrigada, querida.

Fiquei em silêncio enquanto Stella se recompunha. E, ao observá-la, entendi a lição que a dor dela estava me ensinando: que o amor materno não precisava necessariamente ser biológico. Tantas vezes briguei com Ma... Lembrei-me de uma vez, quando estava com raiva, em que gritei que ela não tinha o direito de me botar de castigo porque não era minha mãe de verdade. No entanto, entendi naquele momento que qualquer mãe "verdadeira" teria reagido exatamente da mesma forma diante de meu comportamento inaceitável. Senti uma súbita explosão de amor por Ma, que sempre demonstrara paciência e compaixão intermináveis.

– Perdoe-me, Electra. Já estou pronta para continuar, se você também estiver.

– Claro, mas só se você quiser. Posso voltar outro dia.

– Acho que prefiro continuar, se estiver tudo bem para você. Estamos muito perto do fim da história agora. – Stella respirou profundamente. – Nada mudou muito na minha vida durante aqueles cinco anos depois que Cecily morreu. Rosa teve muitas babás, e todas ficavam apenas alguns meses. Elas não conseguiam lidar com uma criança tão difícil. Então, quando Bill me deixou sua herança, tive a opção de ficar em casa e cuidar de Rosa pessoalmente. Para minha vergonha, eu sabia que não conseguiria fazer isso. Preparar o café da manhã, ir a reuniões de pais e professores... Depois do tipo de vida que eu me acostumara a levar, sabia que não ia conseguir lidar com uma coisa dessas. A verdade, Electra, é que nunca fui muito maternal. Não quero usar isso como desculpa; muitas mulheres não são maternais, mas dão um jeito, e eu fiz o que pude para dar o meu.

Quando Stella fez uma pausa, eu me perguntei se *eu* tinha instinto materno; era uma pergunta que nunca considerara até então. Jamais sentira vontade de ter um bebê, mas então pensei em meu sobrinho, Bear, e em como gostei do cheiro dele e do seu peso nos meus braços, e pensei que poderia, sim, ter instinto materno.

– Electra? Você está bem?

– Sim, desculpe, me perdi em pensamentos.

– Se você quiser parar, diga.

– Não, tudo bem.

– A situação piorou quando Rosalind me informou que não podiam mais manter Rosa na escola. Ela era má influência, não ficava quieta nem se concentrava em nada. Isso realmente acabou comigo. Rosalind era madrinha de Rosa e, se ela havia perdido a fé na minha filha, então eu sabia que tinha um sério problema nas mãos.

– Mas, pelo que você contou, aquela era uma escola bem acadêmica. Talvez minha mãe só não se encaixasse nesse estilo – falei, sentindo de repente um desejo de defender Rosa. – Eu sei porque passei pelo mesmo problema.

– Foi exatamente o que Rosalind disse, então encontrei outra escola, que era mais holística e relaxada. – Stella deu uma risadinha. – Rosa levou a falta de regras ao extremo. Lembro-me de chegar em casa um fim de semana e dar de cara com a nova babá me esperando, com o casaco e a mala pronta, na porta. Aparentemente, Rosa passara a semana inteira em casa, vendo TV e comendo cereais. Ela falara para a babá que não tinha aula naquela semana e, quando a escola ligou para saber por onde ela andava, Rosa recitou uma das orientações da própria diretoria: que os alunos estavam lá pela própria vontade de aprender e que nenhuma penalidade seria aplicada se a criança não comparecesse às aulas.

– Minha mãe está se parecendo cada vez mais comigo. Eu teria feito o mesmo – argumentei, sorrindo.

– A diferença é que você tinha uma estrutura familiar e, pelo que ouvi, uma figura materna amorosa e um pai que a amparava sempre. Rosa não tinha isso, em parte devido às circunstâncias, mas também muito por minha causa. Quando Cecily morreu, me empenhei ainda mais para me tornar o sucesso que ela sempre sonhou que eu fosse. E quando Bill me deixou a herança, eu simplesmente não podia... – Stella fez uma pausa – ... ou não queria interromper minha trajetória. Rosa tinha 10 anos. Ela já havia passado por não sei quantas babás e quatro ou cinco escolas. Em minha defesa, tirei uma licença de um mês e fiquei em casa com ela para organizar suas aulas, mas quase enlouqueci, pois Rosa estava totalmente fora de controle. Conversei com Rosalind e ela sugeriu mandar Rosa para um colégio interno. Encontramos um ótimo em Boston, que estava acostumado a lidar com crianças como Rosa.

– Você quer dizer com "rejeitadas"?

– Não, Electra. Eles definiam como "crianças com comportamentos desafiadores". Rosa pareceu gostar da ideia, no começo. Eu estava ficando maluca, mas ela também já estava cansada de ficar presa em casa com apenas uma tutora e a mãe como companhia. Quando ela visitou a escola para a entrevista, eles fizeram muitos testes, inclusive de QI. E, claro, o dela era acima do normal. A escola me informou que muitas vezes essa característica faz com que as crianças sejam mais desafiadoras. Eles desenvolveram um programa de aprendizagem acelerada para ela, e Rosa seguiu para Boston.

Após um momento, Stella prosseguiu:

– Ela pareceu feliz lá nos primeiros três anos. A escola deu a ela a estabilidade e a segurança de que precisava, e ela fez alguns amigos. Ao mesmo tempo, recebi uma ligação inesperada das Nações Unidas. Eles haviam lido um artigo que eu tinha escrito sobre o apartheid na África do Sul enquanto estava em Columbia. Estavam desenvolvendo algo chamado Centro das Nações Unidas contra o Apartheid. Fui chamada para uma entrevista... Você pode imaginar minha emoção, Electra; estar no centro da mais poderosa organização de direitos humanos do mundo era o meu sonho. O novo departamento ia coletar estatísticas e evidências factuais dos efeitos do apartheid. Eles estavam procurando por uma equipe para escrever um artigo sobre o que haviam encontrado, que depois seria publicado. Em certo sentido, era um desvio do que eu estava fazendo, mas, em outro, abriria um mundo totalmente novo para mim. E abriu. Aqueles anos foram relativamente calmos; a ONU estava sediada em Manhattan, o que significava que, quando Rosa entrava de férias, eu estava em casa toda noite para cozinhar o jantar. Tudo finalmente tinha se acalmado, até que, é claro, a puberdade chegou.

– A velha história... Sua linda menininha se transforma em um monte de hormônios furiosos – comentei, lembrando como nessa época superei qualquer birra que havia feito quando mais nova.

– Isso mesmo. O apartamento inteiro tremia quando Rosa gritava e batia a porta do quarto. Pouco depois, recebi uma ligação da escola dizendo que ela tinha sumido. Uma amiga dela contou que Rosa havia conhecido um garoto na cidade durante um passeio. Ela enfim foi encontrada fumando e bebendo conhaque em um parque. O garoto tinha quase 20 anos, mas Rosa, sua mãe, era ainda mais bonita que você, se me atrevo a dizer. Ela tinha uns olhos incríveis, fascinantes, que atraíam qualquer gato de rua da vizinhança. Ela se vestia como se tivesse uns 18 anos, e não parecia mesmo ter só 14. Não demorou muito até a escola me escrever para dizer que não podia mais contê-la, e ela foi mandada de volta para Nova York. Nenhuma das escolas boas da época queria aceitá-la devido ao seu histórico, então minha única opção foi mandá-la para a escola pública local. É claro que ela começou a andar com as pessoas erradas... sempre adorou os rebeldes...

– Quem nunca? – falei, revirando os olhos.

– Quando Rosa tinha 16 anos, eu já havia perdido qualquer controle sobre ela. Ela não ia à escola e passava a maior parte do tempo perambulando pelo centro do Brooklyn com seus novos amigos. No começo, achei que ela estava apenas fumando maconha, quando chegava em casa chapada, mas então ela começou a passar a noite toda fora. Eu não tinha ideia de aonde ela ia. Comecei a perceber que estava perdendo peso. Isso foi na época em que o crack começou a aparecer nas ruas. Electra, eu juro, fiz tudo o que podia para tirá-la das drogas, mas ela não queria me ouvir.

– Eu entendo – assenti calmamente. – Olhe para mim, eu também não queria ouvir.

– Enfim... A polícia a acompanhou em casa várias vezes, até que finalmente ela foi acusada de roubo. Ela andava furtando lojas e vendendo os produtos para conseguir dinheiro para as drogas. Paguei sua fiança e contratei um advogado para representá-la no tribunal. A ameaça de prisão a acalmou por um tempo, e ela ficou em casa. Bebia um pouco, mas acho que nessa época parou com as drogas. O tribunal lhe deu uma advertência, com uma ameaça de internação em um centro de detenção juvenil, caso se metesse em problemas novamente. E então...

Stella fez uma pausa, as mãos entrelaçadas com força, os olhos cheios de dor, enquanto recordava.

– Ela desapareceu. Uma semana após a audiência, ela saiu certa noite e nunca mais voltou. E essa foi a última vez que a vi.

– Você procurou por ela?

– Claro que procurei! – Stella virou-se para mim, seus olhos ardendo de raiva. – Virei o Brooklyn e Manhattan de cabeça para baixo procurando por ela! Visitei todas as delegacias com uma fotografia, colei cartazes em postes de todos os bairros. Fui a todos os guetos, antros de crack, todos os malditos lugares de que me falaram, onde os drogados ficavam. Fui a Boston procurá-la por lá, pensando que ela podia ter voltado para um de seus ex-namorados, mas nada. Absolutamente nada. Ela tinha sumido do mapa. Por mais de dois anos, procurei por ela, trabalhando na ONU durante o dia e andando pelas ruas à noite. Parece impossível que alguém possa de fato desaparecer da face da Terra, mas foi exatamente isso que a aconteceu com sua mãe. E eu juro, Electra, não houve um único buraco onde não me meti para procurá-la.

– Tudo bem, Stella, eu acredito em você. – Eu sabia que estávamos perto do desenlace da história e me preparei. – Então, quando você descobriu que ela havia morrido?

Vi Stella engolir em seco.

– Na verdade, faz pouco mais de um ano, quando seu pai entrou em contato comigo e pediu que nos encontrássemos aqui em Nova York. Ele me disse que passou um tempo tentando rastrear a sua família biológica, porque sabia que estava morrendo e queria lhe deixar uma carta dizendo sua origem. Ele tinha voltado à Hale House, onde a adotou, e falado com a filha de Clara Hale, que o colocou em contato com uma das mulheres que trabalhavam lá na época. E tinha sido ela mesma quem recebeu você. Ela conseguiu encontrar o registro que documentava a sua chegada. Como sempre, não havia detalhes sobre a sua mãe, mas a mulher aparentemente se lembrava do homem que levou você até lá. Ela já o vira pelo bairro e sabia que ele era um viciado. Então seu pai perguntou qual era o nome dele, e a mulher falou que achava que ele era conhecido como Mickey. Seu pai vasculhou a área e acabou conseguindo encontrá-lo através da Abyssinian Baptist Church, no Harlem. Ele era um homem recuperado, que havia encontrado Deus e era um pregador leigo na igreja. Mas eu não sabia de nada disso naquela época – explicou Stella. – De qualquer forma, Michael, como agora ele é chamado, pôde contar a seu pai o que ele lembrava sobre a sua mãe.

– Esse Michael era meu pai? – perguntei, ansiosa.

– Não, eles só viviam no mesmo antro de viciados em crack quando sua mãe engravidou. A polícia vivia fazendo batidas, então os drogados sempre tinham que encontrar esconderijos em vários prédios abandonados ao redor de Manhattan. Michael estava junto quando ela deu à luz, completamente fora de si por causa do crack, mas ele contou que você estava começando a chorar alto demais e isso teria alertado a polícia. Então ele a pegou e a levou para a Hale House.

– E... o que aconteceu com minha mãe? – Engoli em seco.

Minha avó pegou minha mão.

– Tenha paciência, Electra, e me perdoe pelo que tenho a lhe dizer. Mickey disse que voltou e encontrou Rosa sangrando. Era óbvio que ela estava morrendo, então ele e os outros apenas... foram embora. Ele disse que fez uma chamada anônima para o 911, de um telefone público, mas que achava que Rosa já estaria morta quando chegassem. Deus me perdoe por ter que lhe dizer isso... e por não estar lá quando devia, ao lado de minha amada filha.

– Você não sabia onde ela estava, Stella.

– Obrigada por tentar me consolar, Electra, mas, quando seu pai me contou a história, eu juro, quase morri. Pensar em minha menina sendo deixada para morrer sozinha...

– Imagino. – Nós duas ficamos em silêncio. – Então – sussurrei, depois de algum tempo –, acho que não há um final feliz para essa história.

– Não para Rosa, não, mas eu espero... eu *realmente* espero... que o fato de você e eu termos conseguido nos encontrar por causa disso possa nos dar um pouco de conforto. Me desculpe por ter que compartilhar essa história terrível com você, logo agora, quando é a última coisa de que você precisa.

– Mas como Pa descobriu que você era minha parente?

– Por causa de Michael. Ele viveu com Rosa por algumas semanas. Para começar, lembrava-se do nome dela e de que ela mencionara a mãe, que tinha um trabalho importante nas Nações Unidas. Ele achava que o nome era Stella... e lembrou porque era sua cerveja importada favorita. – Ela deu um sorriso triste. – Então, com essas informações, seu pai começou a pesquisar. Ele sabia o ano do seu nascimento, por causa da Hale House, e contatou a ONU em Nova York pedindo que revisassem seus registros para descobrir se havia uma Stella trabalhando para eles em 1982. Tenho que agradecer a Cecily pelo resto da vida por me dar um nome relativamente incomum. Havia apenas duas Stellas nos registros, e uma estava morta. Foi então que ele conseguiu meu sobrenome, me procurou na internet e me escreveu. O resto você já sabe.

– Eu...

Havia uma coisa que eu *não* sabia, mas, mesmo sendo quase insuportável fazer a pergunta, eu precisava saber.

– Quando ela foi encontrada e... – engoli em seco – levada para o necrotério... não tentaram encontrar seus parentes?

– Na época, Electra, jovens viciados em crack estavam morrendo por toda Manhattan. E, legalmente, as autoridades só precisam guardar um corpo por 48 horas. Se ele não fosse reclamado, poderiam enterrá-lo.

– Caramba, é tão pouco tempo. Onde ela foi enterrada?

– Seu pai e eu visitamos o escritório de registros civis na Worth Street para descobrir. Tínhamos a data da morte de Rosa, porque foi no mesmo dia em que você nasceu, o que estava nos registros da Hale House. Com esses dados, o funcionário conseguiu confirmar que o corpo de uma jovem negra não identificada havia sido transferido para o necrotério da cidade naquela noite. Como... como não pude reclamar o corpo na época, é a política do estado de Nova York que corpos não identificados devem ser enterrados em Hart Island, no Bronx. Na verdade, não tive coragem de ir até lá.

– Certo. – Eu não sabia se queria chorar ou vomitar, mas tinha certeza de que não suportava ouvir mais nada. – Stella, você se importaria se eu chamasse meu motorista para me levar para casa? Preciso... preciso de algum tempo para absorver tudo isso.

– É claro – respondeu ela, enquanto eu pegava meu celular e fazia a ligação. – Você vai ficar bem?

– Sim. Tenho que ficar, não é? Pelo menos agora eu sei – respondi.

– Qualquer coisa, qualquer coisa que eu possa fazer... por favor, diga.

– Pode deixar. Só uma última coisa: você disse que estava na África quando eu nasci e fui levada para a Hale House?

– Estava, sim. Fui convidada para fazer parte de uma missão secreta de investigação da ONU na África do Sul. Naquela época, Rosa estava desaparecida havia mais de dois anos. Eu juro, Electra, se eu soubesse, teria estado com ela e, claro, com você. Mas tive que seguir com a minha vida e... fui.

– Ok – assenti quando a campainha tocou para dizer que meu motorista havia chegado.

– Por favor, mantenha contato e me avise quando quiser me ver. Eu entendo que foi muita informação e que você precisa de tempo, mas só quero apoiá-la. É importante você saber disso – disse ela, me seguindo até a porta da frente. – É só me avisar.

– Pode deixar.

Ela estendeu os braços para me abraçar, mas eu me virei e abri a porta. Só precisava respirar um pouco de ar fresco e voltar para o presente.

– Adeus, Stella – falei, descendo as escadas até o carro que me esperava.

51

Quando cheguei em casa, encontrei Mariam e Lizzie sentadas na cozinha.

– Oi – cumprimentei-as, exausta.

– Você está bem, Electra?

As duas logo se levantaram e me seguiram até o quarto.

– Sim, estou bem, só preciso dormir um pouco.

Fechei a porta na cara delas, me sentindo rude, mas sem aguentar nem mais um segundo. Mal consegui tirar os tênis e a calça jeans antes de cair na cama, apertar o botão do controle remoto que baixava as persianas e fechar os olhos.

❁ ❁ ❁

– Electra? – Ouvi uma voz familiar me chamando e gemi ao acordar de um sono muito profundo.

– Oi – murmurei.

– É Lizzie. Queria saber se você está bem.

– Estou bem, só... com sono.

– Tudo bem. Só para você saber, são onze horas.

– Da noite?

– Não, da manhã. Você dormiu por umas catorze horas, e Mariam e eu estávamos ficando preocupadas.

– Sério, estou bem – enfatizei, percebendo que talvez elas achassem que eu me drogara de novo.

– Quer que eu a deixe em paz ou que lhe traga um café? Comprei alguns bagels e salmão defumado na delicatéssen.

Percebi então que estava morrendo de fome.

– Seria ótimo, Lizzie, obrigada.

Abri as persianas e me sentei na cama, pestanejando com a forte luz do sol. Achava que nunca dormira tanto em toda a minha vida. Talvez fosse a maneira do meu cérebro de me desligar da realidade, me dar um descanso para lidar com o que eu ouvira no dia anterior. Surpreendentemente, pensei enquanto tentava avaliar a reação do meu cérebro, eu não me sentia tão mal quanto esperava. Na verdade, tinha uma estranha sensação de alívio por finalmente saber a verdade. Mesmo que essa verdade fosse uma porcaria. Também me vi pensando em como tinha sorte de não ter vivido em uma época em que a cor da minha pele teria definido totalmente o meu futuro e por ter sido, de alguma forma, salva de seguir pelo mesmo caminho de minha mãe.

Enquanto eu refletia sobre minha herança genética e sobre como o vício podia ser herdado, pensei em Stella, viciada em trabalho: esforçando-se para fazer do mundo um lugar melhor. Pensei em sua força e em como ela era calma e equilibrada, e torci para que alguns de seus genes também estivessem em mim. E, embora minha mãe me lembrasse muito, no fundo eu sempre quis ser uma boa menina, não má. Era verdade que meu temperamento forte havia atrapalhado... então talvez eu fosse uma mistura de minha mãe e minha avó, e por mim tudo bem.

Quanto ao homem que fornecera a semente que me gerou... concluí que nunca saberia quem ele era, mas por mim tudo bem também. Estava ficando cada vez mais óbvio que tive um pai incrível. Um homem que aparentemente passara muito tempo tentando encontrar minha família biológica para que eu tivesse alguém. E conseguira.

– Aqui está, café da manhã na cama, madame, como você merece – disse Lizzie, entrando com uma bandeja na qual havia um bule, uma xícara e dois bagels com salmão defumado e cream cheese.

– Sério? Por quê?

– Sua avó ligou umas dez vezes ontem à noite e três vezes esta manhã. Claro que ela não me deu nenhum detalhe, apenas falou que eu devia tomar conta de você. Ela parecia preocupada, Electra.

– É, ela teve que me contar algumas coisas bem difíceis sobre a minha mãe. E sobre outros ancestrais. – Eu suspirei.

– Bem – disse Lizzie, servindo-me um pouco de café –, você sabe que estou aqui se quiser conversar. Bagel?

– Vou comer daqui a pouco, mas por que você não pega um? Não consigo comer os dois.

– Consegue, sim; eu gosto de alimentar os outros. – Ela piscou para mim. – A propósito, Mariam comentou que você foi assaltada no parque ontem. Já entrou em contato com a polícia?

– Para quê? Eles não dão a mínima se uma garota rica perde o seu Rolex. Provavelmente eles mesmos compram dos criminosos por um centésimo do valor.

– Acho mesmo que você deve pensar em contratar um segurança, Electra. Você é famosa, uma celebridade. Em Los Angeles, ninguém como você sairia de casa sem alguma forma de proteção. Desculpe soar como sua mãe, mas acho que você deveria pensar nisso. Enfim, vou deixar você tomar seu café da manhã em paz. Se precisar de alguma coisa, me chame.

Fiquei ali, saboreando meu café e, apesar dos meus protestos, consegui comer os dois bagels. Pensei em como era bom compartilhar a casa com alguém, e que Lizzie era muito afetuosa e maternal, o que me fazia sentir segura. Torci para que ela nunca fosse embora, porque eu adorava tê-la comigo. Pensei no que ela dissera e achei que tinha razão. Susie me aconselhava havia anos para contratar um guarda-costas, mas a ideia de ter um estranho rastreando todos os meus movimentos me aterrorizava. Então me lembrei da ideia que tivera antes, tomei banho, vesti uma legging e uma camiseta e entrei na cozinha. Mariam estava trabalhando em seu notebook.

– Bom dia, Electra. Ou devo dizer boa tarde? – Ela sorriu. – Quando você puder, precisamos conversar. A mulher que administra a cooperativa de materiais produzidos eticamente retornou minha ligação. Ela está muito animada com a ideia de colaborar com você.

– Ótimo – falei, vendo Lizzie entrar na cozinha com minha bandeja de café da manhã. – Aliás, alguém viu Tommy esta manhã?

– Não – respondeu Lizzie –, não havia ninguém lá fora quando saí para ir à delicatéssen.

– Estou ficando preocupada. É estranho ele ter desaparecido. Já faz uma semana que não o vejo e preciso falar com ele, porque quero lhe oferecer um emprego.

– Que emprego? – perguntou Lizzie.

– De guarda-costas. Quero dizer, ele meio que já cuida de mim mesmo, e acho que gostaria de ser pago por isso. Eu sei que ele é veterano do Exército, que está claramente em forma e... – Eu me calei quando Mariam se levantou e saiu correndo abruptamente para o banheiro, batendo a porta com um estrondo.

Olhei para Lizzie em choque.

– Falei alguma coisa errada?

– Hum... talvez – respondeu Lizzie, incomodada.

– O que houve?

– Nada, acho melhor você conversar com Mariam. Não cabe a mim. Vou para a sala esperar a ligação do advogado que Miles me indicou. Vejo você daqui a pouco.

Fiquei olhando pela janela, confusa, mas finalmente a ficha caiu.

– Electra, você é uma idiota! – disse a mim mesma, quando tudo começou a se encaixar. Aquela confissão que eu ouvira na reunião dos AA, que eu pensei ser sobre mim... – Muito egocêntrica mesmo... – sussurrei, revirando os olhos.

Agora a reação brusca de Mariam quando pedi o celular de Tommy, alguns dias antes, e a maneira como ela vinha agindo nos últimos tempos, quando percebi que havia algo errado...

Atravessei o corredor em direção ao banheiro e bati suavemente à porta.

– Mariam, sou eu, Electra – falei delicadamente. – Sinto muito por ter sido insensível. Você devia ter me contado. Pode sair para conversarmos?

Por fim a porta se abriu e eu a vi com o rosto molhado de lágrimas.

– Por favor, me perdoe, Electra. Isso não foi nada profissional. Prometo que não vai acontecer de novo. Já estou bem – garantiu ela, passando por mim e voltando à cozinha.

– É óbvio que não está, Mariam. Há quanto tempo está rolando alguma coisa entre você e Tommy? – perguntei, sentando-me à mesa na frente dela.

– Ah, não foi nada, e já acabou... – Ela soluçou, então engoliu em seco. – Me desculpe.

– Por favor, pare de se desculpar, sou eu quem deveria fazer isso. Andei tão envolvida em meu próprio mundo que não vi o que estava bem debaixo do meu nariz.

– Não havia nada para ver, de verdade. Foi logo depois que você foi para a reabilitação... Nós nos aproximamos – confessou Mariam, puxando um lenço de papel e assoando o nariz. – Ele é muito gentil e gosta muito de você e, mesmo que tenhamos vindo de mundos completamente diferentes, nós... nos conectamos. Eu vinha trabalhar no apartamento e, mesmo sem você aqui, ele continuou aparecendo na portaria. Disse que gostava da rotina. E começamos a passear no Central Park, a nos sentar em um banco e a almoçar juntos. Uma coisa levou a outra e... percebemos que nos gostávamos.

– Isso não é ótimo, Mariam? Quero dizer, claro que não conheço Tommy tão bem quanto você, mas sei que ele é um cara adorável e que passou por muita coisa.

– Não, Electra, não é ótimo. Tommy é dez anos mais velho que eu, tem uma filha e uma ex-esposa. É um alcoólatra em recuperação e vive da pensão do Exército porque tem transtorno de estresse pós-traumático. – Mariam engoliu em seco. – E, para piorar, ele não é da minha religião.

– Lembro que uma vez você me contou que seu pai falou para abraçar o país em que nasceu.

– Sim, e ele foi sincero. Mas isso não me permite casar fora da minha religião. É proibido para qualquer mulher muçulmana se casar com um homem não muçulmano.

– É mesmo? Eu não sabia.

– Sim. Embora os homens muçulmanos possam se casar com mulheres não muçulmanas. A vida é injusta, não é?

– Meu pai sempre dizia que os textos antigos foram escritos por homens, Mariam, para que eles pudessem fazer tudo do jeito que quisessem, sabe? – Dei de ombros, tentando aliviar o clima. – Vocês não poderiam se casar só no civil?

– Sou a filha mais velha da minha família, Electra. Desde que eu era criança, toda a nossa vida, nossa comunidade, se baseia em nossa fé. Um casamento civil não seria reconhecido... Eu estaria indo contra todos os princípios nos quais fui criada se me casasse com ele.

– Hum. – Já que não acreditava em nenhuma religião, era difícil opinar, embora eu soubesse quanto aquilo era importante para Mariam. – Tommy não poderia se converter ao seu povo... quero dizer, à sua fé?

– Talvez... mas ele lutou no Afeganistão, Electra, e, mesmo que nunca tenha dito isso diretamente, eu sei que ele viu algumas atrocidades cometidas por muçulmanos extremistas. Ele tem amigos que morreram nas mãos deles, em explosões de minas ou bombas... Ah, é tudo tão complicado!

– O amor sempre é, não é? – Suspirei. – Eu sei que não é uma solução, mas vocês dois não podem só viver juntos ou algo assim?

– Não, nunca, Electra. Esse seria o pior pecado de todos – respondeu Mariam, com firmeza.

– E o que Tommy acha de tudo isso?

– Nada. Como falei, terminei com ele faz mais ou menos uma semana.

Na época em que eu o ouvi falar na reunião dos AA, pensei.

– Então é por isso que ele não tem aparecido?

– Sim.

– E ele sabe o motivo?

– Mais ou menos.

– Você chegou a perguntar se ele estaria disposto a se converter ao Islã? Quero dizer, se essa for a única opção?

– É claro que não. Ele não me pediu em casamento nem nada, mas, por causa de tudo o que acabei de dizer, não vejo nenhum futuro para nós, então decidi que era melhor terminar logo com essa história.

– Bom, entendo que é complicado – respondi, sentindo-me a rainha do eufemismo –, mas, Mariam, faz tempo que percebi que você não estava bem. Eu também preciso lhe dizer... Bem, vou quebrar uma das regras dos AA e contar o que eu o ouvi falar em uma reunião, na semana passada. Ele se levantou e disse a todos que estava apaixonado, mas que nunca poderia ficar com a pessoa que amava. Eu, com meu ego, pensei que ele estava falando de mim. – Sorri. – É claro que ele estava falando de você. Ele a ama, Mariam, de verdade. E, se você o ama também, tenho certeza de que vão arrumar um jeito de resolver essa situação. Mas vocês têm que conversar. Você só precisa contar a ele o que me contou.

Mariam ficou em silêncio, olhando para a parede da cozinha à sua frente.

– De qualquer maneira – prossegui –, estou preocupada com ele. Pelo menos me dê o número do celular de Tommy para que eu possa ver se está tudo bem.

– Ok. Eu o apaguei do meu celular, para não ficar tentada a ligar, mas sei de cor.

Anotei o número e olhei para ela.

– Olha, eu não sou você e, dado o meu histórico com homens, não posso lhe dar muitos conselhos. Mas minha avó me disse uma coisa... que mexeu comigo. Uma mulher... chamada Kiki Preston... certa vez disse a... uma parente minha que você precisa definir quem é importante na sua vida e se apegar a eles. Fazer o que for preciso para ser feliz e fazer feliz quem você ama, porque, antes que se dê conta, sua vida já passou. E acho que ela estava certa. É o que estou tentando fazer.

– Perdoe-me, Electra, estou me sentindo muito culpada por jogar os meus problemas nos seus ombros, sabendo que você está passando por esse momento difícil. Nunca um problema pessoal interferiu em minha vida profissional antes. Se você quiser contratar Tommy como seu guarda-costas, não tenho o direito de impedi-la. Vou lidar com a situação, é claro.

– Acho que nosso relacionamento passou do ponto de ser apenas profissional depois daquele meu colapso antes da reabilitação. Você tem sido maravilhosa comigo, Mariam, e eu não faria nada que pudesse comprometer sua felicidade ou nossa futura relação. Eu juro.

– É muita gentileza sua, mas sou profissional e você não precisa ficar pensando em mim. Agora, vamos falar sobre o seu projeto? – perguntou ela, abrindo o seu sorriso mais brilhante.

❂❂❂

Abalada pela minha experiência no parque no dia anterior, decidi me exercitar na academia. Enquanto corria na esteira, pensei em como minha vida mudara nas últimas semanas. Antes, tudo o que eu fazia era viajar de uma sessão para a próxima. Agora, era uma sessão a cada dez dias, mais ou menos, e no intervalo minha vida parecia transbordar de questões pessoais. E, por mais difícil que fosse, eu sabia que podia lidar com tudo, porque tinha conseguido reunir um grupo de pessoas incríveis ao meu redor. Uma delas tinha o meu sangue e as outras pareciam gostar de mim de verdade...

Isso imediatamente me fez pensar em Miles.

Sentia falta dele. Não do tipo "faz tempo que não o vejo", mas uma saudade permanente que pesava no meu peito – era um sentimento que eu não conseguia descrever. Era como se eu não ficasse inteira se ele não estivesse por perto, o que parecia meio estranho *e* sério. Talvez Lizzie tivesse razão e ele se sentisse intimidado demais para tomar a iniciativa. Ou talvez eu simplesmente não tivesse demonstrado a ele o que sentia...

Mas eu também estava com medo, pois *havia* demonstrado meus sentimentos a Mitch. Na verdade, eu estava tão carente na época que tinha ânsias de vômito só de pensar na pessoa que eu era quando estava ao lado dele. Eu não queria passar por tudo aquilo de novo...

Mais tarde, no carro, a caminho dos AA, por um capricho pedi ao motorista que me levasse à reunião perto do edifício Flatiron. Se Tommy estivesse com problemas – e eu tinha certeza de que estava –, eu achava que o encontraria ali.

E, de fato, lá estava ele, sentado algumas fileiras à minha frente, seu boné vermelho destacando-o entre os outros participantes. Dessa vez, ele não falou nada, nem eu – depois do dia anterior, se eu começasse a falar, não conseguiria parar, e precisava de tempo para processar todas as minhas descobertas no meu próprio ritmo. Quando a reunião terminou, decidi permanecer no fundo da sala e esperar que ele passasse por mim.

– Oi, Tommy! – chamei. – Que bom encontrar você aqui.

– Olá, Electra. Como você está?

Vi que ele estava pálido e com os olhos vermelhos, como se não dormisse havia dias.

A boa notícia era que não senti nenhum cheiro de álcool em seu hálito enquanto ele falava comigo.

– Senti sua falta lá no meu prédio – comentei, animada. – Por onde você tem andado?

– Ah, sabe, por aí – respondeu ele, dando de ombros.

– Quer tomar um café? Quero dizer, não aquele café – falei, indicando a mesa.

– Sério? – respondeu ele, me olhando com surpresa.

– Sim, por que não?

– Bem, ok, então.

Encontramos uma lanchonete ao virar a esquina e nos sentamos.

– Você está bem, Tommy?

– Para ser sincero – disse ele, soprando o café –, a vida não anda muito boa no momento.

Decidi que aquele não era o momento de enrolar.

– Olhe, eu sei o que aconteceu. Com Mariam.

– Sério? – Ele pareceu chocado. – Como?

– Para resumir, fui assaltada ontem no parque e todo mundo está me aconselhando a contratar um guarda-costas. Então, pensei em você e disse isso a Mariam, que começou a chorar e se trancou no meu banheiro. Aí toda a história veio à tona.

– Caramba, Electra, desculpe por lhe arrumar qualquer problema. – Ele me encarou e deu para ver um leve brilho de esperança em seus olhos. – Ela se trancou no banheiro chorando?

– Aham. Ela te ama, Tommy, e parece que você a ama também. Quero dizer, ouvi de sua própria boca na reunião da semana passada. Eu estava lá no fundo. Claro que eu não sabia que você estava falando de Mariam, mas...

– Bom, nós já terminamos. Ela me deixou.

– Você sabe por que ela fez isso?

– Para falar a verdade, não. Mas imagino. Afinal, basta olhar para mim, Electra. Quem ia me querer? Minha vida é uma bagunça – argumentou ele, e lágrimas surgiram em seus olhos.

– Mariam, por exemplo – respondi, sem pestanejar. – Ela não terminou porque não te ama, Tommy. Ela acha você maravilhoso. Foi porque ela é muçulmana. E parece que uma mulher muçulmana não pode se casar com um homem de outra religião. É só isso.

– Você está brincando. – Tommy me encarou como se eu tivesse vindo de outro planeta e não entendesse os seres humanos. – Ela nunca me falou disso.

– Ela me disse que você não a pediu em casamento nem nada, então ela achou que seria esquisito mencionar esse fato. Mas é esse o motivo, eu juro.

– Você quer dizer que, se eu fosse muçulmano, ela ia *querer* se casar comigo?

– Sim, e pelo jeito como ela estava hoje, se casaria amanhã mesmo, se possível. Ela terminou porque não via como poderia dar certo. Você e eu não entendemos porque não somos muçulmanos, mas toda a vida dela, sua família, seus amigos, tudo gira em torno disso. Ela também sabe que você tem uma filha e, bem, juntando tudo, achou a situação muito complicada.

– Claro, tenho minha filha, mas minha ex-mulher conheceu um cara e quer levá-la para a Califórnia para morar com eles. Aliás, essa é outra razão pela qual voltei aos AA. Sem minha filha ou Mariam... Electra, está difícil.

– Eu sei, Tommy. Ok, vou direto ao assunto: se ficar com Mariam depender de você se converter à fé dela, você se converteria?

– Essa é uma pergunta difícil. Você está conversando com alguém que serviu no Afeganistão. As atrocidades que vi, perpetradas em nome de Alá... Quero dizer, eu andaria sobre brasas para ficar com ela, e entendo que estava lidando com extremistas por lá, mas me tornar um deles... – Tommy balançou a cabeça. – Simplesmente não sei.

– Mariam sabe o que você passou. Ela já tinha pensado em tudo, e foi por isso que não conseguiu falar nada. Por que a vida tem que ser tão complicada?

– Não faço ideia, Electra. Quero dizer, conheci uma garota que sei que combina comigo em todos os sentidos... e ainda assim...

– Olhe, sou apenas a mensageira, agora cabe a vocês dois decidirem o que fazer. Eu entendo o dilema, mas o amor não deve ser capaz de cruzar fronteiras? No fim das contas, ela é apenas uma mulher e você é apenas um homem. Enfim, pelo menos agora você sabe a verdadeira razão pela qual ela o deixou. E talvez seja muito complicado, mas vocês podem encontrar alguma solução. Certo, é melhor eu ir embora. A propósito – acrescentei, enquanto me levantava –, estou falando sério sobre o trabalho como meu guarda-costas. Obviamente, enquanto as coisas estiverem confusas entre você e Mariam, isso não seria legal, né?

– Não, mas obrigado mesmo assim.

– Mantenha contato, Tommy. Eu me preocupo com você.

– Obrigado pelo café, Electra. E por se preocupar – agradeceu ele, enquanto eu me levantava e o deixava ali debruçado sobre sua xícara.

De volta ao carro, percorrendo Nova York, olhei pela janela para as pessoas na calçada, pensando que cada uma tinha os próprios dramas e nenhum de nós que passávamos por elas poderia imaginar. O pensamento me reconfortou. Era muito fácil acreditar que todo mundo tinha uma vida perfeita; parecia ser o que a mídia espalhava todos os dias – eu só precisava pensar em todas as minhas infinitas fotos entrando e saindo de limusines, vestida com roupas caras, a caminho de uma festa de celebridades. Mas a realidade era muito diferente.

Bem, pensei, *fiz o que pude para bancar a fada madrinha para dois de meus seres humanos favoritos, agora só preciso deixá-los se resolverem.*

– Electra?

– Oi, Stella – falei ao atender o celular naquela noite, na hora em que estava indo para a cama.

– Só liguei para saber como você está.

– Estou bem.

– Eu... fiquei muito preocupada desde que você saiu. O que lhe contei ontem é suficiente para traumatizar qualquer um, quanto mais uma pessoa que acabou de sair da reabilitação. Eu não suportaria ter atrapalhado o seu processo de recuperação.

– Na verdade, acho que saber do meu passado faz parte do meu processo de recuperação. Claro que foi perturbador, mas não conheci minha mãe, então, mesmo não suportando a ideia de como ela morreu, fica mais fácil. De verdade – acrescentei, porque percebi um genuíno medo e muita preocupação na voz da minha avó.

– Sua atitude é incrível, Electra, e estou... – a voz de Stella falhou quando ela engoliu em seco – muito, muito orgulhosa de você. Eu só queria lhe dizer isso.

– Obrigada – respondi, sabendo que corria o risco de também começar a chorar. – Amanhã seria cedo demais para ir visitá-la? Quero lhe perguntar uma coisa. Posso dar um pulo aí à noite, às sete, talvez?

– Tudo bem, até amanhã.

Deitada na cama, não só percebi que meu desejo por uma dose de vodca definitivamente estava diminuindo, mas também que, pelo seu tom de preocupação, minha avó realmente gostava de mim. E eu também estava começando a gostar mais dela, agora que havia mostrado o seu lado vulnerável. Se eu precisava de uma inspiração, pensei, era ela. Eu pesquisara a respeito dela mais cedo na internet e descobrira que Stella havia assumido inúmeras causas, em incontáveis países, por meio de sua posição atual na Anistia Internacional. Recebera inúmeros prêmios e honrarias. Enquanto pegava no sono, percebi que meus dias de modelo estavam quase certamente terminando. Eu também queria fazer a diferença no mundo...

Estava quase adormecendo quando meu celular tocou.

– Electra?

– Oi, Miles, tudo bem? – atendi, sonolenta.

– Caramba, eu a acordei? Acabei de chegar do trabalho e queria lhe dizer que Vanessa já pode receber visitas no fim de semana.

– Que ótimo! E como você está?

– Ah, mergulhado no trabalho... Estava pensando esta noite que talvez seja hora de uma mudança. Já não estou gostando mais do que faço.

– Que estranho, eu estava pensando exatamente a mesma coisa.

– Certo, bom, está na hora de me dar uma folga. Você vai fazer alguma coisa amanhã à noite?

– Não, nada além de jantar em casa com Lizzie.

– Quer jantar comigo em vez disso?

– Claro, por que não? – respondi, sentindo meu coração acelerar.

– Ótimo. Posso buscá-la por volta das oito?

– Claro, perfeito, até amanhã.

– Boa noite, Electra.

– Boa noite, Miles.

Fechei os olhos e estremeci de emoção na minha cama antes de adormecer com um sorriso ainda estampado no rosto.

52

Eu nunca tinha demorado tanto para escolher uma roupa para um jantar que eu nem sabia se era mesmo romântico. Não tinha ideia se ele me levaria para algum restaurante da vizinhança ou a um lugar mais caro. Fiquei triste que o efeito das calças de couro fora desperdiçado tão brevemente em sua última visita, então no fim optei por uma roupa vintage, com uma calça de boca larga alaranjada da Versace e uma blusa de seda, que dava um ar de elegância. Com um colar de contas étnicas no pescoço, eu estava pronta para qualquer coisa.

– Você está linda, Electra – disse Lizzie quando chegou ao quarto para dar uma olhada. – Eu amo essas calças, embora fiquem ridículas em alguém da minha idade.

– Quero saber o que você achou dos modelos que rascunhei hoje – falei, empilhando a montanha de roupas que havia experimentado de volta no guarda-roupa para a empregada arrumar no dia seguinte.

– Alguns são ótimos – elogiou Lizzie, admirada. – Você vai mesmo fazer isso?

– Vou. Todos os lucros irão para o centro de atendimento. Só vou pedir à assistente de Susie que venha me visitar nos próximos dias e agendar algumas entrevistas. Mariam descobriu uma empresa que pode transformar meus desenhos em roupas de verdade, porque eu não tinha nem ideia de como fazer isso. Já temos o tecido encomendado e estou muito empolgada com tudo.

– Um novo empreendimento – comentou Lizzie, com um sorriso. – Bem, se precisar de alguém para fazer as contas, eu sou boa com números, é só dizer.

– Talvez eu aceite a sua oferta.

– Sabe de uma coisa, Electra? Hoje você está tão cheia de... luz. É maravilhoso ver.

– Estou aceitando a nova versão de mim – expliquei, bem quando a campainha tocou. – Deve ser Stella. Você se importa de abrir a porta?

Lizzie saiu e eu fui ao banheiro dar uma última olhada no espelho. Eu me sentia bonita e elegante ao chegar à sala para cumprimentar minha avó. Ela imediatamente me deu um abraço, reiterou a opinião de Lizzie sobre a minha roupa e, de alguma forma, mesmo eu já tendo ouvido milhões de vezes que era linda, foi muito significativo que essas palavras tivessem vindo de minha nova melhor amiga e de minha avó.

– Acho que não preciso perguntar como você está, Electra – disse Stella, sentando-se em sua poltrona de costume enquanto eu lhe servia um copo d'água.

– Estou bem. Como diz uma citação que Pa deixou para mim: "A vida só pode ser entendida olhando-se para trás, mas só pode ser vivida olhando-se para a frente."

– Só tive o prazer de conhecê-lo brevemente, mas é óbvio que seu pai era um homem muito sábio. Ele me passou a sensação de ter sido um homem muito vivido.

– Bem, eu e minhas irmãs gostaríamos de saber *o que* ele viveu. Ele era um enigma. Nunca soubemos o que ele fazia, aonde ia quando viajava ou por que nos adotou de todas as partes do mundo. E agora nunca saberemos, porque ele se foi.

– Você sente falta dele?

– Sim, muita. Agora que a raiva passou.

– Onde quer que ele esteja, sei que está muito orgulhoso de você. Por falar nisso, tenho algo a lhe propor. Você se lembra de que me viu na TV, na outra noite, falando sobre a crise da aids na África?

– Como eu poderia esquecer?

– Eles me pediram que fosse ao Concerto para a África, no Madison Square Garden, e falasse para a plateia, contasse minha experiência. E... bem, eu queria que você subisse ao palco comigo, conversasse com o público... que será de milhões de pessoas, em todo o mundo... sobre a epidemia da dependência de drogas entre os jovens aqui na cidade de Nova York e no mundo todo. Agulhas infectadas são uma das principais causas da propagação do HIV, e eu sei que Obama é um grande apoiador da campanha. Você iria? Conseguiria?

– Eu...

Estava tão surpresa que abria e fechava a boca como um peixe dourado.

– Eu? Stella, sou apenas uma modelo. Quero dizer, nunca fiz um discurso na minha vida. Sou apenas um cabide de roupas, não tenho voz, eu...

– Ah, você tem, sim, Electra. E sua história, e as drogas que quase a destruíram, tudo isso seria uma mensagem extremamente poderosa para a juventude em todo o mundo, porque mostraria que pode acontecer com qualquer um, entendeu?

– Uau.

Minha cabeça girava só de imaginar.

– Quando estive na África, nos últimos meses, vi os traficantes, os cafetões com suas prostitutas drogadas demais até para saber o que estavam fazendo e com quem. Metade dessas mulheres, algumas com apenas 10 ou 11 anos de idade, acabará pegando o vírus HIV e morrendo lenta e dolorosamente. Muitas delas vão deixar filhos. Electra, faça isso por sua mãe, pelo terrível fim que ela sofreu. Eu...

Olhei nos olhos da minha avó, que ardiam de paixão, e percebi por que ela se tornara um ícone. Estava conseguindo até me convencer de que eu deveria ficar na frente de milhões de pessoas e conversar sobre o meu vício.

– Mas é um Concerto para a África, Stella. Além disso...

– Sim! De onde vieram os seus ancestrais, Electra? De onde eu sou? Aquelas pessoas, principalmente as mulheres, não têm a plataforma que nós temos. Estamos aqui para falar em nome delas, você não percebe?

– Ok, ok, Stella, uau. – Respirei fundo algumas vezes. – Preciso pensar melhor, está bem? Não sei se estou pronta para contar ao mundo sobre os meus... problemas, entende? Se eu aceitar, tudo o que eu disser vai afetar minha imagem para sempre.

– Eu entendo, Electra, mas isso também pode significar um nível de publicidade enorme para você e fundos inimagináveis para o seu centro de atendimento. Esse tipo de oportunidade não bate à porta muitas vezes na vida.

De repente, minha ideia de criar uma linha de roupas começou a ficar muito pequena em comparação ao que Stella estava sugerindo.

– Posso pensar um pouco mais? Por favor, Stella.

– É claro que pode. E sinto muito por vir falar disso hoje, depois do trauma de ouvir sobre a sua mãe, mas, se você resolver participar, preciso avisar para que a coloquem na programação.

– Quando vai ser?

– Sábado à noite.

– Merda! – exclamei. – Desculpe pelo palavrão, mas é que está muito em cima da hora.

– Sim, é por isso que preciso de uma resposta sua amanhã.

– Bem, vou me encontrar com Miles hoje, o cara que conheci na reabilitação. Quero dizer, ele não estava *em* reabilitação, porque já está recuperado, mas... Bom, é uma longa história.

– Ele deve ser bem especial. Você está brilhando, querida – elogiou Stella, repetindo o que Lizzie havia me dito antes, com um sorriso.

– Obrigada. Stella, você nunca conheceu outro homem que despertasse o seu interesse?

– Não do jeito que você quer dizer, mas não se preocupe comigo, querida, não fiquei sozinha quando precisei de companhia. Enfim, esqueça isso agora, porque a outra coisa que eu queria lhe dizer é que, no tempo devido, quero levá-la ao Quênia, mostrar o lugar onde nasci e onde seus antepassados, os maasais, vivem. Eu sei que você já me ouviu falar sobre isso, Electra, mas até ver por si mesma não vai entender a beleza. Durante anos, pensei que, quando me aposentasse, voltaria para lá. Ainda tenho a casa de Bill no lago Naivasha. Só que minha aposentadoria parece nunca chegar. E, claro, não vou a lugar nenhum até depois das eleições, em novembro. Vai ser o momento de maior orgulho de minha vida se eu viver para ver um presidente negro assumir o cargo.

– Sim, será incrível – concordei, de repente entendendo a ressonância e a magnitude de tal evento para cada pessoa negra em todo o mundo. – Eu... queria lhe perguntar uma coisa.

– O quê, meu bem?

– Acabei de comprar uma casa, há algumas semanas. Fica em Tucson. Desde que comecei a entender quanto sofrimento, pobreza e abuso existem no mundo, comecei a me sentir culpada por tê-la comprado.

– Não, Electra, não fique assim. A vida nunca é justa, sempre haverá ricos e pobres. Até Jesus admitiu isso na Bíblia. Portanto, aproveite sua riqueza, mas esteja disposta a usar seu privilégio para ajudar aqueles que não tiveram a mesma sorte. De qualquer forma, é óbvio que você não é materialista.

– É mesmo?

– Sim. Quanta coisa sua há neste apartamento, por exemplo? – Stella gesticulou ao redor. – Aposto que você mal gasta o seu dinheiro.

– Para ser sincera, não mesmo, até comprar a casa neste mês.

– Está vendo? É porque acumular bens não lhe interessa.

– Bem, talvez me interessasse se eu não tivesse dinheiro – respondi, e minha avó riu.

– É verdade. Você é uma figura, mocinha – comentou ela, sorrindo.

Então o interfone tocou.

Olhei meu relógio e vi que Miles chegara dez minutos adiantado.

– Quem é?

– Miles, mas ele vai esperar lá embaixo até terminarmos de conversar.

– Convide-o para subir, pelo amor de Deus. Não deixe o pobre rapaz lá embaixo sozinho – ordenou minha avó.

Com um suspiro, obedeci, sabendo que teria que testemunhar um fã se derretendo e nos atrasaríamos para o jantar.

– Oi, Miles – falei, abrindo a porta. – Como vai?

– Estou melhor. Terminando alguns dos casos na minha mesa e...

Miles parou no meio da frase quando entramos na sala e ele viu quem estava sentada lá.

Stella levantou-se para cumprimentá-lo.

– Olá, sou Stella Jackson, avó de Electra. E você é Miles...?

– Miles Williamson – respondeu ele, dando passos rápidos pela espaçosa sala de estar e pegando a mão de Stella. – É uma honra conhecê-la, senhora. Ouvi uma palestra sua em Harvard. A senhora fez coisas incríveis e foi uma inspiração para mim.

Ai, meu Deus, pensei, *ele parece prestes a chorar.*

– Obrigada, Miles, mas você sabe que o meu trabalho é apenas uma gota no oceano.

– Não, é mais do que isso. A senhora tem sido a voz dos que não têm voz, sem se importar com quem a escuta.

– É verdade. – Stella riu. – Fiz tantos inimigos quanto amigos na vida, mas é preciso falar e ser ouvido, não é mesmo?

– Com certeza e, em meu nome e da minha geração, quero aproveitar a oportunidade para lhe agradecer por fazer isso.

– Electra e eu estávamos conversando sobre uma ideia que sugeri a ela, não foi, Electra? – disse Stella, olhando para mim.

– Estávamos, sim, mas acho que...

– Não quero segurar os jovenzinhos, mas você pode se sentar por um momento, Miles? Talvez seja bom ouvir sua opinião.

– Claro.

Miles caminhou até a poltrona na frente de Stella e se sentou. Fiquei em pé, de braços cruzados, olhando para minha avó.

– Não podemos conversar sobre isso outra hora?

– Desculpe, Electra, mas Miles é seu amigo e ele pode ter uma opinião válida sobre o assunto.

Sim, claro, pensei. *Ele iria até a lua por você, se lhe pedisse.*

Fiquei esperando enquanto Stella explicava seu plano para eu falar no concerto e me preparei para o entusiasmo de Miles e a subsequente adesão à causa.

– Certo – assentiu ele quando Stella terminou. Então ele se virou e olhou para mim. – Entendo por que você está em dúvida, Electra. Você passou por muita coisa recentemente e fazer algo assim... se expor desse jeito na frente de milhões... exige muita coragem. Você precisa pensar com calma.

– Sim, eu sei – respondi com sinceridade.

– Como eu disse a Electra, não temos muito tempo. Tenho que avisar até amanhã para que ela seja incluída na programação – explicou Stella.

– A senhora me perdoe, mas acho que a última coisa que Electra precisa é desse tipo de pressão. Agora, vou levar sua neta para jantar e podemos conversar mais sobre isso. – Miles se levantou. – Pronta, Electra?

– Sim.

Ele estendeu a mão para mim. Eu me aproximei e a segurei, sentindo que Miles a apertava com firmeza. Ele se virou para Stella.

– Foi um prazer conhecê-la, e espero que possamos conversar novamente em breve. Boa noite.

Com isso, ele me guiou para fora do apartamento.

Talvez tenha sido apenas o elevador descendo, mas senti uma aflição estranha no estômago, que poderia ser chamada de amor. Quando chegamos ao saguão, havia lágrimas nos meus olhos que eu não conseguia explicar.

– Não fomos meio grosseiros? – perguntei a Miles, que ainda segurava minha mão quando saímos para a noite quente de junho.

– Ah, ela vai sobreviver – disse ele, sorrindo, enquanto chamava um táxi.

– Aonde vamos?

– A um lugar especial que eu conheço. – Ele me olhou de soslaio. – E você não poderia estar vestida de maneira mais apropriada.

Não conversamos muito no caminho. Não estávamos mais de mãos dadas, e eu queria que estivéssemos. Percebi que estávamos indo para o centro da cidade, em direção ao Harlem. Descemos em frente a um restaurante na rua principal e entramos.

– Bem-vinda a La Savane. Pensei que era hora de você ser apresentada à culinária africana.

Enquanto comíamos um delicioso peixe grelhado, com banana e algo chamado cuscuz, contei a ele uma versão resumida do que Stella havia narrado sobre minha mãe e sua morte horrível.

– Nossa, Electra, é uma história muito dolorosa. Tem certeza de que está lidando bem com isso?

– Tenho, sim. Eu tinha medo de não conseguir, mas parece que meu cérebro conseguiu fazer uma faxina de todo o lixo dentro dele.

– Parece que você foi batizada e está recomeçando, como uma nova pessoa.

– Sim. Se você quer usar uma metáfora religiosa, é isso aí. Achei que ficaria mais chateada sobre a minha mãe, ainda mais com essa morte tão horrível, mas, como eu disse a Stella, nunca a conheci e, em comparação ao que sinto pela morte de Pa, não me atingiu com a mesma força. Decidi que não quero ir a Hart Island. Li sobre o lugar na internet e me pareceu assustador. Eles enterram corpos não identificados em uma vala comum – expliquei, estremecendo.

– Concordo, mas talvez você possa conversar com Stella sobre fazer algum tipo de cerimônia em tributo à morte dela.

– Sim, é uma ótima ideia. Eu também estava pensando se o esperma... que é como eu chamo meu pai biológico... ainda está vivo.

– Talvez esteja, e talvez um dia você o encontre, se quiser. Os testes de DNA estão avançando rápido, e com certeza vão construir algum tipo de banco de dados para que seja possível encontrar parentes de sangue. Mas não por agora.

– Não. A propósito, obrigada por me tirar do apartamento daquele jeito.

– Percebi que sua avó a estava pressionando, e essa é a última coisa de que você precisa agora. Ela é uma potência, não é? Vai com tudo quando deseja algo... Mas acho que foi assim que ela conseguiu alcançar tantas coisas. Você não move montanhas ficando de boca fechada.

– O que você acha da ideia dela? De eu contar a minha história para milhões de pessoas?

– Não posso responder por você, Electra.

– Eu sei que não, Miles, mas preciso de alguma opinião.

– Entendo por que ela quer que você faça isso: é uma figura pública e um ícone para jovens de todo o mundo. Stella pode ser mil vezes mais experiente nessas coisas, mas qualquer discurso que ela faça não terá a atenção que poucas palavras suas atrairiam.

– Mas eu sou um rosto, não uma voz.

– É verdade, e se for o que você prefere, então não fale. Mas a verdadeira questão é: você prefere?

– Sim... não... ah, não sei, Miles. – Suspirei. – Eu lhe contei ontem que estava pensando em fazer algumas mudanças. Modelar não é mais o suficiente para mim. E, sim, talvez esteja nos meus genes, mas quero fazer o bem e ajudar garotas como Vanessa. Só que há uma grande diferença entre dar algumas entrevistas à imprensa sobre o centro de atendimento e fazer minha primeira aparição como ativista diante de milhões de pessoas.

– Sim, entendo perfeitamente.

– Talvez, se eu ainda estivesse usando drogas, arrumasse coragem de subir naquele palco, mas...

– Nem diga isso, Electra. Você não pode fazer nada que coloque em risco a sua recuperação.

– Mesmo se fosse algo que pudesse arrecadar milhões para o centro de atendimento e talvez para outros centros semelhantes por toda a América? – perguntei, com um sorriso irônico.

– Seria bacana, é verdade, mas não colocando em risco a sua saúde mental. E se você não se sentir pronta para lidar com algo tão grande, então espere até ficar.

– O problema é que não sou boa em esperar e, se vou começar essa campanha, o que eu já queria mesmo, então não seria loucura recusar uma oportunidade como essa?

– Não, porque o mais importante é *você* e o que você pode ser no futuro. Vou repetir para você se lembrar de que ainda é muito jovem.

– Bem, pelo menos acho que encontrei um lugar para canalizar toda a minha energia. Preciso usá-la para ajudar os outros, não anulá-la com vodca. Tipo, usar minha raiva como uma força positiva para provocar mudança, e ficar com raiva em nome de outras pessoas.

– Concordo plenamente. Perdão... – disse Miles quando seus olhos marejaram.

– Droga! Falei besteira?

– Não, pelo contrário. Estou muito orgulhoso de você, só isso.

– Ah, Miles, não me faça chorar também. – Eu me abanei enquanto uma jovem negra vinha até a nossa mesa, me olhando timidamente. – Olá – cumprimentei-a sorrindo, feliz com a distração.

– Oi, Electra. Eu... eu só quero lhe dizer que... Olhe, eu sou sua fã. Tipo, você ser negra e bem-sucedida e tudo o mais é uma inspiração para mim e para os meus amigos.

– Obrigada, fico feliz por isso.

– Adorei seu novo corte afro. Talvez eu faça isso também... raspar a cabeça, porque eu e meus amigos não temos dinheiro para extensões, relaxamentos e coisas assim, sabe?

– Isso mesmo, vai com tudo, querida. Foi a melhor decisão que eu já tomei.

– Posso tirar uma foto com você?

– É claro que pode. Sente-se aqui do meu lado e meu amigo fará as honras.

Miles bateu a foto e a garota se afastou da mesa sorrindo de orelha a orelha.

– Ah, isso foi fofo – comentei. – Talvez eu faça uma última sessão de fotos com esse corte afro para incentivar outras meninas a escapar da tirania do cabeleireiro.

– Bem, se alguma vez você já quis uma prova de que é um exemplo, Electra, e de que tudo o que você fizer será visto e ouvido pelos jovens de todo o mundo, acho que conseguiu – comentou Miles.

– Desde que ela não conte aos paparazzi que acabou de nos ver juntos; caso contrário, você vai acabar com a sua foto nos jornais.

– É, não sei como você lida com essas coisas. Eu não conseguiria...

Se você ficasse comigo, talvez tivesse que lidar...

– Enfim, vamos falar de outra coisa? – interrompi, de repente. – Eu queria conversar com você sobre um assunto. Tem a ver com a minha assistente pessoal e fiquei imaginando se você teria alguma ideia.

Expliquei o caso de Mariam e Tommy enquanto Miles ouvia atentamente.

– É mesmo difícil – concordou ele. – Ela tem sua fé e ele é um veterano do Afeganistão... – Miles balançou a cabeça. – Qual é o problema conosco, seres humanos? Sempre nos apaixonamos pela pessoa mais difícil.

– Eles se amam. Querem ficar juntos e, se descobrissem um jeito, eu teria a equipe perfeita, sendo bem egoísta. Tommy é um cara legal, Miles. E você já sabe que Mariam é um amor. Quero dizer, você gosta dessas coisas religiosas; se você conhecesse, digamos, uma mulher muçulmana ou mesmo ateísta, isso impediria o relacionamento?

– Há duas questões aqui, Electra. Uma é o fato de que não há nada específico na Bíblia que diga que as mulheres são proibidas de se casar com pessoas de outras religiões. No caso da religião de Mariam, é proibido. A segunda questão, e para mim a mais importante, é a sociocultural. Ser parte de uma religião, seja ela qual for, nos fornece uma identidade e uma comunidade que acredita nos mesmos códigos morais. E, em um mundo onde a moralidade parece estar desaparecendo, essas comunidades e esse senso de identidade se tornam ainda mais importantes. Pelo menos no meu modo de ver. Então, para Mariam, imagino que a ideia de trazer uma pessoa de fora para seu "clube" seja um problema bem grande, pois é tecnicamente proibido para ela se casar com Tommy. E então tem o próprio Tommy e sua difícil experiência no Afeganistão, para não mencionar as Torres Gêmeas e o ódio que isso gerou... A resposta é que eu não sei. É uma situação difícil. Olhe, e se eu tentasse conversar com ele? Talvez possa explicar um pouco melhor a situação de Mariam. Sei um pouco sobre a fé muçulmana... as partes boas, que são muitas. Ele pode estar precisando saber disso agora.

– Você faria isso, Miles? Seria incrível. Obrigada.

Então um silêncio estranho desceu sobre a mesa, deixando a atmosfera realmente desconfortável. Miles estava olhando para a parede atrás de mim e eu remexia no guardanapo, sentindo a mudança no ambiente.

– Olhe, Electra... Talvez este não seja o momento de falar sobre isso, mas... – Eu o vi engolir em seco. – Falei com o meu pastor antes, para pedir orientação, e ele me aconselhou a dizer logo o que penso. Então, aqui vai: você deve ter notado que gosto muito da sua companhia. E a verdade é que, apesar de eu ter relutado muito, acabei me envolvendo com você. A questão é que, como você deve ter ouvido na reabilitação, dois viciados virarem um casal geralmente é má ideia. Você está apenas no início da recuperação, o que torna tudo ainda mais perigoso. Sempre existe o risco de um arrastar o outro para baixo. Além disso, você é uma estrela internacional e eu sou um advogado que mal ganha o suficiente para sobreviver nesta cidade absurdamente cara em que vivemos. Vou ser sincero, não sei se conseguiria lidar com o estilo de vida que você leva. E mesmo eu dizendo que você ganhar um milhão de vezes mais do que eu não é problema, talvez fosse, sim, porque não sei se meu triste ego masculino conseguiria lidar com isso. Agora que eu já disse tudo isso, talvez você nem esteja interessada em mim para além da amizade, o que, de qualquer maneira, deixaria esta conversa sem sentido.

Nesse ponto, ele tinha se inclinado na minha direção, para que nenhum curioso fosse capaz de ouvi-lo. Estava claro que Miles esperava uma resposta.

– Ok, obrigada por compartilhar, como dizemos nos AA. É. – Eu assenti. – Entendi tudo o que você disse.

– E...?

– E o quê? Ah, fala sério, Miles, você vai me fazer dizer em voz alta? Tipo, já deixei óbvio que estou interessada em você.

– Eu sei que você gosta de mim, mas pensei que fosse só amizade, por causa de como nos aproximamos ajudando Vanessa.

– Tem essa questão mesmo, mas é... – engoli em seco – mais do que isso.

– Certo, ok, não sei se isso me deixa feliz ou morrendo de medo.

Miles se recostou na cadeira, com uma expressão de alívio no rosto.

– Você está me dizendo que não sabia? Que não tinha ideia de como eu me sentia?

– É, é isso que estou dizendo. – Ele sorriu. – Quero dizer, olhe para você! Você é famosa, rica, tem o mundo a seus pés. Poderia ter qualquer um, teve todo mundo...

– Ei! Eu não tive todo mundo – retruquei, indignada.

– Eu quis dizer, grandes astros, como Mitch Duggan, e aquele socialite com um nome idiota...

– Zed Eszu, você quer dizer.

– Sim, ele mesmo. Parece um imbecil completo, se você quer saber.

– E ele é, mas isso é outra história. É verdade, não sou nenhuma virgem, e se você está procurando uma mulher desse tipo, não venha bater à minha porta.

– Não estou julgando a sua moralidade, Electra. Você é solteira e livre para fazer o que quiser. Mas, se ficássemos juntos e você me traísse, seria o fim.

– Bom saber. – Revirei os olhos. – Uau, Miles, você parece um advogado, listando todos os problemas possíveis para o nosso relacionamento hipotético antes mesmo de começarmos! Então você quer me arrastar para a sua igreja e me obrigar a fazer um voto de castidade?

– Com certeza. Em um mundo ideal, é claro. – Ele sorriu. – De qualquer forma, o que você me contou sobre Mariam e Tommy colocou todas as minhas questões em perspectiva. Simplificando, apenas gosto de estar com você. Você ilumina o meu dia, mal posso esperar para conversar com você...

– Eu também – respondi.

E então ficamos sentados ali, sorrindo um para o outro.

Miles estendeu a mão sobre a mesa e eu a peguei.

– A questão é que, apesar de todas as minhas reservas, acho que ficamos bem juntos, Electra. Você não acha?

– Acho – concordei. – Eu sei que ficamos.

53

Acordei no sábado de manhã sem saber se queria abrir as persianas e receber todo o mundo de braços abertos por me fazer tão feliz ou correr para o banheiro e vomitar. Escolhi a primeira opção, porque estava muito escuro e precisava subir as persianas para enxergar. Agradecendo ao mundo e a um poder superior por me dar Miles, senti meu estômago se revirar ao pensar no que eu havia concordado em fazer mais tarde. Minhas mãos tremiam ao pegar o discurso que Miles e Stella tinham me ajudado a escrever no dia anterior. Com a folha de papel na minha frente, fechei os olhos e o repeti, mas minha voz saiu como um guincho.

– Que merda!

Puxei o edredom sobre a cabeça e me deitei, pensando em pedir a Mariam que me reservasse um jato para qualquer lugar longe de Nova York. Em toda a minha vida, eu nunca me sentira tão aterrorizada quanto naquele momento.

Levantei-me, sentindo meu estômago se revirar e meu coração bater forte contra o peito, e fui atrás de um café. Lizzie estava na cozinha, seu rosto plastificado sem maquiagem.

– Bom dia, Electra. Dormiu bem?

– Não. Próxima pergunta? – respondi, puxando o bule de café de seu suporte e derramando um pouco em uma caneca.

– Sério, você vai se sair bem, não tenho a menor dúvida.

– Lizzie, tenho certeza de que *não vou* e queria nunca ter concordado com isso. Provavelmente vou sair correndo do palco, morrendo de medo. Isso se eu conseguir subir lá, para começo de conversa, e... – Xinguei e bati na mesa. – Como foi que me convenceram a fazer isso? – murmurei.

– Foi porque, no fundo, debaixo de todo esse medo compreensível, você *quer* fazer. Por sua mãe, sua avó e por todas as crianças que precisam que você fale por elas – justificou Lizzie, com sabedoria.

– Isso se eu *conseguir* falar... Tentei reler meu discurso e mal consegui articular as palavras. Que merda, Lizzie. O que foi que eu fiz?

Sentei-me à mesa e descansei a cabeça nos braços.

– Electra, meu bem, nós vamos estar lá do seu lado, e tenho certeza de que você vai conseguir. Agora, por que não sai para correr e espairecer enquanto eu preparo o café da manhã?

– Porque A, todos vocês me proibiram de correr no parque desde o meu assalto, e B, vou vomitar qualquer café da manhã que você me oferecer.

– Vista-se, Electra, e desça. Tem alguém esperando por você no lobby. Ele vai tomar conta de você, ok?

– É mesmo? Quem?

– Espere e verá. Agora vá – ordenou ela, com a voz mais maternal possível.

Obedeci, ainda tentando descobrir quem poderia estar esperando por mim lá embaixo. Miles, talvez... Embora, ao se despedir de mim com um beijo, na noite anterior (e tinha sido um beijo bem longo e maravilhoso), ele tivesse dito que viria com Stella para me buscar às três da tarde.

Não havia ninguém no saguão, então saí do prédio e quase tive um ataque cardíaco quando alguém tocou meu ombro. Obviamente, eu ainda estava traumatizada do assalto.

– Olá, Electra. Desculpe tê-la assustado.

– Tommy! O que você está fazendo aqui?

– Bem, você me ofereceu um emprego como guarda-costas, e achei que seria melhor fazer um teste gratuito para ver se estou à altura.

– Mas...

– Ei, eu sei que você vai ter um dia agitado, então vamos conversar enquanto corremos, ok?

– Ok.

Partimos, com Tommy acompanhando tranquilamente o meu ritmo. Ele me contou que Miles o havia procurado e que eles se encontraram para um café alguns dias antes. Miles lhe explicara que o Alcorão era realmente um lindo livro, cheio de sabedoria e misericórdia, mas que, como qualquer organização religiosa ou política, sempre haveria extremistas tirando palavras do contexto e as distorcendo para adequá-las ao próprio propósito. E que, se as coisas com Mariam dessem certo, converter-se à fé dela não seria a pior coisa do mundo.

– Quero dizer, ainda estou refletindo – disse ele –, tentando me acostumar à ideia e tudo o mais, mas comprei um exemplar, e Miles tinha razão: é mesmo lindo. Quero dizer, é bem longo, e não sou de ler muito, então posso morrer antes de terminar.

Ele riu, e foi muito bom ouvir sua risada.

Em seguida, ele me contou que havia ligado para Mariam e que eles se encontraram (após muita insistência da parte dele, aparentemente).

– Apenas comentei com ela que sabia por que ela havia terminado comigo e que, se chegássemos ao ponto de nos casarmos... – ele corou ao me dizer que ela teria que permanecer casta até o casamento – eu pensaria em me converter. Sendo assim, por enquanto, vamos levar as coisas devagar, sabe? Ver no que dá. E, se você ainda estiver falando sério sobre a oferta de ser seu segurança, Mariam e eu vamos conviver bastante. Isso será um bom teste, eu acho.

– É verdade, e é melhor vocês se darem bem, porque não quero brigas de casal na minha equipe – falei, secretamente empolgada.

– Eu prometo, Electra, qualquer problema que eu e Mariam tivermos será tratado em particular, e não durante o trabalho.

– E o que Mariam acha disso?

– Acho que ela ficou feliz. Quero dizer, temos um longo caminho pela frente, mas quer saber? Concordamos que, como você disse, podemos morrer amanhã, e não faria sentido viver para o futuro e ser infeliz no presente. No devido tempo, ela vai me apresentar à família e... Uau! – Ele respirou fundo. – Nesse dia, vou ficar louco por uma bebida antes de me encontrar com eles.

– Ah, eu entendo, Tommy – falei, enquanto meu estômago se revirava só de pensar no que estava por vir naquela noite. – De qualquer forma, estou feliz por vocês. Que tal nós fazermos um contrato de três meses, para começar? Vou mandar seus dados para o meu empresário e colocá-lo na folha de pagamento.

– Seria ótimo. Sério, Electra, não tenho como agradecer... Você e Miles salvaram a minha vida. Eu estava péssimo alguns dias atrás e agora sinto que posso ter um futuro – disse Tommy, enquanto saíamos do parque e esperávamos para atravessar a rua de volta ao meu edifício.

– Estou muito feliz por ter um amigo correndo comigo todos os dias a partir de agora. Realmente preciso desse tempo.

– Sem problemas. Vejo você mais tarde.

– Nada disso – respondi, quando ele parou do lado de fora do edifício. – Venha comigo, Tommy. Para começar, você precisa de um banho e, em segundo lugar, preciso apresentar oficialmente o mais novo membro da minha equipe à minha amiga Lizzie.

– Tem certeza, Electra?

– Claro. E, nunca se sabe, pode haver alguém à espreita no elevador, e preciso de você lá para me proteger.

Eu sorri quando ele entrou orgulhosamente ao meu lado.

– Que sujeito bacana – comentou Lizzie, depois que apresentei Tommy a ela e ele foi tomar um banho.

– Eu sei, ele é ótimo, e estou muito feliz por ele e Mariam terem se acertado. Mas preciso dar um jeito no guarda-roupa dele; quero dizer, se ele vai conosco hoje à noite como meu segurança, precisa de um terno ou coisa assim, não é?

– Acho que sim.

– Então, Lizzie, você se importaria de levá-lo para fazer compras? Ele usa o mesmo moletom desde que apareceu aqui na calçada, meses atrás. Diga a ele que é para fins de trabalho e leve-o para escolher algumas coisas na Sak's ou qualquer outro lugar, está bem? Ele precisa de uma repaginada completa no guarda-roupa e de um corte de cabelo decente.

– Está bem, chefe, fico feliz em ajudar – brincou ela, mas eu tinha certeza de que ela estava feliz mesmo.

Passar a manhã na Quinta Avenida vestindo Tommy era a ideia de paraíso na cabeça de Lizzie. Além disso, eu só queria, ou melhor, *precisava* de algum tempo sozinha.

❁ ❁ ❁

Depois que tomei banho e passei pelo exaustivo processo de decisão do que usar à noite – eu queria parecer profissional, mas sem deixar de ser eu mesma, então optei pela calça alaranjada de boca larga e a blusa de seda que usara no jantar com Miles –, fui me sentar em silêncio na varanda.

Tanta coisa acontecera desde aquela noite terrível em que Tommy me acompanhara até ali e ajudara a salvar a minha vida – e o meu futuro – que era difícil entender. Era quase como se minha vida estivesse ficado em pausa durante anos, e eu tivesse passado de um dia a outro movida por bebida e drogas. Eu não era um ser humano de verdade, pensei, apenas o fac-símile de um. E, embora o processo de reabilitação tivesse trazido momentos que pareceram insuportáveis, de alguma forma, com a ajuda de pessoas que me amavam – sim, me *amavam* –, eu tinha conseguido. E agora, ali estava eu, do outro lado, ciente de que a vida podia me dar uma rasteira e me jogar no chão, mas confiante o suficiente para saber que seria capaz de reunir forças e lutar.

– Estou orgulhosa de você, Electra – falei, de repente, para mim mesma. – Estou mesmo.

Então me levantei, caminhei até a beira da varanda e olhei para o céu.

– E espero, mamãe e Pa, onde quer que estejam, que ambos também estejam orgulhosos de mim.

❂ ❂ ❂

– Meu Deus! Que merda! – murmurei baixinho, ouvindo o rugido da multidão a poucos metros de mim.

Eu já fora a shows ali no Madison Square Garden – sentada na área VIP enquanto Mitch se apresentava ou até nos bastidores –, mas nunca tinha visto o que parecia ser toda a população de Nova York batendo os pés, gritando e aplaudindo na minha frente. Ele (sim, *Mitch*) estava no palco com sua banda.

Não admirava que astros do rock precisassem usar certas coisas, pensei – minha pulsação sóbria estava cerca de um milhão de vezes mais rápida.

– Ei, olhe só quem acabei de encontrar – disse Miles, tocando em meu ombro.

Eu me afastei de meu ponto na lateral do palco e me virei para ver Vanessa ali, usando o boné da Burberry, com Ida ao seu lado.

– Meu Deus! Não achei que você tivesse permissão para sair! – exclamei enquanto a abraçava.

– Bem, hoje é uma noite especial, não é? – disse Ida. – Achamos que você gostaria de ver Vanessa aqui.

– Como você está? – perguntei a ela, percebendo como sua pele já não tinha aquela cor pastosa e como seus olhos, arregalados ao observar o palco, estavam brilhantes e alertas.

– Caramba, Electra, estou sonhando ou o quê? Acabei de ver, tipo, quatro dos meus rappers favoritos lá atrás.

– Você não está sonhando, está aqui comigo, Vanessa, e estou muito feliz por isso – respondi, olhando para Miles e sorrindo. – Stella! – gritei para minha avó por cima do barulho da multidão. – Venha conhecer minha amiga Vanessa. Foi ela quem começou tudo isso, não foi, Miles?

– Com certeza foi – concordou ele.

Stella se afastou de um homem com uma prancheta, que estava organizando os procedimentos, e veio até nós. Ela estava elegante em seu terninho preto e o eterno lenço colorido em volta do pescoço. Realmente era uma mulher muito bonita, mesmo para sua idade, e me senti sortuda por ter herdado seus genes.

– Olá, Vanessa. Já ouvi falar muito de você. Como está?

O ar natural de autoridade de Stella deixou Vanessa meio intimidada, mas ela conseguiu murmurar uma resposta.

– Bem, tudo o que está acontecendo aqui hoje é para você e pessoas como você – afirmou Stella.

– Três minutos! – avisou o cara com a prancheta, enquanto Mitch e sua banda tocavam sua música mais famosa, que deixou a multidão pulando e aplaudindo tanto que a terra parecia tremer sob nossos pés.

– Você está bem? – perguntou Miles, indicando o astro do rock no palco.

– Quer saber? Estou ótima.

– Que bom, porque não quero competição, sabe?

– Eu sei – respondi enquanto ele me abraçava.

Eu simplesmente *amava* o fato de Miles ser mais alto do que eu e me fazer sentir protegida.

– Dois minutos! – avisou o homem da prancheta enquanto a multidão continuava a gritar por mais.

– Tudo bem, Electra? – perguntou Mariam, aparecendo com Tommy, que estava elegante e bonito com seu novo corte de cabelo e terno.

– Morrendo de medo, como esperado. Estou louca para acabar com isso, já que não tem mais jeito.

– Você consegue, Electra. Eu sei que consegue. E estamos todos aqui com você.

– Sim, estamos – reiterou Lizzie.

E quando Mitch saiu do palco, vindo em minha direção, fiquei parada com o braço de Miles em volta dos meus ombros, rodeada pela pequena família de desvalidos e vulneráveis que eu parecia ter reunido, e realmente me senti protegida.

– Oi, Electra – cumprimentou Mitch, parando na nossa frente, pegando uma toalha com um de seus funcionários e secando o suor que pingava do rosto. – Como vai?

– Estou muito bem, obrigada, Mitch. E você?

– Ótimo. Bom ver você – disse ele, dando uma olhada indiscreta no bonitão com o braço ao meu redor que assomava sobre sua figura baixinha e suada. – Até a próxima.

– Claro – respondi, vendo-o se afastar, com uma sensação de triunfo.

– Ok, Stella, trinta segundos, então você entra.

Stella virou-se para mim.

– Vou fazer o meu discurso e explicar que recentemente encontrei minha neta há muito perdida, aí você entra no palco...

– E todo mundo enlouquece – disse o homem da prancheta. – Ok, dez segundos.

– Boa sorte. – Stella sorriu para mim. – Estou orgulhosa de você, Electra.

– Agora! – gritou o homem.

Stella teve uma recepção bem decente, mesmo que a multidão ainda estivesse chamando por Mitch. Então, quando começou a falar, daria para ouvir um alfinete caindo na plateia. Não que eu estivesse prestando atenção, porque meu cérebro estava derretido e todas as células do meu corpo imploravam para eu dar meia-volta e fugir.

– Não consigo fazer isso, não consigo... – sussurrei no ouvido de Miles.

– Consegue, sim, Electra. Porque sua mãe e seu pai, para não mencionar o próprio Deus, estão olhando por você. Eles a trouxeram aqui hoje porque acreditam em você e no seu futuro. Agora vá lá e nos deixe orgulhosos.

– Está bem, está bem.

– Trinta segundos, Electra.

Meu pequeno grupo se amontoou ao meu redor, todos sussurrando palavras encorajadoras.

– Dez segundos. Ela está anunciando você...

– Merda! – murmurei.

– Ok, Electra, vá!

– Eu te amo – disse Miles em meu ouvido e, com delicadeza, me empurrou para a frente e eu entrei no palco.

Maia

Atlantis, Lago Genebra

Junho de 2008

54

— *Mon Dieu!* Ma! Claudia! Ally! – gritei, indo até o hall. – Corram aqui! Electra está na TV!

Peguei o controle remoto e pressionei o botão para gravar, para que pelo menos pudéssemos assistir de novo, caso elas não descessem a tempo. Então parei, fascinada e pasma, vendo minha irmã caçula entrar no palco para se juntar à mulher que aparentemente era sua avó.

Um enorme rugido de surpresa subiu da multidão, mas ninguém ficou mais surpreso do que eu.

– O que foi? – perguntou Claudia, entrando correndo com Ma.

– Vejam! É Electra – falei, enquanto Ally e Bear também se juntavam a nós.

– Meu Deus! – exclamou Ally. – Esse não é o tal do Concerto para a África?

– É, fique quieta, quero ouvir.

Assistimos enquanto a elegante mulher mais velha beijava minha irmã no rosto e descia do púlpito para Electra subir. Talvez fosse por conhecê-la muito bem, mas pude ler o medo nos olhos dela enquanto a câmera projetava seu rosto.

– Boa noite, senhoras e senhores, crianças e todos que estão assistindo ao redor do mundo – começou ela, em voz baixa, quase inaudível.

– Fale mais alto, Electra! – gritou Ally.

– Como minha avó acabou de dizer, estou aqui porque acabei de descobrir que tenho ascendência africana. A maioria de vocês conhece apenas meu rosto; na verdade, provavelmente nunca me ouviram abrir a boca. E não sei se sou boa nisso, mas vou tentar assim mesmo.

Houve uma onda de risadas de apoio, e percebi que Electra relaxou um pouco.

– Quero contar a vocês sobre a jornada difícil que enfrentei recentemente. Vocês já ouviram falar muito sobre drogas esta noite e sobre seus efeitos no povo da África, mas as drogas estão por toda parte, não apenas lá. E... eu também sofro de dependência. Só estou aqui na frente de vocês hoje por ter tido ao meu redor pessoas que me amavam e, igualmente importante, condições financeiras de obter a ajuda de que precisava.

Aplausos entusiasmados surgiram da plateia enquanto eu agarrava a mão de Ma, vendo lágrimas em seus olhos.

– Desejo que todos os jovens que estão enfrentando a dependência recebam a mesma ajuda que recebi. Nós... *vocês*... são a próxima geração, que um dia vai assumir o controle e guiar nossos países no futuro. Não poderemos fazer isso a menos que, como já foi mencionado, os governos do mundo se unam e formem uma política de não tolerância aos cartéis que alimentam nossas crianças com essas drogas assassinas. Além disso, precisamos garantir que, se uma criança for vítima de dependência, existam instalações para fornecer a ela o apoio necessário.

Houve outro enorme rugido de aplausos. Senti meu coração inchar de orgulho pela bravura de minha irmãzinha em fazer o que estava fazendo naquela noite.

– Sozinha não posso resolver o problema. É preciso que cada um de nós, em todas as cidades por todo o mundo, tome uma atitude. Na África, o uso de agulhas compartilhadas é uma causa conhecida da disseminação da aids e de outras doenças, e isso não pode continuar. Aqui, nas ruas de Manhattan, há poucos lugares para jovens como Vanessa, uma amiga que conheci na reabilitação, procurarem ajuda. Então esta noite começo uma campanha para abrir centros de acolhimento em todo o país, locais onde os jovens possam encontrar apoio e orientação quando se sentirem vulneráveis e sozinhos. Os governos também devem fazer sua parte, fornecendo instalações adequadas e gratuitas para jovens de todas as classes sociais, a fim de ajudá-los a se recuperar. Descobri recentemente que minha mãe morreu sozinha em um antro de crack no Harlem...

Nesse momento, a voz de Electra falhou e sua avó foi ficar ao seu lado, colocando um braço em volta do ombro da neta.

– Essa é uma maneira terrível, indigna e solitária de terminar a vida, e quero tomar como missão garantir que nenhum jovem como ela volte a enfrentar esse sofrimento. Por favor, façam lobby com seus governos para que tomem uma atitude, coloquem as mãos nos bolsos e ofereçam dinheiro ao Projeto de Centros de Acolhimento Rosa Jackson, que, a propósito, é o nome de minha mãe – acrescentou Electra, enquanto os aplausos e gritos aumentavam. – Porque somente se nos juntarmos poderemos acabar com essa crescente crise humanitária. Obrigada.

Ally, Claudia, Ma e eu ficamos caladas, com lágrimas escorrendo pelo rosto. Estávamos tão impressionadas, orgulhosas e tristes que nenhuma de nós tinha nada a dizer. Vimos a multidão se levantar e aplaudir minha incrível e corajosa irmãzinha, que compartilhara sua história com o mundo. A avó a abraçou. Pensei vê-la dizer "eu te amo" e repeti junto com ela.

E então uma figura avançou pela lateral do palco e se dirigiu a Electra e sua avó.

Um aplauso poderoso explodiu quando o homem abraçou minha irmã e apertou a mão de Stella.

– Esse não é o senador Obama? – perguntou Ally. – Todos acham que ele será o próximo presidente dos Estados Unidos.

– É ele mesmo – confirmou Ma.

Nós assistimos enquanto ele conversava com Stella e a neta fora do microfone, e então as duas se afastaram para deixá-lo falar.

– Obrigado – disse ele –, mas, especialmente, obrigado a Electra, que tão bravamente se pôs diante do mundo e contou sua história. Reitero e apoio tudo o que ela acabou de dizer e, por favor, apoiem generosamente a causa dela.

Nesse ponto, paramos de ouvir e ficamos só sentadas no sofá, exauridas.

Claudia teve o bom senso de nos passar uma caixa de lenços de papel, e assoamos o nariz com força, todas exceto Bear, é claro, que não sabia o que estava acontecendo e fazia barulhinhos alegremente.

– Bem – disse Ally, colocando o bebê no chão entre suas pernas e lhe entregando um brinquedo, que ele imediatamente enfiou na boca. – Isso foi incrível. Acho que nossa irmãzinha pode ter acabado de começar uma nova carreira como ativista.

– Se seu pai estivesse aqui para ver isso, ele ficaria muito orgulhoso – comentou Ma, cujos olhos ainda lacrimejavam.

Ela estava sentada ao meu lado, então peguei sua mão e a apertei.

– Electra encontrou a própria voz – falei baixinho –, e também estou muito orgulhosa dela.

A sala inteira assentiu em concordância.

– Acho que devemos deixar um recado para Electra – afirmou Ally. – Dizer a ela como foi incrível.

– Boa ideia – disse Ma, levantando-se para pegar o telefone da cozinha.

– Não era o ex-namorado dela se apresentando antes? – perguntou Ally.

– Era – respondi. – Estou muito feliz que Electra virá nos encontrar em breve aqui em Atlantis, aí vamos poder lhe dizer pessoalmente como estamos orgulhosas. Que reviravolta – comentei, pensando na última vez em que a vira, no Rio, quando ela estava completamente fora de controle. – E ela está certa em pedir mais ajuda dos governos – falei, do fundo do coração.

Ma trouxe o telefone, pegamos o número de Electra no meu celular e discamos. Todas nós dissemos algumas palavras na mensagem, então Ally bocejou.

– Hora de dormir. Estou exausta, mesmo que Bear não esteja.

– Pode subir, Ally. Ainda estou me adaptando ao fuso horário e posso ficar um pouco mais aqui com ele e levá-lo para a cama mais tarde.

– Obrigada, Maia – retrucou ela, me entregando o menino.

Eu tinha chegado a Atlantis havia poucas horas, vindo do Rio, tendo decidido aproveitar ao máximo meu retorno à Europa depois de quase um ano e passar tempo com Ma, Claudia, Ally e meu novo sobrinho. Floriano e Valentina chegariam um pouco antes de partirmos para as ilhas gregas para deixar a coroa de flores de Pa. Era a primeira vez que ficávamos separados por mais de duas noites, e estava sendo muito estranho.

Nesse momento, a campainha tocou, e nós quatro tivemos um sobressalto.

– Quem pode ser a esta hora da noite? – comentou Ma, nervosa. – Christian não saiu com o barco hoje, saiu? – questionou ela a Claudia.

– Acho que não, mas posso verificar.

Então o telefone tocou nas mãos de Ma, fazendo com que todas nós pulássemos.

– *Allo?* – disse ela, em francês. – *Ah, bien.*

Ela encerrou a ligação e dirigiu-se para a porta da frente.

– Quem é? – perguntou Ally, desconfiada.

– É Georg Hoffman.

Ally e eu erguemos uma sobrancelha quando Ma foi abrir a porta para ele.

– Desculpe assustá-las – disse o elegante advogado grisalho de Pa ao entrar na sala. – Eu teria ligado antes, mas achei melhor vir o mais rápido possível.

– O que houve, Georg? – indaguei. – Aconteceu alguma coisa?

– Sim, mas, por favor, não se assustem. É uma notícia inacreditável, e foi por isso que vim depressa falar com vocês. Posso me sentar?

– Claro.

Ma indicou uma cadeira e Georg sentou-se. Em seguida, tirou um envelope do bolso do paletó.

– Recebi este e-mail há cerca de uma hora. Ally, Maia, acho que vocês devem ler.

– Tem a ver com Pa? Aconteceu alguma coisa com uma de nossas irmãs? – perguntou Ally, olhando para o papel como se ali houvesse dinamite capaz de explodir a um simples toque.

– Não, não. Por favor, acreditem, não há nada errado.

– Então fale! – exigiu Ally.

– Vocês não sabem, meninas, mas por muitos, muitos anos, seu pai e eu conduzimos uma pesquisa que nos levou por todo o mundo. E por inúmeros labirintos e becos sem saída. Então, no ano passado, pouco antes de seu pai morrer, ele conseguiu algumas novas informações e me repassou. Finalmente, hoje, recebi notícias que acredito serem precisas.

– Sobre...? – questionou Ally, em nome de todas nós.

– Bem, vocês precisam ler o e-mail, mas tenho motivos para acreditar que, depois de todo esse tempo, encontramos sua irmã desaparecida...

Nota da autora

Eu sempre soube que escrever a história de Electra seria o maior desafio da minha carreira. Além da história de seus antepassados, que ocorre em meados do século XX – um momento importante de mudança para os afro-americanos –, a própria Electra é, definitivamente, a mais complexa e difícil das irmãs. E como todos os meus enredos são escritos holisticamente – só sei onde vou começar e terminar as histórias –, as voltas e reviravoltas de *A irmã do sol* foram tão surpreendentes e esclarecedoras para mim quanto para a própria Electra. Nunca me vi tão profundamente envolvida e comovida pela bravura, humanidade e pura determinação de pessoas incríveis, do passado *e* do presente, como as que encontrei durante a escrita deste livro.

É importante lembrar que *A irmã do sol* é um trabalho de *ficção* biográfica, apoiada em fatos e pesquisas históricas; muitos dos personagens que aparecem são reais, outros não. Algumas coisas são, ao mesmo tempo, fruto da minha interpretação dos acontecimentos e da minha própria imaginação, e quaisquer erros devem ser creditados a mim.

Pela certeza de que obtive os fatos mais precisos possíveis sobre os problemas que Electra e seus ancestrais enfrentam na história, tenho muitas pessoas a quem agradecer. Em primeiro lugar, como sempre, à minha incrível equipe: Olivia Riley, que me ajuda tanto e que também dirige o site da loja Seven Sisters e envia todos os lucros obtidos para a instituição de caridade Mary's Meals, em seu tempo livre; Ella Micheler, minha assistente editorial e de pesquisa, tenaz e apaixonada, que é excelente em trabalhar sob pressão (e há muita), e Susan Moss, melhor amiga e um suporte em tempos de crise (também há muitos!), que organiza o texto que eu dito e é minuciosa em encontrar o menor dos erros; Jacqueline Heslop, que é simplesmente meu braço direito *e* esquerdo, e Leanne Godsall e Jessica Kearton, que vieram a bordo para facilitar o caminho caótico de minha vida desde que as Sete Irmãs apareceram nele.

No Quênia: Be e Iain Thompson, Chris e Fi Manning, Don Turner, Jackie Ayton, Caro White e Richard Leakey, pessoas que compartilharam generosamente seu tempo e histórias de vida no país durante a era do chamado Happy Valley e depois. O chá da tarde com o tenente Colin Danvers e sua adorável esposa, Maria, no famoso Muthaiga Club, que permanece como uma cápsula do tempo nos arredores de Nairóbi, merece destaque em particular. Rodgers Mulwa, nosso intrépido condutor e fonte de conhecimento da cultura queniana, que nos levou ao meio do nada, por trilhas quase inexistentes, em busca do Happy Valley original, e se viu conosco, sem demonstrar nenhum medo, no meio do lago Naivasha, em um pequeno barco de plástico, cercado por hipopótamos.

Em Nova York: os maiores agradecimentos a Tracy Allebach Dugan (e seu adorável marido, Harry). Durante a escrita deste livro, ela se tornou minha assistente de pesquisa não oficial para todos os assuntos americanos, e não posso lhe agradecer o suficiente por sua ajuda. Doris Lango-Leak, do Schomburg Center, cuja excursão e visão sobre o passado e o presente do Harlem foram inestimáveis; Allen Hassell e o reverendo Alfred Carson, da Mother Zion AME Church, cujo culto de domingo de manhã foi o destaque dos meus seis meses inteiros de pesquisa; Carlos Decamps, nosso fantástico motorista de Manhattan, que me deu muitas informações locais, apesar de ter sido detido pela polícia e recebido uma multa, enquanto passeávamos pelo Harlem para que eu pudesse ver tudo de que precisava. Também agradeço a ajuda que recebi através de Jeannie Lavelle, que explicou em detalhes os caminhos que Electra precisava seguir para a recuperação em seu centro de reabilitação; Adonica e Curtis Watkins, que forneceram muitas ideias importantes não apenas sobre a cultura afro-americana, mas também sobre os dolorosos e traiçoeiros desafios que os jovens viciados enfrentam quando agem fora da lei para pagar por sua dependência. Além disso, e do fundo do meu coração, agradeço aos pais que perderam seus preciosos filhos para o vício e se dispuseram a compartilhar suas histórias comigo, na esperança de ajudar outras pessoas que enfrentam circunstâncias semelhantes.

Como sempre, agradeço aos meus inúmeros e fantásticos editores por todo o mundo, que apoiaram incrivelmente a ideia maluca que lhes apresentei seis anos atrás. É difícil acreditar que estamos chegando ao fim de um projeto tão grande...

Julia Brahm, Stefano Guiso, Cathal e Mags Dinneen e "os caras", Mick Neish e Dom Fahy, Melisse Rose, Lucy Foley, Tracy Rees, Pam Norfolk, Sean Gascoine, Sarah Halstead, Tracy Blackwell, Kate Pickering, James Pascall, Ben Brinsden, Janet Edmonds e Valerie Pennington, Asif Chaudry e sua filha Mariam (cujo nome foi generosamente emprestado a um de meus personagens), que, de diferentes maneiras, me apoiaram tão estoicamente no ano que passou. Jez Trevathan, Claudia Negele, Annalisa Lottini, Antonio Franchini, Alessandro Torrentelli, Knut Gørvell, Pip Hallén, Fernando Mercadante e Sergio Pinheiro – todos eles profissionais do mercado editorial, mas, muito mais importante hoje em dia, amigos. Ah! E uma menção especial a Sander Knol, por conseguir, de alguma forma, convencer a todos da Holanda a lerem a série As Sete Irmãs!

À minha família: meu marido, agente e alicerce Stephen (de alguma forma, estamos prestes a comemorar vinte anos vivendo, trabalhando, brigando e rindo juntos!), Harry, Isabella, Leonora e Kit – para variar, não tenho palavras para expressar o amor e o apoio que todos eles me ofereceram durante o ano passado. Nada teria sentido sem vocês.

E, finalmente, a *vocês*, meus leitores. Mesmo sabendo que eu continuaria a contar minhas histórias para mim mesma se ninguém mais quisesse ouvi-las, o fato de que vocês *querem* é realmente incrível, porque me sinto parte de uma "turma". Nós viajamos juntos – eu rio, choro (*muito!*) e fico frustrada com os personagens, exatamente como vocês, quando eles parecem estar cometendo erros terríveis. Então, obrigada por me fazer companhia naquelas longas noites de escrita e, igualmente, pelo seu apoio e enorme generosidade para com a instituição Mary's Meals: o site da loja Seven Sisters arrecadará dinheiro suficiente este ano para patrocinar duas escolas africanas, oferecendo almoço para todas as crianças, o que incentiva os alunos (e os pais) a estarem presentes todos os dias.

A história de Electra fez com que eu me sentisse humilde e horrorizada quando me vi lidando com questões que eu sabia que existiam, mas que permaneciam seguramente à margem da minha vida. Como romancista, estou ciente de que, sendo uma mulher, europeia, branca, de origem irlandesa (embora há menos de cem anos eu também fosse uma minoria étnica), atualmente tenho um privilégio no mercado editorial, onde muitas vozes étnicas estão sub-representadas. Rogo aos editores que ampliem seu espectro de autores, para que o mundo possa ler mais histórias das culturas que eles representam. Em um mundo cujo clima político atual parece caminhar perigosamente de volta aos dias sombrios do passado, *nunca* foi tão importante fazer isso. Por enquanto, só espero ter sido capaz de fazer justiça a Electra e àqueles cujas histórias ela representa.

Lucinda Riley
Outubro de 2019

Bibliografia

ANDREWS, Munya. *The Seven Sisters of the Pleiades.* North Geelong: Spinifex Press, 2004.

BARNES, Juliet. *The Ghosts of Happy Valley.* Londres: Aurum, 2013.

BELL, Janet Dewart. *Lighting the Fires of Freedom: African American Women in the Civil Rights Movement.* Nova York: The New Press, 2018.

BENNET, George. *Kenya: A Political History, the Colonial Period.* Oxford: Oxford University Press, 1963.

BENTSEN, Cheryl. *Maasai Days.* Londres: Collins, 1990.

BEST, Nicholas. *Happy Valley: The Story of the English in Kenya.* Londres: Secker & Warburg, 1979.

BLIXEN, Karen. *Out of Africa.* Nova York: Putnam, 1937.

CHEPESIUK, Ron. *Gangsters of Harlem.* Fort Lee: Barricade Books, 2007.

COLLIER-THOMAS, Bettye. *Sisters in the Struggle: African American Women in the Civil Rights-Black Power Movement.* Nova York: NYU Press, 2001.

CRAWFORD, Vicky L. *Women in the Civil Rights Movement: Trailblazers and Torchbearers.* Bloomington: Indiana University Press, 1993.

FOX, James. *White Mischief.* Londres: Jonathan Cape, 1982.

KING JR., Martin Luther. *A Testament of Hope: The Essential Writings and Speeches.* São Francisco: HarperOne, 2003.

MILLS, Stephen. *The History of the Muthaiga Club, Volume 1.* Salt Lake City: Mills Publishing, 2006.

OSBORNE, Frances. *The Bolter: Idina Sackville.* Londres: Virago, 2008.

SAITOTI, Tepilit Ole. *Maasai.* Nova York: Abradale Press, 1993.

SPICER, Paul. *The Temptress: The Scandalous Life of Alice, Countess de Janzé.* Nova York: Simon & Schuster, 2011.

THOMSON, Joseph. *Through Masai Land.* Londres: Frank Cass & Co., 1968.

X, Malcolm. *Autobiografia de Malcolm X.* Rio de Janeiro: Record, 1992.

CONHEÇA OS LIVROS DE LUCINDA RILEY

A garota italiana
A árvore dos anjos
O segredo de Helena
A casa das orquídeas
A carta secreta
A garota do penhasco
A sala das borboletas

Série As Sete Irmãs

As Sete Irmãs
A irmã da tempestade
A irmã da sombra
A irmã da pérola
A irmã da lua
A irmã do sol

Para descobrir mais sobre as inspirações da série, incluindo mitologia grega, a constelação das Plêiades e esferas armilares, confira o site de Lucinda em português: http://br.lucindariley.co.uk/

Na página você também encontrará informações sobre elementos reais deste livro, como a tribo maasai, o excêntrico Happy Valley do Quênia, o distrito do Harlem, em Nova York, e a luta pelos direitos civis nos Estados Unidos.